松野誠也　編・解説

迫撃第五大隊毒ガス戦関係資料

●十五年戦争極秘資料集　補巻49

不二出版

[復刻にあたって]

本資料の利用にあたって、次の諸点にご注意下さい。

一、原資料にある、書き込み、印、および訂正等は、原資料のまま復刻した。また、資料の状態が極めて悪く、判読しにくいところがあるが、そのままとした。

二、復刻に際し、原資料(冊子B5判大)を縮小し、四頁分を一頁に面付けする方式をとった。したがって、地図・図面等の縮尺は異なる。ただし、巻末の資料11～17には図の縮小率を注記(*付き)した。

三、原本においては、墨・赤・青の三色刷りの作戦図があるが、復刻に際しては、巻末の資料11～17以外は墨一色とした。

四、原資料は松野誠也氏が提供した。

不二出版

迫撃第五大隊毒ガス戦関係資料　目　次

解　説（松野誠也）……3

注　記……29

第一章　戦闘詳報

資料1　封門口付近戦闘詳報（迫撃第五大隊・一九三八年六月二五日―二八日）……1

資料2　垣曲東方地区ノ戦闘詳報（迫撃第五大隊・一九三八年六月二九日―七月一二日）……20

資料3　官店村付近ノ戦闘詳報（迫撃第五大隊・一九三八年七月一二日―一六日）……46

資料4　大別山突破作戦沙窩付近ノ戦闘詳報（迫撃第五大隊・一九三八年一〇月二日―一四日）……56

資料5　磨盤山南西側並ニ吊橋湾東側及東南側付近戦闘詳報（迫撃第五大隊第一中隊・一九三八年一〇月一三日―一五日）……114

資料6　修水河及南昌付近ノ戦闘詳報（迫撃第五大隊第一中隊・一九三九年三月二二日―三〇日）……127

資料7　晋東作戦戦闘詳報（迫撃第五大隊・一九三九年七月五日―一八日）……142

資料8　東北陳付近戦闘詳報（迫撃第五大隊第一中隊・一九三九年九月一三日）……196

資料9　長子西側地区ノ戦闘詳報（迫撃第五大隊第一中隊・一九三九年一〇月八日―九日）……200

第二章　化学戦実施概況表

資料10　化学戦実施概況表（迫撃第五大隊第一中隊・一九三八年一〇月六日―一三日）……209

第三章　戦闘経過要図

資料11　南昌攻略戦迫撃第五大隊作戦経過要図（自三月一七日至三月一八日）（迫撃第五大隊・一九三九年三月一七日―二二日）……210

資料12　修水河付近ニ於ケル戦闘経過要図（追撃第五大隊第一中隊・一九三九年三月二〇日）……212
資料13　岐山区及馬路口市付近追撃第一中隊戦闘経過要図（追撃第五大隊第一中隊・一九三九年三月二三日―二四日）……213
資料14　南昌付近追撃第一中隊戦闘経過要図（追撃第五大隊第一中隊・一九三九年三月二七日）……214
資料15　前喬家庄付近第一中隊戦闘経過要図（追撃第五大隊第一中隊・一九三九年七月六日―七日）……215
資料16　馬家山付近第一中隊戦闘経過要図（追撃第五大隊第一中隊・一九三九年七月一七日）……216
資料17　双栯付近第一中隊戦闘経過要図（追撃第五大隊第一中隊・一九三九年七月一七日―一九日）……217

解　説

松野　誠也

はじめに

　十五年戦争期に日本軍が中国大陸や東南アジアで毒ガス兵器を使用したことは歴史研究によってすでに明らかにされているが、そのことを記録した迫撃大隊や野戦瓦斯隊などの毒ガス戦部隊が作成した資料はこれまで確認されていなかった。こうした状況のなか、編者は二〇一八年に迫撃第五大隊が作成した資料群に遭遇し、うち、重要性が高い九点の資料を入手した（図1参照）。そこには、中国戦線に派遣された迫撃第五大隊が、一九三八年から一九三九年にかけて実施した毒ガス戦を記録した戦闘詳報などや毒ガス戦教育関係資料が含まれている。迫撃大隊については部隊史なども限られていることから(1)、これらは大変貴重な資料である。

　そして、このなかで特に注目されたのが、一九三九年七月、中国・山西省内において、迫撃第五大隊がはじめてびらん剤を使用した事実が記録された戦闘詳報が含まれていたことである。この資料は、北支那方面軍にたいして山西省内においてびらん剤の実験的使用を命じた一九三九年五月一三日の参謀総長指示に基づいて、第一線部隊が実際にそれを使用した事実を実証するものであった。この戦闘詳報の発見については、二〇一九年七月八日に、共同通信の配信記事が全国の地方紙に掲載されたほか、中国側でもこの記事が報道され、反響を呼んだ。また、『世界』第九二三号（二〇一九年八月号）掲載の拙稿「新資料が語る日本軍毒ガス戦―迫撃第五大隊『戦闘詳報』に見る実態―」において内容の紹介と分析結果などを提示した。

　今回入手した迫撃第五大隊作成資料は、いずれも、同大隊の第一中隊第三小隊長や第一中隊長を務めた中尉が所蔵していた資料である。陸軍は、敗戦時に文書資料を組織的に湮滅しているので、今回入手した資料は戦後の復員時に持ち帰られたものではなく、戦時中、この中尉が内地に帰還した際に密かに持ち帰ったことから、湮滅を免れたのではないかと推察される。うち、戦闘詳報はすべて表紙が撤去され、代わりに、同一人物の筆跡で作戦名と時期、「小隊長」・「中隊長代理」・「中隊長」と記載された表紙に付け替えられており、一見すると個人記録のような体裁となっているが、その内容は日本陸軍の戦闘詳報そのものである。また、本文の冒頭に記載された「戦闘詳報」のうち「詳報」を墨塗りで消しているものもある。戦闘詳報は軍事極秘に該当することから（戦闘詳報の表紙には、右上に「極秘」・「軍事極秘」の印が捺されるケースが多い）、これらは密かに内地に持ち帰る際に講じられた措置と考えられる。資料作成から約八〇年後に筆者の手元に到るまで様々な経緯があることに思いを致すと、数奇な運命をたどった資料である。

　今回の復刻では、上述の経緯で編者が所蔵するに到った迫撃第五大隊作成資料九点のうち、毒ガス戦の実態を示す戦闘詳報を中心に編集することとした。これらの資料は、毒ガス戦部隊の実相を示すだけでなく、

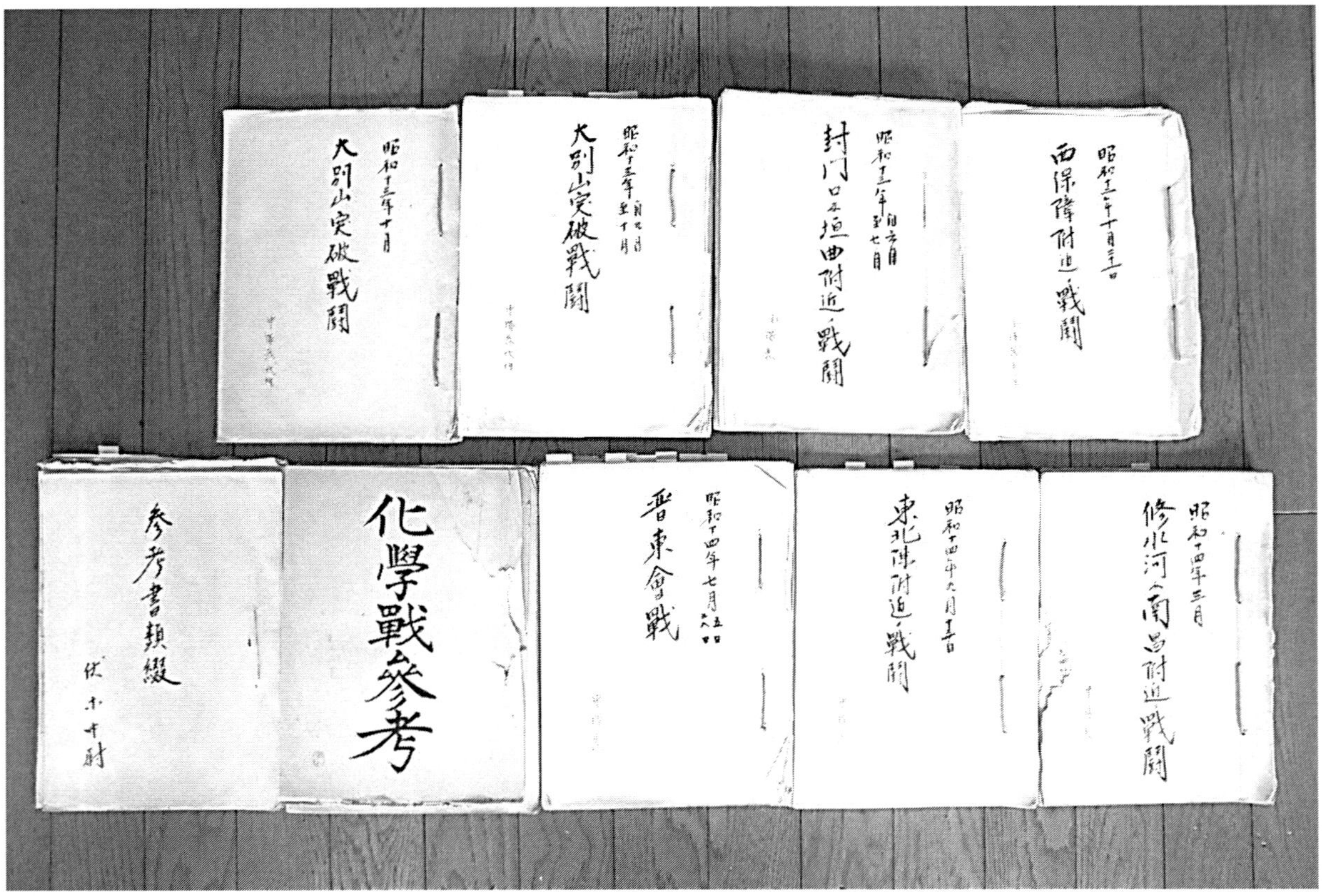

図1 今回入手した迫撃第五大隊関係資料（付箋は筆者が付したものである）

迫撃大隊の組織や作戦行動などを把握することができるほか、日中戦争史の研究にも活用できると考える。

以下、迫撃大隊や、迫撃大隊が装備した九四式軽迫撃砲とその毒ガス弾などについて概説したうえで、個別資料の記載内容や特徴点などについて解説することにしたい。なお、引用にあたっては、適宜、旧漢字を新漢字に改め、ルビや句読点を追加し、改行位置を変更している。また、〔　〕は筆者による補足を示す。

第一部　迫撃大隊と九四式軽迫撃砲の概説

第一節　迫撃大隊について

最初に、迫撃大隊の概要を示しておこう。まず、作戦要務令では、迫撃隊について次のように規定している(2)。ここで、「一時瓦斯弾」とは、くしゃみ剤・催涙剤・窒息剤・血液剤を充填した毒ガス弾を、「持久瓦斯弾」とはびらん剤を充填した毒ガス弾を指す。

第二十六　迫撃隊ハ主トシテ一時瓦斯弾射撃ニ依リ敵ヲ圧倒震駭シ主トシテ第一線歩兵ノ決戦ニ協同ス、迫撃隊ノ一地域ニ対スル一時瓦斯弾射撃ハ通常二分以内ニ終了スルモノトス

迫撃隊ハ状況ニ依リ持久瓦斯弾射撃ニ依リ敵陣地ノ要部若クハ重要ナル目標ヲ制圧スルコトアリ

師団長ハ配属セラレタル迫撃隊ヲ之ガ使用ノ目的、兵力ノ大小、地形等ニ応ジ迫撃隊長ヲシテ統一指揮セシメ或ハ必要ナル方面ノ第一線部隊ニ配属スルモノトス、状況ニ依リ一時其ノ射撃ニ関シ師団砲兵指揮官ヲシテ区処セシムルコトアリ

第二十七 迫撃隊ヲ使用スル指揮官ハ瓦斯弾射撃ノ為通常左ノ事項中必要ノ件ヲ命令スルモノトス

射撃ノ目的
射撃目標（地域）
射撃準備完了ノ時機
射撃開始、要スレバ終了ノ時機
陣地ノ概要、要スレバ進入地域及時機
弾薬ノ種類、概数及補給
歩兵、戦車、砲兵等トノ協同
企図ノ秘匿
陣地変換等

射撃準備ニ方リテハ砲兵ノ測地成果ヲ利用スルノ着意ヲ必要トス

また、迫撃隊の教練規定では、冒頭、次のように記されている(3)。

第一 迫撃隊ノ本領ハ瓦斯弾ノ急襲射撃（敵ノ対瓦斯処置ヲ完了スル以前ニ瓦斯効果ヲ及スヲ主眼トスル射撃）ニ依リ敵ヲ圧倒震駭シ其ノ戦闘力ヲ破摧シ全軍戦捷ノ途ヲ拓クニ在リ、故ニ他兵種特ニ歩兵ト終始一心同体ノ信念ヲ以テ緊密ナル精神的連繋ヲ確保シ協同ノ実ヲ挙ゲ其ノ本質ヲ発揮スルヲ要ス
迫撃隊ハ其ノ戦闘力ヲ充実スル為兵器ヲ尊重シ弾薬ヲ節用スルコト緊要ナリ

第二 瓦斯弾射撃及其ノ運用ハ迫撃隊ノ為最モ緊要ナリ、故ニ教練ハ之ヲ重点トシテ実施シ其ノ完成ヲ期スベキモノトス

これらの規定が示すように、迫撃隊は迫撃砲による毒ガス弾の射撃によって第一線の歩兵部隊を支援することを主な任務としており、具体的な部隊としては、迫撃連隊や迫撃大隊が存在した。部隊名称が「迫撃砲連隊」や「迫撃砲大隊」ではない理由は、迫撃隊は砲兵部隊ではなく、毒ガス戦部隊と位置付けられていたからであり、迫撃隊要員の教育も毒ガス戦教育を担当した陸軍習志野学校で行われた（ただし、アジア太平洋戦争末期には、砲兵部隊としての迫撃砲大隊が新たに設けられたほか、迫撃大隊も砲兵に移管されることになる）。

そして、一九三七年七月七日に盧溝橋事件が勃発し、日中全面戦争がはじまると、陸軍は直ちに毒ガス戦部隊を中国戦線に派遣したが、そこには迫撃大隊も含まれていた。迫撃大隊にたいする昭和天皇の最高統帥命令を見ておくと、七月二七日の「臨参命第六十五号」によって迫撃第三大隊・迫撃第五大隊を華北へ増派することが命令された(4)。また、八月一五日の「臨参命第七十三号」によって迫撃第四大隊を含む上海派遣軍の編組（へんそ）と上海への派遣が命じられ(5)、さらに、九月一一日の「臨参命第九十九号」により迫撃第一大隊を上海に派遣することが命令された(6)。なお、一九三八年九月、広東攻略を担当する第二一軍が新設された際に迫撃第二大隊が配属されたが、この部隊は一九四〇年一二月に復員が命じられている。

迫撃大隊は、大隊本部、三個中隊（一個中隊は三個小隊と中隊段列からなる）、大隊段列からなる部隊で、一九三七年度陸軍動員計画令で定められた編制定員は計九六三名（大隊本部九五名・一個中隊二二九名・大隊段列一八一名）・軍馬四二九頭であった(7)。そして、迫撃大隊の装備は、一九三七年度陸軍動員計画令細則によれば、九四式軽迫撃砲を三六門装備（一個中隊は一二門装備）し、九四式軽迫撃砲弾薬は一個中隊一二〇〇発・大隊段列二一六〇発、大隊全体で五七六〇発を装備するほか、三八式騎兵銃や十四年式拳銃などを装備することとされた(8)。その他の装備では、斥候用検知器一五組・物料用検知器一組・一酸化炭素用検知器一組・晒粉（びらん剤の除染剤）四五函・発煙筒六〇本・防毒面五〇個・防毒服（防毒衣、防毒袴、防毒手袋、防毒靴、包布で一組となる）五〇組・防毒覆（びらん剤が航空機から撤布された場合の防護に使用する）

図２ アメリカ軍の重投射機

図３ 重投射機に毒ガス弾を装填して射撃準備をしている光景

図４ 第一次世界大戦で登場したアメリカ軍の軽投射機。手前の円筒形状のものが砲弾。

出典：いずれも陸軍科学研究所高等官集会所化学兵器輯録刊行会委員編『化学兵器写真帳 1934 年版』（審美書院、1934 年）。松野所蔵。

一〇五〇個・傷者用防毒面二個などを装備することとされた(9)。

次に、迫撃第五大隊の主な略歴は次のとおりである(10)。迫撃第五大隊は、一九三七年七月二七日に動員下令、八月五日に編成完結し、八月一二日に大連港に上陸、一九三八年八月まで北支那方面軍の隷下で華北を転戦し、同年一〇月からは華中の中支那派遣軍の隷下で武漢攻略戦（一〇月〜一一月）、南昌攻略戦（一九三九年二月〜四月）、襄東会戦（一九三九年五月〜六月）などに参加した。そして、一九三九年五月、北支那方面軍の第一軍隷下に入り、晋東作戦（一九三九年七月〜八月）、高平作戦（一九四〇年一月）、春季晋南作戦（一九四〇年四月〜五月）、晋中作戦（一九四〇年八月〜九月）、南境掃討作戦（一九四〇年一二月）、陵川作戦（一九四一年二月〜三月）、中原会戦（一九四一年五月〜六月）などに参加した。さらに、アジア太平洋戦争が始まると、一九四二年一月に南方へ転用され、同年二月のシンガポール攻略戦、三月のスマトラ島攻略作戦などに参加した。その後、チモール島に移動し、そこで敗戦を迎えている。

第二節 九四式軽迫撃砲とその弾薬について

ここで、九四式軽迫撃砲とその弾薬について概説しておこう。毒ガス兵器が登場した第一世界大戦（一九一四年〜一九一八年）では、膠着した塹壕戦を打開するために大量のボンベから塩素ガスやホスゲン（窒息剤）を一斉に放射して風下を覆う攻撃が最初に行われ、その後、各種化学剤（毒ガス）を充填した毒ガス弾が大規模に使用された。さらに、大量の化学剤を充填したボンベ様の大型毒ガス弾を射撃する重投射機が登場したが、これは、角度をつけて地中に埋め込んで設置するもので、多数を一斉に射撃すれば、高濃度のガスを短時間で構成することが可能だったが、設置に手間を要し、あらかじめ準備した方面にしか使用できないという欠点があった（図２・図３参照）。これにたいして、軽投射機（ストークス迫撃砲）は、可搬式で、重投射機よりも軽易に毒ガス弾を射撃することができた（図4参照）。

第一次世界大戦後、陸軍は、九〇式軽迫撃砲（口径一五〇ミリ）と十四年式重迫撃砲（口径二七四・四ミリ）を開発したが、これらはライフリング（砲身内に施された螺旋状の溝）のついた砲身を使用しており、使用に不便な構造だったことから、少数が生産されたのみだったという[11]。そして、一九三一年、フランスのストークブラン社から陸軍に口径八一ミリの迫撃砲（ライフリングのない滑空砲で有翼弾を使用する）の売り込みがあり、実射の結果、軽量で取り扱いが容易な点が注目され、研究のためその特許権と見本品を購入したという[12]。

一方、第一次世界大戦後、化学兵器の研究・開発を進めた陸軍科学研究所では、重投射機と軽投射機についても研究したが[13]、陸軍技術本部において有翼弾式の迫撃砲が開発されることになったため、これらは制式化されなかったという[14]。すなわち、一九三二年四月に陸軍技術本部と陸軍科学研究所は、毒ガス弾と榴弾の射撃が兼用できる迫撃砲の研究をおこなうこと、迫撃砲は重・中・軽の三種類に区分すること（ただし、重迫撃砲は毒ガス弾投射機とは考えない）を決定し、①毒ガス弾の投射と榴弾の射撃に兼用し得る迫撃砲を研究・審査する、②毒ガス弾投射任務を主とし、榴弾射撃任務を従とする、③口径は一〇センチ程度以下とする、④射程は四〇〇〇メートルを目途として、方向射界をなるべく大きくする、⑤砲弾は、有翼弾の形式についても研究するという研究要領が定められた[15]。

こうして、陸軍技術本部は、軽迫撃砲の口径を九〇・五ミリとして有翼弾を使用する方針を採用して一九三二年一〇月に設計に着手し、一九三三年五月に試作品が完成、以後、各種試験と改良を経た後、陸軍習志野学校と陸軍歩兵学校において実用試験に供され、実用に適するとの判決を受けた。口径を九〇・五ミリとしたのは、「化学戦ノ要求トシテ一弾ノ瓦斯液量一瓩（キログラム）以下ナラザルコトノ関係ヨリ定メラレタモノ」[16]であった。口径八一ミリでは充塡量が不足し、毒ガス戦に適さないと判断されたのである。また、本砲は一九三四年末から三五年初めにかけて中国東北での「北満試験」に供された。これは、陸軍は対ソ戦を想定していたことから、開発した兵器が極寒地での運用に問題ないことを確認するために行われたものである。

以上のような経緯を経て、陸軍技術本部長・岸本綾夫中将は陸軍大臣・林銑十郎大将にたいして一九三五年三月二七日に九四式軽迫撃砲の仮制式制定を上申したが、その際に陸軍技術本部第一部は「本砲ハ瓦斯弾投射ヲ主目的トシテ制定セラルヘキ火砲ニシテ戦時初メテ戦線ニ現出スルコトニヨリ特ニ効果ヲ大ナラシムヘキ性質」があることから、一級秘密兵器に指定することが適当であると付言している[17]。

こうして、一九三五年五月八日に開催された第一〇回陸軍軍需審査会での審議を経て、同会長・橋本虎之助中将（陸軍次官が兼任）から林陸相に仮制式制定が覆申され[18]、陸軍省副官は岸本陸軍技術本部長にたいして八月三日に九四式軽迫撃砲の仮制式制定を通牒した[19]。なお、九四式軽迫撃砲の秘密兵器の指定が解除されたのは、一九三九年四月一日だった[20]。その理由は、日中戦争で本砲が使用されたことから、秘密のベールが取り払われたものと推察される。

九四式軽迫撃砲の外観は、図5に示したとおりである。同砲は、砲身（ライフリングのない滑空砲身。口径九〇・五ミリ、全長一二七センチ）・砲架（射撃時に生じる反動を砲身のみを後座させることによって軽減する駐退機が付されている）・脚・床板（しょうはん）・照準具・付属品からなり、全重量は約一六〇キロである。輜重車や軍馬により運搬されるが、分解後は人力によるごく短距離の運搬も可能であった。

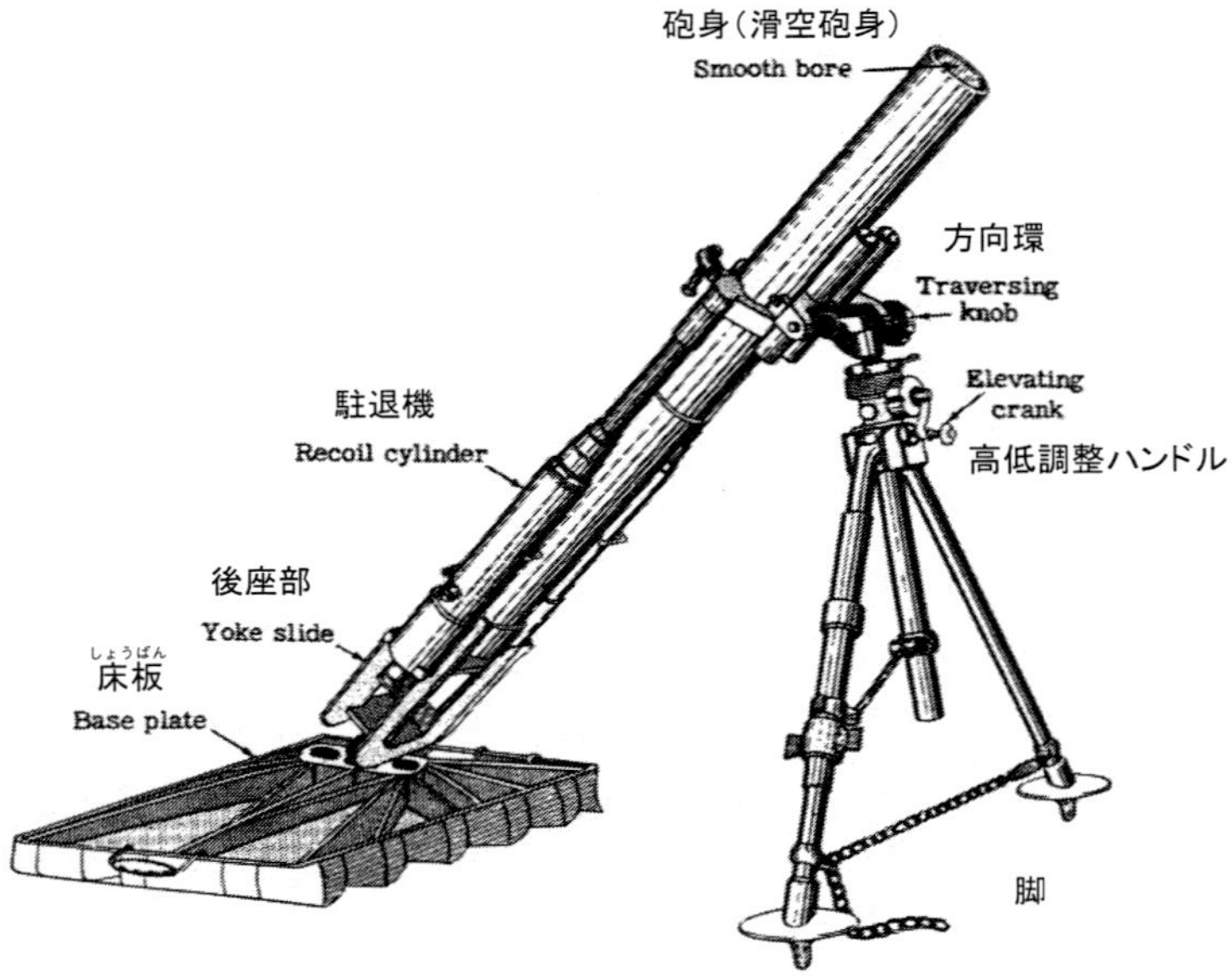

図５ 九四式軽迫撃砲外観図

出典：Military Intelligence Service War department, *SOLDIER'S GUIDE TO THE JAPANESE ARMY* (Washington,D.C.,15 November 1944). 松野所蔵。

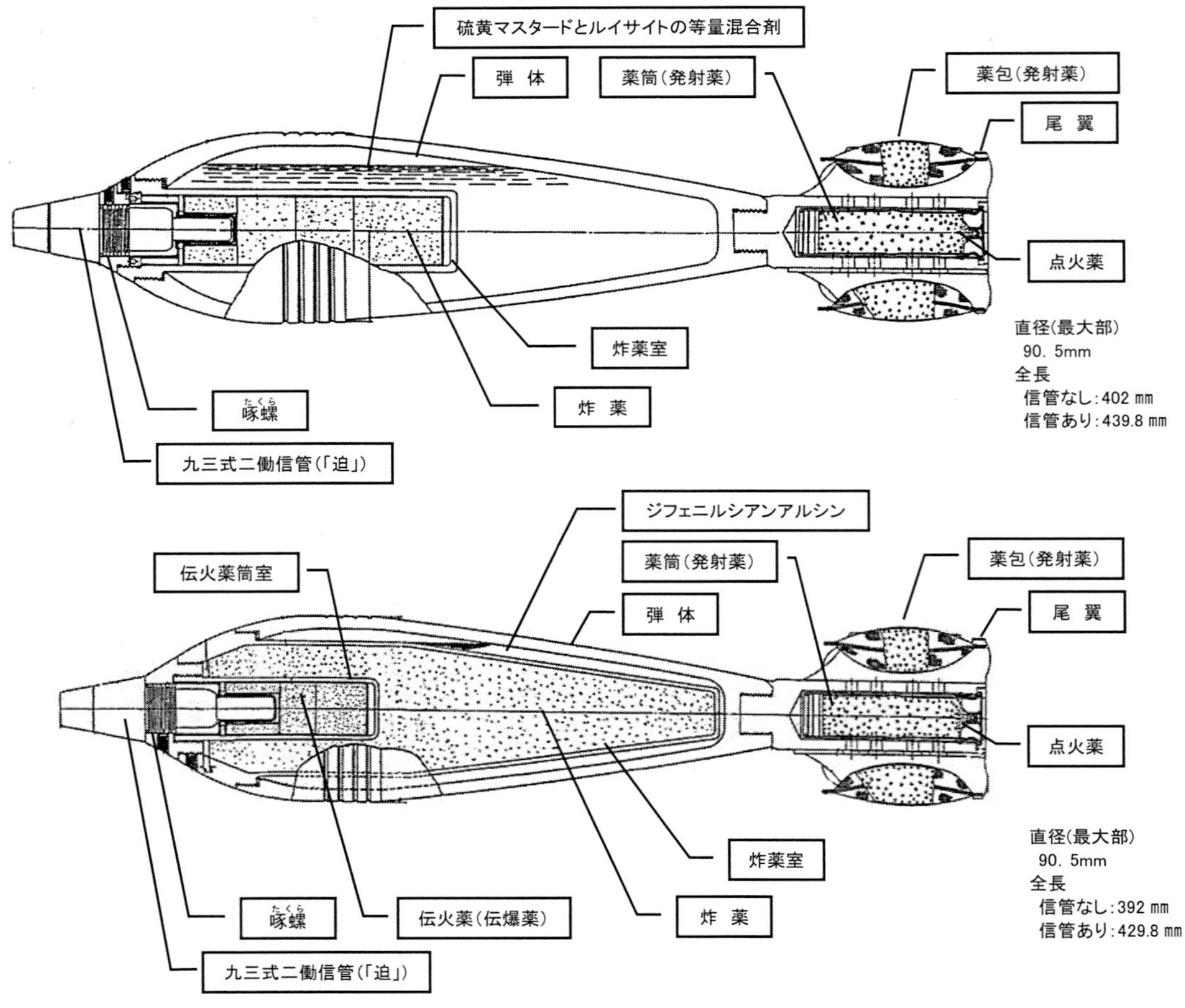

図６ 九五式 90㎜きい弾（上）と九五式 90㎜あか弾（下）の図面（断面図）

出典：吉見義明／松野誠也編・解説『毒ガス戦関係資料Ⅱ』不二出版、1997 年、資料 82－3・82－4。

表１ 日本陸軍の化学剤

陸軍コードネーム	名　　称	毒　性
みどり１号	クロロアセトフェノン	催涙剤
みどり２号	臭化ベンジル	催涙剤
あか１号	ジフェニルシアンアルシン（ジフェニルシアノアルシン）	くしゃみ剤（嘔吐剤）
きい１号甲	ドイツ式製造法硫黄マスタード（イペリット）	びらん剤
きい１号乙	フランス式製造法硫黄マスタード（イペリット）	びらん剤
きい１号丙	ドイツ式製造法不凍性硫黄マスタード（不凍性イペリット）	びらん剤
きい２号	ルイサイト	びらん剤
あを１号	ホスゲン	窒息剤
しろ１号	トリクロロアルシン（三塩化ヒ素）	発煙剤（あを弾に添加する）
ちゃ１号	液体青酸（シアン化水素）	血液剤

表２ 九四式軽迫撃砲の主な弾薬

種　類	名　　称	充填された化学剤	炸薬量	全備重量
毒ガス弾	九五式あか弾	ジフェニルシアンアルシン238ｇ	595ｇ	5.5kg
	九五式きい弾	硫黄マスタードとルイサイトの等量混合剤857ｇ	128ｇ	5.45kg
	試製重あお弾	ホスゲン2.08kg	160ｇ	8kg
	試製九九式重ちゃ弾	液体青酸1.029kg	160ｇ	6.84kg
発煙弾	試製一式発煙弾	六塩化エタン（50％）、亜鉛華（22％）、亜鉛末（28％）の混合剤1.8kg	5ｇ	8.735kg
火焔弾	九四式軽迫撃砲用試製重カ弾	火焔剤（二硫化炭素65％、黄燐30％、重油5％）1,600ｇ、ゴム片（小）160個	160ｇ	7.52kg
	九四式軽迫撃砲用試製カ弾	火焔剤（同上）638ｇ、ゴム片（小）50個	80ｇ	5.37kg
榴　弾	九四式榴弾	—	1,072ｇ	5.26kg
	試製九四式重榴弾	—	3,680ｇ	11.23kg
	二式榴弾	—	1,020ｇ	4.98kg
	二式重榴弾	—	2,270ｇ	7.8kg
	試製四式鋳鉄榴弾（甲）	—	776ｇ	4.9kg
	試製四式鋳鉄榴弾（乙）	—	660ｇ	5.315kg

出典：教育総監部「化学戦重要数量表」1942年（吉見義明／松野誠也編・解説『毒ガス戦関係資料Ⅱ』不二出版、1997年、資料14）、館山海軍砲術学校「化兵戦要表甲」1945年３月調整（防衛省防衛研究所戦史研究センター史料室所蔵）、「迫撃砲弾薬諸元表」（第一陸軍技術研究所『研究事項ニ関スル綴』、国立公文書館デジタルアーカイブ掲載資料）より作成。また、火焔弾については、市野信治「化学兵器（攻撃）の研究」（防衛庁技術研究所編『本邦化学兵器技術史』1958年、93～94頁および104頁）より作成。なお「迫撃砲弾薬諸元表」では、炸薬量について、九四式榴弾は1,078g、試製九四式重榴弾は3,580ｇとあるが、本表では「化学戦重要数量表」の記載に依拠した。

射撃は、迫撃砲弾の六つの尾翼部分に発射薬（装薬包一個～六個）を装着したうえで、迫撃砲の砲口から砲身内に落とし込むと、迫撃砲弾は砲身内を滑り落ちて砲尾の底部にある撃針によって点火薬が点火して発射薬が爆発し、その圧力で砲身から射出された迫撃砲弾は、曲射弾道を描いて地面に着弾・爆発する。最大射程は三八〇〇メートル、最小射程は一〇〇メートル（尾翼に発射薬を装着しない場合）であり、発射速度は最大毎分約二〇発（大型弾の場合は毎分一四発）であった[21]。射角（仰角）や発射薬の量（最大六包）によって、射程が容易に調整でき、ガス弾の連続射撃が可能であることから、短時間に高濃度の汚染地帯を構成し得るので、毒ガス戦用に適するものとされたのである。

次に、九四式軽迫撃砲用の弾薬について概説する。陸軍は、**表1**に示したように、採用した化学剤（毒ガス）の毒性ごとにコードネームを付したうえで物質ごとに番号を付して呼称した。これらを充填したガス弾もコードネームに対応しており、例えば、びらん剤を充填したものを「きい弾」と呼称した。

九四式軽迫撃砲用の主な弾薬は**表2**のとおりだが、これらのうち、実戦で使用されたことが確認されている毒ガス弾は、九五式九〇ミリきい弾と同あか弾である（陸軍における呼称は九五式きい弾・同あか弾だが、以下、他の砲弾と区別しやすいように口径を併記する）。

陸軍は、一九二九年から陸軍造兵廠火工廠忠海兵器製造所（後の東京第二陸軍造兵廠忠海製造所）において化学剤（毒ガス）を製造し、これを一九三七年に設置された陸軍造兵廠火工廠曾根兵器製造所（後の東京第二陸軍造兵廠曾根製造所）において毒ガス弾の弾体に充填（塡実）した。戦後、陸軍省が連合国軍最高司令官総司令部に提出した資料では、一九三一年から敗戦までに、九五式九〇ミリきい弾は八万七五六六発・同あか弾は六四万三五八〇発製造したと報告している（両者を合計すると七三万一一四六発となる）[22]。一方、戦後、アメリカ軍が調査した結果によれば、曾根製造所における九五式九〇ミリきい弾と同あか弾の製造実績（一九三八年～一九四三年度）は次のとおりであり、これらを総計すると七二万八五四六発となる（きい弾は一九三九年度と四三年度の製造量はゼロである）[23]。

【九五式九〇ミリきい弾】（計八万六九六六発）
一九三八年度　一万三〇〇〇発
一九四〇年度　四万三〇〇〇発
一九四一年度　一万七〇一四発
一九四二年度　一万三九五二発

【九五式九〇ミリあか弾】（計六四万一五八〇発）
一九三八年度　四万発
一九三九年度　四〇〇〇発
一九四〇年度　九万七五八〇発
一九四一年度　三五万七発
一九四二年度　九万一九九三発
一九四三年度　五万八〇〇〇発

次に、これらのガス弾の構造や殺傷力についてみてみよう。九五式九〇ミリきい弾は、「糜爛性持久毒物ノ撒布ニヨリ人馬ヲ殺傷シ或ハ敵ノ某地点利用又ハ占拠ヲ妨害スルヲ主目的」[24]とするもので、陸軍が「きい一号」と呼称した硫黄マスタード（イペリットともいう）と「きい二号」と呼称したルイサイトの等量混合剤が八五七グラム充填されている（**図6**参照）。ルイサイトは凝固点を下げるために添加されており、硫黄マスタードと等量混合した場合には、マイナス一五度まで凍結しないとされた。これは、陸軍の他の兵器と同様に、毒ガス兵器についても対ソ戦を想定して研究・開発されていたことを示すものである。

びらん剤は常温では液体であることから、きい弾には、着弾時の爆発で弾体を破壊してびらん剤を撒き散らすために必要な量の炸薬（ピクリン酸）が充填されている。きい弾が爆発するとびらん剤が液滴やエアロゾルとなって撒き散らされ、地上を汚染した液滴は徐々に気化して拡散する。その汚染は長時間に及ぶことから、日本軍はびらん剤を「持久剤」とも呼称した。びらん剤に曝露すると、眼や呼吸器などの粘膜は傷害を受け、皮膚は赤くなった後に激痛とともに水疱を発してびらんする。根治はできず、対処療法によるしかない。陸軍は、硫黄マスタードの液滴約三・五グラムが人の皮膚に付着した場合は「数時間後症状発現数日後致死」、ルイサイトの液滴約二・四グラムが人の皮膚に付着した場合は「一〇分後症状発現一週間後斃死」するとしており[25]、猛毒であることがわかる。

陸軍は、九五式九〇ミリきい弾一発が爆発したときは、風速や土地の状況によって異なるものの、着弾点の周辺一〇〇平方メートル以内の撒布量は一平方メートルあたり一～五グラム程度となり、この地域内の人馬を戦闘不能にさせる威力があるとしている[26]。また、支那派遣軍化学戦教育隊は、同弾一発が爆発した場合には半径約一〇メートルにびらん剤が撒き散らされると説明している[27]。さらに、裸地に着弾した場合、爆発によって直径九〇センチ・深さ六〇センチのクレーターを生じるとされ、一ヘクタールにたいして三分間以内に一〇〇発を射撃した場合、爆発時の破片による殺傷率は一八パーセントであり、これは榴弾の殺傷率の約二四パーセントに相当するという[28]。なお、炸薬室の弾頭部分には、製造時に、工具でかしめる際に使用する切溝が二箇所ついており、これが陸軍の毒ガス弾の外観的特徴のひとつとなっている（あか弾も同様に切溝が二箇所存在する）。

一方、九五式九〇ミリあか弾は、「『クシャミ』性一時瓦斯ノ散飛並破片ニヨリ人馬ヲ殺傷スルヲ主目的」[29]とするもので、陸軍が「あか一号」と呼称したジフェニルシアンアルシン（ジフェニルシアノアルシンともいう）が二三八グラム充填されている。この化学剤は常温では固体であることから、爆発時に発生する熱によってそれを微粒子にして拡散させる必要があるため、炸薬（TNT八五パーセントとナフタレン一五パーセントの混合剤）量が多く、弾体と炸薬室の間にジフェニルシアンアルシンが充填された構造となっており、くしゃみ剤の威力と爆発による破壊力・殺傷力を兼ね備えた砲弾（ガス榴弾）となっている（図6参照）。

あか弾が爆発すると、多数の破片が生じるとともにくしゃみ剤が微粒子となって大気中に拡散し、風で流されていく。支那派遣軍化学戦教育隊は、九五式九〇ミリあか弾一発が爆発した場合には高さ約五メートル・幅約一〇メートルの煙幕（毒煙）が構成されると説明している[30]。また、陸軍は、同弾一発が爆発したときは、濃度が低い場合でも鼻腔や喉を刺激するので、風下一〇〇メートル以上にわたってガスマスクの着用を強要し、人間がこれに曝露すると一五分以上にわたって戦闘能力を減殺すると説明しているが[31]、実態としては、これを吸入すると激しい苦悶状態に陥るほか、嘔吐することもあり（このため、くしゃみ剤は嘔吐剤ともいわれる）、戦闘不能となる[32]。

だが、ジフェニルシアンアルシンは、「非致死性」というわけではない。なぜなら、陸軍科学研究所の化学兵器研究員は、ジフェニルシアンアルシンの毒性は窒息剤のホスゲンに匹敵し、高濃度を吸入した場合は、呼吸器に傷害を受け、死亡すると説明しており[33]、また別の元関係者も「この毒ガスは、くしゃみ剤と呼ばれたために、その性格がしばしば誤解されている。ガス濃度が希薄な場合は、名称のように『くしゃみ剤』であるが、濃度が高ければ、人を殺す。致死からくしゃみまで、各種の毒性を示す」と記している[34]。事実、陸軍が中国戦線で実施した毒ガス戦の記録には、中国兵のなかにはくしゃみ剤により「甚ダシキハ鼻口ヨリ出血シ窒(息)死セル者アリ」(35)と記されている。なお、くしゃみ剤は微粒子となって拡散することから、ガスマスクの吸収缶は活性炭だけでは防護できず、これをブロックする特殊な濾層が必要となる。したがって、この措置がないガスマスクの装着者は、吸収缶を通過したくしゃみ剤に曝露することになるのである。

また、九五式九〇ミリあか弾が裸地に着弾した場合、爆発によって直径九〇センチ・深さ六〇センチのクレーターを生じるとされ、一ヘクタールにたいして三分間以内に一〇〇発を射撃した場合、爆発時の破片による殺傷率は五七パーセントであり、これは榴弾の殺傷率の約七五パーセントに相当するとされている(36)。

なお、陸軍の場合、迫撃砲用の毒ガス弾は、信管を除く弾頭部分はグレーに塗装された。そして、毒ガス弾の種類を示すために、弾体の流線部（最大直径九〇ミリの位置から尾翼の手前までの部分）の中央に、きい弾であれば黄色の、あか弾であれば赤色の帯をエナメル塗装（二センチ幅で弾体を一周する）した。これらが毒ガス弾を示す塗装である。

第二部　各資料の解説

よく知られているように、日本敗戦直後、戦争犯罪の追及を恐れた陸軍は、文書資料を組織的に湮滅した。さらに、極東国際軍事裁判（東京裁判）では日本軍の毒ガス戦をめぐる戦争犯罪が免責されたことに加え、旧陸軍関係者によってその実態が巧妙に隠蔽されたことから(37)、迫撃大隊による毒ガス戦の実態は詳細不明であった。たとえば、アジア太平洋戦争期に、第六陸軍技術研究所（化学兵器の研究・開発を担当）の所長を務めた小柳津政雄元中将は、戦後、「支那事変間敵の抵抗が頑強であると化学戦に通暁した将校の一部は積極的なガス使用の意見を具申したが、大本営も、現地軍司令官もこの意見を許容しなかつた模様である。ただ、昭和十四年中支に於ける南昌攻略作戦に際しては、特に陸軍習志野学校職員から指導将校が選抜されて作戦軍に加えられ、極めて少量の毒煙を混ぜた無毒煙の放射を試み作戦に大きな寄与をした」、「迫撃大隊は……その榴弾を以て大陸の戦野に活躍した」と記している(38)。

このため、以下に示す各資料は、迫撃大隊による毒ガス戦の実態を示す貴重な資料である。以下の解説では、利用者の便を図るため、迫撃第五大隊が参加した作戦における毒ガス戦についても、関係資料を踏まえながら概観することにしたい。

第一章　戦闘詳報

陸軍の戦闘詳報は、作戦や戦闘に参加した部隊（陸軍の場合、歩兵・砲兵・航空兵は大隊以上、その他の兵種は中隊以上）がその状況を上級指揮官に詳しく報告するために作成が義務付けられていたもので、時期や部隊によって若干の相違はあるものの、基本的な内容は、戦闘前の状況、気象や戦場の状況、交戦兵力、各時期の戦闘経過、戦闘後の状況、将来の参考事項、功績などで構成されており、最後に、部隊編成表、死傷表、兵器弾薬損耗表が添付されたほか、部隊が受領した命令の写しが添付されているケースもある。そして、表紙には、作戦名が付されたタイトル・作戦期間・部隊名が記され、右上には「軍事極秘」・「極秘」の印が捺されたものが多い。

今回入手した迫撃第五大隊の戦闘詳報は、目次以下は右記の構成に合致するが（特に、死傷表、兵器弾薬損耗表のタイトルには戦闘詳報の付表であることが明記されている）、表紙は、一見すると個人記録のようなものに差し替えられている。すなわち、本体の用紙とは異なる紙に、作戦名・時期が毛筆で記され、左下には「小隊長」・「中隊長代理」・「中隊長」と記されたものに差し替えられ、新しい綴り紐で綴じ直されている。本来の戦闘詳報の表紙が失われているのは残念だが、以下に示す各資料の名称は、差し替えられた表紙に記されたタイトルではなく、戦闘詳報として記載することにした。

一九三八年の華北における使用

まず、一九三八年の華北における使用の実態を示す戦闘詳報をみる。**資料1「封門口付近戦闘詳報」**（迫撃第五大隊・一九三八年六月二五日―二八日）・**資料2「垣曲東方地区ノ戦闘詳報」**（迫撃第五大隊・一九三八年六月二九日―七月一二日）・**資料3「官店村付近ノ戦闘詳報」**（迫撃第五大隊・一九三八年七月一二日―二六日）は、いずれも北支那方面軍隷下の第一軍が一九三八年五月中旬から実施した山西省南部の作戦（晋南粛正戦）に関する資料である。これらは、迫撃第五大隊第一中隊第三小隊長『昭和十三年自六月至七月　封門口及垣曲付近ノ戦闘』（元は迫撃第五大隊『封門口及垣曲付近ノ戦闘詳報』であったと思われる）に綴じられているが、復刻にあたっては資料番号を別にすることとし、その表紙は**資料1「封門口付近戦闘詳報」**の冒頭に示した。

資料の記載内容を解説する前に、くしゃみ剤（あか剤）の使用がはじまる経緯について概観しておきたい。一九三八年四月一一日、閑院宮載仁参謀総長は「大陸指第百十号」(39)において、北支那方面軍司令官・寺内寿一大将と駐蒙軍司令官・蓮沼蕃中将にたいし、山西省とこれに隣接する山岳地帯における「敵匪ノ掃討戦ニ使用ス」ることを目的に「あか筒、軽迫撃砲用あか弾ヲ使用スルコトヲ得」と指示するとともに、使用に際しては「勉メテ煙ニ混用シ厳ニ瓦斯使用ノ事実ヲ秘匿シ其痕跡ヲ残サザル如ク注意スルヲ要ス」と指示した。ここで注目されるのは、当初あか弾は迫撃砲用しか交付されていなかったという点であり、これは迫撃大隊による使用のみが想定されていたことを示している。そして、この参謀総長指示の別紙(40)では、北支那方面軍にたいしては、華中から転用される軽迫撃砲用あか弾一万五〇〇〇発と内地からあか筒四万本が交付されること、駐蒙軍にたいしては内地からあか筒一万本が交付されることが示され、さらに、あか弾を特種発煙弾、あか筒を特種発煙筒と呼称するよう指示している。

この参謀総長指示を受けて、寺内北支那方面軍司令官は、四月一一日に第一軍司令官・香月清司中将にたいする命令で、「大陸指第百十号」の記載内容と同じ趣旨で、あか筒と迫撃砲用あか弾の使用を許可した(41)。こうした経緯を踏まえ、第一軍は、山西省南部の作戦（晋南粛正戦）において危機に陥った第二〇師団にたいしてあか筒の使用を許可し、同師団は七月六日～七日に山西省の曲沃付近でこれを大規模に使用したのである(42)。六日は約七〇〇〇本の中あか筒が使用され、毒煙は「敵ノ第一線陣地ヲ完全ニ包蔽シ我ガ第一線部隊ハ殆ンド損害ナク一挙ニ約三粁ヲ突破」したが一部で毒煙が逆流したために「成果」が不十分だった部隊もあったとしている(43)。また、翌七日には約三キロの正面において約三〇〇〇本のあか筒が使用された(44)。

第二〇師団は戦闘の初期、一つの村落を攻略するまでに三〇～四〇名ないし一〇〇名の損害を出したが、この毒ガス戦では、中国軍が抵抗する約一〇の村落を「特種煙ニ跟随シテ一挙ニ攻略」した際の損害はわずか一〇名以下であって「其ノ効果ノ大ナルヲ認ム」と高く評価されたほか、逆流した毒煙に遭遇した日本軍部隊はガスマスクを装着していないか、装着方法が不十分だったため、「七転八倒シ或ハ脱糞セル者アルニ至レリ」といった状況に陥ったという(45)。

だが、以上の経緯を明らかにした吉見義明氏が指摘しているように第一軍司令部では、当初、くしゃみ剤の使用を躊躇していた(46)。第二〇師団方面でその使用許可を求める軍参謀にたいし、参謀長・飯田祥二郎少将はくしゃみ剤の威力に疑問を感じ、これに各部隊が頼りすぎて戦闘行動が不適切になることや、使用の事実が発覚した際の「責任」の問題から許可しなかった。第一軍は六月一五日に第二〇師団にあか筒の使用を許可したが、それ以外には許可しなかったのである。

一方、苦戦に陥った中野支隊（支隊長・中野直三少将。歩兵第二五旅団・野砲兵第一〇八連隊第二大隊・迫撃第五大隊基幹）にたいしては、七月五日、第一軍司令部は「中野支隊方面ニ赤弾使用許可ノ申請屡々具申セラレシモ軍ハ差当リ之ヲ許可セス、蓋シ戦況不利ノ場合之ニ頼ラントスル悪風ヲ生スルハ適当ナラサルト敵ニ国際的悪宣伝ノ資料ヲ与フルヲ以テナリ」と記している(47)。同日、中野支隊が所属する第一〇八師団（師団長・下元熊弥中将）は、第二〇師団が「全面的ニ煙ヲ使用スヘク指示」したことを知り、中野支隊にたいして「当面ノ情況上該支隊ニ対シ所要ニ応シ煙ヲ使用スヘク命セラレタリ」と第一軍司令部に打電した。これにたいして第一軍は翌六日にあか弾の使用は許可しない方針であることを説明したが、中野支隊が携行する迫撃砲用あか弾約一〇〇〇発について、「独断使用ハ部隊長ノ責任ヲ以テナスヘキモノナラン、勝敗ニハ代エラレス、正式ノ許可申請ニテハ認可セラレズ、然レトモ師団側カラ見レハ軍カ責任トナツテ許可スルカ軍ノ親切ナラスヤト考ヘアリシカ如シ」という状況であった。弾薬が欠乏した中野支隊は、七月八日も「特種発煙弾」の使用許可について打電したが、第一軍司令部がこれに返電した形跡は認められない。そして、これまでの研究では、中野支隊が実際にあか弾を使用したかどうかは不明であった。

こうした状況のなかで、中野支隊の隷下にあった迫撃第五大隊の戦闘行動を記録したものが、**資料1「封門口付近戦闘詳報」・資料2「垣曲東方地区ノ戦闘詳報」・資料3「官店村付近ノ戦闘詳報」**である。以下、これらの内容をみてみよう。

まず、**資料1「封門口付近戦闘詳報」**だが、一頁の「封門口付近戦闘詳報」の「詳報」が墨塗りされている。これは、この資料が戦闘詳報であることを秘匿するための措置であり、表紙を付け替えた際に併せて処置したものであろう。この資料では、あか弾を使用した記録はないが、巻末の「迫撃第五大隊兵器損耗表」を見ると、「特殊弾（ママ）」の欄が設けられていることがわかる。これは、既述の経緯で北支那方面軍に配備されたあか弾を迫撃第五大隊が携行していたことを示すものであろう。また、「迫撃第五大隊兵器死傷表」と「迫撃第五大隊兵器損耗表」には戦闘詳報の付表であることが明記されていることも、本資料が迫撃第五大隊の戦闘詳報であることを証明するものとなっている（以下の戦闘詳報についてもこの点は共通しているが、同様の説明は省略する）。

次に、**資料2「垣曲東方地区ノ戦闘詳報」**は、迫撃第五大隊によるあか弾の使用が始まったことを示す資料である。すなわち、「七月二日戦闘経過要図」には、「十五時第一中隊ヲシテ先ス試射開始爾後第一線歩兵ノ突撃ニ策応シ猛射ヲナス」と記され、射耗弾に特種弾一二〇発・榴弾二八三発と記入されている。また、「七月三日戦闘経過要図」には射耗弾に特種弾二八発・榴弾八八発と記入されている。なお、戦闘経過要図に示された✡は旅団司令部を、ф は迫撃砲を示す符号である。

そして、七月四日の夕方から逆襲に転じた中国軍にたいして、迫撃第五大隊長・幡川錬治少佐（当時）は、第一中隊に九二四・五高地西方への集中射撃を命令し、「射撃頗ル適確ニシテ初弾ヨリ命中シ続イテ射撃スル、我集中射ニ敵ノ打倒ルモノ明カニ我眼鏡ニ映セリ、此ノ時風向気温共ニ赤弾ニハ有利ナル気象状態ナルニ依リ大隊長ハ直チニ赤弾ノ急襲射撃ヲ命ス、効果有効ニシテ敵ハ悉ク西方ニ敗退セリ」という毒ガス戦によって中国軍を撃退することに成功し、この日、特種弾六四発、榴弾一〇六発を使用した。この記述から、特種弾とはあか弾を指すことがわかる。さらに、七月六日、中国軍が逆襲を企図して集結したタイミングを捉え、「天候気象共ニ特種弾使用ニ適シ風向又適切ナルニ依リ大隊長ハ榴弾射撃後数発ノ特種弾射撃ヲ命ス、敵ハ我カ射撃ニ遭ヒ四散敗退スルヲ見ル」という毒ガス戦を展開し、この日、特種弾六発・榴弾一〇九発を使用した。さらに、七日は特種弾六発・榴弾五六発を使用し、八日も特種弾一発・榴弾六一発を使用したが、七日の戦闘では、榴弾射撃の後にあか弾を使用して「敵迫撃砲ハ完全ニ我制圧スルトコロトナル」と記録している。

　この戦闘詳報の「迫撃第五大隊兵器損耗表」によれば、この作戦で、迫撃第五大隊は第一中隊と第二中隊が「特殊弾（ママ）」＝あか弾を計一一三一発使用（消費）したと記録されている。このため、戦闘詳報本文から引用した先述の毒ガス戦以外でもあか弾の使用例があることになる。

　なお、作成者のミスで、正しくは一九頁（七月九日の記事）が二〇頁であり、二〇頁（七月八日の記事）が一九頁であるべきだが、復刻に際しては手を加えず、そのままとした。また、原資料では四一頁と四二頁が逆になっているが、これはページ番号の記入ミスであるためそのままとしている。

　さらに、**資料3「官店村付近ノ戦闘詳報」**では、七月一九日の戦闘でも、特種弾一三発・榴弾七八発を使用したことがわかる。この日の戦闘要図にはあか弾一三発を使用したとあるので、この記述からも特種弾とはあか弾を指すことが分かる。

　以上みてきたように、**資料2「垣曲東方地区ノ戦闘詳報」**と**資料3「官店村付近ノ戦闘詳報」**は、中野支隊が第一軍司令部からの正式な許可を得ないまま、あか弾を使用したことを示すものである。また、第一軍内で中野支隊におけるあか弾の使用問題が議論されるのに先立ち、七月二日からあか弾を使用していた点も見逃せない。

　そして、迫撃第五大隊は、中野支隊隷下の歩兵部隊が苦戦した際に幡川大隊長の命令によってあか弾を使用しており、次第にその使用に熟達していった様子がわかる。幡川少佐は、一九三三年の陸軍習志野学校創設時に練習隊付兼教官であり、日中全面戦争開始後は、一九三七年一二月に華中へ派遣された第二野戦化学実験部付となり、一九三八年六月に迫撃第五大隊長（二代目）となった。大隊長は、毒ガス戦を知悉した人物だったのである。

　ところで、この山西省南部における作戦（晋南粛正戦）について、当時、野戦重砲兵第六連隊第六中隊に所属していた元伍長が撫順戦犯管理所で記した供述書（一九五四年一一月一七日）(48)には、七月六日のこととして「この日、日軍は窒息性の毒瓦斯を使用して国際法を破りました」としたうえで次のように記されている。

> 事変が始まつてから一年になるが、この様子ではこの先何年かかるかわからない。自分等も生きて帰れるかどうか見当もつかない。殺しても殺してもまだ降伏しないのは住民とつながってゐるからだ。なまじつか宣撫だ等と言つて甘やかすからだ。四千年の歴史を持つ漢民族がそう易々と聞くものか。徹底して破壊し、それから建設だとある宣撫班員が言つてゐたがそれが本当かも知れない。今度の二十師団の包囲された例より見ても、もつと徹底してやるべきだと考へる様になりました。日軍が毒瓦斯を使用するのを見ても当然だと考へてゐました。

こうした意識が、中国戦線における毒ガス戦の下地となり、味方の損害を抑え、中国軍にたいして非常に威力がある兵器として、次第にくしゃみ剤の使用に抵抗感をなくしていったと考えられる。なお、くしゃみ剤を吸入して苦悶する中国兵の姿から、使用したのは窒息性のものと認識したのであろう。

一方、一九三八年八月までの華北におけるくしゃみ剤の実戦使用の経験から、日本軍の軍事思想＝歩兵による銃剣突撃と組みわせた指導が行われるようになった。例えば、華北では、あか筒の使用について、「本特殊煙（ママ）は致死的効果を現さず、被煙せる敵は即効的に一時戦闘不能に陥るを特徴とするを以て、放射後直ちに之に付随し白兵を以て徹底的効果の発揚に努むること極めて肝要なり」、「戦況上突撃不可能なる場合に於ては各種火力を熾烈にし之に鉄槌的打撃を与ふるを要す」と指摘している資料がある(49)。

このように、くしゃみ剤は「致死的効果」がないことと説明され、その使用により中国軍陣地を突破するだけでなく、突撃した日本兵が銃剣で苦悶する中国兵を皆殺しにすることや、突撃できない場合でも砲撃や銃撃を集中して殲滅することが必要である、という指導がはじまっていったのである。そして、そのような使い方が一般化するのは同年八月からの武漢攻略戦からであり、この作戦に参加した迫撃第五大隊もあか弾を日常的に使用することになる。次にその実態をみてみよう。

一九三八年の華中における実戦使用

ここでは、一九三八年の華中における実戦使用の実態を示す戦闘詳報をみる。**資料4「大別山突破作戦沙窩付近ノ戦闘詳報」**（迫撃第五大隊・一九三八年一〇月二日—二四日）と**資料5「磨盤山南西側並ニ吊橋湾東側及東南側付近戦闘詳報」**（迫撃第五大隊第一中隊・一九三八年一〇月一三日—二五日）は武漢攻略戦における毒ガス戦を記録した戦闘詳報である。

最初に、武漢攻略戦における毒ガス戦について概観しておこう。一九三八年五月二日、閑院宮参謀総長は「大陸指第百二十号」(50)において、中支那派遣軍司令官・畑俊六大将にたいし、催涙筒（みどり筒）の使用を許可した。そして、八月六日、閑院宮参謀総長は「大陸指第二百二十五号」(51)において、寺内北支那方面軍司令官と畑中支那派遣軍司令官にたいし、「爾今あか筒及あか弾ヲ使用スルコトヲ得」、「之カ使用ニ方リテハ勉メテ煙ニ混用シ又市街及第三国人居住地域ニ使用セス厳ニ瓦斯使用ノ事実ヲ秘匿シ其痕跡ヲ残ササル如ク注意スヘシ」と指示した。さらに、九月一九日、閑院宮参謀総長は「大陸指第二百八十五号」(52)において、広東攻略作戦を担当する第二一軍司令官・古荘幹郎中将にたいしてあか筒・あか弾・みどり筒の使用を許可し、「之カ使用ニ方リテハ勉メテ煙ニ混用シ特ニ市街及第三国人居住地域ニ使用セス厳ニ瓦斯使用ノ事実ヲ秘匿シ其痕跡ヲ残ササルコトニ注意スヘシ」と指示した（その後、広東攻略戦では実際にくしゃみ剤や催涙剤が使用されるが、ここでは割愛する）。

こうして一九三八年八月から一〇月にかけて実施された武漢攻略戦では、各第一線部隊が局部的に毒ガス戦を実施したが、その実態については、吉見氏が発見した中支那派遣軍司令部「武漢攻略戦間ニ於ケル化学戦実施報告」（一九三八年一一月三〇日。以下、中支那派遣軍報告書という）(53)に詳述されている。この中支那派遣軍報告書には、第二軍（丙集団）司令部「武漢攻略戦間ニ於ケル化学戦実施報告」（一九三八年一二月一日。以下、第二軍報告書という）が添付されており、そこに同軍に配属された迫撃第五大隊による毒ガス戦も記録されている。

中支那派遣軍報告書によれば、毒ガス戦部隊について、第二軍には迫撃第三大隊・迫撃第五大隊・第二野戦瓦斯隊を配属し、第一一軍には迫撃第一大隊・迫撃第四大隊・野戦瓦斯第五中隊・野戦瓦斯第一三中隊・野戦瓦斯第八小隊を配属した。以下、迫撃第五大隊が配属された第二軍の状況を見てみよう。

　第二軍報告書によれば、第二軍司令官・東久邇宮稔彦王中将は、一九三八年八月二六日に迫撃第三大隊を第一三師団に配属することを命令（二軍作命甲第四六五号）し、九月二日に迫撃第五大隊を第一六師団に配属することを命令（二軍作命甲第四七三号）した。第二軍特種班が作成した特種煙使用計画では、迫撃第三大隊は「一部ノ瓦斯弾ヲ装備」し、迫撃第五大隊は「主トシテ瓦斯弾ヲ装備」することとされた。

　第二軍報告書に添付された第二軍司令部「化学戦教育計画」（一九三八年八月）では、別紙に示された秘密保持に関する事項のなかで、①「秘密保持上あか筒あか弾ヲ特種発煙筒、特種発煙弾ト呼称スルコト従来ニ同ク此等ヲ総称シテ特種煙ト称ス」ること、②使用の場合は、「適宜発煙筒、みどり筒〔催涙筒〕ト混用シ秘密ノ保持ニ勉ムルヲ可トス」るとともに「機ヲ失セス効果ヲ利用シ敵ヲ殲滅シ以テ之カ証跡ヲ残ササルニ勉ム」ること、③「特種資材ハ特ニ敵手ニ委セサルヲ要ス」ること、④使用の場合は、「予メ敵カ瓦斯使用セシ旨宣伝スルト共ニ使用セシ場合ハ特ニ敵側カ使用セル如ク宣伝ス」ることなどが指示されており、使用の事実の秘匿に神経質になっていることがわかる。そして、第二軍司令官は、八月一六日、「本時作戦間師団長ハ適時特種煙ヲ使用スヘシ」と命令（二軍作命第四四六号）した。

　こうして武漢攻略作戦において、迫撃第五大隊も毒ガス戦を実施することになる。第二軍報告書によれば、九四式軽迫撃砲特種発煙弾の使用量は、第一三師団は六六六発、第一六師団は一四〇三発であるが、この数字は正確を保ちがたい点があるという（前者は迫撃第三大隊使用分であり、後者は迫撃第五大隊使用分であろう）。また、第二軍報告書に添付された付表第七「迫撃大隊特種発煙弾使用概況一覧表」（一九三八年九月二二日―一〇月二三日）[54]によれば、迫撃第五大隊は計五件の戦例で二〇〇発を、迫撃第五大隊第一中隊は一八件の戦例で計四一三発を、迫撃第五大隊第二中隊は一三件の戦例で四四三発を、迫撃第五大隊第三中隊は三件の戦例で三四四発を使用したと記録されている（以上の合計は一四〇〇発となる。途中で中隊単位に分割して最前線に配属されたため、大隊と中隊の使用数が示されていると思われる）。一方、迫撃第三大隊第一中隊は五件の戦例で四七九発、同大隊第二中隊は三件の戦例で一二四発、同大隊第三中隊は一件の戦例で四九発使用したと記録されている（以上の合計は六五二発となる）。このことから、迫撃第五大隊が毒ガス戦の主体であったことがわかる。そして、第二軍報告書では、「特種煙ノ効果」のなかで、「迫撃特種発煙弾射撃」について「局部的ニ歩兵ノ戦闘ヲ直接支援セリ、特ニ掩蓋機関銃ニ対シ小数弾ヲ以テ適時制圧効果ヲ収メシ例比較的多キハ注目ヲ要ス、又阻止射撃、攪乱射撃等ニ屡々効果ヲ発揚シ歩兵ノ戦闘ヲ容易ナラシメタリ」と評価している。

　以上を踏まえ、**資料4「大別山突破作戦沙窩付近ノ戦闘詳報」**の内容を具体的に見てみよう。まず、この資料も、一頁のタイトルにある「戦闘詳報」の「詳報」が墨塗りされている。そして、迫撃第五大隊は山西省から華中に移動した後、八月二六日に第二軍隷下に入り、次いで九月三日に第一六師団に配属され、一〇月二日に迫撃第五大隊主力は歩兵第三八連隊に、第二中隊は歩兵第三三連隊に配属された経緯が記されている。一〇月四日の迫撃第五大隊命令（迫撃作命第三四五号）では、大隊射撃計画において、特種弾を射撃して岩山付近の中国軍を「制圧」することが明記されており、最初からあか弾の使用が作戦に組み込まれていることがわかる。

　一〇月六日の戦闘では、中国軍が頑強に抵抗して歩兵部隊が苦戦するなか、中国軍からの迫撃砲の射撃を受けると「大隊長ハ期ヲ失セス第三中隊ヲシテ……榴弾、特種弾ヲ以テ集中射撃シ全ク是ヲ沈黙セシメタリ」と記録されており、この日、特種弾九五発（第一中隊八三発、第三中隊一二発）・榴弾四〇七発を使用した。また、七日の戦闘でも第一中隊が特種弾一〇発・榴弾七発を使用し、八日も歩兵部隊の損害が続出するなかで特種弾六〇発（第一中隊三発、第三中隊五七発）・榴弾一〇八発を使用している。さらに、九日、歩兵第三八連隊から、第一大隊の突撃に際して「発煙中隊ノ毒煙ヲ利用ス、同時ＬＭ（迫撃隊）ハ……敵ＬＭヲ求メテ制圧スヘシ」との命令を聞き、歩兵第一大隊が攻撃を開始すると「各中隊時コソ来レト射撃ヲ開始シ榴弾及特種弾ニテ敵ヲ制圧」し、約一時間の接戦を経て中国軍陣地を占領した。この日は第一中隊が特種弾と榴弾をそれぞれ五一発を使用している。この戦闘では、堅固な中国軍陣地を攻略するために、「毒煙」＝あか筒とあか弾が併用されたことがわかる。

そして、一〇月一三日には、歩兵第三三連隊に配属替えとなり、一五日の磨盤山付近の戦闘では、連日日本軍の攻撃を妨害する中国軍の迫撃砲の「撲滅」を歩兵第三三連隊長から希望され、迫撃第五大隊は「敵迫撃砲陣地ニ対シ或ハ榴弾ヲ以テ或ハ赤弾ニヨリ徹底的ニ射撃シ之ヲ撲滅セスンハ止マス、猛射ヲ浴セタリ」という毒ガス戦を展開し、この日、特種弾一二三発・榴弾一二六発を使用した。また、一七日の戦闘でも、迫撃第五大隊は、第二中隊が特種弾一九発・榴弾二四発を、田沼小隊が火焔弾一〇発・榴弾二五発を使用している。火焔弾とは、表2に示した「軽迫撃砲用試製カ弾」のことであろう。これは着弾して爆発すると発火した火焔剤とゴム片を撒き散すものである。

さらに、一九日からの西山付近の戦闘では、迫撃第五大隊は、一九日に第二中隊が特種弾四七発・火焔弾一三発・榴弾二五発を使用し、翌二〇日には第一線歩兵部隊から制圧の要請があった中国軍の迫撃砲陣地にたいして「特種弾射撃ヲナシテ是ヲ制圧セシメタリ、目的ヲ達シ暫ク敵ハ沈黙セリ」といった攻撃を行い、この日、第二中隊は特種弾一一発・火焔弾六発・榴弾四六発を使用した。

こうして、大別山突破作戦沙窩付近の戦闘における毒ガス戦は終わったが、この戦闘詳報には、「五．齟齬過失其他将来ノ参考トナルヘキ事項」のなかで、「四．今次作戦間ニ於ケル化学戦実施ノ概況」が記されている。その要点を示すと、①発射に到らなかった不良弾（ここでは「不発弾」と記されている）が多かったこと、②あか弾は気象条件が良好であれば少数でも「瓦斯効果アルコトヲ確認」したこと、③歩兵の「成果利用」（あか弾を射撃した直後にガスマスクを着用して突撃し、苦悶のため戦闘不能に陥った中国兵を皆殺しにすること）が十分ではなかったこと、④山地帯に拠る中国軍には直接命中させるかその風上に着弾させる必要があることなどが指摘されている。なお、山地戦では、「単ニ瓦斯量ノ見地ヨリ言ヘバあか弾使用ヨリハ局部的ニあか弾使用ヲ容易且ツ有利トスル如ク感シタリ」ともあるが、最初の「あか弾」は「あか筒」の誤記と思われる。これは、山地帯では風向きが変わりやすく、風も強いので、あか筒からくしゃみ剤を放射しても中国軍陣地に到達しないケースがあったことから、あか弾を射撃した方が威力を発揮したことを述べているのであろう。

そして、戦闘詳報本文では、あか弾の射耗数は総計一五八四発としているが、「迫撃第五大隊兵器損耗表」によれば「特殊（ママ）弾」＝あか弾を計七八九発発使用（消費）したと記録されている。現時点では、両者が一致しない理由は不明である。前者の数字は大別山突破作戦全体での使用量を示したものであろうか。

なお、**資料4「大別山突破作戦沙窩付近ノ戦闘詳報」**と同時期の記録として、迫撃第五大隊第二中隊が配属された歩兵第三三連隊の戦闘詳報がある。これによれば、同連隊は九月二一日から一〇月二〇日にかけて、「特種煙」（あか筒）一五五本・催涙筒（みどり筒）二四〇本・「特種弾」（山砲あか弾）一〇八発を使用し、配属された「迫撃砲第二中隊」は迫撃砲あか弾五一九発を使用した(55)。また、この戦闘詳報では、一〇月一一日の記事に、「迫撃砲中隊ハ一意敵迫撃砲ノ撲滅、制圧ニ努メタルモ弾ノ不良甚シク歩兵ノ突撃ニ緊密ナル協力スル能ハス、為ニ敵迫撃砲ニ依ル戦死傷甚大ナリシハ遺憾ナリキ」との不満が記されており、榴弾は五六発中三四発が、あか弾は四四発中一〇発が不発だったと記録している。

次に、**資料5「磨盤山南西側並ニ吊橋湾東側及東南側付近戦闘詳報」**は、一九三八年一〇月一三日の迫撃第五大隊長命令により、歩兵第三八連隊第二大隊に配属された迫撃第五大隊第一中隊の戦闘詳報である。この資料も、一頁のタイトルにある「戦闘詳報」の「詳報」が墨塗りされている。

巻末の武器弾薬損耗表にあか弾の記載はないが、付表にはその使用量が記されている。すなわち、付表第一「自十月十四日 至十月十七日 戦闘間射弾表」によれば、あか弾の使用量は一七日に五一発とある。また、付表第二「自十月十七日 至十月三十一日 戦闘間射弾表」によれば、あか弾の使用量は一七日に一七発、一八日に二〇発、一九日に三九発、二〇日に二〇発、二一日に一三発であった（以上計一〇九発）。さらに、付表第三「自十月二十二日 至十月二十三日 戦闘間射弾表」によれば、あか弾の使用量は二二日に二九発、二三日に三六発であった（以上計六五発）。これらを合計すると、あか弾の総使用量は、二二五発となる。うち、一〇月二一日に中国軍陣地を攻略した際、「特ニ敵最後ノ主陣地ニ対スル赤弾ノ効力ハ敵ヲシテ遂ニ退却ノ止ムナキニ到ラシメタルモノト信ス」と記している。

ところで、迫撃第五大隊第二中隊に所属した兵士が毒ガス戦の状況を従軍日誌に記しているので、紹介しておきたい。武漢攻略作戦中の一九三八年九月二一日には、「歩兵攻撃援助のため前方高地に各小隊一門宛砲〔放〕列布置。射撃を開始す。野砲も河原に砲〔放〕列を布き射撃開始す。午后再び雨降りとなる。何と無情の雨かと天を眺む。頑強な敵に特殊弾を浴びせた。性能良しと聞く」(56)と記しており、あか弾の威力に注目していたことがわかる。さらに、九月二五日には、「五時半分解搬送を以て千米の山地を上り砲〔放〕列を布置す。りゅう弾赤弾を用意し七時三十分射撃開始す。敵砲兵も盛んに我砲兵陣地を射撃す。十一時頃友機の通報に敵野砲陣地発見するも野砲射撃不可能にて、我砲りゅう〔弾〕赤弾の猛射を浴びせる」(57)と記されている。山地戦では仰角の低い野砲は役に立たず、曲射弾道を描いて中国軍陣地を上から攻撃することができる迫撃砲による毒ガス戦が威力を発揮していたのである。

武漢攻略戦終了後の一九三八年一二月二日に、閑院宮参謀総長は「大陸指第三百四十五号」(58)において、北支那方面軍司令官・杉山元大将と畑中支那派遣軍司令官、華南の第二一軍司令官・安藤利吉中将にたいし、「在支各軍ハ特種煙（あか筒、あか弾、みどり筒）ヲ使用スルコトヲ得、但之カ使用ニ方リテハ市街地特ニ第三国人居住地域ヲ避ケ勉メテ煙ニ混用シ厳ニ瓦斯使用ノ事実ヲ秘シ其痕跡ヲ残ササル如ク注意スヘシ」と指示したので、中国戦線ではこれ以降、くしゃみ剤と催涙剤の使用が一般化し、それに依存した作戦・戦闘が実施されることになる。次にその実態をみてみよう。

一九三九年の華中における実戦使用

続いて、一九三九年の華中における実戦使用の実態を示す戦闘詳報をみる。**資料6「修水河及南昌付近ノ戦闘詳報」**(迫撃第五大隊第一中隊・一九三九年三月二二日―三〇日)は、南昌攻略作戦の劈頭に行われた一九三九年三月二〇日の修水渡河作戦後、南昌に向かう戦闘中に実施した毒ガス戦を記録した戦闘詳報である。

まず、修水渡河作戦における毒ガス戦の概要を示しておこう。この作戦を実施した第一一軍(軍司令官・岡村寧次中将)は、三月一日現在で特種発煙筒二万四七八四本・催涙筒甲一万二五一二本を集積し、また、三月七日に九四式軽迫撃砲あか弾一万四九〇〇発・山砲あか弾一〇八〇発・野砲あか弾三八〇〇発・一五センチ榴弾砲あか弾二五六〇発を集積する計画を立てている。そして、毒ガス戦部隊は、第一〇一師団には迫撃第三大隊・迫撃第五大隊・野戦瓦斯第六中隊を、第一〇六師団には迫撃第一大隊・第二野戦瓦斯隊を配属した[59]。この作戦の開始前に、新任の迫撃第五大隊長・橋詰利亀少佐は、三月一〇日の命令(迫作命第三八七号)の別紙で「迫撃第五大隊戦闘計画」を示し、歩兵第一四九連隊の渡河作戦とその後の戦闘に「榴弾並特殊(ママ)発煙弾射撃ニ依リ密接ニ協力ス」と命令した[60]。その後の同大隊の戦闘経過は、**資料11「南昌攻略戦迫撃第五大隊戦闘経過要図(自三月一七日至三月一八日)」**に示されている。

三月一七日に第一〇一師団が実施した支流の渡河戦では、迫撃砲特種弾二三〇発・野砲特種弾二一〇発・特種発煙筒一〇六本・催涙筒九四本を使用した[61]。そして、三月二〇日の修水渡河作戦では、夕方に対岸の中国軍陣地へあか弾の急襲射撃を実施した後、第一〇六師団は一九時二〇分から、第一〇一師団は一九時四〇分からそれぞれあか筒を大規模に放射し、毒煙は放射開始から五分後に対岸に到達して中国軍陣地を覆ったのである。この時の毒ガス兵器の使用量は次に示すように膨大な量であった(このほかに発煙筒も大量に使用されているが、割愛する)。なお、軍砲兵隊が使用した特種弾は、一五センチ榴弾砲用あか弾と考えられる。また、迫撃砲あか弾の使用量は、両師団に配属された迫撃大隊によるものである。

【第一〇一師団の使用量】

特種発煙筒	七〇一〇本
催涙筒	一〇五二本
迫撃砲特種弾	六一七発
野砲特種弾	二五九発
山砲特種弾	一八五発

【第一〇六師団の使用量】

特種発煙筒	一万一七二〇本
催涙筒	一八六〇本
迫撃砲特種弾	四六二発
野砲特種弾	四一二発
山砲特種弾	二七六発

【軍砲兵隊の使用量】

特種弾	一七二七発

こうして、第一〇一師団は一九時三〇分に、第一〇六師団は二〇時にそれぞれ渡河を開始し、一気に中国軍陣地を突破して南昌方面に進撃したのである。この時、くしゃみ剤の大規模放射を受けた中国軍の第七六師は「敵ハ毒瓦斯ヲ放射シ本師第一線部隊ノ将兵中毒スルモノ続出シ本師前方医院ニ於テ死亡スルモノハ殆ンド中毒患者ナリ」といった状況に陥り、渡河した日本軍にたいして予備隊を投入して攻撃したが「敵毒瓦斯弾猛烈ヲ極メ守兵頗ル苦戦ニ陥リ退却ノ余儀ナキニ至レリ」と報告している。また、第一一軍は、捕虜から中国軍では一部しかガスマスクを保有していないことをつかみ、また、傍受した電報から「攻撃資材トシ

テハ頻リニ瓦斯弾ヲ要請セルモ発給セラレス」と判断している。このように、日本軍は、防護能力や報復能力がまったくない中国軍にたいして一方的に毒ガス兵器を使用していたことがわかる。

そして、退却する中国軍を追撃して南昌に進撃する過程で迫撃第五大隊があか弾を使用した記録が**資料6「修水河及南昌付近ノ戦闘詳報」**である。三月二四日の馬路口市付近の戦闘では、迫撃第五大隊第一中隊があか弾二七発・榴弾六四発を使用したが、「本戦闘ハ堤防ヲ巧ニ利用シ頑強ニ抵抗ヲ持続セル敵ナリシモ曲射弾道ヲ有スル砲ノ威力ヲ遺憾ナク発揮シ同堤防突入ヲ成功セシメタルモノナリ」、「赤弾ノ集中射〔撃〕ハ其ノ効果大ナルモノト信ス」と評価している。さらに、三月二七日、南昌の手前を流れる贛江渡河攻撃では、あか弾二〇発・榴弾九七発を使用したが、その威力を、「他ノ火砲ニ先チ歩兵ノ強行渡河ヲ支援シ迫撃ノ威力ヲ遺憾ナク発揮シ敵ニ大ナル損害ヲ与ヘ歩兵第百一連隊ヲシテ南昌一番乗ニ成功セシメタルモノナリ」と誇っている。また、この日の第一中隊の戦闘経過要図にも、あか弾二〇発・榴弾九七発を使用したことが記録されている（**資料14「南昌付近迫撃第一中隊戦闘経過要図」**参照）。

なお、修水渡河作戦に参加した迫撃第五大隊第二中隊のある兵士は、三月一六日の陣中日誌に敵前渡河の準備が整ったと記し、翌一七日には「六時頃異様な空気に忽ち咽喉の痛さをおぼゆ〔。〕毒ガスである。陣地中騒然とす。手早く防毒面を装着す。最初の毒ガス故一同緊張す。暫くしてガス消滅しマスクを取って休む」(62)と記している。これは、第一一軍が夕方に使用したあか弾により、くしゃみ剤が流れてきたのであろう。また、この日、「『大隊は百四九R〔歩兵第一四九連隊〕の渡河掩護のため現地〔陳家〕にて砲撃開始す。中隊は　弾八十五、赤弾十二発準備せよの中隊命令あり』分隊は第三砲となる」(63)との記述も見られる。

そして、第一一軍が修水渡河作戦においてくしゃみ剤の大規模使用を開始した三月二〇日の陣中日誌には、「十七時より一時間の中隊百発の榴弾射撃を行う。雨は益々降る。四十分休んで赤弾の射撃に移る。長雨のため装薬や薬筒湿気を帯び困難したが、分隊の砲は遺憾なく発射出来た」(64)と記している。さらに、三月二二日にも「十六時頃搾下竜関の攻撃をする。一回榴弾四発、赤弾四〔発〕射撃す。十八時歩兵は発煙筒を焚き突撃す」(65)と記している。このようにしてくしゃみ剤を使用して成功した作戦について、三月二八日の陣中日誌には、「朝情報にて二十七日五時五分南昌陥落、陸軍部隊の手に依り直に城内掃蕩さると言う。先ず雨と泥に濡れ戦い抜いた攻略戦もここに終幕となったのだ。……今作戦は火器を主とし近代立体化学戦に依って成功し得たのだ。敵は自己過信にて抵抗し急速なる我軍の攻撃に一物も持得ず敗走したるものなり」(66)と記している。このように、迫撃第五大隊の兵士は、あか弾を使用することへの抵抗感はなく、中国軍の抵抗を「近代立体化学戦」で打ち砕いたことを誇らしく感じていたことがわかる。

一九三九年の華北における実戦使用

最後に、一九三九年の華北における実戦使用の実態を示す戦闘詳報をみる。この時期で注目されるのは、山西省でびらん剤の使用が始まるという点である。一九三九年五月一三日、閑院宮参謀総長は「大陸指第四百五十二号」(67)において、杉山北支那方面軍司令官にたいして次のように指示した。

大陸指第四百五十二号

指　示

大陸命第二百四十一号ニ基キ左ノ如ク指示ス

一　北支那方面軍司令官ハ現占拠地域内ノ作戦ニ方リ黄剤等ノ特種

資材ヲ使用シ其作戦上ノ価値ヲ研究スヘシ
二 右研究ハ左ノ範囲ニ於テ実施スルモノトス
イ 事実ノ秘匿ニ関シテハ万般ノ処置ヲ講ス 特ニ第三国人ニ対スル被害ヲ絶無ナラシムルト共ニ彼等ニ秘匿スルコトニ関シ遺憾ナカラシム
ロ 支那軍隊以外ノ一般支那人ニ対スル被害ハ極力少ナカラシム
ハ 実施ハ山西省内ノ僻地ニ於テ秘匿ノ為ニ便利ナル局地ニ限定シ試験研究ノ目的ヲ達スル最小限トス
ニ 雨下ハ之ヲ行ハス

昭和十四年五月十三日

参謀総長　載仁親王

北支那方面軍司令官　杉山　元殿

この参謀総長指示で注目されるのは、「第三国人」＝欧米人への被害を「絶無」としているのにたいし、現地住民にたいする被害を「極力少ナカラシム」としている点である。これは、びらん剤などの使用によって、中国軍だけでなく、現地の住民に被害が及んでもある程度やむを得ないと判断していたことを示している。

これまでの研究では、びらん剤の最も早い使用例は、筆者が発見した資料により、第三飛行集団が華北で九二式五〇キログラム投下きい弾を一九三九年七月に六六発・九月に一二発使用したことが判明しているが(68)、具体的にどこで使用したのかは不明であった。また、この参謀総長指示を受けた北支那方面軍側の対応や実戦使用に向けた動きを示す資料は確認されていなかった。こうした研究状況のなか、今回新たに発見されたのが**資料7「晋東作戦戦闘詳報」(迫撃第五大隊・一九三九年七月五日―二八日)**ということになる。付け替えられた表紙には毛筆で「晋東会戦」とあるが、参謀本部の記録などでは作戦名は晋東作戦と記されているため、資料名は「晋東作戦戦闘詳報」とした。以下この内容を具体的に検討してみよう。

最初に迫撃第五大隊が華中の中支那派遣軍から華北の北支那方面軍に転属した経緯が記されているが、巻末の命令写しの冒頭には、北支那方面軍の戦闘序列に入ることが命令された一九三九年五月三一日付けの北支那方面軍司令官・杉山元大将の命令「方軍作命甲第六五九号」が記録されている。これを同命令の原本と照合したところ(69)、両者は完全に一致することが確認された。これは**資料7「晋東作戦戦闘詳報」**の資料としての信頼性を一層高めるものである。

さて、山西省東南部の中国国民政府軍と中国共産軍を撃滅するため、一九三九年七月から八月にかけて晋東作戦が実施され、北支那方面軍直轄の二個師団と第一軍が参加した（「晋」は山西省を指す）。この作戦で、迫撃第五大隊は、山西省に展開した第一軍に属する第二〇師団（師団長・牛島実常中将）の歩兵第三九旅団（旅団長・関　原六少将）隷下の歩兵第七七連隊に配属された。**資料7「晋東作戦戦闘詳報」**には、七月三日付けの歩兵第七七連隊長・藤室良輔大佐の命令の写しが収録されている。「大陸指第四百五十二号」と比較するため、以下に引用しておきたい。

この命令のなかで、「甲号」と秘匿されたのがびらん剤を含む毒ガス兵器である（「甲号」にびらん剤が含まれることについては後にも言及する）。なお、引用に際し、原文にある一部の濁点は落している。

歩七七作命第七〇三号

藤室部隊命令

七月三日十四時〇分／於磨頭村部隊本部

一、旅団ハ本作戦間大交鎮、張馬村間ニ於テ甲号資材ヲ使用シ其作

戦上ニ及ホス価値ヲ研究ス
二、藤室部隊ハ作戦上支障ナキ限リ右趣旨ニ基キ研究ス、仍テ甲号研究ニ伴フ別紙第一注意事項ヲ厳守スヘシ
三、各大隊ハ小銃中隊毎ニ長以下十名ノ発煙班ヲ編成シ置キ所要ニ応シ大隊長ニ於テ直轄使用スヘシ
四、右甲号資材ハ別紙第二ノ通リ配布ス

部隊長　藤室大佐

下達法　印刷配布

歩七七作命第七〇三号別紙第一

甲号研究に伴ヒ〔フ〕諸注意事項

一、本研究ニ関連スル命令通報々告等ハ総テ「甲号」ノ称呼ヲ用ヒテ其内容〔ヲ〕秘匿スルト共ニ其重要ナル書類ハ連絡者ヲ以テスル托送ニ依リ機密漏洩ノ防止ニ努ムルモノトス
二、甲号使用ノ事実ノ秘匿ニ関シテハ万全ノ処置ヲ講スルモノトス、之カタメ支那軍隊以外ノ一般支那人ニ対スル被害ヲ極力ナカラシメ特ニ第三国人ニ対スル被害ヲ絶無ナラシムルト共ニ彼等ニ其ノ使用ノ事実ヲ厳ニ秘匿スルモノトス
三、甲号使用ノ状況及之カ効果並敵ノ瓦斯使用ニ関スル資材等ノ撮影ハ之ヲサス
四、甲号使用ニ関シ報告スヘキ事項左ノ如シ（報告用紙ハ後日交付ス）
①戦闘地名及戦闘年月日
②使用時刻、天候、気象
③使用目的及甲号資材射撃集中状態
④使用資材ノ種類及数量
⑤戦闘経過ノ概要（戦闘前ノ態勢、使用ニ依ル戦闘経過、成果ノ利用）
⑥彼我損害ノ概数、特ニ敵ノ死傷者ノ状態
⑦効果ニ関スル所見
⑧各種資材ニ関スル意見及其他

〔以下および別紙第二は省略〕

別紙第二では防護資材の配布が指定されており、きい弾の記載はない。その理由は、迫撃第五大隊がすでにきい弾を携行していたことからそれを交付する必要がなかったことに加え、歩兵第七七連隊隷下の他の部隊はきい弾を使用する計画がなかったためであろう。なお、別紙第二にある「軽防」とは、びらん剤の汚染地帯を強行突破する際に使用するもので、兵士の要所のみを覆う九六式軽防毒具を指す。「防脂」は九六式軽防毒具に含まれるもので、びらん剤の浸透を防止するために軍靴に塗布する。また、「消毒包」は皮膚にたいするびらん剤の除染剤である。これらの交付は、日本軍将兵については、あらかじめびらん剤にたいする防護の措置を講じていたことを示している。

そして、「大陸指第四百五十二号」と「歩七七作命第七〇三号」を比較すると、両者は内容が酷似しており、国際法違反の問題を強く意識して使用の事実の秘匿に神経質になっている点と、欧米人にたいする被害は「絶無」とする一方で、中国の現地住民にたいする被害は「極力」少ないようにせよと対応を差別している点が共通している。つまり、後者は、前者が末端の第一線部隊に行きついた結果なのである。

今回この命令の存在が確認されたことで、①「大陸指第四百五十二号」（五月一三日付け）が北支那方面軍司令官に下達された後、②北支那方面軍司令官から第一軍司令官へ、③第一軍司令官から第二〇師団長へ、④

第二〇師団長から歩兵第三九旅団長へ、⑤歩兵第三九旅団長から歩兵第七七連隊長へとびらん剤の使用命令が順次下達され、最終的には、⑥歩兵第三九旅団長命令に基づき歩兵第七七連隊長が「歩七七作命第七〇三号」（七月三日付け）を隷下部隊に命じたという命令系統がわかるが、現時点では、②～⑤の存在は確認できなかった。現存していないと思われる。また、「大陸指第四百五十二号」には、「化学戦実施要領」などといった別紙が添付され、そこに、「歩七七作命第七〇三号別紙第一」にあるような細かい注意事項などが示され、右記の命令系統において併せて伝達されていたと思われる。

さらに、現存する資料を調べると、一九三九年六月一一日の杉山北支那方面軍司令官の命令「方軍作命甲第六七一号」(70)が存在することが判明した。これは、中佐・曹長各一名にたいして概ね一〇日間の予定で「第一軍ニ於ケル甲号研究ヲ援助スヘシ」と命じるとともに、梅津第一軍司令官にたいして「甲号研究実施ニ関シ前項将校以下ヲ区処スヘシ」と命じている。第一軍司令官は北支那方面軍司令官からの委任を受けて両名を指揮・指導すること（これを区処という）が命じられたのである。この命令は「大陸指第四百五十二号」の発令以降、北支那方面軍内で実戦使用に向けた準備が組織的に推進されていたことを示すものである。そして、ついにびらん剤が使用されたのが、次に示すように七月であった。これらは時系列として整合が取れていることがわかる。

次に、実戦使用の実態を検討してみよう。七月三日付けの「歩七七作命第七〇三号」を踏まえ、同日、歩兵第七七連隊と迫撃第五大隊は、七月六日から八日に「甲号資材」を使用する方針を決定し、橋詰迫撃第五大隊長は五日、第一中隊は榴弾三七〇発・あか弾二六〇発・火焔弾二〇発・きい弾一〇〇発を、砲弾の補給を担当する大隊段列は榴弾一〇〇発・きい弾一〇〇発をそれぞれ携行するよう命令した（「迫五作命第四五九号」）。

そして、迫撃第五大隊は、七月六日に「吾射撃ノ間断ヲ利用シ敵ハ小癪ニモ掩蓋ヨリ機関銃ヲ乱射ス、大隊長ハ特種弾射撃ヲ以テ之ヲ沈黙セシメ（歩兵第七七連隊）第一大隊ノ攻撃ニ有利ニ協力ス」という毒ガス戦を展開した。この日、特種弾三一発を使用したが、これはあか弾である。翌七日は、中国軍が「潰走」し、第一線歩兵が進出したと記されているので、友軍への被害を避けるため、当初予定していたきい弾を使用する機会を逸し、このときはあか弾のみ使用したと思われる。

そして、きい弾を使用する機会が訪れたのが、董封鎮の南方高地で頑強に抵抗する中国軍にたいする攻撃においてであった。迫撃第五大隊長は、七月一七日、使用弾薬の標準を榴弾八〇発・あか弾七〇発・きい弾三〇発とすることを命令し（「迫五作命第四六五号」）、同日、第一中隊は榴弾七八発・特種弾（あか弾）六〇発・きい弾二八発を使用した。

その時の状況は、「敵山砲陣地ラシキモノヲ発見シ特種弾ノ猛射ヲナス」、「敵ハ濃霧ヲ利用シ放置セル砲ヲ分解搬送シ尚付近ニ低（抵）抗セルヲ知ル、大隊ハ機ヲ失スルコトナク各処ニ猛射ヲ浴セ、鄭家庄西南方閉鎖曲線高地北斜面ニハ執拗ニモ亦陣地進入シ抵抗スルノ情況ヲ判断シ黄弾ノ猛射ヲナシ密ニ第一線歩兵ノ進出ニ協力シ一四．四〇（一四時四〇分）頃一時射撃ヲ中止ス」と記録されている。

また、この日の第一中隊の戦闘経過要図には戦闘状況が詳しく図示されており、岩山村とその周辺にきい弾二八発・あか弾六〇発・榴弾七八発を使用し、歩兵部隊は被害が及ばないその手前に位置していたことが記録されている（**資料16「馬家山付近第一中隊戦闘経過要図」**参照）。村落をびらん剤で汚染させたのである。

第一中隊は、翌一八日にもきい弾二〇発・あか弾一六〇発・榴弾一六四発を使用したとあるが、その時の状況は「岩山村部落ヨリ敵迫撃砲射撃シ来ルヲ以テ直ニ榴弾、黄弾ヲ以テ制圧」したと記録されている。この日の第一中隊の戦闘経過要図にも、岩山村やその周辺の山地帯に拠る中国軍に榴弾一六四発・あか弾一四〇発・きい弾二〇発を使用したことが記録されている（**資料17「双桷付近第一中隊戦闘経過要図」**参照）なお、ここであか弾の使用量に食い違いがあるが、第一中隊が作成した戦闘経過要図では一四〇発使用と明記されていることに加え、一六〇発の場合には後述する兵器損耗表に記録されたあか弾総使用数と合わなくなることから、戦闘詳報本文の記載は誤記であり、正しくは一四〇発と判断できる。

こうして迫撃第五大隊による二日間にわたる毒ガス戦は終了した。先に見た「歩七七作命第七〇三号別紙第一」では、毒ガス戦実施報告を作成することとされているが、これは添付されていなかった。別途作成されて上級司令部に報告されていたと思われるが、その内容をうかがい知ることができる記述が「六．齟齬、過失、其他将来ノ参考トナルヘキ事項」のなかに示されている。

すなわち、あか弾の使用について「今期作戦ノ如キ山岳地帯ノ死角ヲ利用シ堅固ナル陣地ニ拠レル敵ニ対シテハ迫撃砲ノ効果頗ル著大ニシテ特種弾（あか弾）ノ射撃ハ欠クヘカラサルモノト認ム」と記している（この記述から、特種弾はあか弾を指すことがわかる）。さらに、「今期作戦間ニ於ケル甲号資材使用ノ概況」では、「当大隊きい弾ノ使用ハ今期戦闘カ初メテニシテ二ケ中隊（火砲十二門）ヲ以テ之カ使用ヲナシタルモ敵情最モ適セルノ好機至ラス四八発ノ射撃ヲ実施セルモ之カ効果甚大ナルモノト推察ス、然レトモ天候雨期〔季〕ニシテ諸情況亦良好ナラス、天候気象等諸条件ニ適スルノ場合ニ於テハ之カ効果ハ顕著ナルモノト推察ス」と記されており、迫撃第五大隊は初めて実戦で使用したきい弾の威力を非常に高く評価していることがわかる（この記述から、「甲号資材」にはきい弾＝びらん剤を含むことがわかる）。したがって、迫撃第五大隊は、毒ガス戦実施報告にも同様の記載をしていたと推察される。そして、巻末に添付された兵器損耗表には、第一中隊があか弾二三一発・きい弾四八発を「消費」したことが記録されている。

ところで、「甲号資材」は他の戦闘詳報にも登場することを指摘しておきたい。たとえば、一九四〇年一月に山西省で実施された高平作戦の第二期作戦に際し、第三六師団隷下の歩兵第二二四連隊は、一九四〇年一月八日の諸注意のなかで、「今次作戦ニハ甲号資材使用セラルルニ付防諜ニ注意スルコト、兵ニハ弾着地域ヲ知ラシメ危害ナカラシムルコト、又別ニ示ストコロニ依リ研究資料ヲ提出スルコト」とし、配属された迫撃第五大隊が一月一一日から一六日の間に迫撃砲あか弾一三発を使用している[71]。そして、歩兵第二二四連隊とは別行動をした同連隊第二大隊は、この作戦で、一月一一日から一六日までの間に、「トキク」五三発・山砲「ハマツ弾」三五発・山砲あか弾二五発を使用したが[72]、「トキク」と「ハマツ弾」は毒ガス兵器と思われる[73]。また、山砲兵第三六連隊隷下の部隊は、高平作戦で得た教訓のなかで、「敵ハ地形工事ニ拠リ相当堅固ナル陣地ヲ構築シ……前進路ニ於ケル工事部落ニ対シテハ榴弾及甲号資材（あ）ヲ、前進路以外ノ地域ニ対シテハ寧ロ甲号資材（き）ノ使用ヲ得策トス」とし、弾薬の携行数について「榴弾甲号資材ハ約同数トナシ、甲号資材ハ中隊内ニ於テ分隊別ニ（き）或ハ（あ）ヲ携行セシメ各種ノ甲号資材ヲ混合携行セシメザルヲ要ス」と記している[74]。このように「甲号資材」とは毒ガス兵器の秘匿名であり、「あ」はあか弾、「き」はきい弾を指しており、高平作戦でもこれらを使用していた可能性があるだろう。

以上みてきたように、**資料7「晋東作戦戦闘詳報」**の発見により、びらん剤の使用を命じた一九三九年五月一三日の参謀総長指示が末端の第一線部隊まで浸透し、具体的な作戦命令に基づいてそれが使用されるにいたる経緯がはじめて判明した。このことから、中国戦線におけるびらん剤の実戦使用は一九三九年七月から始まったと判断されるが、同時期に他の部隊でもこれを使用していたと思われる。事実、先に見た第三飛行集団によるびらん剤の使用は時期的に重なっていることから、航空部隊でも同様の経緯で使用がはじまったのであろう。

また、**資料7「晋東作戦戦闘詳報」**の記述は、びらん剤の使用の事実が欧米諸国に発覚しなければ毒ガス兵器の使用を禁じた国際法に違反しても構わない、中国軍だけでなく現地住民が被害を受けてもある程度は止むを得ないとの判断が、参謀総長指示を起案した参謀本部第二課（作戦課）から第一線部隊にいたるまで一貫していたことを示しており、こうした方針に基づいて毒ガス戦が組織的に遂行されていた事実が見逃せない。そして、山岳地帯ではあか弾の使用は必要不可欠と認識していたこと、迫撃第五大隊がきい弾を最初に使用したのは晋東作戦が初めてであり、当時、ガスマスクすら十分に装備されていなかった中国軍にたいしては威力が高いと評価していたことがわかる。こうしたいわば実戦テストでの評価が上級部隊に報告されたことが、その後、びらん剤のさらなる使用につながったと考えられる。

事実、閑院宮参謀総長は、一九四〇年七月二三日の「大陸指第六百九十九号」[75]において、支那派遣軍総司令官・西尾寿造大将と南支那方面軍司令官・安藤利吉中将にたいして「特種煙及特種弾ヲ使用スルコトヲ得」と指示したが、これは、びらん剤を含む全面的な毒ガス兵器の実戦使用を許可したものである（ただし、びらん剤を航空機から撒布する雨下は除くとある）。こうして、中国戦線における日本軍の毒ガス戦はさらにエスカレートしたが、山西省では、一九四〇年八月末からの晋中作戦において、ゲリラ戦で日本軍を翻弄した八路軍（中国共産軍）に関係すると判断した「敵性部落」を「焼却破壊」し、「敵及土民ヲ仮装スル敵」や「敵性アリト認ムル住民中十五歳以上六十歳迄ノ男子」を「殺戮」するという「燼滅作戦」が命令され[76]、びらん剤も使用されるのである[77]。

資料8「東北陳付近戦闘詳報」（迫撃第五大隊第一中隊・一九三九年九月一三日）は、第二〇師団の歩兵第八〇連隊第三大隊に配属された迫撃第五大隊第一中隊が、山西省・長子付近の治安戦において、あか弾三二発・榴弾三八発・「カ弾」（火焔弾）四発を使用したことが記録されている資料である。第三大隊長は、九月一二日付けの命令（歩三作命第八四五号）において迫撃第五大隊第一中隊にたいして李家庄と東城村にいる中国軍の「制圧」を命じ、「東北陳付近迫撃第一中隊戦闘経過要図」に添付された攻撃区分表によれば、九月一三日、第四次攻撃で東城村にあか弾二〇発を、第五次攻撃で李家庄にあか弾一二発を使用した（ほかに、榴弾四発、「火弾」一発も使用）。なお、この資料も、一頁に記された「戦闘詳報」の「詳報」と部隊名（迫撃第五大隊第一中隊）が墨塗りされている。

資料9「長子西側地区ノ戦闘詳報」（迫撃第五大隊第一中隊・一九三九年一〇月八日—九日）は、歩兵第八〇連隊第三大隊に配属された迫撃第五大隊第一中隊が山西省・長子の奪回を目指す中国軍を撃退する戦闘において、一〇月九日にあか弾五二発を使用したことが記録されている資料である（ほかに、榴弾九発・「火弾」一発も使用）。この資料は、**資料8「東北陳付近戦闘詳報」**とともに綴られていた。

この戦闘詳報で見逃せないのは、橋詰迫撃第五大隊長が、一〇月六日の命令（迫作命甲第五〇七号）において、岩切部隊（歩兵第八〇連隊。連隊長・岩切秀大佐）の隷下で出動する際に、携行する弾薬を指定している点である。同日付けの「出動ニ際シ各隊弾薬携行区分表」のうち、毒ガス弾についてみてみると、第一中隊はあか弾四〇発、第二中隊はあか弾一四〇発、大隊段列はあか弾一〇〇発・きい弾八〇発が指定されている。砲弾を補給する大隊段列がきい弾を携行していることから、状況によってはそれを使用することができるよう準備を整えていたことがわかる。

また、この表で迫撃第五大隊は「イマツ」弾八〇発・「イウメ」弾一四〇発も携行することにしているが、これらも毒ガス弾と思われる。そして、巻末の「武器弾薬損耗表」によれば、一〇月八日から九日にかけて、あか弾四五発を使用（消費）していたことがわかる。なお、この資料も、一頁に記された「戦闘詳報」の「詳報」が墨塗りされている。

第二章　化学戦実施概況表

ここには、迫撃第五大隊第一中隊が作成した化学戦実施概況表を収録した。これまで、迫撃大隊に関する化学戦実施概況表は、先に見た第二軍報告書添付の付表第七「迫撃大隊特種発煙弾使用概況一覧表」（迫撃第三大隊と迫撃第五大隊による化学戦の戦例計四八件を表形式に記録したもの）が確認されているが、迫撃大隊が作成したものが確認されたのは今回が初めてである。

資料10「化学戦実施概況表」（迫撃第五大隊第一中隊・一九三八年一〇月六日—二三日）は、一八件に及ぶあか弾を使用した戦例（計四一三発使用）を示したものである。表には、区分・使用日時・気象・使用部隊・使用弾数・射撃正面・「発煙線ト敵トノ距離」・風向きと攻撃方向との関係・射撃目標の状態・「効果」・「成果利用ノ状態」などが記録され、一見して毒ガス戦の概要を把握できるようになっている。この資料は、伏木保之中尉『参考書類綴』のなかに収められていたものである。

この資料と、「迫撃大隊特種発煙弾使用概況一覧表」に記載された迫撃第五大隊第一中隊の一八件の戦例を比較すると、両者は完全に一致する。したがって、武漢攻略戦では、各迫撃大隊にこのフォーマットで毒ガス戦を記録・提出させ、それを第二軍司令部において集大成したものが「迫撃大隊特種発煙弾使用概況一覧表」ということになる。

内容についてふれておくと、使用部隊欄の1／5LMとは迫撃第五大隊第一中隊を示す。また、使用弾数はあか弾の使用量を指すことは言うまでもない。あか弾は歩兵部隊の中国軍陣地にたいする攻撃への支援射撃や増援部隊を阻止する際に使用され、陣地への攻撃では「完制」＝完全制圧したと評価している戦例が多いことがわかる。そして、迫撃大隊から見た「成果利用ノ状態」として、中国軍陣地にあか弾を使用した直後、「第一線歩兵突撃成功」、「第一線歩兵ハ直後突入、同地ヲ占領ニ成功ス」などと記されているが、そのとき最前線の歩兵部隊はガスマスクを着用して突撃し、くしゃみ剤を吸って戦闘不能となり、苦悶する中国兵を銃剣などで殺戮・殲滅していたのである。

第三章　戦闘経過要図

ここには、迫撃第五大隊や同大隊第一中隊の戦闘経過要図を収録した。いずれも『戦闘詳報』に添付するために作成されたものと思われる。原資料の状況を把握することができるよう、カラー印刷で示すことにした。日本軍の行動は青色、中国軍陣地と中国軍の行動は赤色で示されている。また、図中、♁は迫撃砲を示す符号である。

資料11「南昌攻略戦迫撃第五大隊戦闘経過要図（自三月一七日至三月一八日）」（迫撃第五大隊・一九三九年三月一七日—二二日）は、前述した修水渡河作戦前後における迫撃第五大隊の作戦経過要図である。この資料のタイトルには一九三九年三月一七日から一八日とあるが、図には一七日から二三日の一部まで記入されており、陣家に放列を敷いて修水対岸の中国軍陣地にたいする射撃状況や、修水渡河後の南昌方面へ進撃する過程での射撃状況が記されている。また、この作戦経過要図には射耗弾薬表が記されており、三月一七日から二二日までの間にあか弾を五一七発使用（うち、二〇日の修水渡河作戦では二四五発使用）したことがわかる。この資料は、**資料6「修水河及南昌付近ノ戦闘詳報」**に挟まれていた一枚ものの図であり、二三日以降の戦闘経過要図も作成されたはずだが、今回入手した資料には含まれていなかった。

次に、以下に示す資料は、迫撃第五大隊第一中隊の戦闘経過要図である。いずれも、迫撃第五大隊第一中隊第三小隊長『昭和十二年十月二十一日 西保障付近ノ戦闘』綴に収められているものである。

資料12「修水河付近ニ於ケル戦闘経過要図」（迫撃第五大隊第一中隊・一九三九年三月二〇日）は、一九三九年三月二〇日に修水の支流を渡河した直後、迫撃第五大隊第一中隊による射撃状況を図示したものである。図中、1／5LMとあるのは、迫撃第五大隊第一中隊を示す。ここには総射耗弾が二一〇発とあるが、あか弾と榴弾の内訳が示されていない。

資料13「岐山区及馬路口市付近迫撃第一中隊戦闘経過要図」（迫撃第五大隊第一中隊・一九三九年三月二三日―二四日）は、修水渡河後、三月二三日から二四日にかけての中国軍陣地にたいする射撃状況を図示したものであり、この図は第一中隊の戦闘行動を示しているため、図中の1LMとは第一中隊を示す。また、二四日にあか弾二七発・榴弾六四発を使用したことが記録されている。

資料14「南昌付近迫撃第一中隊戦闘経過要図」（迫撃第五大隊第一中隊・一九三九年三月二七日）は、南昌の手前を流れる贛江の対岸から中国軍にたいする射撃状況を図示したものであり、この日、あか弾二〇発・榴弾九七発を使用したことが記録されている。

そして、以下の資料はすべて、**資料7「晋東作戦戦闘詳報」**に関係するもので、この作戦における迫撃第五大隊第一中隊の戦闘経過を示したものである。まず、**資料15「前喬家庄付近第一中隊戦闘経過要図」（迫撃第五大隊第一中隊・一九三九年七月六日―七日）**は、一九三九年七月六日から七日にかけての中国軍陣地にたいする射撃状況を示したものであり、六日にあか弾三一発・榴弾五三発を射撃し、翌七日に榴弾一三発を射撃したことが記録されている。図中の「Ⅰ／77i」は歩兵第七七連隊第一大隊を、「Ⅱ／77i」は同第二大隊を指す。

次に、**資料16「馬家山付近第一中隊戦闘経過要図」（迫撃第五大隊第一中隊・一九三九年七月一七日）**と**資料17「双桷付近第一中隊戦闘経過要図」（迫撃第五大隊第一中隊・一九三九年七月一七日―一九日）**は、七月一七日から一九日の間における迫撃第五大隊第一中隊によるきい弾とあか弾の射撃状況と射撃量が示された極めて貴重な資料である。「LM」は迫撃隊を示すことから、図中の「1LM」は第一中隊を指す。また、「Ⅱ／77i」は歩兵第七七連隊第二大隊を、「Ⅲ／77i」は歩兵第七七連隊第三大隊を指す。

そして、七月一七日一〇時から一四時三〇分の間にきい弾二八発・あか弾六〇発・榴弾七八発を使用したが、歩兵部隊は、被害が及ばないその手前に位置していたことがわかる。一七日一九時三〇分から一九日三時までの間には、山地帯に拠る中国軍にたいしてきい弾二〇発・あか弾一四〇発・榴弾一六四発を使用したことがわかる。

これらの資料は、毒ガス弾を直接使用した第一中隊が作成したものだけに、**資料7「晋東作戦戦闘詳報」**に示された戦闘経過要図よりも詳細である。

注記

（1）迫撃大隊に関する主な部隊史や戦争体験などを刊行順にあげれば、大西勝巳『一兵士の野戦日記』（迫四会、一九七六年）、迫撃第一三大隊史編纂委員会編『迫撃第十三大隊史』（同会、一九八〇年）、野村春吉『迫撃砲（ママ）第五大隊第二中隊従軍日誌』（私家版、一九八一年。国立国会図書館所蔵）、迫四会大隊史編纂委員会『迫撃第四大隊史』（迫四会本部事務局、一九八五年）、同前『野戦の想い出』（迫四会本部事務局、一九八五年）、堀啓『中国行軍徒歩六五〇〇キロ』（川辺書林、二〇〇五年）、毛利隆一『我が「迫撃砲」との五年間＝迫撃隊始末記＝』（私家版、刊行年記載なし。靖国偕行文庫所蔵）などがある。これらにはあか弾（くしゃみ性ガス弾）の使用（演習を含む）についての記載はあるが、きい弾（びらん性ガス弾）の使用については記載がない。また、陸軍習志野学校史編纂委員会編『陸軍習志野学校』（同委員会、一九八七年）には、迫撃大隊を含む迫撃隊についての記載があるが、あか弾やきい弾の実戦使用については意図的に伏せられている。

（2）陸軍省「軍令陸乙第三号 作戦要務令 第四部 瓦斯用法」一九四〇年三月二〇日、松村高夫／松野誠也編・解説『関東軍化学部・毒ガス戦教育演習関係資料』（不二出版、二〇〇六年）資料1。

（3）教育総監部「迫撃隊（自動車編制）教練規定 総則補遺第二部」一九四〇年三月三一日、『密大日記』一九四〇年第一二冊所収。アジア歴史資料センターホームページ掲載資料（Ref. C01004850100）。この資料を含め、以下に示す日本軍資料の原本は、特に断らない限り防衛省防衛研究所戦史研究センター史料室所蔵である。また、アジア歴史資料センターホームページ掲載資料は、カッコ内に引用部分が記された資料のレファレンスコードを記載する。

（4）森松俊夫監修・解説『参謀本部臨参命・臨命 大本営陸軍部大陸命・大陸指総集成』第二巻（エムティ出版、一九九四年）二二一～二二七頁。

（5）同前三三一～三三五頁。

（6）同前五二～五四頁。

（7）参謀本部第三課「昭和十二年度陸軍動員計画令」（一九三六年七月六日）の付表第二五「迫撃大隊編制表」。この資料は、参謀本部起案「昭和十二年度陸軍動員計画令、同細則ノ件」（一九三六年八月二九日／九月三日）に収録されている。『陸機密大日記』一九三七年第二冊三分の一所収（Ref. C01007658600）。

（8）参謀本部第三課「昭和十二年度陸軍動員計画令細則付録（甲）」（一九三六年八月七日）の第三七「諸部隊兵器表 迫撃大隊」。この資料は、前掲「昭和十二年度陸軍動員計画令、同細則ノ件」に収録されている。『陸機密大日記』一九三七年第二冊三分の二所収（Ref. C01007658900）。

（9）同前の第百二十二「化学戦資材定数表（部隊装備用）」による。同前所収。

（10）以下の略歴は、「迫撃第五大隊略歴」による。カッコ内の時期は作戦期間ではなく、迫撃第五大隊の参加期間を示す。厚生省援護局『インドネシヤ方面部隊略歴』（一九六一年一二月一日）所収（Ref.C12122488200）。原本は、防衛省防衛研究所戦史研究センター史料室所蔵。ただし、この部隊略歴では、晋東作戦については「潞安平地粛清戦」となっているため、この作戦については別の資料で補っている。

（11）沼口匡隆元陸軍大佐「野戦砲の変遷」、日本兵器工業会編『陸戦兵器総覧』（図書出版、一九七七年）八七頁。

（12）沼口匡隆「野戦砲兵兵器」、砲兵沿革史刊行会編『砲兵沿革史』第三巻第三篇兵器器材（偕行社、一九六二年）三八頁。

（13）陸軍科学研究所は、「重投射機ノ起源」について「化学戦ノ要訣ハ一地域ニ多量ノ瓦斯ヲ至短時間ニ集中シ高濃度ノ瓦斯地帯ヲ構成スルニアリ、之レカ為正規ノ砲兵ヲ装備スル為ニハ至大ノ経費ト時日トヲ要シ瓦斯戦ノ徹底的効力ヲ修〔収〕ムル事困難ナルヲ以テ他ノ利益ヲ若干犠牲トスルモ戦費ヲ減少シ兵器ノ配布ヲシテ迅速ナラシメル為簡素ノ兵器ヲ有利トスルニ至レリ。此ノ要求ヨリ戦時〔第一次世界大戦〕中創造セラレタル瓦斯用火砲ハ重投射機ナリ（外国名リブエンスプロゼクター）」と説明し、その長所を、高濃度のガス地帯を構成することが「他ノ火砲ノ追随シ能ハサル所」であること、安価（野砲の約一〇分の一）で製作が容易であることとしているが、短所については、射程が短く、一陣地一発しか使用できず、発見されやすいことを指摘している（陸軍科学研究所「重投射機ノ一般説明」一九二七年九月。松野所蔵）。

（14）陸軍科学研究所は、一九三〇年にホスゲン一〇キロを充填したガス弾を一〇〇〇～三〇〇〇メートル投射し得る口径一六センチの重投射機を、一九三一年にホスゲン二キロを充填したガス弾を五〇〇～二〇〇〇メートル投射し得る口径一〇センチの軽投射機を開発したが、陸軍技術本部において有翼式迫撃砲を研究することになったので、これらは制式化されることなく終わったという（市野信治「化学兵器（攻撃）の研究」、防衛庁技術研究所編『本邦化学兵器技術史』一九五八年、八六～八八頁。吉見義明氏所蔵）。

(15) 陸軍技術本部調整「九四式軽迫撃砲仮制式制定ノ件」一九三五年四月、『昭和十年四月 軍需審議会ニ関スル書類綴其二』所収（Ref.C12121821300）。以下、九四式軽迫撃砲の開発についてはこれによる。なお、この資料では、「2. 瓦斯弾投射任務ヲ主トシ榴弾射撃任務ヲ従トス」の文字に手書きで取り消し線が引かれているが、これは陸軍軍需審議会でこの点について議論があったことを示すものであろう。

(16) 大角亨砲兵大佐「経験回顧録」一九三七年三月、二九八～二九九頁。国立国会図書館デジタルアーカイブ掲載資料。

(17) 陸軍技術本部起案「九四式軽迫撃砲仮制式制定ノ件」一九三五年三月二七日／八月三日、『密大日記』一九三六年第七冊所収（Ref.C01004240800）。

(18) 陸軍軍需審査会長橋本虎之助「兵器假制式制定ノ件覆申」一九三五年五月二三日、『永存書類甲輯』一九三五年第五類其一所収（Ref. C01001361100）。

(19) 前掲陸軍技術本部起案「九四式軽迫撃砲仮制式制定ノ件」。

(20) 陸軍技術本部起案「九四式軽迫撃砲秘密解除ノ件」一九三九年五月一九日、『永存書類甲輯』一九三九年第五類第一冊所収（Ref.C01001741700）。

(21) 教育総監部「化学戦重要数量表」一九四二年五月三〇日、吉見義明／松野誠也編・解説『毒ガス戦関係資料Ⅱ』（不二出版、一九九七年）資料14。

(22) 陸軍省軍務局軍務課「日本化学戦ニ関スル件（有末機関報第三〇二号）」一九四五年一一月一日、同前資料23。

(23) 吉見義明『毒ガス戦と日本軍』（岩波書店、二〇〇四年）一五四頁。

(24) 陸密第一一九七号制定「九四式軽迫撃砲弾薬九五式きい弾弾薬筒概説」一九三六年一二月五日、陸軍省調整『秘密兵器概説綴』所収。粟屋憲太郎／吉見義明編・解説『毒ガス戦関係資料』（不二出版、一九八九年）資料4。

(25) 前掲「化学戦重要数量表」。

(26) 前掲「九四式軽迫撃砲弾薬九五式きい弾弾薬筒概説」。

(27) 支那派遣軍化学戦教育隊「瓦斯弾射撃ノ参考」一九四一年一一月、内藤裕史編・解説『毒ガス戦教育関係資料』（不二出版、一九九六年）一七五～一八九頁。

(28) 館山海軍砲術学校「化学戦要表甲」一九四五年三月調整。

(29) 陸密第一一九七号制定「九四式軽迫撃砲弾薬九五式あか弾弾薬筒概説」一九三六年一二月五日、前掲『秘密兵器概説綴』所収。

(30) 前掲「瓦斯弾射撃ノ参考」。

(31) 前掲「九四式軽迫撃砲弾薬九五式あか弾弾薬筒概説」。

(32) ジフェニルシアノアルシンと同様にくしゃみ剤に分類されるジフェニルクロロアルシンの結晶のにおいを嗅いだ際の体験について、次のような記述がある。「筆者もジフエニルクロロアルシンを恐る恐る鼻で嗅いでみた経験を持つ一人である。この物質は室温では結晶全体が少し混濁しているようで、淡い褐色味を帯びている化合物であった。ジフエニルクロロアルシンに対して特に匂いは感ぜず、揮発性の低い化合物であろうと推定していた。しかし吸入から五分を過ぎた頃に鼻の粘膜がチリチリと痛みを感じ、その作用かと思いつつそのまま放置したところ二〇分後に頭を殴打されたような衝撃を受けた。しかしこの現象は何かの偶然であろうと思い、翌日再度試みた。研究者は懐疑心が強いものであることが実感された。その結果、全く同様の症状が起こったため、ジフエニルクロロアルシンの作用であろうと確信した」（貝瀬利一・木下健司「ヒ素を含む化学剤の処理並びに分解技術」『薬学雑誌』第一二九巻第一号、二〇〇九年一月）。なお、陸軍は、ジフェニルシアンアルシンとジフェニルクロロアルシンを比較し、毒性がより強力な前者をあか一号として採用している。

(33) 中村隆寿『化学兵器』（陸軍科学研究所高等官集会所、一九三四年）二三四頁。松野所蔵。

(34) 村田富二郎「第二次大戦下の『日本』の毒ガス研究」『経済評論』第四〇巻（通巻四六巻）第九号、一九九一年九月。なお、くしゃみ剤について、「ある大学の配属将校が、その名を信じて、このガス室に学生を送り込み、危なく大事を引き起こすところであった。また、わたしの経験であるが、ある日の実験を終わり、手、顔と、通常の通り洗ったところ、顔一面が発赤し、一週間余も覆面生活を強いられた」とも記している。

(35) 教育総監部「事変ノ教訓 第七号 化学戦ノ部」一九三九年、前掲『毒ガス戦関係資料』資料11。

(36) 前掲「化学戦要表甲」。

(37) 拙著『日本軍の毒ガス兵器』(凱風社、二〇〇五年)二九一～二九六頁、拙稿「資料紹介『毒瓦斯ニ関スル思想統一ニ関スル件』」(『季刊戦争責任研究』第八八号、二〇一七年六月)参照。また、極東国際軍事裁判において日本軍の毒ガス戦が免責された理由については、前掲『毒ガス戦と日本軍』二六一～二七〇頁参照。

(38) 小柳津政雄『化学戦研究史』(一九五六年九月稿、同年一〇月厚生省引揚援護局史料室複写)四七頁および六九頁。常石敬一氏所蔵。

(39) 前掲『毒ガス戦関係資料Ⅱ』資料33―8。吉見氏発見資料。

(40) 参謀総長閑院宮載仁親王「大陸指第百九号」(一九三八年四月一一日)、同前資料37―9。「大陸指第百十号」の別紙は、「大陸指第百九号」の部分に綴じ込まれているが、これは参謀本部の担当者が綴じる位置を誤ったものであろう。吉見氏発見資料。

(41) 第一軍参謀部「機密作戦日誌」巻一三(一九三八年四月一六日～三〇日)、前掲『毒ガス戦関係資料Ⅱ』資料43。吉見氏発見資料。

(42) 詳細については、前掲『毒ガス戦と日本軍』六二～六五頁参照。

(43) 陸軍習志野学校案「支那事変ニ於ケル化学戦例証集」(一九四二年)戦例一一、前掲『毒ガス戦関係資料』資料12。

(44) 第一軍参謀部「機密作戦日誌」巻一九(一九三八年七月一日～一四日)、前掲『毒ガス戦関係資料Ⅱ』資料43。吉見氏発見資料。

(45) 教育総監部「事変ノ教訓 第五号 化学戦ノ部」一九三八年、前掲『毒ガス戦関係資料』資料8。

(46) 前掲『毒ガス戦と日本軍』六六頁。以下これによる。

(47) 前掲「機密作戦日誌」巻一九、以下これによる。

(48) 中央档案館『中央档案館蔵日本侵華戦犯筆供選編』第二編第八六巻(中華書局、二〇一七年)所収。NPO法人中帰連平和記念館所蔵。

(49) 「特殊発煙筒効力に関する成果について(特殊発煙筒効力に関する成果報告 昭一三、八)」、陸軍技術本部『支那事変兵器蒐録 第八輯』(参考資料特号外)一九三八年一二月所収(Ref.C14010844500)。なお、この資料は「北支方面」に関する部分に掲載されているので、北支那方面軍に関するものであることがわかる。

(50) 前掲『毒ガス戦関係資料Ⅱ』資料37―9。

(51) 同前資料37―10。

(52) 同前資料37―11。

(53) 前掲『毒ガス戦関係資料』資料9。

(54) 前掲『毒ガス戦関係資料Ⅱ』資料85―7。この表は、前掲『毒ガス戦関係資料』に収録された時はマイクロフィルムからプリントアウトされたものを使用していたが、一部判読できなかった。このため、『毒ガス戦関係資料Ⅱ』では、当時、新たに公開された中支那派遣軍司令部「武漢攻略戦間ニ於ケル化学戦実施報告」(一九三八年一一月三〇日)の原本から複写したものを収録している。

(55) 歩兵第三三連隊「大別山脈沙窩付近戦闘詳報」一九三八年九月一八日～一〇月二三日。以下これによる。この戦闘詳報は、歩兵第三三連隊『支那事変戦闘詳報綴』(一九三八年)に収められている(Ref. C11111198200・C11111198300・C11111198400・C11111198500・C11111198600・C11111198700・C11111198800・C11111198900・C11111199000)。なお、この戦闘詳報の武器弾薬損耗表は日々の毒ガス兵器使用量とは合計数が合わないと思われることに加え、催涙筒の使用量も落ちている。このため、ここでは戦闘詳報に記された日々の使用数からそれぞれの使用量を算出した。

(56) 前掲『迫撃砲(ママ)第五大隊第二中隊従軍日誌』七〇頁。

(57) 同前七一頁。

(58) 前掲『毒ガス戦関係資料Ⅱ』資料37―12。

(59) 以上、第一一軍(呂集団)司令部「修水河渡河戦ニ於ケル特種煙使用概況」一九三九年七月。この資料は防衛庁防衛研究所(当時)が製本した第一一軍参謀部『第十一軍中支方面作戦経過ノ概要』に収録されている(Ref. C11112056300)。なお、この資料は、同研究所(当時)が製本した第一一軍(呂集団)司令部『昭和十四年三月十日／四月十日 南昌攻略戦作戦経過ノ概要』にも収録されている(Ref.C11112084100)。

(60) 第一一軍(呂集団)司令部「修水河渡河戦ニ於ケル特種煙使用概況細部計画抜粋」一九三九年七月。この資料は前掲『第十一軍中支方面作戦経過ノ概要』に収録されている(Ref.C11112056400)。なお、この資料は、前掲『昭和十四年三月十日／四月十日　南昌攻略戦作戦経過ノ概要』にも収録されている(Ref.C11112084200)。

(61) 前掲「修水河渡河戦ニ於ケル特種煙使用概況」。以下これによる。

(62) 前掲『迫撃砲（ママ）第五大隊第二中隊従軍日誌』一〇六頁。

(63) 同前一〇六頁。

(64) 同前一〇八頁。

(65) 同前一〇九頁。

(66) 同前一一一頁。

(67) 前掲『毒ガス戦関係資料Ⅱ』資料37―13。

(68) 第三飛行集団兵器部「北支ニ於ケル航空弾薬消費調査表」一九三九年一一月末調、前掲『毒ガス戦関係資料Ⅱ』資料70―3。

(69) 御付武官『方軍作命綴』所収(Ref. C11111627700)。この資料は、北支那方面軍の作戦命令を綴じたものである。

(70) 同前所収(Ref. C11111627800)。

(71) 歩兵第二二四連隊「高平作戦第二期戦闘詳報」一九四〇年一月五日～八日(Ref.C11111286300・C11111286700)。

(72) 歩兵第二二四連隊第二大隊「高平第二期作戦戦闘詳報」一九四〇年一月一一日～一六日(Ref.C11111299600)。

(73) 陸軍は、一九三九年六月、秘匿のため、毒ガス兵器をイ・ロ・ハ・ニ・トとマツ・タケ・ウメ・キクとを組み合わせた符号によって表示している。イロハ符号とマツ・タケなどの符号のどちらかが兵器（毒ガス弾や有毒発煙筒など）や化学剤の種類を示したものと考えられ、うち、「イタケ」弾は迫撃砲用きい弾であることが判明している（前掲『毒ガス戦関係資料Ⅱ』解説四二頁参照）。だが、そのほかについては、まだ特定に至っていない。

(74) 藤山部隊市来部隊「高平作戦ニ於テ得タル教訓」一九四〇年三月一八日(Ref. C11111537200)。当時の山砲兵第三六連隊長は、藤山朝章大佐である。なお、山砲兵第三六連隊も第三六師団の隷下にあった。

(75) 前掲『毒ガス戦関係資料Ⅱ』資料37―15。この参謀総長指示では、びらん剤特有の攻撃法である雨下のみは行わないとしていることから、それ以外の方法（きい弾の射撃や、野戦瓦斯隊によるびらん剤の地上撒布、航空機による投下きい弾の使用など）であればびらん剤を使用しても差支えないということになる。なお、この指示では、窒息剤や血液剤の使用まで認めていた可能性があるが、中国戦線でそれらを実戦で使用した事実を示す日本軍資料はまだ確認されていない。

(76) 独立混成第四旅団「第一期晋中作戦戦闘詳報」一九四〇年九月一日～一八日、前掲『毒ガス戦関係資料Ⅱ』資料54。吉見氏発見資料。

(77) 晋中作戦におけるきい弾の使用については、歩兵第二二四連隊第二大隊「晋中第一期作戦戦闘詳報」（一九四〇年八月二三日～九月一五日、『毒ガス戦関係資料Ⅱ』資料53）参照。また、その後、歩兵第二二四連隊堀江集成大隊「白羊河及柳樹口付近ノ戦闘詳報」（一九四〇年一一月一九日～二一日、同前資料55）でもきい弾を使用した記録がある。いずれも吉見氏発見資料。なお、晋中作戦での「燼滅作戦」と毒ガス戦については、前掲『毒ガス戦と日本軍』一二〇～一二四頁参照。また、山西省における日本軍の毒ガス戦については、粟屋憲太郎編『中国山西省における日本軍の毒ガス戦』（大月書店、二〇〇二年）参照。

資料1　封門口付近戦闘詳報（迫撃第五大隊・一九三八年六月二五日―二八日）

昭和十三年自六月至七月

封門口及垣曲附近ノ戰闘

小隊長

封門口附近戰闘 [redacted]

一、戰闘前ニ於ケル彼我形勢ノ概要

1、自六、二三、至六、二六、一時 懷慶――――提頭

苗店及濟源ニ於テ我ニ撃破セラレタル約二千ノ敵ノ一部ハ濟源――垣曲道ヲ封門口ニ向ヒ敗走セルモノヽ如ク新ナル敵千ヲ下ラザル敵ノ主力ハ封門口並ニ其ノ東南約二粁ノ區間ニ亘ル天嶮ヲ巧ニ利用シ堅固ナル陣地ニ據リ我ト決戰ヲ企図スルモノヽ如シ

支隊ハ爾テ師團ノ作戰ニ容易ナラシムヘキ任務ヲ以テ清化鎮――――懷慶――――垣曲――――西沃道ヲ西沃ニ向ヒ前進セントシ六月二十五日早朝三縱隊トナリ懷慶城ヲ出發苗店及濟源ニ於ケル約二千ノ敵ヲ撃破シツヽ封門口ニ向ヒ前進中ナリ

2、自六、二六、一時 至六、二八、二十時 提頭――――門頭嶺陣地偵察

大隊ハ六月二十五日夜濟源東方約六粁提頭ニ露營ス

1

六月二十六日一時左ノ中野支隊命令ヲ受ク（中作命第二七六號）

命令ノ要旨左ノ如シ

一、右縱隊ハ本日没頃濟源城ニ突入シ續イテ城内ヲ掃蕩シ完全ニ之ヲ占領セリ

二、支隊ハ明二十六日攻撃ノ目的ヲ以テ依然三縱隊トナリ王屋鎮南北ノ線ニ向ヒ前進セントス

三、四、五、六、（省略）

七、ロ隊ハ明二十六日九時三十分頃城内宿營地ヲ出發シ先遣隊ニ續行シ道路ヲ補修シツヽ王屋鎮ニ向ヒ前進スヘシ

八、本隊タル諸隊ハ明二十六日九時迄ニ後亞橋西南側橋梁ヲ先頭トシ本二十五日出發時ノ行軍序列ヲ以テ概ネ本道上ニ集合シロ隊ノ後方ニ續行スヘシ

右命令ニ基キ大隊長ハ左ノ命令ヲ下達ス

2

迫五作命第二七二號

迫撃第五大隊命令　六月二十六日一時 於提頭大隊本部

一、支隊ハ本二十六日三縱隊トナリ王屋鎮（濟源西方約六里）南北ノ線ニ向ヒ前進ス

二、大隊ハ中縱隊トナリ本日ト同様ノ序列ヲ以テ前進セントス

三、各隊ハ八時迄ニ車輛位置ニ在リテ出發準備ヲ完了スヘシ

四、集合地ニ到ル迄ノ大隊ノ行軍序列左ノ如シ

大隊本部、第一中隊、大行李、第三中隊、大隊段列

五、予ハ八時宿營地南端道路上ニ位置ス

大隊長　幡川少佐

下達法　命令受領者ニ口達筆記セシム

右命令ニ依リ大隊ハ二十六日午前八時宿營地出發後亞橋附近ニ於テ支隊本隊ノ行軍序列ニ入リ濟源――封門口――王屋鎮本道ヲ王屋鎮ニ向ヒ前進ス

3

十二時頃滑源通過十三時十分西淹村ニ到着約一時間ノ大休止ヲナス午后ニ到リ部隊ノ歩度急激ニ延ビタレ共道路ハ孔庄附近ヲ過ルル頃ヨリ愈々山岳道トナリ時正ニ十五時十五分ナリ此ノ時支隊本部トノ連絡ニ任シアリシ小森少尉来リテ左記事項ヲ傳達ス

左記

一、封門口附近ニハ相當ノ敵兵陣地ヲ構築シ在リ
二、支隊ハ直チニ此ノ敵ヲ攻撃シ大店附近ニ進出セントス
三、歩兵第三大隊ヲシテ攻撃セシメ砲兵ハ一中隊　獨立機関銃一中隊及迫撃砲大隊ノ主カヲ該戦闘ニ参加セシムル予定ナリ

大隊長ハ直チニ第一中隊長道家大尉ニ部隊ノ引率ヲ命シ挺進班ヲ併ヒ支隊本部ノ位置ニ先行ス
途中道路ハ河原道ニシテ加フルニ部隊ノ重畳セル為ニ十時稍々

前坑村ニ在リシ支隊本部ニ到着シ攻撃ノ腹案ニ関シ連絡スル所アリ
時ヲ経スシテ先ニ指示シアリシ第三、第一中隊長續イテ中隊指揮機関ヲ従ヘ大隊長ノ下ニ先行シ来ル
大隊長ハ直チニ彼我一般ノ状況並ニ支隊攻撃腹案等細部ニ就イテ説明シ先ツ陣地偵察ノ為各隊長以下ヲ伴ヒ門頭嶺附近ニ向ヒ急進ス此ノ時ニ於ケル彼我ノ態勢要圖其一ノ如シ

二、戦闘ニ影響ヲ及ホセシ天候氣象及戦闘地ノ状態

1、天候気象　天気晴朗ナリトハ雖モ水喧嘩雨乞ヒノ候連日ノ炎天将ニ焼クカ如ク道路ハ黄塵ヲ巻上ケ馬蹄ヲ燒キ或ハ重畳セル塊石断ツ處ナキ河原道ニシテ地形亦急峻ナリ加フルニ圖上ノ村落トテ現地ニ甚ク一、二ノ家屋其ノ跟跡ヲ止メ在ルノ状態ニシテ利用シ得ヘキ南國ノオアシス樹蔭全ク無ク山腹ト雖モ禿山ニシテ草木殊ニ尠ク只岩盤ノ露出シ或ハ山崩砂ノ炎熱道ニナリタル在リ氣温百十度乃至二十度ヲ往行シ凹道将ニ炎天灼熱ノ鍋底ヲ行クカ如シ

2 戦闘地ノ状態　機動ノ迅速ヲ要スル戦闘ニ於テハ極メテ不利ノ状態ニシテ特ニ車輛編成部隊タル當隊ニ於テハ行軍頗ル困難ニシテ兵器彈薬ノ機能ニ多少ノ影響ヲ及ホス程度ニ至レリ
残月又日没後二十分ニシテ没シ夜ハ全ク暗夜ニ等シク星明リヲ唯一ノ頼ミトスルノ有様ニシテ夜間ノ行動ハ益々困難ナル状態ニ在リ
敵ハ我ト約二百八十米ノ差アル高地一帯ニ陣地ヲ占領シ其ノ要点タル封門口ハ天恵的要地ニシテ附近ニハ煉瓦造城壁ヲ巡ラシ陣地ハ一般ニ軽掩蓋ヲ以ツテシ之ニ迫ル間ノ高地一帯ハ徒歩兵ノ通過ト雖モ困難ナル状態ニ在リ
加フルニ三官店――大店――王屋鎮道ハ敵ニ依リ甚クシク破壊セラレアリテ徒歩兵以外ノ部隊ハ行軍頗ル至難ナル状態ナリ

三、戦闘経過ノ概要

自六、二六、二十時 至六、二六、二十時五十分 門頭嶺陣地偵察――射撃開始

（門頭嶺附近陣地偵察時ニ於ケル彼我態勢要圖）
其ノ一

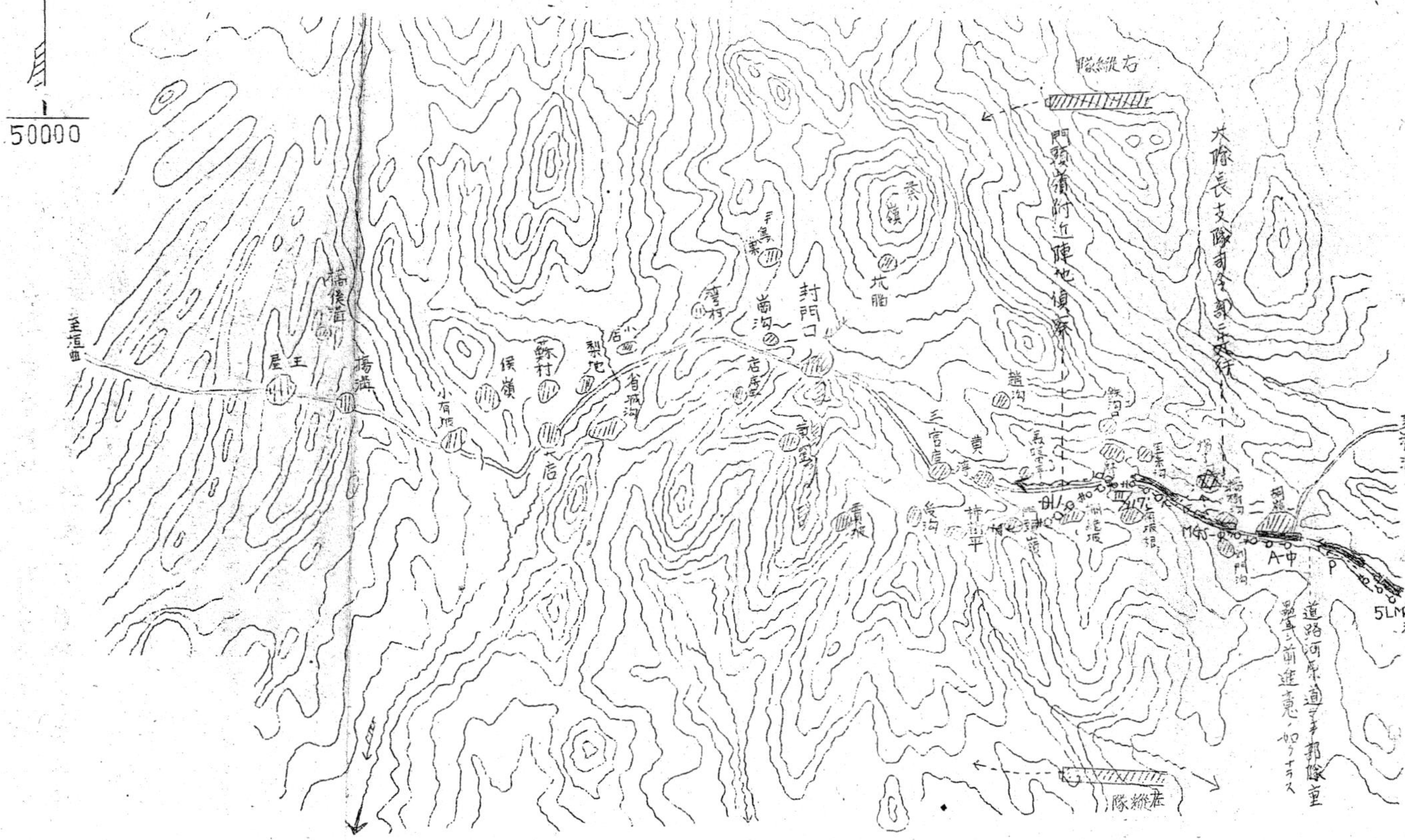

（戰闘開始直前ニ於ケル彼我態勢要圖）
（其ノ二）

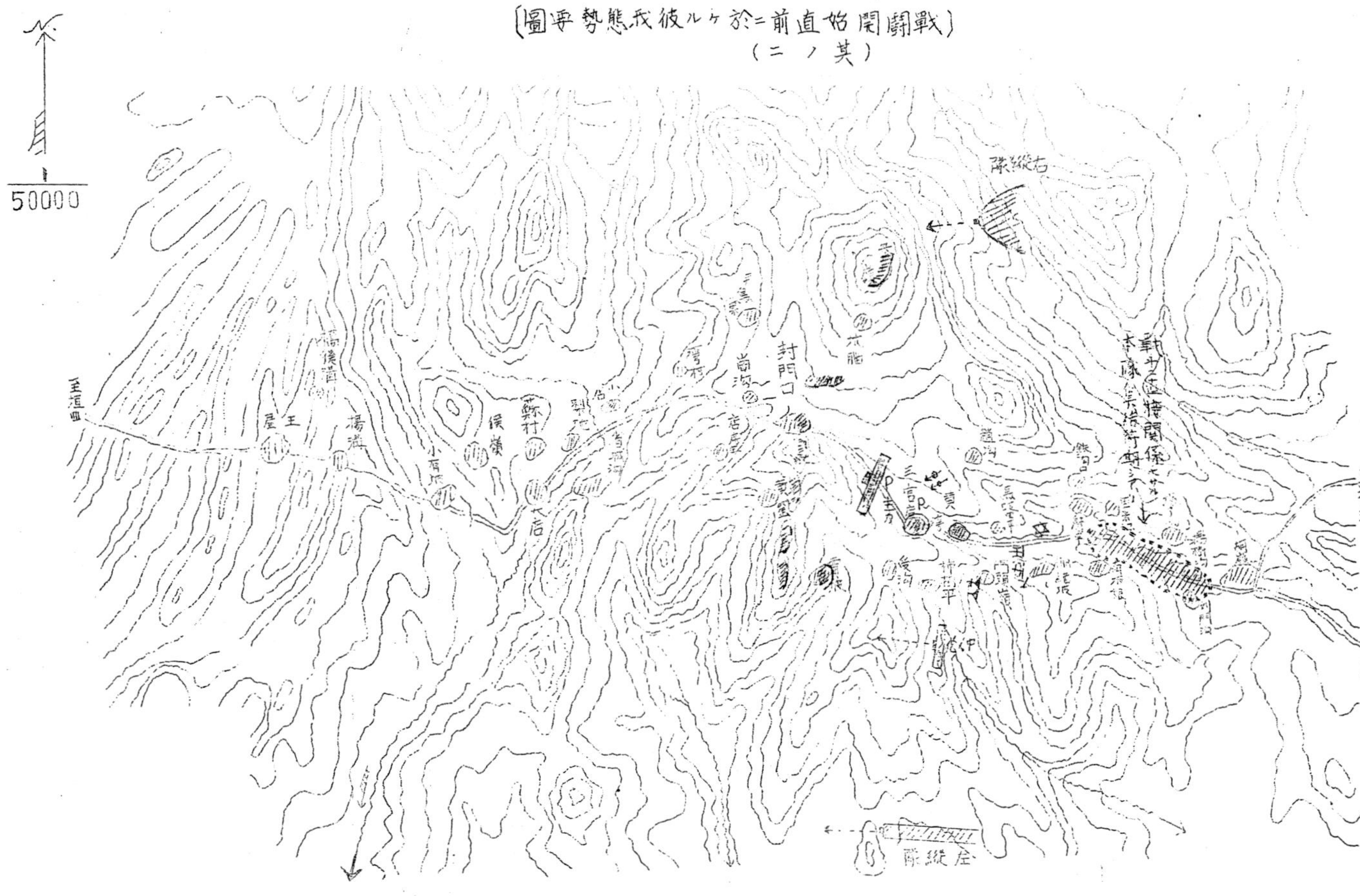

門頭山嶺附近陣地偵察ノ結果大隊ハ先ツ第一中隊ヲシテ同村北端畑地ニ
陣地ヲ占領セシメ大隊本部ヲ其ノ前方山腹ニ占メシメス
敵ハ封門口並ニ同地南方一〇三・三三高地及ヒ一〇二・二〇高地ノ線ニ堅固ナル陣地ヲ
占領シ我ニ對シ頑強ナル抵抗ヲ試ミツヽ在リ
二十時四十分概ネ射撃準備ヲ完了セリ此ノ時我第一線歩兵タリシ第三大隊
ハ概ネ攻撃ノ態勢ヲ整ヘ逐次封門口南方高地ノ敵ニ對シ近接シアリ
陽將ニ西山ニ没セントシ薄暮攻撃ノ期既ニ熟セリ戰場ハ宛ラ山嵐ノ前ノ静ケサニシ
テ決戦ノ層ヲ刺スノ状態ナリ
我歩兵第一線ハ黙々ト敵前至近ノ距離ニ迫ル攻撃開始ノ命ハ全軍一斉
ニ下レリ

2. 自二六、二十時五十分 至二七、一時五十分 射撃開始――第三中隊陣地進入前
大隊長ハ我第一線歩兵第三大隊ノ攻撃ニ協力スヘク直ニ射撃準備完
了中ノ第一中隊ヲシテ封門口南方高地上ノ敵ニ對シ射撃開始ヲ命ス時正
ニ二十時五十分ナリ

我砲彈敵陣地ニ命中スルヤ第一線大隊並ニ之ニ配属セラレ在リシ獨立機関
銃一斉ニ射撃ヲ開始セリ
戰場ハ遽ニ活況ヲ呈シ暮レナントスル山岳ノ空氣ヲ震動シ峪地ヲ縫ヒテ敵
ヘ味方ヘト相反響シ封門口將ニ我掌中ニ在ルカ如シ
然レ共敵モ亦ヨク我ニ應戰シ敵迫撃砲彈ノ我頭上ヲカスメルアリ流彈ノ繁
ク落達スル在リテ我觀測所附近モ戰場ノ修羅場ト化スルニ至レリ
陽漸ク没シ天嶮ヲ巧ニ利用シタル敵ノ既設陣地ハ数時間ニ亘ル我觀測
班ノ努力ニモ拘ラス其ノ細部ヲ發見スル事不可能ニ終レリ
大隊ハ逐次夜間射撃ノ準備ヲ整ヘ命ニ依リ概ネ現在ノ態勢ヲ以テ夜ヲ
徹スルニ決ス
當夜二十三時二十分支隊司令部ニ在リシ連絡將校小森少尉ヨリ左記要旨ノ電話
アリ
一、第三大隊ハ依然攻撃ヲ續行中ナリ

封門口附近戰闘経過要圖
其ノ三 (自二十六日二十一時五十分 至二十七日零時十分)

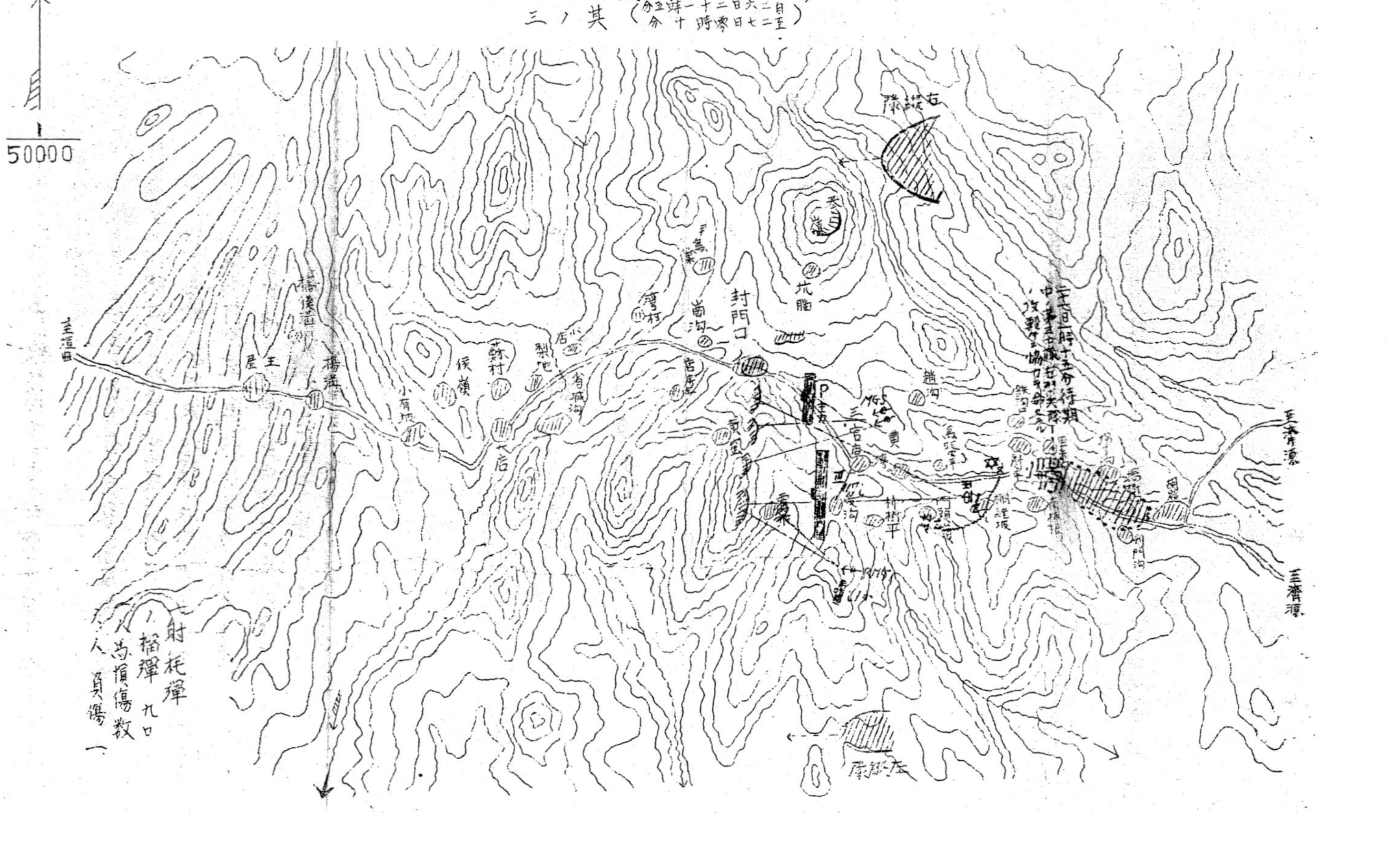

二、迫撃隊ハ歩兵第三大隊ニ協力ノ為封門口南側高地ニ対シ射撃
スヘシ
依テ大隊長ハ直チニ先キニ射撃セシ第一中隊ヲシテ薄暮ニ準備セシ射撃諸
元ニ基キ一齊ニ射撃開始ヲ命ス射弾概ネ意ノ如ク落達ス
二十七日零時十分射撃ヲ中止シ大隊長ハ支隊長ノ命ニ依リ支隊司令部ニ
至リ支隊長ト前面ノ攻撃ニ関シ連絡スルトコロアリ
一時十五分支隊本部ニ在ル小森少尉ヨリ左ノ要旨ノ電話アリ
ノ、迫撃隊ハ其ノ一ケ中隊ヲ三官店附近ニ出シ右翼大隊ノ戦闘ニ直接
協力セシムヘシ

3 自六、二七、一時十五分 至六、二七、七時三十分 第三中隊陣地進入——射撃中止

大隊長ハ右要旨ノ命令ヲ受クルヤ直チニ先キニ待機セシメアリシ第三中隊ヲ三官店
附近ニ進出セシムルニ決シ第三中隊長ヲ大隊本部ニ招致シ其ノ細部ニ関シ指示ス
二十七日早朝大隊長ハ第一中隊ヲシテ現任務ヲ続行セシムルト共ニ大隊指揮機関ヲ伴
ヒテ三官店附近ニ在ル第三中隊ノ位置ニ大隊本部ヲ進メ新ニ通信網ヲ構成セシム

9

途中道路ハ敵ニ依リ到ル処破壊セラレ目下修理中ニシテ車輌ノ通過全ク不可
能ナル状態ニ在リ
依テ第三中隊ハ車輌ヲ破壊点附近ニ停止セシメ背力搬送ヲ以テ破壊点西方
約三百米ノ山腹ニ陣地ヲ占領シ在リテ主トシテ封門口城壁及附近ノ掩蓋ニ依レル
敵ヲ射撃中ナリ
大隊長ハ大隊観測所ヲ第三中隊観測所附近ニ位置セシメ引続キ現在ノ敵ヲ
射撃セシム
七時十分第一線歩兵ヨリノ通報並ニ捜索ノ結果ニ依リ封門口北方高地ニ密集
セル部隊ノ行動中ナルヲ知リ大隊長ハ直チニ此ノ敵ニ対シ射撃開始ヲ命ス、
敵ハ我射撃ニ依リ多大ノ損害ヲ受ケ又我第一線歩兵ノ猛攻ニ堪ヘ兼ネタルモノヽ
如ク逐次堅固ナル陣地ヲ捨テ退却スルノ情態トナルニ至レリ時ニ七時三十分ナリ
旭日天ニ高ク昨夜来ノ我攻撃効ヲ奏シ封門口城頭高ク日章旗翻ル将兵ノ
氣将ニ天ヲ衝クノ概アリ

10

（封門口占領時ニテノ戦闘経過要圖）
其ノ四（自二十七日零時十分 至二十七日七時三十分）

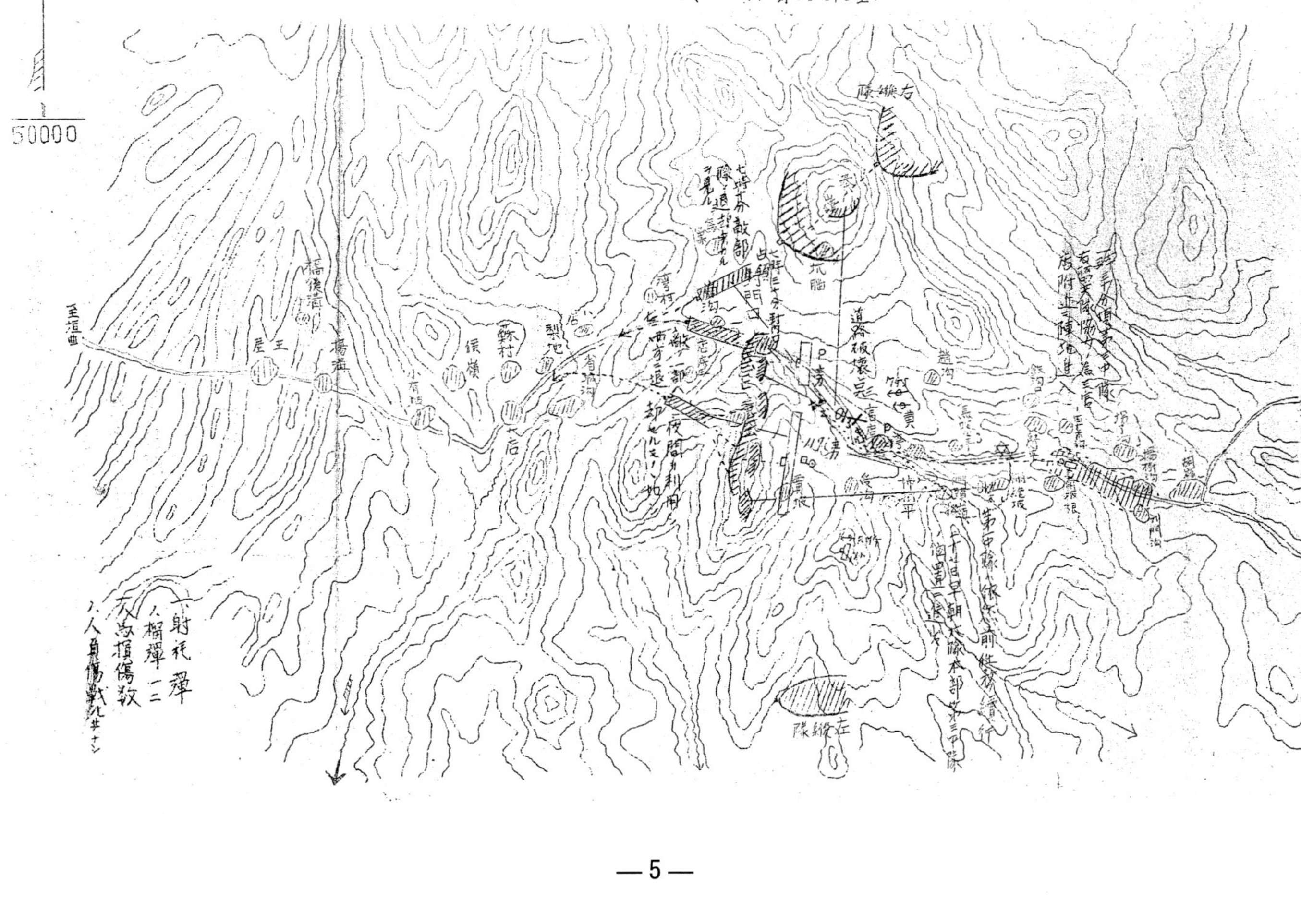

前面一帯ノ敵ハ殆ント西方及北方ニ潰走シ戦場ハ再ヒ故ノ平和ニ還レリ
自六、二七、十七時半分 至六、二七、十九時 射撃中止――封門口
此ノ時支隊司令部ニ在リシ小森少尉ヨリ左記事項ノ傳達ヲ受ク

左記

一 支隊ハ大店ニ向ヒ敵ヲ追撃セントス
二 其ノ行軍序列ハ故ノ如シ
三 前衛ノ先頭ヲ以テ八時三官店北端出発ノ予定ナリ

大隊長ハ直チニ各隊ニ出発準備ヲ命シ本部第三第一中隊段列大行李ノ順序ヲ以テ從前ノ行軍序列ニ入リ前進スヘク處置ス
然レ共三官店――封門口道ハ甚タシク破壊セラレアリ数時間ニ亘ル工兵隊ノ心血ヲ傾注シテノ道路作業工事ニ依ルモ道路ハ未タ補修シ得ス車輌ノ通過不可能ニシテ一部ノ徒歩部隊ノミ前進スルヲ得タリ
其他ノ部隊ハ遅々トシテ進ミ得サルノ状況ニ在リ時九時五十分ナリ十一時稍々過野砲隊ノ一部出発準備ヲ整ヘタルヲ知リ大隊長ハ各隊ニ出発準備ヲ命ス

其ノ時封門口ニ在リシ支隊司令部ヨリ傳騎来リ左記事項ヲ傳達セラル

左記

一 各隊ハ十五時迄現在ノ態勢ヲ以テ大休止ヲナスヘシ

大隊ハ命ニ依リ現在ノ態勢ニアリテ別命アル迄晝食大休止ヲナス
十五時予定ノ如ク出発準備ヲ整正ヘ前進ノ時期ヲ待機シ居タルモ前方ニ在リシ野砲隊ハ道路嶮悪ニシテ急峻加フルニ道路ノ補修完全ナル程度ニ到ラサリシ為其ノ前進意ニ委セス状況不利ナル地形ニ於テハ輓馬ヲ十頭輓トシ全力ヲ以テ一門宛前進スルノ止ムナキニ到ルノ有様ニシテ十九時稍々過ギ始メテ大隊ノ先頭ヲ以テ封門口ニ到着
5 自六、二七、十九時 至六、二八、五時三十分 封門口――省城溝
大隊長ハ部隊ノ無事到着スルヲ見届ケ大隊副官以下所要ノ人員ヲ伴ヒ先ニ設営者ヲ先遣シ在ル省城溝ニ先行ス
間モナク第三中隊戦砲隊同地ニ到着セルモ其ノ他ノ部隊ノ到着時刻ハ予想シ得サルノ情況ニ在リ

大隊長ハ直チニ此ノ情況ヲ佐々木軍曹ヲシテ支隊本部ニ報告セシム二十三時稍々過ギ左ノ中野支隊命令ヲ受ク（中作命第二七九號）
命令ノ要旨左ノ如シ
一 當面ノ敵ノ大部ハ西方及西南方ニ退却セリ
二 支隊主力ハ本二十七日夜大店附近以東ノ地区ニ兵力ヲ集結シ爾后ノ前進ヲ準備セントス
三 本隊タル爾余ノ諸隊ハ左ノ如ク兵力ヲ集結シ村落露営スヘシ
省城溝
右命令ニ基キ大隊長ハ左ノ命令ヲ下達ス

迫五作命第二七三號

迫撃第五大隊命令

六月二十七日二十一時
於省城溝大隊本部

一 當面ノ敵ノ大部ハ西方及西南方ニ退却セリ
支隊主力ハ本夜大店附近以東ノ地区ニ兵力ヲ集結シ一部ヲ以テ其ノ西方高地線ヲ占領シ主トシテ西方ニ對シ警戒スル筈

二 大隊ハ本二十七日省城溝附近ニ村落露営セントス野砲第二大隊主力ハ梨地附近
二 支隊本部及歩兵ノ一部ハ小店附近ニ宿営スル筈
三 各隊ハ設営者ノ誘導ニ依リ就宿スヘシ
四 古野准尉ハ露営日直将校兼部隊日直将校ニ服務スヘシ
五 各隊ハ宿営地到着後左記ニ依リ其ノ要員ヲ本部前ニ差出シ部隊日直将校ノ指示ヲ受ケシムヘシ

左記

露営衛兵要員トシテ第一、第三中隊ヨリ下士官一兵四 部隊衛兵要員トシテ大隊段列ヨリ下士官一兵四
六 各隊直接ノ警戒ハ從前通リ實施スヘシ
七 本夜ノ給養ハ大行李糧秣ニ依ルヘシ其ノ補充ハ別命ス
八 予ハ車廠南端東方百米獨立家屋ニ在リ

大隊長 幡川少佐

下達法 命令受領者ニ口達筆記セシム

然レ共大谷堆、蘇村、大店部落ニハ友軍未タ入リ居ラサル爲追撃隊ノ将ニ至嚴ナル警戒ヲナスヘク支隊司令部ヨリ注意アリタリ
二十八日二時三十分第三中隊段列露營地到着
五時四十分第一中隊及大隊本部車輌引續キ大隊段列到着ス
此ノ時旭日山頂ヨリ出テナントシ砲夜總聲ト共ニ明ケタリ
6.28 五時四十分
6.28 六時三十分 小有城沟——陽溝
敵ハ大谷堆、蘇村大店西側高地ニ陣地ヲ占領シ當時露營ノ態勢ニ在リシ部隊ニ對シ狙撃的射撃ヲナシ在リ
大隊長ハ直チニ第三中隊ヲシテ露營地南端ニ陣地ヲ占領セシメ此ノ敵ヲ射撃セシム
射撃適確ニシテ数發ノ射撃ニヨリ敵ハ沈默シ退却ヲ開始セリ
大隊長ハ大隊觀測班ヲ從ヘ小有城沟南々西九八、九七高地ニ於テ敵情ノ偵察ヲナス
其ノ結果敵部隊ノ遠ク三、五仕々ト部隊ニナシ退却中ナルヲ知ル尚支隊司令部ヨリ福島參謀来リ敵情ヲ確認シ大隊長ト爾後ノ追撃ニ関シ會談ス
同時支隊司令部ニ在リシ小森少尉ヨリ左ノ中野支隊命令ヲ受領ス（中仮命第二

八一号）
命令ノ要旨
一下ハ樓和庄附近ヨリ橋后溝附近ヲ経テ楊溝附近ニ亘リ其ノ第一線ヲ以テ之ヲ占領シ其ノ後方各稜線ニモ下兵アリ
二支隊ハ攻撃ノ目的ヲ以テ敵情地形ヲ捜索スルト共ニ糧秣彈藥ノ整備ヲ行ハントス
又追撃隊ハ其ノ一ケ中隊ヲ馬圏附近ニ陣地ヲ占領セシメ左大隊ノ戰闘ニ協力セシムヘク命セラル
命ニ依リ大隊長ハ第三中隊ヲシテ速ニ出發準備ヲ完了セシメ本道上ヲ馬圏ニ向ヒ前進セシム
然レ共途中ノ道路ハ所々破壊セラレ加フルニ既ニ前進シ在リシ前方部隊ノ車輌道路上ニ充満シ在リテ通過至難ヲ極メ第三中隊ノ前進ハ一時頓座ノ状態ニ在リ

敵ハ我支隊ノ追撃ノ急ナルニ堪ヘ兼ネ王屋鎮東方地区一帯ノ敵ハ逐次退却中
ナルモノヽ如ク橋台溝附近及王屋鎮西側高地ニハ尚各数百ノ敵兵アリ左第
一線ハ王屋鎮東側高地ヲ占領セリ右縦隊ハ十二時頃西陽村附近ニ進出シ敵
ノ退路ヲ遮断シアリ
支隊ハ依然追撃ヲ続行ス我第一線歩兵ハ陽溝附近高地ニ進出シ王
屋鎮南北ノ稜線ノ敵ト交戦中ナリ
大隊長ハ直チニ第一線歩兵ノ戦闘ニ協力スベク第三中隊ヲシテ陽溝附近ニ
第一中隊ヲシテ陽溝東側附近ニ陣地占領ヲ命シ第三第一中隊、大隊段列
大行李ノ順序ヲ以テ先ツ陽溝ニ向ヒ前進ス
大隊長ハ所要ノ指揮機関ヲ従ヘ陣地偵察ノ為先行ス
ク 自六、二八、十七時三十分 至十九時 陽溝 ――― 王屋鎮
十七時三十分先行者ハ陽溝ニ到着セルモ途中道路ハ甚シク破壊セラレ破壊点
数個所ニ亘リアリテ其ノ程度我ニ頗ル不利ノ状態ナルモ工兵隊ハ灼熱ノ下ニ於ケ
ル必死ノ作業モ相当ナル時間ヲ要セシ部隊ノ到着ハ数時間遅延スル事ヲ

予想セラル
支隊本部該地通過稍々前小森少尉ヨリ左ノ支隊命令ヲ受ク（中作命第
二八二號）
命令ノ要旨左ノ如シ
一、王屋鎮東方地区一帯ノ敵ハ逐次退却中ナルモノヽ如ク橋台溝附近及王
屋鎮西側高地上ニハ尚各数百ノ敵兵アリ
左第一線ハ王屋鎮東側高地ヲ占領セリ
右縦隊ハ十二時頃西陽村附近ニ進出シ敵ノ退路ヲ遮断シアリ
二、支隊ハ各隊弾薬糧秣ノ補給終了後速ニ行動ヲ開始シ王屋鎮西方高地
ノ敵ヲ撃破シ西洋門附近ニ向ヒ追撃セントス
三、四、五、六、七、八（省略）
九、現A隊及LM隊ハ陽溝附近ニ準備セル陣地ニ於テ先遣隊及現追撃隊ノ戦
闘ニ協力シタル後本隊ノ序列ニ入ルヘシ

一〇、本隊タル諸隊ハ中作命第二六九號別冊中野支隊作戦計画ノ序列ニ従ヒP隊
ニ続行スヘシ
但LM隊ハ一小隊ヲ☆ノ直前ニアリテ前進セシムヘシ
然レ共当面ノ高地一帯ニ附近ニハ既ニ敵影ナク射撃ノ必要ヲ認メサル為本部
各中隊ノ先行者ハ王屋鎮ニ於テ部隊ノ来着ヲ待ツ
大隊長ハ児玉軍曹以下所要ノ伝騎ヲ伴ヒ支隊本部ニ連絡ノ為先行ス
自六、二八、十九時 至六、二八、二十二時三十分 王屋鎮露営 ――― 命令下達
十九時稍々過王屋鎮ニ続々部隊到着シ附近道路上ニ集結セルモ前方部隊ハ依
然停止シタル儘ニテ砲声一時盛ナルヲ聴ク
第五中隊長道家大尉ハ直チニ大隊長ト連絡ノ目的ヲ以テ設営隊ヲ兼ネ細萱准
尉以下十三名ヲ旅団司令部ノ位置ニ先行セシム時夕陽傾キ人影長シ
大隊副官続キテ支隊司令部ニ在リシ大隊長ノ下ニ連絡ノ為先行シ来ル
此ノ時支隊司令部ニ於テハ中作命第二八三號下達中ナリ
命令ノ要旨左ノ如シ

一、敵主力ハ西方ニ退却シ一部ハ四散潜伏セルモノヽ如シ
二、支隊ハ本二十八日主力ヲ以テ茶房 ――― 封門口間ノ地区ニ宿営セントス
三、四（省略）
五、本隊タル諸隊ハ左ノ如ク兵力ヲ集結シ村落露営スヘシ
9MGs（一小中） 5LM 王屋鎮、橋援溝、巴水底溝、瓦窯、
右命令ニ基キ大隊長ハ左ノ命令ヲ下達ス

追五作命第二七四號

追撃第五大隊命令

六月二十八日二十二時四十五分
於王屋鎮大隊本部

一、敵主力ハ西方ニ退却シ一部ハ四散潜伏セルモノヽ如シ
支隊ハ本二十八日主力ヲ以テ茶房、封門口ノ地区ニ宿営ス
旅団司令部ハ歩兵第三大隊主力ト共ニ上五里橋附近ニ村落露営ス
二、大隊ハMGs大隊主力ト共ニ王屋鎮附近ニ村落露営セントス
三、各隊ハ設営者ノ指示ニ依リ夫々就宿スヘシ

四、部隊日直将校ハ細萱准尉トス
五、宿営地ノ警戒ハ左記ニ指示スルモノヽ外各隊毎ニ実施スヘシ

左　記

第三中隊宿営地西端ニ下士官ヲ長トスル露営衛兵一組
第一中隊、大隊宿営地北側及東端ニ各々露営衛兵一組
大隊段列、大隊宿営地南側ニ下士官ヲ長トスル露営衛兵一組
六、給養ハ携帯口糧甲ニ依ルヘシ
但シ其ノ補充ニ関シテハ別命ス
七、予ハ王屋鎮ニ在リ

大隊長　播川少佐

下達法　命令受領者ニ口達筆記セシム

命ニ依リ大隊ハ9MGs ト共ニ王屋鎮ニ露営ス

附　録

一、追撃第五大隊戦闘参加編成表
一、戦闘死傷表
一、兵器弾薬損耗表
一、中野支隊作戦計画概要
一、中野支隊作戦命令

迫撃第五大隊本部編成表（自昭和六、三、三 至昭和七、二、一）

指揮班

- 大隊長 歩兵少佐 幡川錬治
- 副官 歩兵中尉 井野清重
- 書記 歩軍 大内貞司
- 歩軍 佐々木理佐
- 傳令 輜適上 梨本秋太郎
- 馬取扱兵 特務一 山浦武兵
- 〃 井出辰男
- 歩兵一 淺川良造

觀測班

- 觀測掛下士官 歩軍 兒玉秀行
- 上 山田虎雄
- 上 間宮清
- 上 吉川万亀佳
- 一 古橋万

通信班

- 班長 歩兵少尉 小森親憲
- 通信掛下士官 歩軍 中野重門
- 第一構成班 長上 御原徹
- 上 北原一長
- 上 加藤儀三郎
- 上 伊藤善一
- 一 田中英
- 一 増渕恒治
- 第二構成班 長上 倉澤文豊
- 上 松野正壽
- 上 茂原義一
- 一 加藤善一郎
- 第三構成班 長上 宮澤定雄
- 上 小畑義雄
- 上 唐澤一書
- 上 高山汎
- 一 石田百平
- 一 伊藤春美

掩護班

- 小銃班 長歩軍 瀧澤宗説
- 歩上 高山賀一
- 一 中村一信
- 〃 長尾小七
- 〃 小口誠童
- 〃 越三次郎
- 〃 上倉安平
- 〃 佐野彌一
- 〃 藤森國人
- 〃 松村六
- 〃 櫻町館一
- 〃 山本藤四郎
- 〃 梅村吾太郎
- 〃 伊藤正美
- 〃 中條賀人
- 輕機關銃班 長適上 上原正衛
- 一 松本重治
- 一 高橋源吾

各部

- 經理部 主計少尉 安坂昌令
- 〃軍曹 池田亞
- 助手適上 近藤正令
- 衛生部 軍醫少尉 小口宗一
- 〃 石川信
- 衛生軍曹 清水宗四郎
- 〃 熊谷清
- 獣醫部 獣醫少尉 小林芳治
- 獣醫務軍 棚田易次

大行李

- 長輜軍 後藤俊雄
- 適上 富澤剛道
- 上 太田袈裟己
- 特務一 鷲澤静男
- 〃 西澤保雄
- 〃 關島日一
- 〃 市川太郎男
- 〃 内山利春
- 〃 渡邊傳
- 〃 森山勇
- 〃 中島晋
- 〃 塚田政
- 〃 相澤和志
- 〃 小橋健一郎
- 〃 小澤儀二
- 〃 小池林
- 〃 塊崎要次郎
- 〃 瀧澤義晴
- 〃 上原豊春
- 〃 南澤喜一
- 〃 小松正
- 〃 竹村芳雄
- 〃 金子富貴男
- 〃 細尾榮儀
- 〃 木下光男
- 〃 手塚太次郎
- 〃 宮島文夫
- 〃 佐藤誠
- 〃 中島正則
- 〃 上野袈裟男
- 〃 江森正雄
- 〃 下條喜重
- 〃 高橋唯繁
- 〃 山崎隆盛
- 〃 今井光男

中隊編成表（晋南肅正戰）

昭和十四年六月二十四日現在 迫撃第五大隊第一中隊

中隊長

歩兵大尉 道家章應

- 曹長 佐野利勇
- 給與軍曹 小笠原尊勝
- 連絡伍長 冨田五逸
- 觀測伍長 中里徳太郎
- 〃 上等兵 酒井喜美
- 〃 〃 海老原半次
- 通信伍長 小河原武人
- 通信上等兵 齊藤陽悳
- 〃 新井安人
- 〃 高橋貞雄
- 〃 一等兵 西川昌雄
- 喇叭上等兵 小林治雄
- 〃 一等兵 木谷道典
- 傳令上等兵 茂木芳夫
- 馬取扱兵 一等兵 天田太一
- 取扱上等兵 大高定義
- 〃 齊木千春
- 〃 一等兵 小坂井吾志智
- 〃 長洲義男
- 衛生上等兵 小林茂雄

第一小隊

小隊長 歩兵少尉 塚原忍

- 分隊長 軍 大塚英司、上 山本武文、上田一美、柏谷正一、長田定男、下本新藏、竹原森造、内村傳、宮賀駒雄、西須忠一、大良吉三郎、秦部文吉、柏原濟郎
- 分隊長 伍 中澤英男、上 古畑進、南地雄、鈴木志、花塚竹一、半田榮成、宮下静一、高庭勝、川上貞昌、作山政文、内田良郎、佐藤善平、米川武輔、宮内勇大
- 分隊長 伍 樋口達雄、大野平忠、龍澤良三、武田勝次、塚原精明、神林梢吉、小平清郎、春山袈裟吉、小口半王、矢島恒郎、飯村政雄、新田鉱夫、山野、上野

第二小隊

小隊長 歩兵少尉 鈴木準一

- 分隊長 伍 伊藤朝弘、堀口金隆、大藤福三郎、田西覚、小中作、安池長作、戸藤林一、大川里一、渡黄秋雄、稲垣政之、林吉、野尻金吾、大野雄
- 分隊長 上 瀧村孝一、堀内袈裟雄、茅野平、伊藤人、須藤郎、青木正清、宮下作、札葉七、松原武、藤沼伊吉、山本和則、小澤留朗、櫻井忠良、須藤好男
- 分隊長 伍 菊地進、君島雄、星野七、田村隆、吉井天、蓮見吉、渡邊達郎、市毛隆、後藤一、小堀光、山郎、横井成、金田武吉、武田吉一

第三小隊

小隊長 歩兵少尉 伏木保之

- 分隊長 上 大田作、瀧本喜好、閔野喜貴、岡村榮、安井保、金邊保、濱橋正、柳澤郎、平間治、門堀八百夫、高川正郎、条野圭三郎、高本正隆、松
- 分隊長 伍 中澤弘、龍原順、板橋藏、藤原林郎、朝日得德、古谷豊吉、宮入恭治、北村連、入江一、小林一、北條幸一、栗林郎、安芳雄、氷瀬榮太郎
- 分隊長 伍 中村治、山岸新作、渡邊義雄、渡邊勇次郎、島橋忠壽、中内命、高木残圭、竹島重、鈴合喜平、大良郎、落井與四郎、原坂孝、小

中隊段列

段列長 細萱萬良

- 分隊長 單 杉山田太郎、武井長三郎、諸澤二十郎、吉澤彬、村水總、清澤男、上原義、中澤光誠、石井賢次郎、西澤勇藏、小原芳次夫、牧野清利、綱川文利
- 分隊長 上 張替三郎、加瀬金次郎、郡司善次郎、佐々木豊一郎、内田喜太郎、谷部王進、川崎喜雄、唐澤貞二、松水力雄、渋澤武次、大島忠一、安田義雄、坂日出雄
- 分隊長 上 新村利吉、鈴村浅昇、瀧田榮一、久保田豊、飯島祥太郎、岩井知治、吉浦竜治、川井春治、總川佳人、五竹政吉、岩明郎、大田精一男、北保安男、田中請
- 分隊長 伍 大塚道一、唐木泰、中村忠大、山岸一喜、蒜井貞郎、野中久人、伊藤正三、林道明、土田仁、河西恒、宮澤實、中田吉、幸門朝治、川崎恒五郎、喜善

㊙ 迫撃砲第五大隊第三中隊編成表

昭和十三年六月二十四日調 於清化鎮

中隊長	歩兵中尉 木幡信
准尉（中隊段列長）	曹長 塩澤雄一
通信係	池田武雄
兵器係	[illegible]廣
給養係	[illegible]部
衛生係	小日向榛一郎
事務係	[illegible]芳雄
右	今飯塚[illegible]

傳令	
歩上	金田信雄
歩上	永作誠
歩上	大日方武市
歩一	中澤保
工上	小北木[illegible]
適	関口正明
歩上	木下田中正壽

観測分隊	
長 歩伍	矢島茂
適	蔦谷幸一
歩上	吉澤秀雄
歩上	伊東桂男
歩一	小田倉[illegible]

通信分隊	
長 歩伍	井上賀延
歩上	濱[illegible]衛
歩上	高田朝雄
歩上	崎田榕松
歩上	中澤源三
歩上	小倉[illegible]郎
歩上	倉田勇一

第一小隊長 歩兵少尉 河野正

- 第1分隊長 歩軍曹 渡邊一郎
- 第2分隊長 歩伍長 倉田正勝
- 第3分隊長 歩伍長 谷[illegible]矢
- 第4分隊長 歩伍長 濱野榮一
- 第5分隊長 歩伍長 鈴木實
- 小銃分隊長 [illegible]
- 観測分隊長 適 平塚市郎

第二小隊長 歩兵少尉 大澤精一郎

- 第6分隊長 歩伍長 高野靜次
- 第7分隊長 歩軍曹 酒井淳夫
- 第8分隊長 歩伍長 多胡喜雄
- 第9分隊長 歩伍長 塩澤武彦
- 衛生 [illegible]
- 荷物監視長 伍 油井忠雄

中隊段列長 歩兵准尉 塚田正夫

- 第1分隊長 歩伍長 齋藤政雄
- 第2分隊長 歩伍長 神賀正義
- 第3分隊長 歩伍長 吉岡喜一
- 第4分隊長 適 周東安造

入院患者

歩伍	松本忠男
歩伍	齋川浩一
歩上	磯山恒雄
歩上	増田茂一
歩上	仲田政雄
歩上	小林幹栄
歩上	花岡貫二
歩上	谷中哲三郎
歩上	高見沢謙
砲上	町田重一
歩一	根本行雄
歩一	大塚泰三
歩一	坂巻利美
歩一	小林親夫
歩一	堀内文夫
歩一	篠山好
歩上	山岡健一
歩一	井野七五郎
歩一	須藤徳吉
歩一	何後次郎
歩上	市村正
歩一	北島好次
歩一	武井輝之助
歩一	吉川眞一
歩一	有賀實
歩一	信澤富太
歩一	秋山仙吉
歩一	中沢栄次郎
歩上	齋藤清藏
歩一	丁村清方
歩一	坂田重平
歩一	村瀬武雄
歩一	住谷正

中隊追及者 歩少尉	藤原正司
歩一	坂庄一
病馬收容 歩上	野原光雄
歩上	藤沢盛繁
歩上	牧本英
勤務	酒井秀雄
	廣戸政矢

中隊長以下 将校四 准士官一 下士官二〇 兵一八一 二〇六名

入院患者 三五

備考 氏名上ノアラビヤ数字ハ砲手番號、馭ハ馭兵、予ハ予備砲手

迫撃砲第五大隊大隊段列編成表（昭和十三年六月二十四日現在）

中隊長	岩倉彰宣
伍	米沢元十
伍	林茂雄
伍	中村重雄
上	大森玄二
上	山上正行
喇叭	尾崎只男
輜特	高見沢元一
衛生兵 ヨ上	平賀新之助
ヨ上	新井欽一

第一小隊長 准尉 古野三治

- 分隊長 伍長 高野小平太
- 分隊長 伍長 丸岡眞人
- 分隊長 伍長 岡本二郎

第二小隊長 曹長 田崎定雄

- 分隊長 伍長 谷中彌兵衛
- 分隊長 伍長 吉谷源吉
- 分隊長 上越知三郎

第三小隊長 曹長 栗崎貞助

- 分隊長 伍長 入田一也
- 分隊長 伍長 篠塚善一郎
- 分隊長 伍長 北島長治郎

（各分隊：摘要・役種・官等・氏名 — 分隊員氏名 [illegible]）

本部勤務 右上 鶴田留五郎・ヨ上 中島篤

人員 [illegible] 合計一六九名

戰鬪詳報第　號附表

昭和　年　月　日

追撃第五大隊死傷表

區分		本部	第一中隊	第二中隊	第三中隊	大隊段列	總計	備考
戰鬪參加人馬	將校	六	四		三	一	一四	
	准士官以下	九〇	一九三		二〇三	一五八	六四四	
	馬匹	三二	七六		七七	七八	二六三	
死	將校							
	准士官以下							
	馬匹	一	四				五	
傷	將校							
	准士官以下		四				四	
	馬匹		二				二	
生死不明	將校							
	准士官以下							
	馬匹							

中野支隊作戰計畫概要

第一 方針

支隊ハ速ニ垣曲附近ニ進出シテ敵ノ退路ヲ遮断シ爾後第二十師團方面ノ敵ノ背後ニ進出シ第二十師團ト共ニ敵ヲ撃滅ス

第二 指導要領

一、先遣隊ヲシテ濟源、垣曲道ヲ前進シ西陽村附近ヲ占領セシメ工兵隊ヲシテ其後方ニ續行シ道路ヲ補修シツヽ主力ハ西陽村附近ニ向ヒ前進ス
此ノ前進間歩兵約一大隊ヲ基幹トスルモノヲ両側地区ヲ前進セシメ主力ノ前進ヲ容易ナラシム

二、濟源南方高地線ニ敵兵占領シアル場合之ヲ攻撃スルヤ否ヤハ情況ニ依リ決ス
濟源西方高地線ヲ敵兵占領シアル場合ハ其右翼ヲ包圍スル如ク攻撃ス

三、敵兵封門口附近ヲ占領シアル場合ハ右縦隊ヲシテ泰令ヲ占領セシメ左縦隊ハ大店方面ニ前進シ敵ノ退路ヲ脅威セシメ主力ハ敵ノ右翼ヲ包圍スル如ク攻撃ス

四、西陽村附近ニ進出後ノ行動ハ垣曲附近ノ敵情ニ依ルモ概ネ左ノ如ク予定シアリ

戰鬪詳報第　號附表

昭和　年　月　日

追撃第五大隊兵器損耗表

種類	區分		本部	第一中隊	第二中隊	第三中隊	大隊段列	總計	備考
消費	彈藥	榴彈		67		27		94	
		特殊彈							
		火煙彈							
		小銃實包					150	150	
		拳銃實包					5	5	
		〃							
損失	武器	九四式迫							
		小銃							
		拳銃							
		銃剣							
		軍刀							
	彈藥	榴彈							
		特殊彈							
		火煙彈							
		小銃實包							
		拳銃實包							
	器材								
	器具	輜重車					2	2	
		乘馬具							
		駄馬具							
	材料其他								

有力ナル一部ヲ以テ東斜交方向ニ派遣シ曲沃平地ヨリ前進スル敵ヲ阻止セシメ主力ハ其ノ一部ヲ以テ垣曲東方高地ヨリ攻撃ヲ援助セシメツヽ垣曲城ヲ奪取シ附近ノ敵ヲ撃滅ス

第三 軍隊區分

右縦隊

長　清水中佐

歩兵第百十七聯隊第二大隊（第七中隊欠）
獨立機関銃　二小隊
平射　一小隊（一分隊欠）
曲射　一分隊
山砲　一小隊（一門）
騎兵　二分隊
工兵　一小隊

旅團無線　一機
衛生隊　一部（駄馬）
輜重隊　一部（駄馬）
先遣隊
長　石川少佐
歩兵第百十七聯隊第一大隊（第三中隊欠）
歩兵砲隊（二小隊欠）
騎兵　第二中隊（三小隊欠）
聯隊砲隊
山砲　第二中隊（二小隊欠）
輜重隊　一部
旅團無線　一機
工兵隊
長　江島少佐

歩兵第百十七聯隊第三中隊
工兵第百八聯隊（第二中隊欠）
獨立機関銃　第一中隊（二小隊欠）
野砲兵第六中隊（一小隊欠）
左縱隊
長　佐脇少佐
歩兵第百三十二聯隊第三大隊（第十二中隊欠）
獨立機関銃　二小隊
平射　一分隊
曲射　一小隊（一分隊欠）
山砲　一小隊（一門）
騎兵　一小隊（二分隊欠）
工兵　一小隊

衛生隊　一部（駄馬）
輜重隊　一部（駄馬）
本隊（同行軍序列）
歩兵第百十七聯隊第三大隊（二中隊欠）
野砲兵第六中隊　一小隊（二門）
傳騎　八騎
旅團司令部
師團無線　一分隊
騎兵無線　一機
聯隊本部（傳騎四騎ヲ附ス）
歩兵第七中隊
野砲兵第二大隊（第四、第五ノ一小隊（一門）第六中隊欠）
獨立機関銃第二大隊（二中隊欠）
迫擊砲第五大隊（第二第三中隊欠）

野砲兵第五中隊一小隊（一門）
迫擊砲第三中隊
獨立機関銃第二中隊（二小隊欠）
衛生隊　三分一（一部欠）
歩兵第百三十二聯隊第十二中隊（一小隊欠）
第三野戰病院
聯隊機関銃隊（1171）（二小隊欠）
野砲兵第四中隊（一小隊欠）
歩兵第十二中隊ノ一小隊
輜重隊
長　粕谷中佐
歩兵第百十七聯隊第十一第十二中隊
歩兵第百十七聯隊

聯隊機関銃　二小隊
野砲二小隊　（第四、第五中隊ノ二小隊）
輜重兵第百八聯隊（一部欠）
兵站輜重二中隊

第四　各部隊ノ任務

一、右縦隊ハ二十五日七時李村ヲ出発シ南李、程村鎮ヲ経テ濟源北方地区ニ向ヒ前進ス

二、先遣隊ハ二十四日ノ十六時頃迄ニ十三里店附近ヲ占領シ二十五日七時同地出発濟源ニ向ヒ前進ス

三、工兵隊ハ二十四日先遣隊ノ前進ニ伴ヒ一部ヲ以テ十三里店―懐慶間ノ道路ヲ補修シ主力ハ二十五日七時柴湾南側ヲ出発シ先遣隊ニ續行シ道路ヲ補修シツヽ濟源ニ向ヒ前進ス

四、左縦隊ハ二十四日十七時頃迄ニ東蘭戸附近ヲ占領シ二十五日七時同地ヲ出発秦庄、璞庄ヲ経テ南天人頭附近ニ向ヒ前進ス

五、本隊ハ二十五日七時小肖庄附近ヲ出発シ先遣隊ノ後方ヲ濟源附近ニ前進ス
但シ歩兵第百十七聯隊第三大隊（三中隊欠）ハ本隊主力ノ前方約五百米ヲ警戒シツヽ前進ス

六、各隊行李ハ所属隊ト同行ス
但シ先遣隊左右両縦隊ニ属スル行李ナハ輜重隊長ノ区處ヲ以テ輜重隊ノ前方ヲ行進ス

第五　通信

一、師團司令部及第二十師團司令部トハ同行シアル師團無線ニ據ル

二、先遣隊及右縦隊、旅團司令部間ハ旅團無線ニ據ル
左縦隊ト旅團司令部間ハ配属騎兵無線ニ據ル

第六、補給

一、各人ハ左ノ糧秣ヲ携行ス
携帯口糧　甲　三日分

乙　四食分

二、各隊大行李ハ三日分ヲ積載ス

三、輜重隊ハ輜重兵一中隊ニ弾薬ヲ積載シ他ハ糧秣ヲ積載ス

四、携行スヘキ弾薬ノ細部ニ就テハ別ニ指示ス

第七、雜件

一、行動間ハ成ル可ク三列以上ノ隊形ヲ以テ行進シ渡河ニ當リテモ隊列ヲ乱スコトナク果敢ニ渡河シ且前後ノ距離ヲ伸スコトナク常ニ全長ヲ伸サヽル事ニ注意ス

二、前方停止シタル場合ハ常ニ間進ヲ励行シ前方ニ長径ヲ短縮スルト共ニ敵ニ警戒ヲ厳ナラシム

三、休憩ノ場合ニモ間進ヲ行ヒ水飼、飼付ニ便ナラシム

封門口附近ニ關スル

命令

中作命第二七六號

中野支隊命令

六月二十五日二十三時四十分
於後亜橋支隊司令部

一、右縦隊ハ本日没頃濟源城ニ突入シ續イテ城内ヲ掃蕩シ完全ニ之ヲ占領セリ

二、支隊ハ明二十六日攻撃ノ目的ヲ以テ依然ハ三縦隊トナリ王屋鎮南北ノ線ニ向ヒ前進セントス

三、右縦隊ハ明二十六日九時濟源城西門ヲ出發シ豫ノ示シタル進路ヲ橋庄附近ニ向ヒ前進スヘシ

四、左縦隊ハ明二十六日七時三十分南丈人頭西端ヲ出發シ豫ノ示シタル進路ヲ三教附近ニ向ヒ前進スヘシ

五、左右両縦隊ハ敵兵封門口附近ヲ占領シアル場合ハ作戰計畫ニ基キ行動シ主力ノ攻撃ヲ容易ナラシムヘシ

六、先遣隊ハ明二十六日九時濟源東北方宿營地西端ヲ出發シ濟源――封門口――王屋鎮道ヲ王屋鎮ニ向ヒ前進スヘシ

1

七、P隊ハ明二十九日九時三十分頃城内宿營地ヲ出發シ先遣隊ニ續行シ道路ヲ補修シツヽ王屋鎮ニ向ヒ前進スヘシ

八、本隊タル諸隊ハ明二十六日九時迄ニ後亜橋西門南側橋梁ヲ先頭トシ本二十五日出發時ノ行軍序列ヲ以テ概ネ本道上ニ集合シP隊ノ後方ニ續行スヘシ

九、T隊ハ明二十六日依然本隊ノ後尾ニ續行スヘシ

十、予ハ明二十六日九時後亜橋西南側橋梁ニ在リ爾後本二十五日ノ序列ニ入リ前進ス

支隊長 中野少将

下達法 命令受領者ニ口達筆記セシム
先遣隊ニハ其ノ旨ヲ傳達及電報ス

注意

一、本日ノ給養ハ携行糧秣甲ヲ使用スヘシ其ノ補充ハ追テ命令ス

2

2、宿營地毎ニ警戒ヲ充分ニナスコト

中作命第二七六號

中野支隊命令

六月二十七日二時
於三官店東側

一、封門口附近ノ敵ハ尚抵抗中ナリ

二、支隊ハ依然攻撃ヲ續行シ封門口附近ノ全陣地ヲ突破シ一舉ニ小店及大店東側高地線ニ進出セントス

三、P隊(歩砲MGs第一、二小隊増加配屬スル事元ノ如シ)ハ依然前任務ヲ續行スヘシ封門口附近ノ敵陣地ヲ奪取セハ機ヲ見テ小店東側高地線ニ進出スヘシ封門口附近進發ノ時期ハ別命ス
爾今P隊ヲ右第一線トス

四、歩二七R長ノ指揮スル部隊(先遣隊第七中隊)ハ依然前任務ヲ續行シ封門口南側高地ヲ奪取セハ引續キ趙庄東西稜線ノ敵陣地ヲ攻略シ大店東南側高地ニ進出スヘシ

3

五、第一線両部隊ノ戰闘地境ハ封門口 —— 大店道ヲ連スル線トス
線上ハ右第一線ニ屬ス
六、5LM(第二中隊欠)ハ本二十七日五時迄ニ全力ヲ以テ三官店附近ノ地區ニ展開
シ両翼隊ノ攻撃ニ協力スヘシ
特ニ拂曉前後封門口西南側凹地ニ對シ射撃シ得ル如ク準備スヘシ
七、A第二大隊長ノ指揮スル部隊(第四第五中隊各一小隊欠ク第二大隊全部)
ヲ爾今A隊ト稱ス
A隊ハ本二十七日五時迄ニ全力ヲ以テ三官店附近以東ノ地區ニ展開シ第
一線両隊ノ攻撃ニ協力スヘシ
八、爾余ノ本隊戰列部隊ハ予備隊トス
馬蹄寺南側地區ニ位置スヘシ
九、右縦隊ハ前任務ヲ續行スヘシ
一〇、左縦隊ハ速ニ大店南方地區ニ進出シ敵ノ退路ヲ遮断スヘシ

一一、S隊ハ一部ヲ以テ馬蹄寺ニ開設スヘシ
一二、Fl ハ南坡根ニ開設ヲ準備スヘシ
一三、各隊大行李ハ南坡根胡山嶺間ノ地區ニ集結スヘシ
丁隊長ハ前項部隊ヲ併セ指揮スヘシ
一四、予ハ依然現在地ニ在リ

支隊長　中野少將

下達法　命令受領者ニ口達筆記セシム

中作命第二七七號

中野支隊命令

六月二十七日八時
於黄湾

一、本隊ハ大店附近ニ向ヒ前進セントス
二、本隊タル諸隊ハ概ネ從來ノ行軍序列ニ從ヒ大店ニ向ヒ前進スヘシ
但シ各隊大行李ハ丁隊長ノ指揮ヲ以テ大店ニ前進スヘシ
大店到着後ハ大行李ハ舍營地ニ分進セシム

三、予ハ本隊ト共ニ大店ニ向ヒ前進ス
(出發ハ八時二十分トス)

支隊長　中野少將

下達法　命令受領者ニ口達筆記セシム

中作命第二七九號

中野支隊命令

六月二十七日一五時三十分
於封門口支隊司令部

一、當面ノ敵ノ大部ハ西方及西南方ニ退却セリ
二、支隊主力ハ本二十七日夜大店附近以東ノ地區ニ兵力ヲ集結シ爾後ノ前
進ヲ準備セントス
三、追撃隊ハ主力ヲ以テ大店ニ位置シ一部ヲ以テ大店西方高地ヲ占
領シ主トシテ西方ニ對シ警戒スヘシ
四、左方一線タリシ諸隊ハ蘇村及大店ニ兵力ヲ集結シ一部ヲ以テ同地西側

高地線ヲ占領シ西方ニ對シ警戒スヘシ
五、本隊タル爾余ノ諸隊ハ左ノ如ク兵力ヲ集結シ村落露營スヘシ
IIA　主力歩工ノ一小隊　梨木地
5LM　省城溝
六、右第一線タリシ諸隊(歩九中隊欠)小店湾村
間ノ地區　露營司令官　江島少佐
歩九中隊　封門口
特ニ一部ヲ以テ南北高地ヲ占領スヘシ
爾余ノ諸隊 —— 三官店 —— 南坡根(含マス)間ノ地區
丁隊　南坡根 —— 胡山嶺間
六、給養ハ大行李糧秣ニ依ルヘシ
七、丁隊長ハ大行李ヲ分進セシムヘシ
又彈藥交付所ヲ左ノ如ク開設スヘシ
梨木地 —— 各種彈藥一小隊

南坂根——MG彈若干
八、予ハ小店ニ位置ス
十八時命令受領者ヲ差出スヘシ

支隊長　中野少將

下達法　命令受領者ニ口達筆記セシム
T隊長ハ患者輸送用トシテ3TLニ輜重車輌ヲ南坂根ニ於テ交付セル彈藥空車ヲ臨時貸與スヘシ　但取扱兵ヲ附ス

中作命第二八〇號

中野支隊命令

六月二十七日二十一時
於小店支隊司令部

一、支隊當面ノ敵ハ橋后溝附近ヨリ小有抜附近ヲ経テ其ノ南方稜線ニ亘リ陣地ヲ占領シアルモノヽ如シ
二、支隊ハ當面ノ敵ニ對シ攻撃ノ目的ヲ以テ偵察並ニ諸般ノ準備ヲ実施

8

セントス
三、左ノ諸部隊ハ攻撃ノ目的ヲ以テ左ノ區分ニ依リ敵陣地ノ情況ヲ偵察シ明二十八日十時迄ニ報告スヘシ
追撃隊、蘇村——二里橋ヲ連ヌル線以北ノ情況（線上ヲ含ム）
117i長ノ指揮スル部隊ハ蘇村二里橋ヲ連ヌル線以南ノ情況（線上ヲ含ム）
A、LM、MGS及P各部隊全般ニ亘リ夫々兵力ヲ使用スル爲必要ナル事項、本偵察ハ小有抜東側
四、大店附近一帶ノ平地ニ進出シアル各部隊ハ明二十八日十時以降出發準備ヲ完了シアルヘシ
五、封門口以東ノ地區ニ宿營シアル部隊ハ明二十八日七時各宿營地出發先頭部隊ヨリ逐次大店附近ニ向ヒ前進スヘシ
六、予ハ依然現在地ニ在リ
十時迄ニ命令受領者ヲ差出スヘシ

支隊長　中野少將

9

下達法　命令受領者ニ口達筆記セシム
注意　要旨
前方台上ニ有力ナル敵アリ各隊ハ充分警戒ヲ嚴ニシ敵ノ夜襲アルニ際シテハ敢然之ト戰ヒ敵ヲ殲滅セラレ度
細部ニ關シ注意スヘキ事項
1.P隊ハ宿營地両側ノ稜ヲ押ヘル事
2.A隊ハ常ニ必要方面ニ對スル距離、射撃ノ準備ヲ完了シ置クコト
3.LM隊ハ特ニ自衛ノ處置ニ遺憾ナキ如ク留意スル事
各隊一般ニ敵ノ小銃射撃手榴彈等ニ對スル馬ノ位置ニ注意スル事
左第一線ハ予定ノ宿營地ニ入リ居ラス
A LMハ米兵無キガ故ニ敵ニ對シテ注意ヲ要ス
追撃隊ハ夜襲ニ依リ豫定ノ部落ヲ占領スル豫定ナリ

10

中作命第二八一號

中野支隊命令

六月二十八日十時三十分
於小店支隊司令部

一、敵ハ棲初庄附近ヨリ橋后溝附近ヲ経テ陽溝附近ニ亘リ其ノ第一線ヲ以テ占領シ其ノ後方各稜線ニモ敵兵アリ
二、支隊ハ攻撃ノ目的ヲ以テ敵情地形ヲ捜索スルト共ニ糧秣彈藥ノ整備ヲ行ハントス
三、先遣隊ハ一部ヲ以テ馬園東方高地ヨリノ敵ヲ候嶺方面ニ攻撃セシムヘシ該高地上ノ敵ヲ追撃隊ト共ニ殲滅スヘシ
四、追撃隊ハ一部ヲ以テ現在ノ陣地ヲ占領シ主力ハ先遣隊ト共ニ候嶺南方高地ノ敵ヲ殲滅スヘシ
攻撃前進ノ時期ハ十二時トス
五、A大隊及LM大隊ノ一部ヲ以テ十一時五十分ヨリ射撃ヲ開始両部隊ノ攻撃ニ協力スヘシ
六、大行李ヲ各隊宿營地ニ分進セシム

11

六、行李ニ積載シアル三日分ノ糧秣ヲ各自ニ交付シ小店南側ニ於テ其ノ補充ヲ受
クヘシ（三日分）
七、小店南側ニ弾薬交付所ヲ開設ス
八、予ハ現在地ニ在リ
十二時命令受領者ヲ差出スヘシ

支隊長　中野少将

下達法　命令受領者ニ口達筆記セシム

中作命第二八二號

中野支隊命令

六月二十八日十四時
於小店支隊司令部

一、王屋鎮東方地區一帯ノ敵ハ逐次退却中ナルモノノ如ク橋店溝附近及王屋鎮
西側高地上ニハ尚各数百ノ敵兵アリ
右第一線ハ王屋鎮東側高地ヲ占領セリ

左縦隊ハ十二時頃西陽村附近ニ進出シ敵ノ退路ヲ遮断シアリ
二、支隊ハ各隊弾薬糧秣ノ補給ヲ終了後速ニ行動開始シ王屋鎮西方高地
ノ敵ヲ撃破シ西洋門附近ニ向ヒ追撃セントス
三、右縦隊ハ十六時迄ニ弾薬糧秣ノ補給ヲ終了シ同時頃出発大峪附近ノ地
區ヨリ吾司庄（王屋鎮北方約八粁）附近ニ進出シ爾後改メテ示ス進路ヲ
高庄附近ニ向ヒ前進スヘシ
四、左縦隊ハ捕セル二〇西セル機關及所要ノ掩護部隊ヲ西官廟附近ニ残置シ
十八時頃西洋門ヲ出發シ隊ノ指示セル進路ヲ油房凹地附近ニ向ヒ前進スヘシ
五、爾今本隊タル諸隊（先遣隊ヲ含ム）ノ軍隊區分ハ中作命第二六九號別
冊中野支隊作戰計畫ノ軍隊區分トナス
但シ現追撃隊A隊及LM隊ハ王屋鎮西側高地線奪取ノ後到ラハ其
ノ軍隊區分ヲ解クモノトス
六、先遣隊ハ十七時行動開始王屋鎮西方高地ノ敵ヲ撃破シ西陽村
附近ニ向ヒ追撃スヘシ

七、P隊ハ追撃隊ニ續行シ道路ノ補修ニ任スヘシ
八、現追撃隊ハ十七時頃現在地附近ヲ進發橋店溝附近ノ敵ヲ撃破シタ
ル後王屋鎮西側高地ニ到リ本隊ノ序列ニ入ルヘシ
但シ車輛部隊ハ稍々本道上ニ於テ本隊ノ序列ニ入ラシムヘシ
九、現A隊及LM隊ハ楊溝附近ニ準備セル陣地ニ於テ先遣隊及現追撃隊ノ
戰闘ニ協力シタル後本隊ノ序列ニ入ルヘシ
十、本隊タル諸隊ハ中作命第二六九號別冊中野支隊作戰計畫ノ序列ニ從
ヒP隊ニ續行スヘシ
但シLM隊ハ一小隊ヲ☆ノ直前ニ在リテ前進セシムヘシ
十一、T隊ハ本隊ノ後尾ニ續行セシムヘシ
但右縦隊ニ弾薬及糧秣ヲ補給スル為一部ヲ官路両側河原ニ先
遣セシムヘシ
十二、予ハ十七時楊溝東側高地上ニ在リ爾後本隊ノ序列ニ入リテ前進ス

支隊長　中野少将

下達法　命令受領者ニ口達筆記セシム
3FL長ハ其ノ患者ヲ10BTニ依頼スヘシ
10BT長ハ依頼セラレタル患者及11TCヨリ依頼セラレタルLM（二門）竝ニ各隊ノ打
殻薬筒ノ輸送及運搬ニ任スヘシ

中作命第二八三號

中野支隊命令

六月二十八日二十一時
於王屋鎮西部

一、敵主力ハ西方ニ退却シ一部ハ四散潜伏シアルモノノ如シ
二、支隊ハ本二十八日主力ヲ以テ茶坊――封門口間地區ニ宿營セントス
三、先遣隊ハ西洋門官路間ノ地區ニ宿營スヘシ
四、P隊ハ茶坊前張庄間ノ地區ニ宿營スヘシ同行セルMGS一小隊ノ宿營ヲ
區處スヘシ
五、本隊タル諸隊ハ左ノ如ク兵ヲ集結シ村落露營スヘシ

✡Ⅲ(第九・十二中欠) 上五里橋下五里橋間

霧営司令官　米川少佐

P第七中隊　西溝　東溝間

ⅡA　主力　上二里　米五溝　陳橋

9 MGS (-1/中) 5LM　王屋鎮　巴水底溝　瓦室

但温井少佐到着迄嶋川少佐代理トス

12中　T 3FL　S　大房附近

但宿営警戒ニツイテハT隊長ノ區署ヲ受クヘシ

六、各部隊ハ宿営セシムヘキS隊FL等ノ宿営警戒ニ関シテハT隊長之ヲ區所スヘシ

七、各部隊ハ宿営前後及宿営間厳ニ馬匹及車輌ヲ整理シ確実ニ本道ヲ開放スヘシ

八、本隊ノ給養ハ大行李糧秣又ハ携帯口糧ヲ使用スヘシ

九、予ハ上五里橋ニ位置ス

支隊長　中野少将

下達法　命令受領者ニ口達筆記セシム

本隊ノ先頭ハ上五里橋ニ向ヒ本日ト同一ノ部署ヲ以テ[illegible]

前進ス

P隊ハ七時

垣曲東方地區ノ戦闘詳報

一、戦闘前ニ於ケル彼我形勢ノ概要

ノ、自廿五日至廿九日　封門口附近一帯ニ於テ潰走セル敵ハ曲沃平地ニテ20Dニ撃破セラレ垣曲附近ニ於テ黄河ヲ渡河シ其ノ以南ニ敗走スル主力ヲ垣曲東方一帯ノ山地ニ於テ極力其ノ渡河ヲ掩護スヘク死力ヲ盡シテ交戦ヲ企圖シアリ

支隊ハ速カニ此ノ敵ヲ撃破シ敵主力ヲ垣曲附近ニ於テ捕捉殲滅スヘク先ツ邵原鎮ニ向ヒ前進シ六月二十九日以降全力ヲ以テ此ノ敵ヲ力攻ス

大隊ハ中作命第二八四號ニ依リ二十九日早朝王屋鎮出發途中逐次行軍序列ニ入リ邵原鎮ニ向ヒ前進セントニ十九日六時三十分宿營地出發九時頃支隊ノ行軍序列ニ入ル

２、自廿九日至三十日朝九時三十分　途中道路ハ概ネ可ニシテ部隊ノ前進ハ順調ニ運ヒタレ共西洋門ヲ過ル頃ヨリ漸時前方部隊特ニ車輌部隊ノ停滞スルアリテ東洋店ニ到着スルシ得タルハ十四時三十分頃ナリ

道路ハ是ヨリ険峻ヲ極メタル山岳道ニシテ加フルニ本道上数個所ノ要点ハ敵ノ為ニ着シク破壊セラレアリ

各隊ハ止ムナク工兵隊ノ補修作業ヲ待ケテ前進スルモ其ノ前進意ニ任セス東洋店ニ於テ陽既ニ西山ニ没セルモ尚前方ニハ車輌部隊停滞シ在リテ急坂ニ突破シ得ス

逐ニ部隊ハ東洋店ニ於テ明三十日ノ朝、晝食炊事ヲナシ前方部隊ノ急坂突破ヲ待ツ黄昏ニ至リテ先ツ部隊ノ先頭ヨリ逐次前進ヲ開始ス途中各隊毎ニ時々停止シ部隊ノ掌握ニ努メツヽ三十日一時三十分部隊ノ先頭ヲ以テ邵原鎮ニ到着野砲二大隊 9MGS ト共ニ同地ニ露營セントス

三十日一時頃支隊司令部ト連絡ノ為大隊長ハ第一中隊長道家大尉ニ部隊ノ引率ヲ命シ児玉軍曹以下所要ノ傳騎ヲ従ヘ當時段凹ニ在リシ支隊司令部ノ位置ニ先行ス

1

其ノ結果支隊司令部ニ於テ中野支隊命令ヲ受領スルト共ニ攻撃ニ關スル細部ノ指示ヲ受ク（中作命第二八六號）

命令ノ要旨左ノ如シ

一、西陽村一帯西方ノ高地ニハ数日来垣曲方面ヨリ前進スル敵兵陣地ヲ占領シアルモノヽ如シ

二、支隊ハ本三十日當面ノ敵ニ對シ攻撃ノ目的ヲ以テ偵察並ニ所要ノ準備ヲ実施セントス

三、四、五、六、（省略）

七、MGS・LM・A・P各隊長ハ夫々自隊使用ノ見地ヨリ偵察ヲ実施スヘシ

P隊長ハ前項ノ外依然支隊将来ノ進路補修ニ任スヘシ

八、在邵原鎮部隊ハ七時行動ヲ開始シ段凹附近ニ集結地ヲ推進スヘシ

右命令ニ基キ大隊長ハ左ノ命令ヲ下達ス

迫五作命第二七六號

迫撃第五大隊命令

六月三十日二時四十分
於邵原鎮大隊本部

一、退却セル敵ハ邵原鎮西北方山地ニ在ルモノヽ如シ

支隊ハ本夜邵原鎮及其ノ東西ノ地區ニ露營ス

二、大隊ハⅡA 9MGS ト共ニ邵原鎮ニ露營セントス

當宿營地ノ勤務者左ノ如シ

露營司令官　9MGS長　温井少佐

露營日直将校　5A長　佐藤砲兵大尉

三、各隊ハ設營者ノ誘導ニ依リ就宿スヘシ

四、大澤少尉ハ部隊日直将校（巡察将校ヲ兼ス）ニ服務スヘシ

露營衛兵トシテ第二中隊ヨリ長以下七名ヲ露營日直将校ノ下ニ差出シ其ノ指示ヲ受ケシムヘシ

五、各隊直接ノ警戒ニ就テハ従前通リ実施スヘシ

2

本夜ノ警戒ハ至嚴ナルヲ要ス
六、本夜ノ合言葉ハ「奥州」「関東」トス
七、予ハ大隊本部ニ在リ
常時命令受領者ヲ差出シ置クヘシ

大隊長　幡川少佐

下達法　命令受領者ニ口達筆記セシム
相次イテ大隊長ハ左記命令ヲ下達ス

迫五作命第二七號

迫撃第五大隊命令

六月三十日三時三十分
於郡東鎮大隊本部

一、西陽村西方一帯ノ高地ニハ数日来垣曲方向ヨリ前進セル敵兵陣地ヲ占領シアルモノヽ如シ
二、支隊ハ本三十日當面ノ敵ニ對シ攻撃ノ目的ヲ以テ偵察並ニ所要ノ準備ヲ実施ス
先遣隊左右縦隊ハ夫々當面ノ敵ニ對シ敵情地形ノ偵察ヲナスル筈
二、大隊ハ一部ヲ以テ所要ノ偵察ヲ実施スルト共ニ集結地ヲ殿凹附近ニ推進セントス
三、各隊ハ八時三十分車廠位置ニ於テ出發準備ヲ完了スヘシ
四、左記諸官ハ偵察ニ出スル目的ヲ以テ所要ノ者ヲ同行シ八時三十分迄ニ大隊長ノ許ニ至ルヘシ

左記

第一及第三中隊長

五、予ハ八時三十分大隊本部ノ位置ニ在リ

大隊長　幡川少佐

下達法　命令受領者ニ口達筆記セシム
命ニ依リ八時稍々過第一第三中隊長ハ逐次所要ノ指揮機關ヲ伴ヒ第一中隊長ハ茶坊附近ニ大隊長ハ自ラ大隊本部ノ指揮機關ト共ニ第三中隊長以下ヲ伴ヒ王谷

3

沱附近ノ陣地敵情並ニ進路ノ偵察ヲナスヘク出發ス
又大隊副官ヲシテ部隊ノ集結位置ニ關シ支隊本部ニ連絡セシメ部隊ノ引率ニ任セシム途中油房溝附近ニ達セシ時連絡将校小森少尉及利本上等兵相前後シ来リ左記事項ヲ傳達ス

左記

一、支隊ハ重点ヲ右ニ保持シ主力ヲ以テ王谷沱方向ヨリ當面ノ敵ヲ攻撃セントス
二、迫撃隊ハ王谷沱附近ニ陣地占領ノ目的ヲ以テ同地附近ノ陣地並ニ敵情ヲ捜索シ成ルヘク正午迄ニ其ノ結果ヲ報告スヘシ
依テ大隊長ハ豫定ヲ変更シ全力ヲ以テ王谷沱附近ノ捜索ヲナスニ決ス

二、戦闘ニ影響ヲ及ホシタル天候、氣象及戦闘地ノ状態

1、天候氣象
天氣概晴ナレ共酷熱骨髄ニ徹シ熱風吹来リテ軍馬ノ鼻腔ヲ閉ク黄塵又万丈ニシテ近山ト雖モ遠山ヲ望ムカ如シ

2、戦闘地ノ状態
道路ハ各所意ノ如ク破壊セラレ利用シ得ヘクモ非ラス　七溝河ヨリ左ニ折レ高山絶壁ノ峽地ヲ行ク急坂無シト雖モ塊石ノ岩ツルアリ叢ノ道ヲ拒ムアリ清水ノ滑々流レモ熱砂ニ依リテ生温シ屹立セル山嶽草木ヲ宿サス　一度降雨アランカ渓谷濁水ヲ充満シ滔々トシテ人馬ヲ呑ム　敵ハ天嶮ヲ恃ミ山頂ニ據リテ抗ス
徒歩部隊ト雖モ歩行困難ナルヲ感セシム車輌部隊タル當隊ノ難苦推シテ圖ルヘシ
棘木折レ易ク馬脚ヲ折ル　人ハ皮膚ヲ泣カシメ衣服塩ヲ製ス
地形敵ニ利ニシテ我ニ於テ最悪ノ地ナリ視界廣シト雖モ死角多ク攻防共ニ一長一短アリトハ言ヘ攻者ノ防者ニ對スルハ至難ト言フモ可ナルノ状態ニシテ兵器彈藥其他ニ影響ヲ及ホス事尠カラサルヲ豫感スルノ状態ナリ

三、各時機ニ於ケル戦闘経過ノ概要
自三十日朝九時
至十四時三十分　王谷沱附近ニ於ケル敵情捜索ノ結果敵ハ南洋沟東北側高

4

地ヲ右翼兵トシテ西陽村西方高地一帯ニ亘リ陣地ヲ占領シアリテ其第一線ハ山麓附近ヲ占領シ在ルヲ確ム時正ニ十一時二十分ナリ大隊長ハ直ケニ其ノ結果ヲ報告スヘク七清河附近ニ在リシ支隊司令部ニ至ル時十二時稍々過ニシテ部隊ハ逐次前進ヲナシ居ルノ状態ナリ

此ノ時支隊司令部ニ於テ中作命第二八七號ヲ下達サル

命令ノ要旨左ノ如シ

一、敵ハ西陽村北方約二粁高地ヨリ南半圏東側高地ニ亘リ陣地ヲ占領シアリ

其ノ第一線ハ山麓附近ヲ占領シ在リ

工兵隊ハ一部ヲ以テ王谷沱北側高地端ヲ占領シアリ

二、支隊ハ重点ヲ左翼ニ保持シ当面ノ敵ヲ其ノ右翼ヨリ責捲スル如ク攻撃セントス

三、四、五、(省略)

六、野砲隊(IA(第五第六中隊各一小隊欠))ハ王谷沱附近ニ又 5LM(2次)ハ許谷沱附近ニ陣地ヲ占領シ主トシテ左翼隊ノ攻撃ニ協力スヘシ

5

右命令ニ基キ大隊長ハ部隊ヲ招致シ部隊ハ先ツ王谷沱ニ向ヒ前進スヘク命ジ且ツ各隊長ニ命令ノ要旨ヲ傳ヘ細部ニ亘ル陣地偵察ヲナスヘク所要ノ人員ヲ伴ヒ既ニ偵察セル陣地ニ向ヒ急進ス

2、自三十日十四時三十分 至七月二日五時

十四時三十分豫定陣地ニ到着シ諸設備ヲナスト共ニ部隊ノ到着ヲ待ツ又射撃ニ各中隊長中隊指揮機關ヲ従ヘ大隊観測所ノ位置ニ到着シ來ル大隊長ハ既ニ捜索シアル敵情竝ニ所要ノ指示ヲ與ヘ大隊副官ヲシテ部隊ノ集結ニ關シ萬處セシム

十五時三十分別紙要圖其ノ二ノ如ク陣地ヲ占領シ十六時三十分両中隊相互ニ稜双廟北側高地ノ敵ニ對シ試射開始續イテ第一次効力射ニ移ル射撃ノ概ネ意ノ如シ

十七時十分連絡將校小森少尉ヨリ左記要旨ノ電話アリ

左　　記

一支隊ハ南羊圏盧家山ノ敵ヲ攻撃セントス、

二迫撃隊ハ一ケ中隊ヲ以テ同地ノ敵ヲ射撃シ主トシテ第三大隊ノ戰闘ニ協力スヘシ

大隊長ハ直ニ第三中隊ヲシテ此ノ戰闘ニ協力スヘク命シ第一中隊ヲシテ南沟西側ニ集結中ノ敵ニ對シ射撃セシム

敵砲兵ハ地ノ利ヲ占ノ射地成果ヲ便用シ盛ニ我ニ對シ應戰シ来ル敵砲彈ノ我觀測所山脚附近ニ落達スル事頻繁ク加フルニ我観測所附近ニ陣地進入セシ併隊MG射撃開始ニ伴ヒ盧家山方向ヨリ敵彈ノ益々盛ニ落下スル在リ

大隊長ハ直ケニ此ノ敵ヲ制庄スルニ決シ観測所ヲ第一中隊ト共ニ逐次山頂ニ移動シ益々觀測ノ適確ヲ期ス、逐ニ頂上近ク位置ヲ占ムレハ附近諸山一望ノ裡ニ瞰下シ得射撃ノ精度ハ益々適確トナレリ

爾後敵情搜索ノ結果目下射撃中ノ敵砲兵ラシキモノ南沟南側附近ニ在ルヲ知リ直ケニ第一中隊ノ射向ヲ同所ニ轉移シ引續キ二回ノ集中射ヲ反覆ス、之ニヨリ敵ハ一時全ク沈默シ恰モ我勝ナルヲ証スルモノヽ如シ

此ノ時支隊司令部ヨリ左ノ電話アリ

「迫撃隊ハ適次發見セル敵ヲ求メテ射撃シ第一線大隊ノ戰闘ニ協力スヘシ」

依ツテ大隊長ハ觀測掛下士官・下ヲ督勵シ敵情ノ搜索及監視ニ全力ヲ傾注セシム

其ノ結果ニ依リ敵ハ後双廟附近ニ集結シ其ノ一部ハ張家文附近ヲ移動中ナルヲ知ル第一中隊ヲシテ直ニ此ノ敵ヲ射撃セシム爾後逐次敵ヲ求メテ射撃セシ事別紙要圖其ノ二ノ如シ

自七月一日五時
至七月一日五時　前面ノ敵情ハ朝ニ至ルモ大ナル変化ナシ引續キ該陣地ニ於テ射撃準備ヲ完了シ今ヤ夜ノ明クルヲ遲シト待ツ

第三中隊ヲ以テ工・皿・當面ノ敵ニ對シ第一中隊ヲ以テ其ノ右翼當面張家鈠附近ノ敵ヲ求メテ制圧スル如ク準備ス

先ツ第三中隊ヲシテ六時後双廟ニ試射開始相次テ第一中隊ヲ張家鈠ニ効力射ヲ開始

6

第一線両大隊ノ戰闘ニ協カス
十時三十分左ノ要旨ノ命令ヲ受ク
一、追撃大隊ハ其ノ一ケ中隊ヲ左翼隊及第一大隊ノ戰闘ニ協力スヘシ
右命令ニ基キ先ス第一中隊ヲシテ出發準備ヲ整ヘシメ大隊長ハ第一中隊長以下所要ノ指揮機關ヲ伴ヒ十三時頃發丁鳥村附近ノ陣地偵察並ニ敵右翼方面ノ陣地ヲ捜索ス
第三中隊ハ以前ノ現任務ヲ續行セシム
十一時十分左記要旨命令ヲ受領ス（中支作命第二八八號）

中野支隊命令　七月一日十一時三十分 於王谷沱

一、當面ノ敵ハ甚大ナル損害ヲ受ケ本未明来西方及西南方ニ退却中ナリ
二、支隊ハ現態勢ヲ以テ趙砦、聖佛頭、呉根ノ線ニ向ヒ追撃セントス
三、右翼隊ハ趙砦ニ向ヒ追撃スヘシ
四、左翼隊ハ聖佛頭ニ向ヒ追撃スヘシ
五、左縦隊ハ呉根ニ向ヒ追撃スヘシ
六、5LM大隊及A隊ハ各一中隊ヲ以テ左翼隊ノ追撃ニ協力スヘシ
七、八、九、一〇（省略）
本日ノ戰闘経過別紙要圖ノ如シ
自七月一日五時 至七月二日五時 出發準備ヲ完了シ在リシ第一中隊ヲシテ後凹所近ニ陣地変換セシメ大隊本部ヲ後凹西方高地ニ在ル聯隊本部ノ位置ニ進ノ第一線部隊ト直接聯繋密ニ連絡ヲ確保シ密接ナル連繋ノ下ニ主トシテ歩兵ノ突撃ニ協カス
先ス第一中隊ヲシテ十五時試射ヲ開始、歩兵両大隊ノ攻撃前進ニ策應シ十六時三十分両中隊共一齊ニ効力射ヲ開始ス
大隊ハ主トシテ第一中隊ヲ以テ第一線タル両大隊ノ攻撃前面及後方ノ敵重火器ヲ射撃シ續イテ第二次、第三次集中射ヲ以テ直接歩兵ノ突撃ニ協カス。時將ニ十七時十五分ナリ第一線歩兵隊ハ機ヲ失セス第二基點ヲ前トウケカ陣地ニ突撃

7

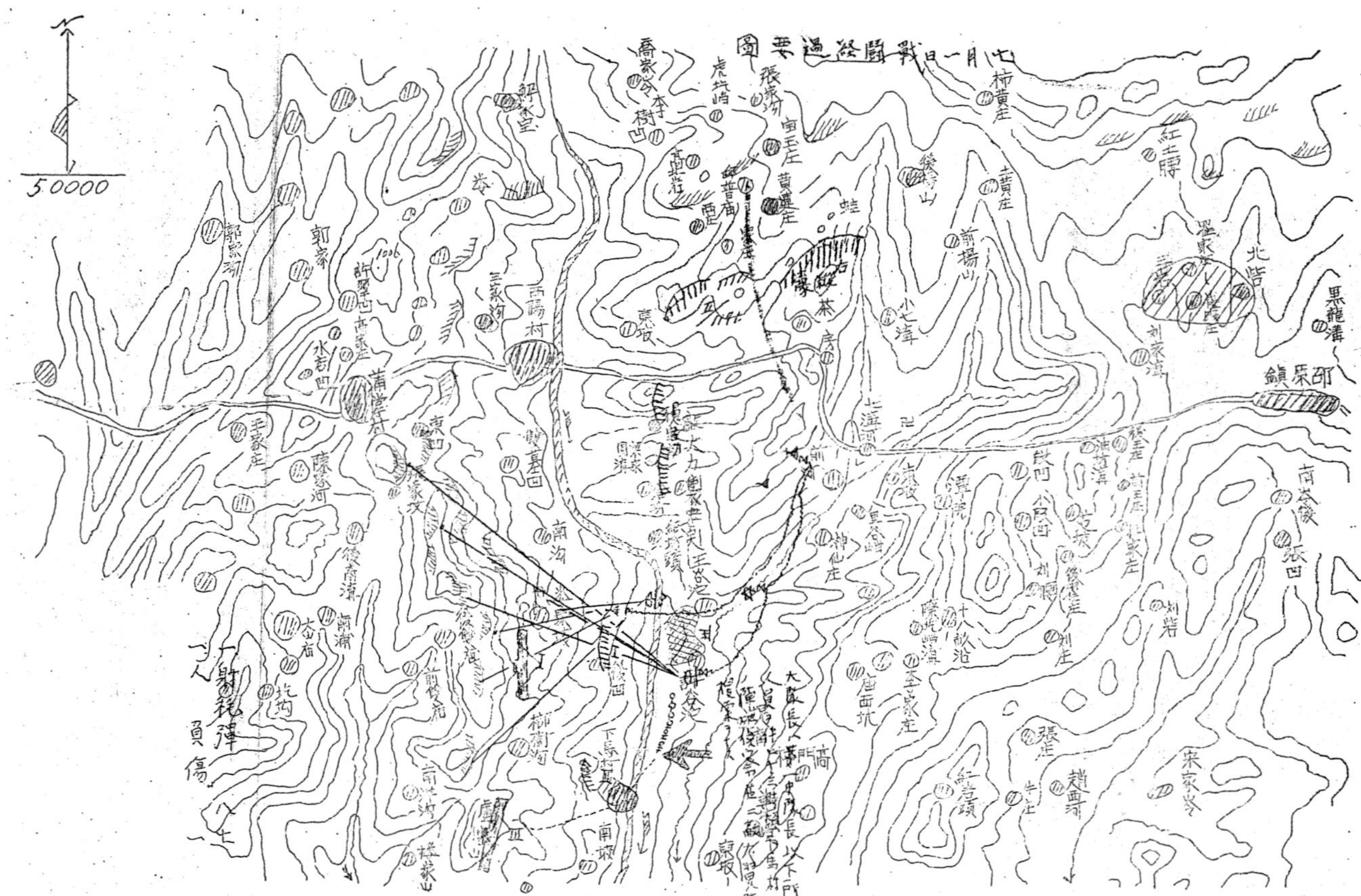

之ヲ占領スルニ至レリ
猛撃ノ為有利ニ戦果ハ擴張シ大隊長ハ直ケニ射耗セル補充運搬ヲ大隊段列長ニ命シ其ノ補充ヲ行ハシム
十九時頃第二基點南側鞍部附近ヨリ敵ノ側射ヲ受クトノ第一線ヨリノ報ヲ受ケ直ケニ第一中隊ヲシテ該鞍部ニ對シ射撃ヲナサシム逐次第一線ノ進撃セル為友軍ヘノ危害ヲ考慮シ同二十分頃一時射撃ヲ中止スルノ止ムナキニ至レリ又二十時五十分頃敵後方ノ重火器第一線部隊ニ對シ猛射ヲ開始セル為直ケニ第一中隊ヲシテ射撃セシメ該重火器ヲ制壓ス
第一線両大隊ハ第一基點以南ノ敵陣地ニ對シ一擧ニ突撃敢行之ヲ完全ニ占領シタリ時正ニ昏黄稍々過ナリ
大隊ハ第一中隊ヲシテ現在ノ態勢ヲ以テ夜間射撃ノ設備ヲナサシメ現在地ニ在リテ夜ヲ徹シ明三日ノ攻撃ヲ準備ス
十五時左ノ支隊命令ヲ受ク（中作命第二八九號）

中野支隊命令

一、敵情大ナル変化ナシ
飛行機ノ通報ニ依レハ當面ノ陣地ハ大部分軽易ナル掩体ナルモノノ如シ
二、支隊ハ依然重點ヲ南羊圏東側高地ヨリ蒲掌村ニ亘ル稜線方向ニ保持シ當面ノ敵陣地ヲ攻略セントス
三、右翼大隊ハ日没後ヨリ攻撃ヲ再興シ標高一〇〇六高地ヲ奪取セハ蒲掌村方向ニ戦果ヲ擴張スヘシ
四、左翼大隊ハ十六時三十分頃ヨリ攻撃ヲ再興シ南羊圏東側高地ヲ占領セハ稜線ニ沿ヒ蒲掌村方向ニ戦果ヲ擴張スヘシ
五、爾余ノ諸隊ハ依然前任務ヲ續行スヘシ
二十三時三十分支隊本部ヨリ左記要旨ノ命令アリ
左記

8

（七月二日戦闘経過要図）

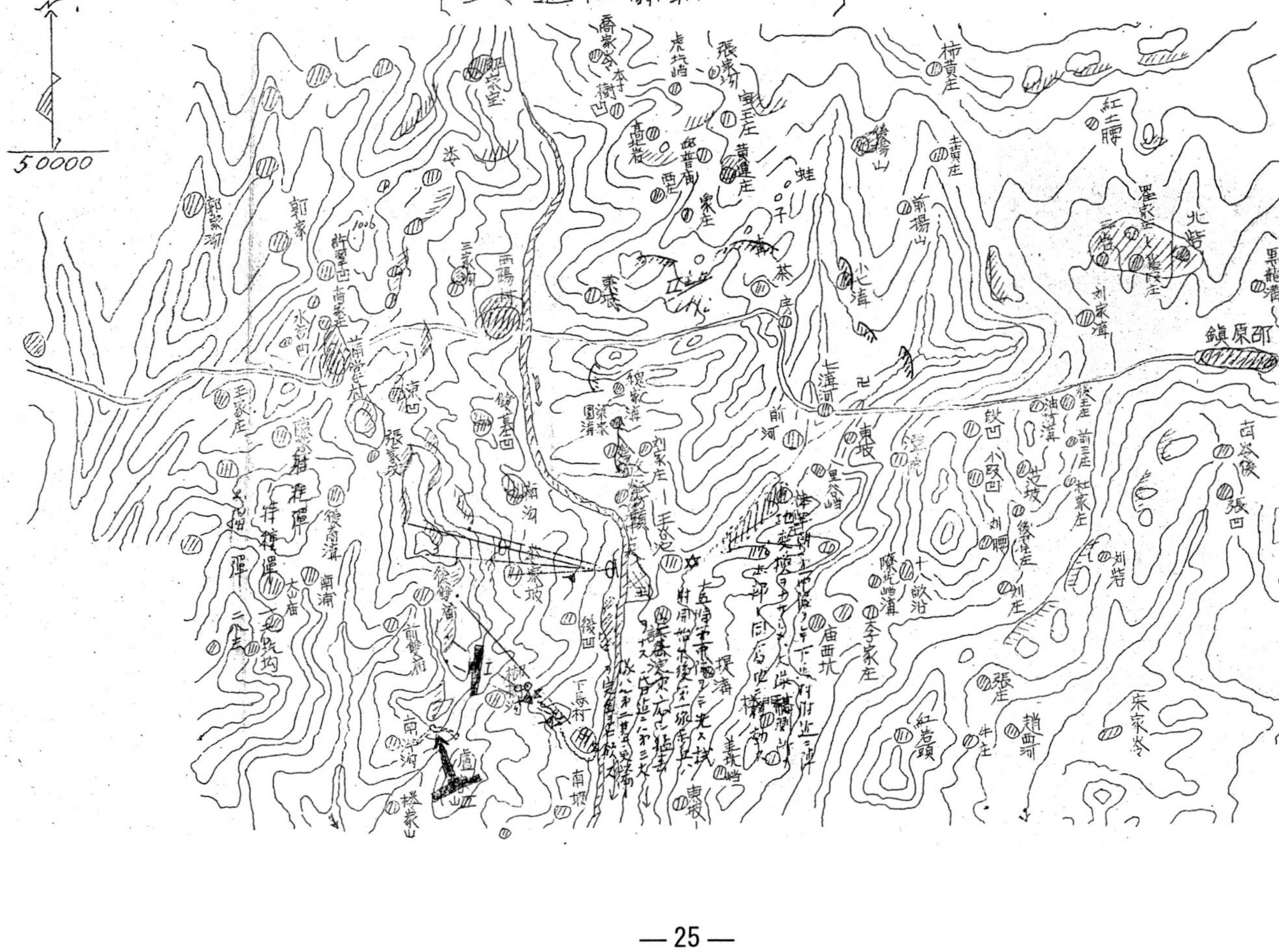

一、敵ハ右翼隊方面ニ攻勢ヲ轉シ右翼隊ハ目下激戰中ナリ
二、迫撃大隊ハ其ノ一ケ中隊ヲ茶坊ニ至ラシメ同地附近ニ在ル右翼隊ノ戰鬪ニ協力セシムヘシ

右命令ニ基キ大隊長ハ先ス第三中隊長ヲ招致シ該状況並ニ大隊ノ企圖及全中隊ノ行動ニ關シ詳細ニ指示ス

第三中隊ハ直ケニ行動ヲ開始シ茶坊ニ向ヒ急進ス

第一中隊ヲシテ左翼隊長ト緊密ニ連絡セシメ前任務ヲ續行セシム

戰鬪経過ノ概要別紙要圖ノ如シ

自七月二日二三時
至七月四日五時　二日二十三時三十分頃支隊命令ニ依リ大隊長ハ王谷沱西方高地ニ陣地占領中ノ第三中隊長ヲ直ケニ右翼隊方面ノ戰鬪ニ協力セシムヘク七濤河ニ向ヒ急進セシム

第三中隊長ハ先ス所要ノ指揮機關ヲ伴ヒ先行シ七濤河東方高地ノ旅團ノ位置ニ到リ所要ノ協定ヲナス

又小七溝東方高地並ニ茶坊高地ノ陣地偵察ヲナス　敵ハ西庄北方高地及西陽村並ニ其ノ西方台上ニ陣地ヲ占領シアリ

西庄東西ノ線ニ進出シ在リシ我歩兵第一線ハ西庄北方高地ノ敵ヲ攻撃スルニ決シ九時五十分頃ヨリ逐次該高地上ニ向ヒ攻撃前進ヲ開始セリ

敵ハ西庄北方高地ヲ死守スルモノノ如ク其ノ抵抗頗ル頑強ヲ極メ友軍ノ前進意ノ如クナラス此ノ戰況ヲ知ルヤ大隊長ハ茶坊高地ニ陣地ヲ占領シ在リシ第三中隊ヲシテ歩兵ノ攻撃ニ協力セシム　此ノ時第三中隊ハ已ニ射撃準備完了シアリタル爲射撃意ノ如クナリ第一發ヨリ有効射彈ヲ實施スルニ至ル時ニ十時〇分ニシテ敵ハ逐次北方稜線ニ退却スルノ止ムナキニ至ル　戰況ハ有利ニ進展シ十時三十分西庄北方高地ハ完全ニ占領スルニ至レリ依テ一時射撃ヲ中止シ西陽村方向ノ敵情捜索ヲ續行スル如ク命シタリ

敵ハ我カ攻撃ニ依リ暫時靜穏ノ情態ニ在リシモ西陽村ニハ尚若干ノ敵ヲ入レ

9

其ノ西方台上ニハ機關銃座等ヲ設ケ機ヲ見テ我ヲ射撃シ威嚇セントシツヽアルモノノ如シ

依テ西陽村ノ敵重火器ニ數發ノ制壓射撃ヲナス　銃聲止ム時ハ二十時〇分ナリ

又第三中隊大澤少尉ハ旅團ヨリ要求ニ依リ部下第五分隊ヲ指揮シ交戰中ノ輜重隊方面ノ敵ヲ射撃ス　共產軍獨特ノ「ゲリラ」戰法ヲ以テスル後方攪亂ノ企圖ヲ見事破碎セラレ敵ハ東方ニ敗退セリ

第一中隊ハ依然ハ現在地ニ在リテ現任務ヲ續行セシム

但シ第三中隊ノ陣地變換ニ伴ヒ第一中隊主力ヲ第三中隊前陣地ニ陣地變換セシメ命ス下馮村西北方ニハ殘置小隊ヲシテ前任務ヲ續行セシム

射耗彈

1、榴彈　　四四發

2、特種彈　　二發

七月三日二十二時左ノ命令ヲ受領ス（中作命第二九〇號）

命令ノ要旨左ノ如シ

一、支隊當面ノ敵ハ依然頑強ニ抵抗中ナリ
二、支隊ハ逐次各方面ノ敵ヲ撃滅セントス
三、右翼隊ハ好機ニ投シ當面ノ敵ヲ撃滅スヘシ
Ⅲ/32i（第九第十二中隊欠）ヲシテ其ノ攻撃ニ協力セシム
四、Ⅱ/32i長ハ前事項ノ攻撃協力ニ關シ豫メ準備ヲ整ヘ置クヘシ
一中隊ヲ茶房高地ニ位置セシメ主力モ又拂曉以後茶房高地ニ在ルヘシ
五、P隊（新ニ9/17i BA一門ヲ配屬シP二小隊ヲ復歸セシム）ハ本夜以後適時西陽村附近ノ敵ヲ撃滅スヘシ
六、七（省略）
八、爾余ノ諸隊ハ依然前任務ヲ續行スヘシ

戰鬪経過ノ概要別紙要圖其ノ三ノ如シ

10

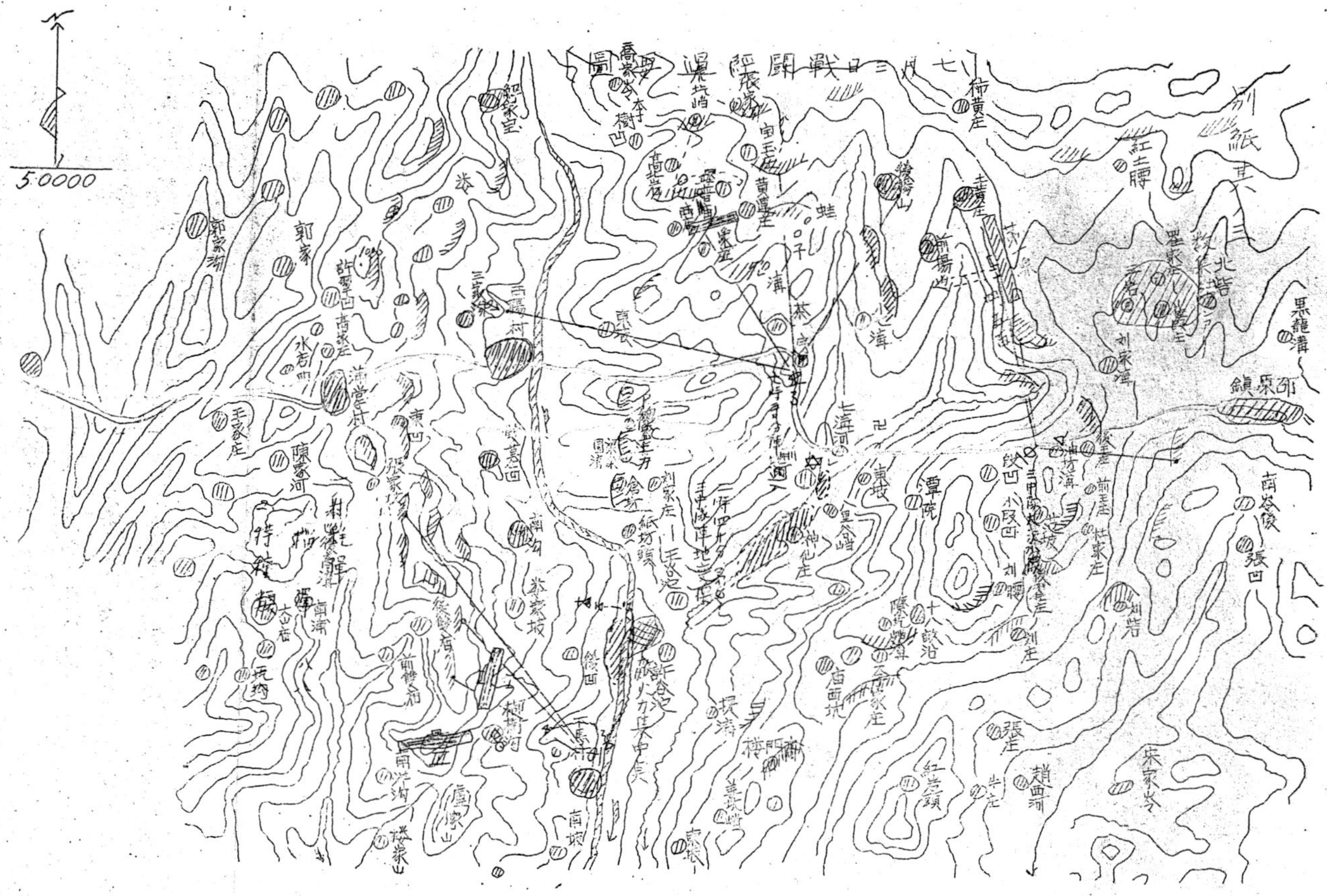

七月四日

一、茶房高地及塊家溝北方高地ノ戦闘

（自七月三日二十時 至七月五日五時）七月三日二十時頃西陽村附近ニ在リテ我ニ射撃セシ敵ノ重火器ハ四日九時頃ニ至リ再ヒ我ニ對シ射撃ヲ開始シタリ友軍第一線ハ依然トシテ西陽村東方高地上ニ陣地ヲ占領シ敵ト對峙シアリ

敵ハ我ニ對シ九時三十分頃ニ至リ再ヒ集中射ヲナス

依テ茶房高地ノ第三中隊ヲシテ此ノ敵ヲ制圧スヘク数發ノ射撃ヲナサシム射彈極メテ適確ナリシ為敵ハ一時沈默セリ

十一時頃ヨリ敵ノ小部隊西陽村部落ニ出入スルヲ見ル敵ハ西陽村ニ集結中ナルモノヽ如シ

依テ大隊長ハ先ス第三中隊ノ一ケ分隊ヲ西陽村東方高地上P聯隊本部位置附近ニ陣地変換ヲナスヘク命ス

第三中隊長ハ直ニ河野少尉ヲシテ部下第一分隊ヲ指揮セシメ西陽村東方高地上ニ陣地変換シナサシム

此ノ時西陽村ニ在リシ敵機関銃ハ猛烈ナル射撃ヲ開始シ恰モ我カ高地ニ對シ逆襲ヲ企圖スルモノヽ如シ

大隊長ハ敵ノ機先ヲ制スヘク直ニ陣地変換ニ終リシ河野小隊ヲシテ西陽村掩蓋機関銃ヲ射撃セシム我機宜ニ投スル射撃ニ依リ敵ノ企圖ハ破砕セラレ全ク逆襲ノ意志ヲ放棄シタルモノヽ如ク其後西陽村ニハ敵ノ動キヲ認メス

一時射撃ヲ中止シ現配備ヲ以テ夜ヲ徹ス

二、後雙廟・蘆家山附近ノ戦闘

四日九時大隊長ハ大隊指揮班ヲ従ヘ黄家坡東方高地上ニ到リ敵情地形ノ偵察ヲナス

敵ハ依然数日来ノ陣地ニ據リ抵抗ヲ持續シ且逐次兵力ヲ第一線ニ増加シツヽアリ時ニ蘆家山九二四五高地ニ於テ我カ左第一線前隊ト相對峙スル敵及ヒ右第一線後方ニハ有力ナル敵部隊ノ増加ヲ見ル

11

然レ共十二時四十分ニ於ケル猛烈ハ果敢ナル空襲ト第一線部隊ノ至嚴ナル警戒ト
ニ依リ敵ハ攻勢ヲ断念セシモノヽ如ク我ト相對シアリ
十六時三十分頃ヨリ後雙廟及其ノ附近ニハ敵ノ指揮機關並ニ迫撃砲陣地ヲ有ス
ルモノヽ如ク敵将校ラシキモノ間断ナク出入シ高地上ニ在リテ我第一線部隊ヲ偵察
中ナリ
此ノ時右第一線歩隊ヨリ後雙廟ヲ射撃スヘキ要求ヲ受ケタルヲ以テ大隊長ハ
直ケニ第一中隊ヲシテ該敵ヲ射撃セシム
時ニ十七時〇分ナリ
射彈数十發ニシテ後雙廟及其ノ附近ノ敵ヲ西方ニ退却セシメタル時我右第一
線方向ニ盛ナル銃聲ヲ聞ク
敵ハ新ニ重點ヲ蘆家山九二四、五高地ニ指向セシモノヽ如ク蘆家山部落西方ニ
集結セル有力ナル敵ノ一部ハ九二四、五高地ニ移動セリ
該敵ハ九二四、五高地ニ向ケ増加シ逐次攻勢ニ轉セントシツヽアルモ我第一線部隊ノ

猛射ニ遭ヒ一進一退ノ状態ナリ更ニ敵ハ主力ヲ以テ我右第一線ヲ包圍セント企圖
シ頻リニ蘆家山部落ヨリ九二四、五高地東南方ニ移動中ナリ
我右第一線ハ此ノ敵ヲ撃破スヘク一部ヲ九二四、五高地ニ残置シ主力ヲ以テ迂
廻シ来リシ敵ヲ九二四、五高地西南方ニ於テ襲撃撃攘スヘク攻撃ヲ開始セリ
大隊長播川少佐ハ此ノ機ヲ看破スルヤ直ケニ後雙廟ニ對シ射撃シアリシ
第一中隊ヲシテ蘆家山及九二四、五高地西方ヲ射撃セシム
本射撃中右第一線歩隊長ヨリ射彈極メテ適確ニシテ良好ナル射撃結
果ヲ得タルトノ賞詞ヲヨセラル
敵ノ一部ハ尚妻家坡部落及其ノ高地ニ陣地ヲ占領シ在リテ我ヲ狙撃
シアリ十九時大隊長ハ第一中隊ヲシテ射撃セシム敵ハ遂ニ抗シ難ク西方高地方
向ニ退却セリ
日漸ク西山ニ傾ク頃我攻撃ニ依リ西方ニ敗退セル敵ハ合シテ一團トナリ全力ヲ

擧ケ蘆家山九二四、五高地ニ對シ逆襲ニ轉シ来ル
敵ハ一度其ノ企圖ヲ放棄シタルカ如ク見エタルモ衆ヲ恃ミテ陸續トシテ蘆家山
ヨリ九二四、五高地方向ニ寄セ来ル
此ノ状況ヲ見ルヤ直ケニ大隊長ハ第一中隊ニ九二四、五高地西方ニ對シ射撃ヲ
命ス
射撃頗ル適確ニシテ初彈ヨリ命中シ續イテ射撃スル我集中射ニ敵ノ打倒
ルヽモノ明カニ我眼鏡ニ映セリ
此ノ時風向気温共ニ赤彈ニハ有利ナル気象状態ナルニ依リ大隊長ハ直ケニ赤彈
ノ急襲射ヲ命ス効果有効ニシテ敵ハ悉ク西方ニ敗退セリ 時ニ十九時四十分
日将ニ西山ニ没セントス
大隊長ハ敵ハ全ク再擧不能ニ陥リタルヲ察知シ大隊指揮班ヲ併セ王谷宅西
側河原ニ至リ同地ニ露營夜ヲ徹ス
第一中隊ノ陣地ハ撤去セス万一ニ備ヘタリ

戦闘経過別紙要圖其ノ四ノ如シ

三、彼我損害ノ状況

1、准士官以下 負傷二、 彼 不明

四 射耗彈

1 榴彈 一〇六

2 特種彈 六四

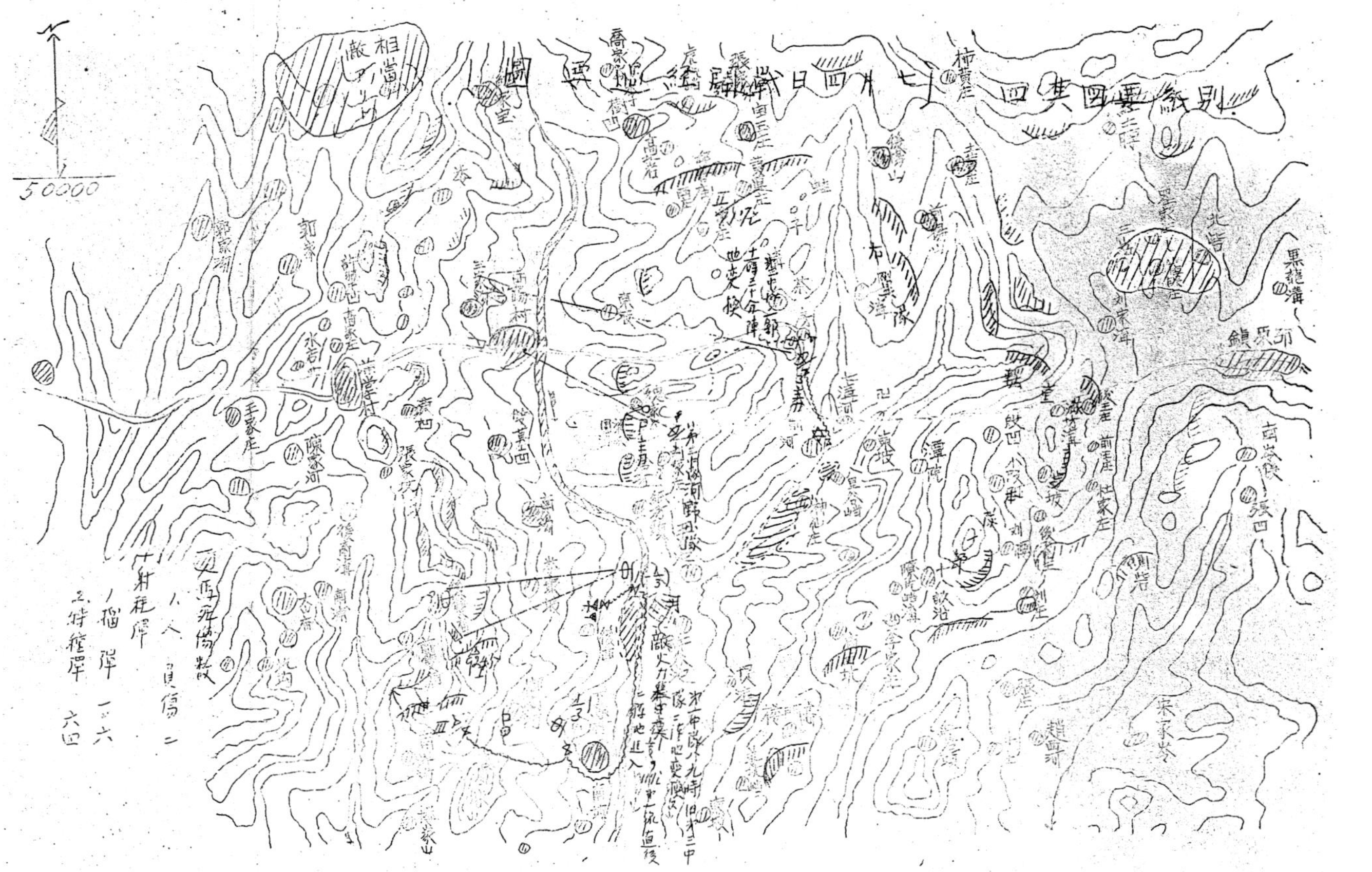

一、七溝河東方高地及西庄附近ノ戦闘

自七月五日三時 至七月五日二〇時

七月五日

一、七月四日七溝河東方高地輜重隊方面ニ於テ我ニ撃破セラレ再興不能ニ陥リタル敵ハ前楊山方面ヨリ移動シ来レル援軍ヲ得テ更生セルモノヽ如ク輜重隊正面東方高地ニハ點々敵影ヲ認メタリ

又西庄北方高地ニ於テ我右翼大隊ニ撃破セラレ敗退セル敵ハ李樹凹虎坑峪東西稜線ニ於テ踏止リ執拗ニモ西庄北方高地奪回ヲ企圖シアルモノヽ如シ

大隊長ハ此ノ状況ヲ知リ第二中隊ノ一ケ小隊ヲ西庄附近ニ一ケ分隊ヲ輜重隊方面ノ敵ニ對スル射撃準備ヲ命ス

依テ第三中隊長ハ大澤小隊ヲシテ西庄北方高地附近ニ速ニ陣地ヲ占領セシム時十時十五分ナリ尚河野少尉ヲシテ部下三分隊ヲ指揮セシメ輜重隊當面ノ敵ニ對シ待機セシム

豫想ノ如ク李樹凹、虎坑峪東西稜線ニ於テ有力ナル援軍ヲ得タル敵ハ我カ歩兵第二大隊ノ占領シ在ル西庄北方高地ニ對シ猛烈ナル奪回戦ヲ企圖シ許家嶺附近ニアル砲兵及ヒ虎坑峪附近ニアル迫撃砲ト相連繋シテ十三時三十分頃先ス虎坑峪稜線ヨリ西庄北方高地ニ對シ先ツ機關銃ノ猛射ヲ開始シ續イテ砲撃ヲ開始セリ

大隊長ハ先ツ最モ我ヲ妨害スルA.LMニ對シ射撃開始ヲ命ス依ツテ第三中隊長ハ西庄附近ニ陣地変換ヲ終リ待機中ノ大澤小隊ヲシテ該陣地ニ對シ砲撃セシム

敵ハ我第一線歩兵ト迫撃砲ノ協力ニ依リ甚大ノ損害ヲ蒙リタルモノヽ如キモ當面ノ敵ハ第八五師、第八三師、獨立第十一旅、保安第三団ノ有力ナル部隊ニシテ其ノ司令部ヲ（秋台溝）ニ設ケテ第二次逆襲ヲ企圖シアルモノヽ如シ

十八時頃ヨリ敵ハ再ヒ攻勢ニ轉シ敵砲彈盛ンニ西庄北方高地及西庄附近ニ落下ス、西庄ニ在リシ大澤少尉ハ大隊長ノ意圖ノ如ク敢然砲撃ヲ開始シ該敵ヲ制

14

圧ス

敵砲彈盛ニ落下シ大澤少尉ハ全身數個所ノ砲彈破片創ヲ受ケタルモ部下ヲ掌握シ激勵シツヽ敵重火器ノ制圧ニ努ム

二十時十分頃ニ至リ七溝河東方高地稜線上ニ若干ノ敵現レテ其ノ行動漸ヲ過ク

ハニ從ヒ活潑トナレリ

第三中隊長ハ直ケニ待期シアリシ河野小隊ヲシテ之ヲ制圧セシム射彈又概ネ良好ニシテ敵ハ遂ニ退却セリ

十一時十分射撃ヲ中止ス

第一中隊ハ依然現陣地ニ在リテ前任務ヲ續行ス

偶々前方後雙廟、前雙廟方向ノ敵射撃スルヲ以テ終始其ノ都度制圧ス

二十時左ノ支隊命令ヲ受領ス（中作命第二九一號）

命令ノ要旨左記ノ如シ

15

一、支隊當面ノ敵ハ昨四日夜來活動逐次消極的トナリ特ニ右翼兵隊正面ニ於テハ主力ヲ對岸以西ニ移動セシメアルモノヽ如シ

二、支隊ハ依然現占領地點ヲ確保シツヽ期ヲ見テ敵ニ一撃ヲ加ヘントス

三、第一線各隊ハ依然現任務ヲ續行シ其ノ占領地域ヲ確保スルト共ニ各當面ノ敵狀ヲ明ラカニシ特ニ其ノ弱點ヲ看破シ来スヘキ機會アラハ好機ニ投シ其ノ敵ニ一撃ヲ加ヘ以テ局面打開ニ努ムヘシ

四、爾余ノ諸隊ハ依然現任務ヲ續行シ以テ自衛ノ處置ニ遺憾ナキヲ期スヘシ

二十三時三十分左ノ支隊命令ヲ受領ス（中作命第二九二號）

命令ノ要旨左ノ如シ

一、段四、王皇廟、高門樓ノ地區ニハ數百ノ敵兵進入シ概稜線ニ沿ヒ我ニ向ヒ陣地ヲ構築中ナルモノヽ如シ

二、支隊ハ明六日一部ヲ以テ此ノ敵ヲ擊滅セントス

三、温井少佐ハ明早朝ヨリ部下三小隊、1/1L第十中隊LM一門ヲ率ヒ該西ヨリ概ネ第一項記述ノ稜線ニ沿フ地区ヲ前進シ此ノ敵ヲ掃蕩スヘシ

四（省略）

五、各隊長及LM長ハ各一部ヲ以テ右攻撃ニ協力スヘシ

LM長ハ明六日一門ヲ温井少佐ニ配属スヘシ

六、七（省略）

本日ノ戦闘経過ノ概要別紙要図其ノ五ノ如シ

二、本日ノ射耗弾

1、榴　弾　　　六八発

2、特種弾　　　／

三、人馬損耗表

将　校　負傷一　　馬匹　負傷一

16

自七月六日二時至七月七日五時　後揚山及西庄北方高地附近　戦闘

七月六日

七月六日二時三十分頃ニ至リ敵ハ西庄北方高地ニ夜襲ヲ行ヒタリ

大澤小隊ヲシテ全力ヲ以テ此ノ敵ヲ撃破ス夜暗ニシテ砲撃意ノ如クナラサルモ敵ノ第一線ハ我カ砲撃ニ依リ士気ヲ失ヒタルモノヽ如ク其ノ進退ニ迷ヒ在ルモノヽ如シ此ノ機ヲ得ルヤ右第一線ハ疾風迅雷敵ニシテ対応スルノ策ナカラシノ以テ勇猛果敢ナル肉弾戦ヲ敢行ス敵色ヲ失ヒ逐次退却ヲ開始セリ

又五時頃西庄北側高地夜襲ニ相呼応シ敵ハ後揚山方面ニ現レ小流ノ線ニ沿ヒ七溝河左右ノ線ニ向ヒ攻勢ニ転シ来レリ

大隊長ハ直ケニ七溝河ニ在リシ河野小隊ヲシテ後揚山左右稜線上ノ敵ニ対シ射撃ヲ命シタリ

敵ハ我第一線部隊ノ奮戦奮闘ト我カ迫撃砲ノ適切ナル協力ニ依リ再三ノ逆襲ニ失敗シ全ク戦意ヲ失ヒテ西北方ニ敗退セリ

尚河野少尉ハ部下「一ケ分隊」ヲ指揮シ中作命第二九二號ニ依リ温井少佐ノ指揮下ニ入リ七溝河東方高地ニ進出シ後方攪乱ノ企図ヲ有スル敵ヲ掃蕩、ヨク歩兵及MGSト協力シ敵ノ意表ニ出テヽ常ニ有効ナル射弾ヲ送リ温井少佐ヲシテ感歎セシメタリ

敵ハ其ノ企図ヲ破砕セラレ退却スルノ止ムナキニ至レリ

大隊ハ依然現態勢ヲ以テ敵ニ対シ適次敵ヲ制圧シツヽ夜ヲ徹ス

七月六日

七月六日十五時三十分支隊命令ヲ受領ス（中作命第二九四號）

命令ノ要旨左ノ如シ

一、温井部隊ノ攻撃ハ極メテ有利ニ進展セリ

二、中作命第二九二號ニ基キ温井少佐ニ配属セル迫撃砲（一門）ノ配属ヲ解キ原所属ニ復帰セシム

右命令ニ基キ左ノ大隊要旨命令ヲ下達ス

河野小隊ハ原所属ニ服務スヘシ

各所ニ於テ我ニ撃破セラレタル敵ハ尚執拗ニシテ機ヲ得ハ逆襲ヲ企図スルモノヽ如ク敵ハ虎屹峪附近ニ集結中ナリ

十一時頃ニ至リ敵ハ殆ント集結ヲ終リタルモノヽ如シ大隊長ハ敵ノ機先ヲ制スヘク西庄ニ陣地ヲ占領中ノ大澤小隊ヲシテ此ノ敵ヲ砲撃スヘク命ス

天候気象共ニ特種弾使用ニ適シ風向又適切ナルニ依リ大隊長ハ榴弾射撃後数発ノ特種弾射撃ヲ命ス敵ハ我カ射撃ニ曹遁ヒ四散敗退スルヲ見ル

四時三十分第一中隊正面（五/1/1L）ニ突如夜襲アリ第一線大隊ヨリ次ノ電話ヲ受ク

迫撃砲ハ直ケニ後龍又面方向ノ敵夜襲部隊ヲ射撃スヘシ

塚原小隊ハ直ケニ全力ヲ以テ該敵ヲ砲撃セシモ夜暗ニシテ砲撃意ノ如クナラズ然レトモ敵ハ我カ砲撃ニ依リ精神的打撃ヲ蒙リテ戦意ヲ失ヒ西方ニ退走セリ

17

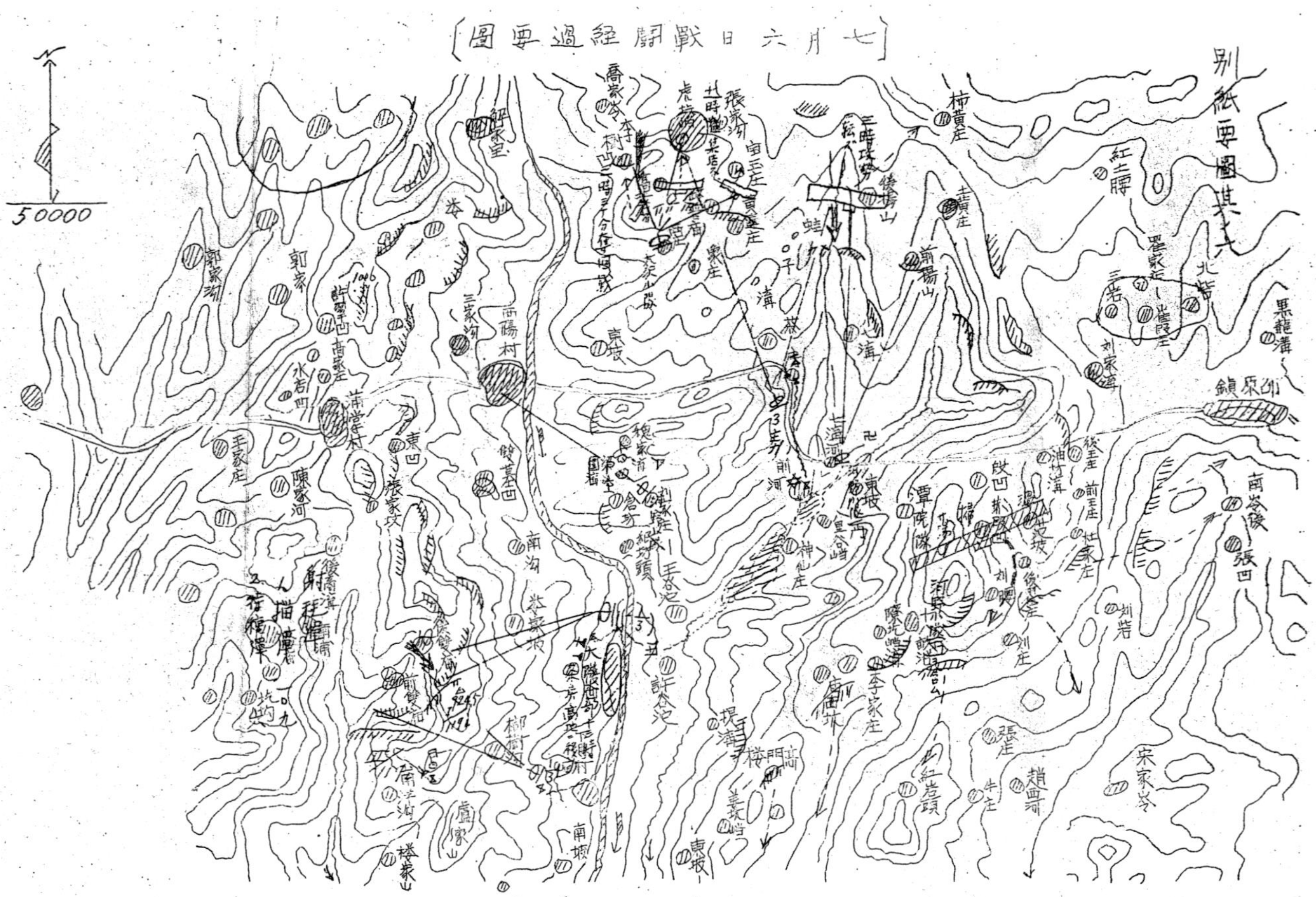

本戰闘ノ經過別紙要圖其ノ六ノ如シ

二、射耗彈

１、榴彈　百九發

２、特種彈　六發

三、彼我損害ノ状況

人員ナシ　馬匹ナシ

自七月七日一時至七月七日十七時　西庄北側附近ノ戰闘

敵情ニ關シ大ナル變化ナシ

敵ハ連日連夜ノ戰闘ニテ多大ノ損害ヲ蒙リ數百ノ遺棄死体ヲ放棄シ慘敗ノ苦盃ヲ嘗メ在ルニ拘ラス其ノ小部隊ハ尚執拗ナル抵抗ヲ持續シツヽ在リテ時折我カ第一線陣地ニ對シ砲撃ヲ實施セリ

七月七日十三時頃ニ至リ敵ハ山砲及迫撃砲ヲ以テ西庄北側高地ニ對シ猛烈ナル集中射ヲ開始ス、

大隊長ハ第三中隊長ヲシテ此ノ敵ヲ砲撃スヘキヲ命ス　依テ第三中隊長ハ大澤小隊ヲシテ此ノ敵ヲ制圧セシム

大澤少尉ハ予ネテ先多ノ胡伍長ヲ從ヘ敵砲兵陣地ノ偵察ニ任シ特ニ敵迫撃砲ノ所在ヲ確認シ直チニ該陣地ニ射撃スルノ準備ヲナシ十五時敵ノ迫撃砲制圧射撃ヲ敢行ス、

18

時射撃ヲ中止ス
又第一中隊正面ニ於テハ十九時頃後衛又西方向ヨリ敵ノ逆襲ヲ受クトノ電話ヲ受ケ(工)ヨリ射撃ノ要求アリタルニ依リ直ニ射撃ヲ開始敵ノ逆襲ヲ阻止セリ
本日ノ戦闘経過ノ概要別紙要圖其ノ七ノ如シ
二、射耗弾
イ、榴弾　六一発
ロ、赤弾　一発、
三、彼我損害ノ状況
敵　不明
我準尉以下負傷一

七月九日
西庄北方高地及魏家溝北方高地附近ノ戦闘
一、我ト對陣セル敵ハ熾烈ナル抗日思想ヲ有シ執拗ナル抵抗ヲ續ケ九日ニ至ルモ尚西庄北方高地ニ其ノ重点ヲ向ケ一二・三〇頃ヨリ例ノ如ク砲撃ヲ開始ス
一三・〇〇頃ニ到リ工兵隊正面西陽村ニ集結シ在リシ約二〇〇ノ敵ハ十数名ヲ以テ一團トナリ區分前進ヲナシツツ我カ工兵隊ノ占領シ在ル西陽村高地上ニ向ヒ攻勢ニ轉シ来レリ
加フルニ敵ハ重火器火砲ヲ以テ歩兵ノ前進ヲ援護シ戦況稍々難キ状態トナレリ
此ノ戦況ヲ知ルヤ第三中隊長ハ魏家溝北方高地ニ陣地ヲ占領シ在ル河野小隊ヲシテ直ニ該敵ニ對シ射撃ヲ命ス　射弾適確ニシテ敵ノ前面一帯ニ落下ス　我カ砲撃ニタマリ兼ネテ敵ハ一部ヲ工兵隊正面ノ山脚ニ止メタル儘其ノ

射弾適確ニシテ敵ノ砲兵陣地ハ我砲煙ニ包圍サルルノ情態トナレリ此機ヲ失セス直ニ榴弾ニ次テ特種弾ヲ以テス此ニ於テ敵迫撃砲ハ完全ニ我制圧スル所トナル依テ射撃ヲ中止シ爾後ノ敵ニ對シ待期セリ

七月八日
自七月八日一時
至七月八日十四時
一、先日来我ニ威嚇スルモノヽ如ク砲撃ヲ續行シ来レル敵ハ七月六日十一時三十分頃我ニ撃破セラレ四散セリ　敵歩兵ノ集結シ待ケテ再擧西庄北方高地奪回ヲ企圖シアルモノヽ如シ
七月八日十二時三十分頃ヨリ約一時間半ニ亘リ敵ノ山砲ハ猛烈ナル集中射ヲ西庄北方高地ニ向ケナシ来ル
敵砲弾ノ射程延伸ヲ利用シテ敵第一線ハ友軍至近ノ距離ニ接迫シ手榴弾ノ投擲ヲ友軍ニ実施セリ
第一線ハ以外ノ苦戦ニ陥リタリ此ノ状況ヲ知ルヤ大隊長ハ第三中隊長ヲシテ直ニ

此ノ敵ヲ砲撃制圧スル如ク命ス
十四時〇分第三中隊ヨリ大澤小隊ヲシテ此ノ敵ヲ制圧セシメ歩兵ノ第一線又我砲ノ援護下ニ猛烈ナル肉弾戦ヲ演シ暫時敵ヲ退却セシメタリ
當時大隊長ハ所要ノ指揮機關ヲ従ヘ茶房高地戦闘指導並ニ喬家嶺附近ノ敵情ヲ捜索ス　又王谷沱西北方倉坊附近ニ在リテ敵情捜索ヲ續行中ノ河野少尉ハ十五時〇分西陽村西方高地ニ敵迫撃砲陣地ヲ發見シ大隊長ニ報告スルト共ニ直ニ射撃ヲ開始セリ
十四時〇分頃我ニ撃退セラレタル敵ノ一部ハ西庄北方高地北側ニアリ主力ハ一時北方ニ退却シタルモ逐次東方ニ移動シ其ノ大部ハ宝王庄部落ニ集結シツヽアリ　大隊長ハ敵ノ逆襲ノ企圖有リシヲ推察シ敵ノ企圖ヲ破砕スヘク茶房高地ニ陣地ヲ占領シ在リシ第三中隊ヲシテ此ノ敵ヲ射撃セシム
敵ハ砲撃ニ周章狼狽其ノ極ニ達シ西方ニ退却セリ射撃ノ効果ヲ得テ十七

進ヲ断念シタルモノノ如ク大部ハ西陽村方向ニ敗走セリ
敵ノ重火器及ビ火砲モ亦我カ砲撃ニ遭ヒ沈黙スルニ至ル
依ッテ我カ砲撃ヲ中止ス。然レ共先ニ我ニ近迫スル敵歩兵ノ約五百名ハ山脚ニ取付キタル儘一時攻撃ヲ中止シタルモノノ如ク全ク攻勢ニ轉スル模様無カリシモ西陽村附近ニハ尚敵部隊集結シアルモノノ如シ之等ヲ綜合判断スルニ敵ハ夜暗ニ待ケテ逆襲再興ノ企圖ヲ有スル事略々確実ナリ
又十四時頃ヨリ西庄北方高地ノ我カ歩兵第二大隊正面ニ於ケル敵ハ重点ヲ我カ右翼隊ノ右高地ニ指向シタルモノノ如ク敵第一線ノ兵力ハ漸次其ノ数ヲ増スト共ニ其ノ行動活潑トナリテ例ノ如ク手榴弾ヲ持ケアル敵部隊我カ右翼高地ニ向ヒ殺到シ来リ時ヲ置イテ猛烈ニ手榴弾ヲ投擲セリ。日ナクヨリ茶房高地第三中隊観測所ニ於テ観測ニ余念ナカリシ大隊長ハ其ノ状況ヲ知ルヤ直ニ此ノ敵ヲ撃退スヘク第三中隊長ニ命ス、福島参謀又同地ニ在リ
我カ射弾概ネ良好ニシテ砲撃セハ敵退キ隠レ中止セハ又現レテ我ニ手榴弾

ヲ投擲ス
激戦数刻ニ亘ル手榴弾戦モ一六、〇〇頃敵歩兵ノ一部東方ニ敗走スルヲ認メタルノミニテ依然敵ハ時ヲ區切リテ周期的ニ我ニ近接シ手榴弾ヲ投スルノ状態ニアリ斯ル激戦約四時間ノ後敵ハ西庄北方高地ノ奪回ヲ断念シタルモノノ如ク逐次山脚谷地ニ退却集結セリ依テ射撃ヲ中止ス此ノ時友軍飛行機高地上ヲ旋廻シ数発ノ爆撃ヲ敢行シタリ敵ハ周章狼狽四散シ混乱其ノ極ニ達ス敵兵全ク高地附近ニナシ
然レ共敵砲兵ハ一九、〇〇頃ヨリ約一時間半ニ亘リ西庄北方高地ニ向ヒ山砲ノ集中射ヲナシテ我ヲ威嚇ス
二二、〇〇ニ至リ敵ハ一斉ニ夜襲ヲ敢行シ来リ先ニ工兵隊正面ニ密着シアリタル約五〇〇敵ト相連繋シテ工兵隊正面ニ於ケル敵ハ我カ工兵隊ノ優勢ナル手榴弾ト両方猛烈ナル應戦ニ耐ヘカネ数十分ニシテ撃滅サレタリシモ西庄北方高地ノ敵ハ数度ノ敗戦ニモ拘ラス

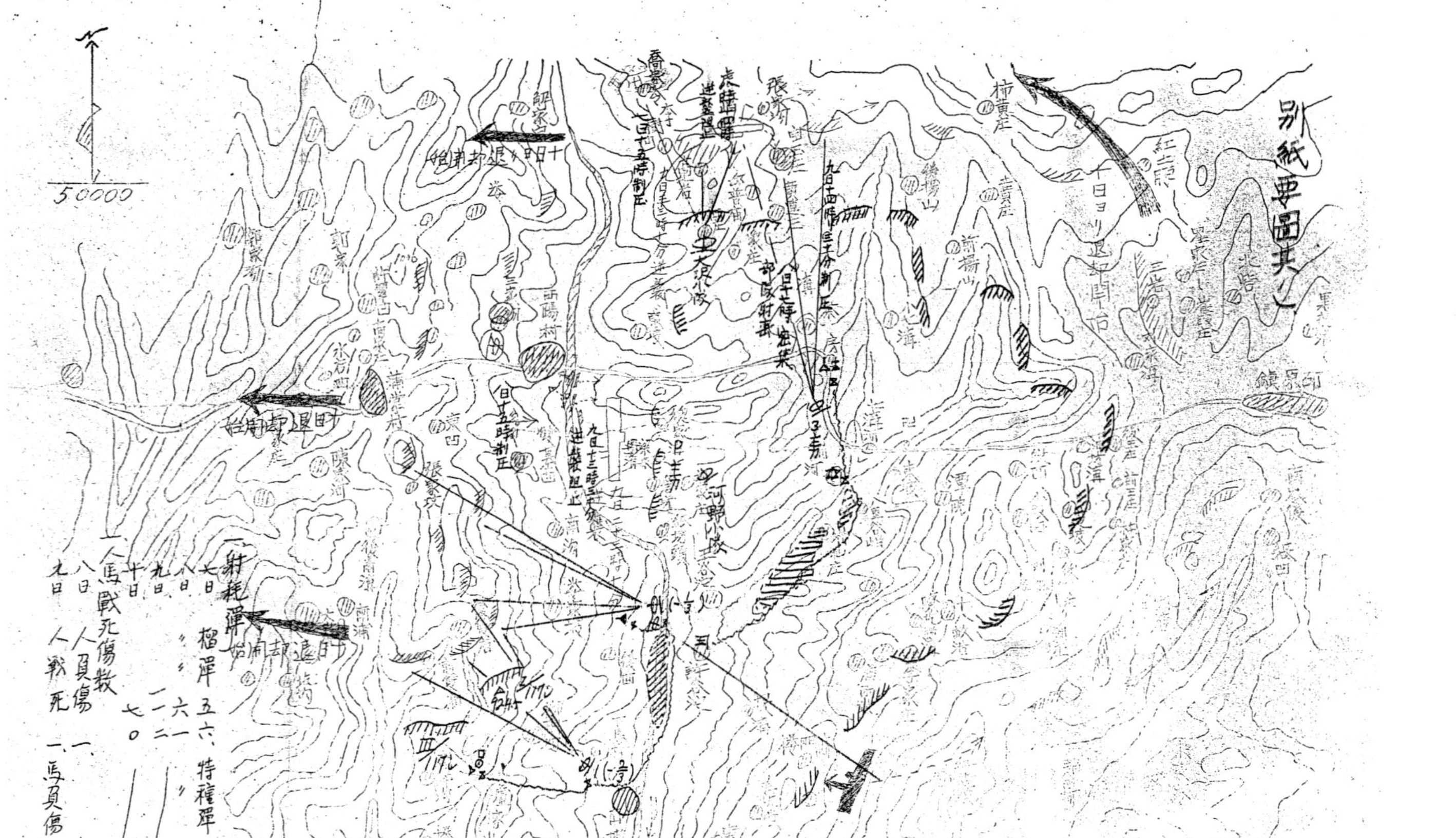

執拗ナル逆襲ヲ反覆シ來レリ依テ大澤小隊ヲシテ此ノ敵ヲ射擊セシム
敵ハ數度ノ逆襲ニ失敗シ二三、一〇頃ニ到リ北方ニ敗退セリ
本日ノ戰斗經過別紙要圖其ノ七ノ如シ
二、射耗彈
イ、榴彈　二七發
ロ、戰死　一名
歩兵上等兵　宮澤淺右衛門
十五時茶房高地戰鬪中胸部貫通銃創ニテ戰死ス

七月十日（茶房高地附近）
敵ハ各個ニ我ニ擊破セラレ甚大ノ損害ヲ蒙リ疲勞困憊シアルモノヽ如ク本日戰線概ネ平穩ナリ
時折西庄北方高地附近ニ敵山砲彈ノ落下スル在リ或ハ敵ノ一部ハ西庄北方高地ニ稀々統制ナキ逆襲ヲ實施スル程度ナリ一一〇〇頃ニ到リ西庄北方高地茶房高地及七溝河附近ニ敵ノ砲擊アリ然レ共狀況ニハ大ナル變化ナキ所ヨリスレハ〇、我ニ對スル威嚇的射擊ナラン
一五三〇頃ヨリ敵再ヒ西庄北方高地及茶房高地ニ對シ約三十分間ニ亘リ砲擊シナス敵ハ動搖セリ
一七〇〇頃ヨリ許家嶺附近ニ敵部隊ノ西方ニ移動スルヲ見ル敵ハ連日ニ亘ル敗戰ノ爲士氣全ク失ヒ逐次西方ニ移動集結シ密ニ退却シ準備シ在ルモノヽ如ノ一八〇〇頃ヨリ全線全ク平穩トナレリ

22

大隊ハ依然陣地ニ在リテ有利ナル目標ヲ發見射擊セシム第一線ハ異狀ナク敵ト對峙シアリテ敵狀變化ナシ大隊ノ現態勢ヲ以テ夜ヲ徹ス
本日ノ戰鬪經過別紙要圖其ノ七ノ如シ
本日射耗彈ナシ

七月十一日
旅十日夜以來戰線ハ頗ル靜肅ニシテ敵ハ全ク戰意ヲ喪失シ其ノ主力ハ旅十日夜暗ヲ利用シテ西方ニ退却セルモノヽ如シ〇〇六、三〇左記命令ヲ受領ス（寧依命第二九九號）
命令ノ要旨左記ノ如シ
左　記
一、支隊正面ノ敵ハ逐次西方ニ退却セルモノヽ如シ
二、支隊ハ蒲掌村南側ノ線ヲ占領シ爾後ノ追擊ヲ準備セントス
三、右翼隊ハ標高一〇〇大高地ヲ占領スヘシ
四、左翼隊ハ一部ヲ以テ蒲掌村東南側高地ヲ占領スヘシ
五、A隊及C隊ハ主力ヲ以テ本道方向ノ追擊ニ協力シ各一部ヲ以テ西廟村西方高地ニ推進スヘシ

23

大隊長ハ右命令ニ基キ左記大隊命令ヲ下達ス

追五作命第二七八號

追撃第五大隊命令

七月十一日〇六、三〇
於七溝河大隊本部

一、當面ノ敵ハ逐次西方ニ向ヒ退却セルモノヽ如シ
支隊ハ蒲掌村南北ノ線ヲ確保シ爾後ノ追撃ヲ準備ス
右翼兵隊ハ西陽村西北側一〇〇六高地、工兵隊ハ西陽村西側高地、左翼兵隊ハ一部ヲ以テ蒲掌村東南側高地ヲ確保スル筈

二、大隊ハ主力ヲ以テ各隊ノ蒲掌村南北線ヘノ進出竝ニ一部ヲ以テ其ノ確保ニ協力スルト共ニ爾後ノ追撃ヲ準備セントス

三、第三中隊ハ一部ヲ以テ右翼兵隊竝ニ工兵隊ノ蒲掌村南北ヘノ進出ニ協力スルト共ニ主力ハ七溝河附近ニ兵力ヲ集結スヘシ
右翼兵隊竝ニ工兵隊蒲掌村南北線ヘノ進出後ハ該一部モ中隊主力ノ位置ニ集結セシムヘシ

24

四、第一中隊ハ主力ヲ以テ各隊蒲掌村南北線ヘノ進出ニ協力スヘシ
但シ分遣シアル一部ハ速ニ主力ノ位置ニ集結セシムヘシ
各隊蒲掌村南北線ヘノ進出後ハ一小隊ヲ西陽村西側高地ニ出シ各隊蒲掌村南北線ノ確保ニ協力セシムヘシ

五、大隊段列及大行李ハ其ノ位置ニ在リテ前進準備ヲ整ヘ置クヘシ
但シ七溝河附近ニ分遣シ有リシ大隊段列ノ一部ハ本日中ニ主力ニ合セシムヘシ

六、予ハ暫ク現在地ニアリ本十一日午后王家坨西方河原ニ至ル

大隊長　　幡川少佐

下達法　要旨ヲ各隊各列ニ傳達シタル後筆記セルモノ交附ス
依テ大隊長ハ爾後ノ追撃戦闘ノ為西庄ニ在リシ大澤小隊魏家溝北方高地ニ在リシ河野小隊ノ陣地ヲ撤シ第三中隊ニ集結ヲ命ス、
第三中隊長ハ先ツ部隊ヲ蔡家高地ニ集結ス本朝来全ク沈黙シアリシ敵砲兵ハ

一五〇〇頃、弐か第三中隊集結セントスルヤ再ヒ蔡家高地ニ對シ砲撃ヲ開始ス
一九五〇頃西陽村ニ先行シ在リシ鈴木少尉来リテ左ノ状況ヲ報告ス
報告ノ要旨左ノ如シ

一、敵ハ昨夜同地附近ヲ退去セシ模様ニシテ第一線歩兵モ全ク敵ニ見ズト
二、西陽村蒲掌村間ハ悪阪路ニシテ殊ヶ所敵ノ為破壊サレ加フルニ豪雨ノ為路面甚シク破壊セラレ目下車輌ノ通過困難ナリ工兵隊ハ今夕迄ニ改修完了ノ筈ナルモ車輌部隊ノ通過ノ為ニハ一日ヲ要スルナラン

二〇〇〇左記支隊命令ヲ受領ス(中作命第三〇〇號)
支隊命令ノ要旨左ノ如シ

左記

一、蒲掌村附近一帯ノ敵ハ主力ヲ以テ西南方ニ一部ヲ以テ北方山地内ニ退却セルモノヽ如シ

二、支隊ハ明十二日主力ヲ蒲掌村西陽村間ノ地區ニ集結シ爾後ノ追撃ヲ準備ス

三、追撃隊ハ明十二日正午頃迄ニ一部ヲ以テ蒲掌村ニ主力ヲ以テ西陽村ニ集結スヘシ

大隊長ハ右命令ニ基キ左記大隊命令ヲ下達ス

左記

追五作命第二七八號

追撃第五大隊命令

七月十一日二一、〇〇
於王家坨東方河原

一、蒲掌村一帯ノ敵ハ主力ヲ西南方一部ヲ以テ北方山地内ニ退却セルモノヽ如シ
支隊ハ明十二日主力ヲ蒲掌村西陽村ノ地區ニ兵力ヲ集結シ爾後ノ追撃ヲ準備ス

二、大隊ハ明十二日正午迄ニ一部ヲ蒲掌村主力ヲ西陽村間ニ集結セントス

三、第一中隊ハ明十二日正午迄ニ蒲掌村ニ集結スヘシ集結位置ニ關シテハ尸長

25

ノ區署ヲ受クヘシ
四、第三中隊及大隊段列ハ明十二日一一〇〇迄ニ西陽村東南端ニ至リ大隊副官ノ
區署ヲ受クヘシ但シ西部隊ハ所要ノ先發者ヲ九時迄ニ大隊本部ノ位
置ニ差出シ大隊副官ノ指示ヲ受ケシムヘシ
五、大行李ハ明十二日正午マテニ双基四ニ集結スヘシ集結ニ付テハ兵站輜重
兵第三中隊長ノ區署ヲ受クヘシ
六、予ハ十時現在地出發西陽村ニ至ル

大隊長　　　播川少佐

下達法　命令受領者ニ口達筆記セシム
戰闘日夜續ケル事十二日間遂ニ當面ノ敵ハ徹底的ノ損害ヲ蒙リ其ノ主
力ハ遠ク西南方ニ退却セリ大隊ハ明日ノ追撃ヲ準備シツヽ王家池東方河原
ニ於テ夜ヲ徹ス
本日　射耗弾ナシ

七月十二日
追五作命第二七八號ニ基キ九時大隊副官ハ設營者ヲ伴ヒ西陽村ニ先行ス
各隊ハ約十日余ニ亘ル戰場ノ整理ヲ行ヒ敗退セル敵ヲ追撃シツヽ再ヒ大行山脈
ノ險峻ヲ雨天ヲ侵シテ進撃ヲ開始ス大隊ハ九時夫々所命ノ位置ニ向ヒ前進ス
途中昨夜来ノ豪雨ニ河川増水シ爲ニ道路ナク殆ト水中ヲ縱斷シツヽ十一時三
十分西陽村南端ニ到着取敢ス先發者ノ指示ニ依リ全地ニ大休止ス
稍々遅レタル第三中隊ハ十二時五十分本隊ニ合ス大隊ハ集結ヲ完了シ同地ニ待
機ス
九時三十分左記支隊命令ヲ受領ス（中作命第三〇〇號）
命令ノ要旨左記ノ如シ
集結地域ノ配當其他細部ニ關シテハ温井少佐ヲシテ區署スヘシ
右命令ニ基キ仝少佐ニ連絡ノ結果露營命令ヲ受領ス

命令ノ要旨左ノ如シ
左記
一、敵状ニ付テハ新報ヲ得ス
二、各隊ノ露營地區ヲ別紙要圖ノ如ク配當ス
三、MGS第二中隊長加藤中尉ハ露營日直將校トス
四、各隊ハ左ノ如ク露營衞兵トシテ二十時迄ニ下士哨（長以下四名）ヲ差出スヘシ
露營日直將校ノ指導ヲ受ケシムヘシ
左記
1、2、3、4、（省略）
5、5IMヨリ露營地東南側河岸ノ附近
大隊長ハ右命令ニ基キ左記露營命令ヲ下ス
追五作命第二八〇號
露營命令
七月十二日一九時
於西陽村大隊本部
一、敵状ニ關シ新報ヲ得ス
二、大隊ハ本夜現態勢ヲ以テ露營セントス
三、本露營區ノ勤務者左ノ如シ
露營司令官　　　　9MGS長　温井少佐
露營日直將校　　　2/9MGS長　加藤中尉
四、古野准尉ハ部隊日直將校（巡察將校ヲ兼ス）ニ服務スヘシ
五、大隊段列ヨリ長以下四名ノ下士哨ヲ露營地東南側河岸附近ニ二二〇〇迄
ニ差出シ服務セシムヘシ
六、本夜ノ給養ハ携行セルモノヲ使用スヘシ
七、本夜ノ合言葉ハ「關東」「奧州」トス
八、予ハ本道南側大隊本部ニ在リ
大隊長　　　播川少佐

戰闘詳報第　號附表

昭和　年　月　日

迫擊第五大隊死傷表

區分		本部	第一中隊	第二中隊	第三中隊	大隊段列	總計	備考
戰闘参加人馬	將校	六	四		三	一	一四	
	准士官以下	九〇	一九三		二〇三	一五八	六四四	
	馬匹	三二	七六		七七	七八	二六三	
死	將校							
	准士官以下				一		一	
	馬匹	一	四			三	八	
傷	將校				一		一	
	准士官以下		四		三	二	九	
	馬匹	一	二		二	七	一二	
生死不明	將校							
	准士官以下							
	馬匹							

下達法　命令受領者ニ口達筆記セシム

注意

一　火災豫防並ニ露營日ヲ天空ニ映セサル様嚴ニ注意スヘシ

二　赤痢患者發生ノ徴アリ厠以外ニ用便スルコトヲ禁ス

又井戸僅少ナルニ付キ之カ清潔ニ注意シ清水飲用スル様留意スル事

大隊ハ西陽村ニ露營ス

四　戰闘後ノ彼我形勢ノ概要

1. 六月三十日以来優勢ナル敵ニ對シ峻嶮ナル山地ニ於テ暑熱ヲ冒シ補給難ヲ克服シ連日攻擊ヲ繼續シ十一日夕ニ至リ遂ニ西陽村附近ノ敵陣地ヲ突破シ續イテ蒲掌村附近ヲ占領シ更ニ垣曲方面ニ向ヒ追擊ス

2 敵ノ主力ハ遠ク西方及西南方ニ其ノ一部ハ北方ニ潰走セリ

3. 今次作戰ニ於テ敵ハ至ルトコロ部落ヲ燒却セシ爲露營ニ不自由ニシテ且豪雨ノタメ追擊意ノ如クナラス

28

垣曲東方地區ニ關スル

命令（軍・師・旅・聯）

29

戰闘詳報第　號附表

昭和　年　月　日

迫擊第五大隊兵器損耗表

種類		區分	本部	第一中隊	第二中隊	第三中隊	大隊段列	總計	備考
消費	彈藥	榴彈		840		447		1287	
		特殊彈		949		182		1131	
		火煙彈							
		小銃實包					684	684	
		拳銃實包					25	25	
損	武器	九四式輕迫							
		小銃					1	1.	
		拳銃							
		銃劍							
		軍刀							
	彈藥	榴彈							
		特殊彈							
		火煙彈							
		小銃實包							
		拳銃實包							
	器材								
失	器具	輜重車				5	14	20	
		乘馬具					5	5	
		輓馬具							
	材料其他								

中作命第二八四號

中野支隊命令

六月二十八日二時
於王屋鎮西方

一、支隊ハ明二十九日攻撃ノ目的ヲ以テ蒲掌村附近ニ向ヒ前進セントス
二、先遣隊ハ明二十九日七時宿營地ヲ出發シ蒲掌村ニ向ヒ前進スヘシ
三、P隊ハ前任務ヲ續行スヘシ
兵力増加ニ關シテハ別命ス
四、本隊タル諸隊ハ本二十八日午後ノ行軍序列ヲ以テ七時三十分其ノ先頭宿營地西端ヲ出發シP隊ニ續行スヘシ
五、予ハ本二十八日序列ニ在リテ前進ス

支隊長 中野少將

下達法 要旨ヲ口達シタル後命令受領者ニ口達筆記セシム

中作命第二八六號

中野支隊命令

六月三十日零時十分
於段西村司令部

一、西陽村一帶西方ノ高地ニハ數日來但曲方面ヨリ前進スル敵兵陣地ヲ占領シアルモノノ如シ
二、支隊ハ本三十日當面ノ敵ニ對シ攻撃ノ目的ヲ以テ偵察並ニ[illegible]ノ準備ヲ實施セントス
三、先遣隊ハ現在地ヲ確保シ當面ノ敵狀地形ヲ偵察スヘシ
四、右縱隊ハ依然茶房高地東側附近ニ位置シ一部ヲ以テ黄連庄附近ヲ占領シ敵陣地左翼方面ノ敵狀地形ヲ偵察スヘシ
五、左縱隊ハ王谷屯方面ヨリ敵陣地右翼方面ニ觸接シ該方面ノ敵狀地形ヲ偵察スヘシ
六、前三項各部隊ノ偵察地域ノ境界左ノ如シ(線上ハ西部隊ニ之ヲ含ム)

30

右縱隊
先遣隊 東庄許家嶺郭様口ヲ連スル線
左縱隊 倫坊張家坟ヲ連スル線

七、MGS、LM、A、P、各隊長ハ夫々自隊使用ノ見地ヨリ偵察ヲ實施スヘシ
P隊長ハ前項ノ外依然支隊將來ノ進路補修ニ任スヘシ
八、在邵原鎮諸部隊ハ七時出動ヲ開始シ段西村附近ニ集結地ヲ推進スヘシ
九、下河西以南ノ宿營部隊ハ丁隊長ノ區署ヲ以テ七時出發邵原鎮附近ニ前進スヘシ
十、予ハ九時迄段西村ニ十時茶房高地ニ在リ(爾後ハ茶房東南側谷地ニ移動ス)

支隊長 中野少將

下達法 命令受領者ニ口達筆記セシム

露營命令

六月三十日一時
於邵原鎮MGS本部

一、退却セル敵ハ邵原鎮西北方山地ニ在ルモノノ如シ
二、各隊ハ左ノ如ク配宿スヘシ

IIA 邵原鎮西部
9MGS 仝 中部
5LM 仝 東部

細部ニ就テハ山崎副官ヲシテ指示セシム
三、露營日直將校ハ佐藤砲兵大尉トス
四、IIAヨリ宿營地西側ニ9MGSヨリ仝南北側ニ5LMヨリ東側ニ露營衛兵トシテ下士哨(長以下七名)ヲ差出シ露營日直將校ノ指揮ヲ受ケシムヘシ
五、9MGS及5LMヨリ巡察將校(准尉ヲ含ム)各一ヲ差出スヘシ
六、9MGSヨリ宿營地東西兩側道路上附近及南北側ニMG一分隊ヲ隨時配置シ得ル

31

如ク準備シ置クコト
七、本夜ノ警戒ハ至嚴ナルヲ要ス
八、本夜ノ合言葉ハ「関東」「奥州」トス
九、露營ハ火ヲ天空ニ映スル位ヲ禁ス
十、予ハ宿營地中央民家ニ在リ

露營司令官　温井少佐

下達法　命令受領者ニ口達筆記セシム

注意
當宿營地ハ最近當面ノ敵十七師司令部ノ所在地ニシテ西北方北碧附近ニハ八路軍第三支隊存在セルモノヽ如ク尚酒井大隊當面地ニハ宿營ノ際襲撃ヲ受ケタル例アリ各隊ハ警戒ニ遺漏ナキヲ要ス

中作命第二八七號

中野支隊命令　六月三十日十二時　於七溝河

一、敵ハ西陽村北方約二粁高地ヨリ南羊圏東側高地ニ亘リ陣地ヲ占領シアリ其ノ第一線ハ山麓附近ヲ占領シアリ
工兵隊ハ一部ヲ以テ王谷沱北側高地端ヲ占領シアリ
二、支隊ハ重点ヲ左翼ニ保持シ當面ノ敵ヲ其ノ右翼ヨリ眞捲スル如ク攻撃セントス
三、右縦隊ハ右翼隊トナリ速ニ行動ヲ開始シ其ノ連庄方向ヨリ許家嶺東北方敵陣地ノ左翼ヲ攻撃スヘシ
該線ヲ突破セハ蒲掌村東西高地脈方向ニ一部ヲ南下セシムルト共ニ機ヲ失セス主力ヲ聖佛頭方向ニ進出セシメ敵主力ノ退路ヲ遮断スル如ク行動スヘシ
四、1/17i長ハ先遣隊3/17i（9、12欠）同RMG（二小隊欠）9MGs（一中隊半欠）ヲ指揮シ其ノ主力ヲ

32

以テ許谷沱方面ヨリ敵陣地ノ右翼ニ攻撃シ蒲掌村附近ニ進出スヘシ
攻撃開始ノ時期ハ十七時ト豫定ス
此ノ部隊ハ左翼隊ト稱ス
五、左縦隊ハ速ニ追及部隊ヲ掌握シ當面ノ敵ヲ撃破セハ呉根方面ニ進出シ敵ノ退路ヲ遮断スヘシ
六、野砲隊5A（第五第六中隊各一小隊欠）ハ王谷沱附近ニ又、山M（2欠）ハ許谷沱附近ニ陣地ヲ占領シ主トシテ左翼隊ノ攻撃ニ協力スヘシ
七、工兵隊（3/17i、4/A欠）ハ砲兵諸隊ノ陣地進入陣地変換ヲ援助スルト共ニ支隊正面ノ進出ヲ顧慮シ逐次本道ノ補修ヲ實施スヘシ
八、3/17i、12/32i ハ豫備隊トス、第三中隊ハ王谷沱附近ニ第一二中隊ハ七溝河附近ニ進出スヘシ
九、衛生隊及野戦病院ハ七溝河ニ待機スヘシ
十、輜重隊ハ段凹村附近ニ兵力ヲ集結シ特ニ敵襲ニ警戒ヲ嚴ニシアルヘシ
十一、予ハ十六時三十分王谷沱ニ移ル

支隊長　中野少將

下達法　要旨ヲ逐次口達シ後命令受領者ニ口達筆記セシム

中作命第二八八號

中野支隊命令　七月十四日八時三十分　於王谷沱

一、當面ノ敵ハ甚大ナル損害ヲ受ケ本未明来西方及西南方ニ退却中ナリ
二、支隊ハ現態勢ヲ以テ趙背若聖佛頭、呉根ノ線ニ向ヒ追撃セントス
三、右翼隊ハ趙背若ニ向ヒ追撃スヘシ
四、左翼隊ハ聖佛頭ニ向ヒ追撃スヘシ
五、左縦隊ハ呉根ニ向ヒ追撃スヘシ
六、LM隊及A隊ハ各一中隊ヲ以テ左翼隊ノ追撃ニ協力スヘシ

33

七 P隊ハ王谷沱西嶋村聖佛嶺道ヲ補修スヘシ
独/117c ヲ其ノ指揮ニ屬ス
八 爾余ノ諸隊ハ概ネ從来ノ行軍序列ニ從ヒ左翼隊ノ後方ヲ前進スヘシ
但山隊ハA隊ノ前方ヲ前進スヘシ
九 各隊ハ王谷沱ニ於テ彈薬糧秣ヲ補充スヘシ
十 予ハ左翼隊ノ後方ヲ前進ス

支隊長 中野少将

下達法 命令受領者ニ口達筆記セシム
右翼隊在縦隊ニハ要旨ヲ電報ス

中作命第二八九號

中野支隊命令

七月二日十三時
於王谷沱

一 敵状大ナル変化ナシ
飛行機ノ通報ニ依レハ当面ノ陣地ハ大部分軽易ナル掩体ナルモノヽ如シ
二 支隊ハ依然重点ヲ南羊圏東側高地ヨリ蒲崗村ニ至ル稜線方向ニ保持シ当面ノ敵陣地ヲ攻略セントス
三 右翼隊ハ日没後ヨリ攻撃ヲ再興シ標高一〇〇六高地ヲ奪取セハ蒲崗村方向ニ戦果ヲ擴張スヘシ
四 左翼隊ハ十六時三十分頃ヨリ攻撃ヲ再興シ南羊圏東側高地ヲ占領セハ稜線ニ沿ヒ蒲崗村方向ニ戦果ヲ擴張スヘシ
五 爾余ノ諸隊ハ依然前任務ヲ續行スヘシ

支隊長 中野少将

下達法 要旨ヲ電話又ハ電報シテ後命令受領者ニ口達筆記セシム

中作命第二九〇號

中野支隊命令

七月三日二十時
於茶房東側凹地

一 支隊当面ノ敵ハ依然頑強ニ抵抗中ナリ
二 支隊ハ逐次各方面ノ敵ヲ撃滅セントス
三 右翼隊ハ好機ニ投シ当面ノ敵ヲ撃滅スヘシ
五/132:(第九第十中隊欠)ヲシテ其ノ攻撃ニ協力セシム
四 五/424:長ハ前次号ノ攻撃協力ニ關シ豫メ準備ヲ整ヘ置クヘシ
一中隊ヲ茶房高地ニ位置セシメ主力ハ拂曉以後茶房高地ニ在ルヘシ
五 P隊(新ニ9/117i BA一門ヲ配屬シP二小隊ヲ復帰セシム)ハ本夜以後適時西陽村附近ノ敵ヲ撃滅スヘシ
六 9117i5 長ハP隊長ノ要求アル場合前項ノ攻撃ニ協力スヘシ
此隊特ニ陣地進入ノ時期及擬装ニ注意スルヲ要ス
七 左翼隊ハ依然前任務ヲ續行スヘシ已ニ配屬シアルP二小隊ヲ明四日三時迄ニ紙坊頭ニ到リP長ノ指揮ニ復帰セシム
八 爾余ノ諸隊ハ依然前任務ヲ續行スヘシ
九 予ハ茶坊東側凹地ニ在リ

支隊長 中野少将

下達法 要旨ヲ電達シタル後命令ヲ受領者ニ口達筆記セシム

中作命第二九一號

中野支隊命令

七月五日十九時
於茶坊東側凹地

一 支隊当面ノ敵ハ四日夜来行動逐次消極的トナリ特ニ右翼隊正面ニ於テハ主力ヲ対岸以西ニ移動セシメ在ルモノヽ如シ
二 支隊ハ依然現占領地点ヲ確保シツヽ期ヲ見テ敵ニ一撃ヲ加ヘントス
三 第一線各隊ハ依然現任務ヲ續行シ其ノ占領地域ヲ確保スルト共ニ各当面

35

ノ敵状ヲ明ニシ特ニ其ノ弱点ヲ看破シ乗スヘキ機會アラハ好機ニ投シ其ノ敵ニ一撃ヲ加ヘ以テ局面打開ニ努ムヘシ

四、爾余ノ諸隊ハ依然現任務ヲ續行シ以テ自衛ノ処置ニ遺憾ナキヲ期スヘシ

五、予ハ依然現在地ニ在リ

支隊長　中野少将

下達法　命令受領者ニ口達筆記セシム

中作命第二九二號

中野支隊命令

七月五日二十二時
於　茶房

一、段凹王皇廟、高門樓ノ地區ニハ數百ノ敵兵侵入シ概稜線ニ沿ヒ其ノ間ヒ陣地ヲ構築中ナルモノヽ如シ

二、支隊ハ明六日一部ヲ以テ此ノ敵ヲ撃滅セントス

三、温井少佐ハ明六日早朝ヨリ部下三小隊132イ第十一中隊及LM一門ヲ率ヒ七段凹ヨリ概ネ第一項記述ノ稜線ニ沿フ地區ヲ前進シ此ノ敵ヲ掃蕩スヘシ

四、132イ第十二中隊(一小隊ヲ欠キMGヲ付ス)ハ明六日七時頃王家池附近ヲ發シ高門樓附近ノ敵ヲ攻撃シ温井少佐ノ攻撃ニ協力スヘシ

五、A隊長及LM長ハ各一部ヲ以テ右攻撃ニ協力スヘシ

LM長ハ明六日一門ヲ温井少佐ニ配屬スヘシ

六、P長ハ明六日拂曉ヲテニ步ノ一小隊MG一分隊ヲ茶房高地ニ至リ守備ニ任スヘシ

七、丁隊長ハ明六日段凹両側高地(含マス)以南ノ守備隊ヲ以テ所要ニ應シ温井少佐ノ攻撃ニ協力シ得ル準備ニアルヘシ

又本攻撃ヲ機トシテ所要ノ徴發ヲ実施スヘシ

支隊長　中野少将

下達法　命令受領者ニ口達筆記セシム

中作命第二九四號

中野支隊命令

七月六日十五時三十分
於　茶房

一、温井部隊ノ攻撃ハ極メテ有利ニ進展セリ

二、中作命第二九二號ニ基キ温井少佐ニ配屬セル迫撃砲(一門)ノ配屬ヲ解キ原所屬ニ復歸セシム

支隊長　中野少将

下達法　命令受領者ニ口達筆記セシム

中作命第二九五號要旨

中野支隊命令

一、右翼隊ハ現在ノ地点ヲ確保シテ適時逆襲ニ轉シ當面ノ敵ヲ撃滅スヘシ

二、左翼隊ハ依然攻撃ヲ續行シ蕭亭村方面ニ攻撃前進スヘシ

但P隊二小隊ハ明四日三時迄ニ紙坊嶺ニ到ラシメP隊長ニ指揮セシム

三、132イノ旧左縦隊ニ屬スル9中隊ハ「シカツ山」南北高地ヲ依然確保スヘシ

四、A隊ハ出来得レハ三門ヲ茶房高地ニ上ケル

五、P隊ハ現在ノ9中隊ヲ以テ西陽村附近ノ敵逆襲ニ任シ爾後西方ニ對シ警戒

六、MGSハ王家池東南方高地ニMGノ二銃ヲ占領セシム

七、皿ハ茶房高地ニ

八、LM中隊ハP隊ニ協力

九、Kハ依然南方ニ對シ警戒

支隊長　中野少将

中作命第二九九號

中野支隊命令　七月十一日六時 於茶房東側凹地

一、支隊當面ノ敵ハ逐次西方ニ退却中ナルモノヽ如シ
二、支隊ハ蒲掌村南北ノ線ヲ占領シ爾後ノ追擊ヲ準備セントス
三、右翼隊ハ標高一〇〇六高地ヲ占領ス
四、十中隊ハ蒲掌村西側高地ヲ占領スヘシ
五、左翼隊ハ一部ヲ以テ蒲掌村東南側高地ヲ占領スヘシ
六、A及SLM隊ハ主力ヲ以テ本道方向ノ追擊ニ協力シ各一部ヲ速ニ西陽村西方高地ニ推進スヘシ
七、予ハ依然現在地ニアリ

支隊長 中野少将

下達法 右翼隊左翼隊P隊ニハ午前一時支隊長ノ意圖ヲ電話ニテ傳達シタル後命令受領者ニ口達筆記セシム

注意
第一線標示ヲ確実ニスルコト

中作命第三〇〇號

中野支隊命令　七月十一日十九時 於茶房東側凹地

一、蒲掌村附近一帶ノ敵ハ主力ヲ以テ西南方ニ一部ヲ以テ北方山地内ニ退却セルモノヽ如シ
本十一日正午前後右翼隊ノ一部ハ標高一〇〇六高地ヲP隊ノ一部ハ蒲掌村西方高地ヲ又左翼隊ノ一部ハ蒲掌村東南方高地ヲ夫々占領シ敵状地形ヲ偵察中ナリ
P隊ハ王家屯、西陽村、蒲掌村道ノ補修ヲ完成セリ
二、支隊ハ明十二日主力ヲ蒲掌村西陽村間ノ地區ニ集結シ爾後ノ追擊ヲ

38

準備セントス
三、右翼隊ハ明十二日正午迄ニ其ノ主力ヲ娄山梓及許家嶺間ニ集結シ皆橋方向ノ敵状地形ヲ偵察スヘシ
四、左翼隊ハ明十二日正午迄ニ其ノ主力ヲ陳家河張家坎東凹間ノ地區ニ集結シ特ニ聖佛頭、吳根方向ノ敵状地形ヲ偵察スヘシ
五、P隊ハ明十二日主力ヲ以テ蒲掌村ニ前進シ聖佛頭ニ通スル道路ノ偵察ニ任スヘシ
蒲掌村西側高地ハ依然之ヲ占領シアルヘシ
六、P隊ハ明十二日概正午頃迄ニ蒲掌村ニ集結スヘシ
七、LM隊ハ明十二日正午頃迄ニ一部ヲ以テ蒲掌村ニ主力ヲ以テ西陽村ニ集結スヘシ
八、爾余ノ戰列諸隊(丁隊配屬部隊及12中/32i(不隊欠))ハ明十二日正午迄ニ西陽村ニ集結スヘシ
集結地域ノ配當其他細部ニ関シテハ温井少佐之ヲ區畫スヘシ
九、大行李兵站輜重兵第三中隊及12中/32iノ一小隊(丁及大行李ノ警備トス)ハ雙墓凹附近ニ集結スヘシ
十、丁隊(兵站丁兵第三中隊)FL及S隊ハ現在地ニ位置スヘシ
十一、予ハ明十二日現在地出發西陽村ニ前進ス

支隊長 中野少将

下達法 命令受領者ニ口達筆記セシム

中作命第三〇一號

中野支隊命令　七月十二日九時三十分 於茶房

一、丁隊(配屬部隊元ノ如ク兵站丁隊第二中隊及病馬廠ヲ欠ク)ハFLノ後送患者ヲ積載シ本十二日夜出發彈藥糧秣運搬ノ為濟源ニ向ヒ前進スヘシ
二、FL及S隊ハ患者後送ノ處置ヲ終了セハ適宜閉鎖シ西陽村ニ向ヒ前進スヘシ

39

三温井少佐ハ前項部隊ノ集結位置地域ヲ指定スヘシ

下達法　命令受領者ニ口達筆記セシム

支隊長　中野少將

露營司令官命令

七月十二日十八時
於王長廟大隊本部

一敵状ニ就テ新報ヲ得ス

二各隊ノ露營地區ヲ別紙要圖ノ如ク配當ス

三MGS第二中隊長加藤中尉ハ露營日直將校トス

四各隊ハ左ノ如ク露營衛兵トシテ二十時迄ニ下士哨（長以下四名）ヲ差出シ露營日直將校ノ指揮ヲ受ケシムヘシ

左記

1、歩兵第十中隊ヨリ宿營地台上

2、歩兵第十二中隊ヨリ宿營地西北側台上

40

3、MGS第一中隊ヨリ宿營地東北側河岸附近

4、MGS第二中隊ヨリ宿營地東側本道上附近

5、5LMヨリ宿營地東南側河岸附近

6、MGS第三中隊ヨリ宿營地南側附近

五MGS第二中隊ハ宿營地西側台上本道両側附近ニ西方ニ對シ一小隊分予備陣地ヲ構築スヘシ

六對空監視及射擊部隊ハMGS一中隊トス

七MGS第二中隊半田少尉（部隊日直ヲ兼ス）及5LMノ中少尉（准尉ヲ含ム）一ヲ巡察將校トシテ二十時迄ニ差出スヘシ

八部隊衛兵トシテ二十時迄ニ歩兵第十中隊ヨリ支隊本部ニMGS第二中隊ヨリMGS大隊本部ニ各々長以下四名ヲ差出シ半田少尉ノ指揮ヲ受ケシムヘシ

九本夜ノ合言葉ハ「關東」「奥州」トス

十公用ノ外露營地外ニ出スルヲ禁ス

十一糧秣徴發等ノタメ他部落ニ出スル者ハ執銃者二名以上ヲ同伴スヘシ

十二火災豫防及露營火ヲ天空ニ映セサル様嚴ニ注意スヘシ

十三予ハ露營地中央王氏廟ニアリ

露營司令官　温井少佐

下達法　命令受領者ニ口達筆記セシム

注意

1、赤痢患者發生ノ徴アリ

之カ豫防對策ニ關シテハ萬遺漏ナキヲ要ス

2、各隊毎ニ必ス厠ヲ設置シ露營地ノ保清ヲ期スヘシ

3、井戸僅少ナルニ付同地附近ノ清潔ニ留意スヘシ

（別紙省略）

42

中作命第三〇二號

中野支隊命令

七月十二日二十一時
於西陽村

一沈水左岸ノ敵ハ概西方ニ退却セルモノヽ如シ

井上支隊ハ本十二日十時其ノ先頭ヲ以テ邵原鎮ニ達セリ

二支隊ハ明十三日攻擊ノ目的ヲ以テ沈水左岸地區ニ向ヒ前進セントス

三石翌天隊（配屬部隊元ノ如シ）ハ明十三日右縱隊トナリ八時碁山梓附近ヲ出發概ネ本道北側ニ沿フ地區ヲ皆橋ニ向ヒ前進シ特ニ河口村（西北方）及六灯坂（西方河谷）方向ノ敵狀地形ヲ偵察スヘシ

四Ⅲ/i7ℓ（第十一第十二中隊ヲ欠キK第二中隊（二小隊ト二分隊欠）MGニ小隊曲射一小隊BA中隊（二門欠）SA（二門）LM一小隊S隊ノ一部T一部ヲ配屬ス）ハ明十三日左縱隊前衛トナリ八時蒲掌村西端ヲ出發聖佛頭ヲ經テ陡坡（聖佛頭西々南約四km）ニ向ヒ前進シ特ニ西方及西南方ノ敵狀地形ヲ偵察

スヘシ

五、P隊（配属部隊ヲ加ヘ）ハ明十三日左縦隊前衛ニ先タチテ道路ノ補修ニ任シツヽ聖佛頭ニ前進シ仝地ニ於テ道路ヲ開放シ左縦隊前衛通過セハ其ノ後尾ニ續行シ更ニ前進道路ノ補修ニ任シツヽ蘇家庄ニ向ヒ前進スヘシ

六、爾余ノ戦列部隊ハ左縦隊本隊トス
左縦隊本隊タル諸隊ハ明十三日適宜各集結地附近ニ集合シ左ノ行軍序列ヲ以テ前衛ノ後方一千米ヲ續行スヘシ
一二七聯隊第七中隊 ✡ 8/17i Ⅱ(-3)/17i Ⅲ(-3)/132i LM 一中隊（一小隊欠）ⅡA（第4第5中隊及大隊段列欠）9MG 主力 5LM 主力 S 主力 4A ⅡA大隊段列 PL

七、行李及T（歩ノ小隊ヲ付ス）ハ兵站T兵第三中隊長ノ指揮ヲ以テ明十三日戦列部隊ノ直後ヲ前進スヘシ

八、予ハ明十三日八時西陽村西端ヲ出發蒲掌村ニ於テ行軍序列ニ入ル

支隊長　中野少将

下達法　命令受領者ニ口達筆記セシム

41

官店村附近ノ戦闘詳報

一、戦闘前ニ於ケル彼我形勢ノ概要

蔡房當地ハ其ノ附近一帯ニ於テ家ヲ恃ミテ十余日ニ亘リ頑強ニ抵抗セシ敵ハ連日連夜ノ我ガ猛攻ニ抗シ難ク甚大ナル損害ヲ蒙リ西方ニ退却セリ

支隊ハ直ニ此ノ敵ヲ急追スヘク主力ヲ以テ先ツ浦掌村西陽村間ニ集結シ引續キ敵ニ尾シテ先ツ塩出ニ次テ出次第次ノ間ヲ急進セントセシモ道路険難加フルニ天候不良ノタメ車輛ノ前進頗ル困難ヲ感セリ

二、戦闘ニ影響ヲ及ホセル気象地形及住民地ノ状態

連日降續ク雨ニ道路ハ自ラ破壊シ所ニヨリテハ道路ハ泥濘ト化シテ車輛ハ陸リ為ニ辛フシテ前進セシムル状態ナリ又険峻ナル山道ハ滑リ或ハ渓谷増水シテ兵ノ半身ヲ浸シ馬腹ヲ濡ス此等道ニ迷フテ渓谷ニ陥リ漸ク之ヲ越ヘ道ヲ拓ク程度ノ道路ノ外ハ全ク道ナク止ムナク水深ク或ハ泥道ニ前進ス

時ニハ時ナラヌ豪雨ニシテ兵ノ健康上不適當ナルノミナラス疲労ノ度ヲ増スノミナリ

カヽル山岳地帯ナル上ニ天候ニ支配セラレ意ノ如ク前進スル能ハス止ムナク追撃前進ヲ中止シテ天候ノ快復ヲ待ケ一方道路ノ補修ニ努ムルノ外ナシ

1

三、各時期ニ於ケル戦闘経過ノ概要

七月十二日

十日間余ニ亘ル戦闘ノ結果支隊正面ノ敵ハ徹底的損害ヲ蒙リ退却ヲ開始ス

支隊ハ十二日早朝ヨリ再ヒ大行山脈ノ険峻路ヲ雨天ヲ侵シテ追撃ス

堯ヲ十三時五〇分第三中隊ノ到着ニヨリテ大隊ノ集結ヲ完了シ西陽村ニ於テ大休止後十九時受領セシ露営命令ニ依リ同地ニ露営ス

大隊長ハ露営司令ニ任シ更ニ左ノ命令ヲ下達ス

追五作命第二八〇號

露営命令

七月十二日十九時
於西陽村大隊本部

一、敵情ニ関シ新報ヲ得ス

二、大隊ハ本夜現在ノ態勢ヲ以テ露営セントス

三、本露営地区ノ勤務者左ノ如シ

露営司令官　9MGS 長　温井少佐

露営日直将校　2/9MGS 長　加藤中尉

四、古野准尉ハ部隊日直将校（巡察将校ヲ兼ヌ）ニ服務スヘシ

五、大隊段列ヨリ長以下四名ノ下士哨ヲ露営地東南側河岸附近ニ二十時迄ニ差出シ服務セシムヘシ

六、本夜ノ給養ハ携行セルモノヲ使用スヘシ

七、本夜ノ合言葉ハ関東 奥洲トス

八、予ハ本道南側大隊本部ニ在リ

大隊長　播川少佐

2

下達法　命令受領者ニ口達筆記セシム

注意

一、火災豫防並ニ露営火ヲ天空ニ映セサル様厳ニ注意スル事

二、赤痢患者發生ノ徴アリ

厠以外ニ用便スル事ヲ禁ス

又井戸僅少ナルニ付之カ清潔ニ注意シ清水ヲ飲用スル様留意スルコト

二十二時左記出發ニ関スル支隊命令ヲ受領ス

命令ノ要旨左ノ如シ

一、沈水左岸ノ敵ハ概ネ西方ニ退却セルモノノ如シ

井上支隊ハ本十二日十時其ノ先頭ヲ以テ邵原鎮ニ達セリ

二、支隊ハ明十三日攻撃ノ目的ヲ以テ沈水左岸地区ニ向ヒ前進セントス

三、Ⅲ/11i（1/12ヲ欠キK二中隊（二小隊ト二分隊欠）MG二小隊曲射一小隊BH

中隊(二門欠)5A(二門)LM(一小隊S隊ノ一部丁ノ一部ヲ配属ス)ハ明十三日左縦隊前衛トナリ八時蒲掌村西端ヲ出發 聖佛頭ヲ經テ陸坡(聖佛村西々南四粁)ニ向ヒ前進シ特ニ西方及西南方ノ敵状地形ヲ偵察スヘシ
六、爾余ノ戰列部隊ハ左縦隊本隊トス
左縦隊本隊タル諸隊ハ明十三日適宜各集結地附近ニ集結シ左ノ行軍序列ヲ以テ前衛ノ後方一千米ヲ續行スヘシ

7/117i ✡ 117i 弓 I(-3)/117i LM 一中(一小隊欠) II A(第四第五中隊欠大隊段列欠) 9MGS

主力 5LM 主力 III(-1)/133i S 主力 4A II A 大隊段列 AL

七、八(省略)
大隊長ハ右命令ニ基キ左記大隊命令ヲ下達ス
追五作命第二八一號

支隊長 中野少將

3二

追撃第五大隊命令

七月十二日二十三時三〇分
於西陽村大隊本部

一、沈水右岸ノ敵ハ本十二日十時其ノ先頭ヲ以テ郭家鎮ニ達セシ支隊ハ明十三日攻撃ノ目的ヲ以テ二縦隊トナリ沈水左岸地区ニ向ヒ前進ス
二、大隊ハ一小隊ヲ左縦隊前衛ニ主力ハ左縦隊本隊トナリテ前進セントス左縦隊本隊ノ行軍序列左ノ如シ

7/117i ✡ 弓/117i I(-3)/117i 1LM(-1/3) II A(四五中隊ST欠) 9MGS 主力 5LM 主力 III/132i

S主力 4A II ST/A AL

三、第一中隊ノ一小隊(鈴木少隊)ハ前衛ニ配属ス
III/117i 長ノ指揮ヲ受クヘシ
左縦隊前衛ハ明十三日八時蒲掌村西端ヲ出發スル筈

四、大隊主力ハ左ノ如ク車廠位置ニ出發準備ヲ完了スヘシ
第一中隊 八時
大隊本部 第三中隊 大隊段列 九時
五、大行李ハ兵站輜重兵第三中隊長ノ指揮ヲ以テ戰列部隊ノ直後ヲ前進スヘシ
六、予ハ八時集合地ニ在リ

大隊長 幡川少佐

下達法 命令受領者ニ口達筆記セシム
大隊命令ニヨリ各隊ハ夫々明十三日ノ追撃準備ヲナス

七月十三日

昨十二日ノ大隊命令ニ基キ第一中隊ハ八時出發本道ヲ約三〇〇米前進セシ時連日ノ猛雨ノタメ道路ハ全ク破壊サレ車輛ハ遅々トシテ進マス 只ヘ前方部隊ノ車輛ノ前進ヲ待ツノ外処置ナシ

4二

今日モ朝カラ猛雨降リテ我前進ヲ妨ク 八時二十分左記支隊命令ヲ受領ス(中作命三〇三號)

命令ノ要旨左ノ如シ

一、道路不良ノタメ主力ノ前進著シク渋滞ノ見込ナリ
二、本隊タル諸隊中在蒲掌村附近ノ部隊ハ依然現在地ニ在ルヘシ
又在西陽村部隊中✡ MG LM ハ蒲掌村ニ向ヒ前進ス
右命令ニ基キ大隊ハ出發ヲ取止現在地ニ待期ス 相次テ〇九、一〇左記支隊命令ヲ受領ス(中作命第三〇三號)

命令ノ要旨左ノ如シ

一、豪雨ニ伴フ道路不良ノタメ諸攻路ノ車輛通過殆ント不可能ナリ
二、支隊ハ一時主力ノ前進ヲ中止セントス
三、左縦隊前衛ハ工兵隊ニ關ラス聖佛頭ニ向ヒ前進 仝地ニ集結

シ敵状地形ヲ偵察スヘシ
但シA及LM諸車輛ハ蒲臺村ニ位置セシムヘシ
四、其ノ他ノ諸隊ハ依然現宿営地ニアルヘシ
支隊命令ニ基キ出発ヲ中止シ現在地ニ待期ス十九時大隊長ハ
左記露営ニ関スル命令ヲ下達ス

迫五作命第二八二號

迫撃第五大隊命令

七月十三日一九〇〇
於西陽村大隊本部

一、敵状ニ関シ新報ヲ得ス
在西陽村部隊ハ現在ノ態勢ヲ以テ現在地ニ露営ス
二、大隊ハ現在ノ態勢ヲ以テ露営ス
三、本露営区ノ勤務者左ノ如シ
露営司令官　9MGs長　温井少佐
四、道家大尉ハ露営日直将校ニ服務スヘシ

5ニ

五、河野少尉ハ部隊日直将校（巡察将校ヲ兼ス）ニ服務スヘシ
六、第三中隊ヨリ長以下四名ノ下士哨ヲ露営日直将校ノ許ニ差出スヘシ
七、給養ハ携行セルモノヲ使用スヘシ
八、予ハ現在地ニ在リ

大隊長　幡川少佐

下達法　命令受領者ニ口達筆記セシム
二十時四〇分左記支隊命令ヲ受領ス（中作命第三〇四號）
命令ノ要旨左ノ如シ
一、支隊ハ明十四日垣曲攻略ノ目的ヲ以テ先ス東石村以南沇水左岸高
地端ニ進出シ敵状地形ヲ偵察セントス
二、左縦隊前衛ハ（K中SA　LM一小ヲ欠キ新ニ特設山砲一門ヲ轉属ス）ハ
明十四日左縦隊トナリ八時三〇分聖佛頭出発呉根ヲ経テ南方稜線
上ニ沿フ地区ヲ李家山（垣曲東々北3km）附近ニ前進シ垣曲方向ノ敵状地形
ヲ偵察スヘシ
四、工兵（特設山砲一ヲ欠キ新ニ5A及LM一小ヲ轉属ス）ハ明十四日右縦隊前後
方ニ續行シ本道ノ補習ニ任スヘシ
左縦隊本隊ヲ右縦隊本隊トス
支隊命令ニ基キ大隊長ハ左記命令ヲ下達ス

迫五作命第二八三號

迫撃第五大隊命令

七月十三日二十一、二〇
於西陽村大隊本部

一、北白鶴西北方地区ニハ一部ノ敵退却シアルモノノ如シ
支隊ハ明十四日垣曲攻略ノ目的ヲ以テ二縦隊トナリ先ス本石村以南沇
水左岸ノ高地端ニ進出ス
旧右縦隊ハ新右縦隊前衛トナリ旧左縦隊前衛ハ新ニ左縦隊ト
ナル
二、大隊ハ一部ヲ工兵隊ニ配属シ主力ハ右縦隊本隊トナリ前進セントス

6ニ

右縦隊本隊ノ行軍序列　迫五作命第二八一號ノ如シ
但シIIA（四、五ST欠）ハ迫撃第五大隊ノ主力後方ヲ前進スルモノトス
三、第一中隊第一小隊（鈴木少隊）ハ工兵隊ニ配属ス
工兵隊ハ明十四日右縦隊前衛ノ後方ヲ續行シ本道ノ補習ニ任ス
ル筈
四、大隊主力ハ左ノ如ク車廠ノ位置ニ在リテ出発準備ヲ完了スヘシ
第一中隊　八時
大隊本部　第二中隊　大隊段列　八時三十分
五、大行李ハ兵站輜重第三中隊長ノ指揮ヲ以テ戦列部隊ノ直後ヲ前
進スヘシ
六、予ハ明十四日八時集合地ニ在リ

大隊長　幡川少佐

下達法　命令受領者ニ口達筆記セシム

七月十四日

命令ノ如ク出發準備ヲ完了シ第一中隊ハ八時宿營地ヲ出發スルモ依然前方車輛ハ前進セス雨ハ猛烈降リシキル部落ヲ出スレハ直チニ急坂路トナリ待期スルコト三時間余リシテ逐次前進ス　急峻且路面泥濘ニシテ一車輛ニ数名ノ補助兵ヲ附シテ二頭乃至三頭曳トシ逐次坂路ヲ征服シツヽ漸クニシテ進ム大隊本部ハ十五時ニ至リ漸リ出發先ニ出發セシ第一中隊ノ後備ニ到着幹部以下此ノ難路ヲ雨ト戦ヒツヽ極力前進ニ努ム

途中一、二車輛轉覆スルアリ谷底ニ落チルアリテ意ノ如クナラス幹部以下ノ労苦識ニ想像ニ余リアリ

本部ノ蒲亭村ヲ通過セシ頃日既ニ没セントス尚モ前進シ孟家庄北方高地ニ到リタル時左ノ集結ニ関スル命令ヲ受領ス（中作命第三〇六號）

一、垣曲平地ニハ敵部隊ナキモノノ如シ

二、支隊ハ一部ヲ以テ垣曲東北側諸部落ニ集結シ主力ヲ呉根村聖佛頭間ノ地区ニ集結セントス

三、主力諸隊ノ集結ニ関シテハ別命ス

別　命

一、本隊タル諸隊ハ左ノ如ク集結スヘシ

LM主力 IIA主力 1/中 拍底村

溫家河小洸ニ到着セル時第一中隊主力ハ同地ニアリテ炊爨中ナリ前方ヘ甚タシキ急坂ニシテ同坂路ヲ越エルニハ相當ノ時間ヲ要シ且LM宿營地拍底村ニハ用水ナキヲ知リ逐次中隊毎ニ同地ニ於テ炊爨ヲナシタル後前進スヘシト命シ大隊長ハ所要ノ指揮機関ト各隊命令受領者トヲ伴ヒ柏底村ニ向ヒ先行シ左記大隊命令ヲ下達ス

追五作命第二八四號

追撃第五大隊命令

七月十四日二十二時一〇分
於粕底村大隊本部

一、垣曲平地ニハ敵部隊ナキモノノ如シ
河村兵團ハ月下王村鎮ニ在ル其ノ連絡部隊ハ聖佛頭ニ来リ支隊ト連絡セリ
支隊ハ一部ヲ以テ垣曲東側地区ニ主力ヲ呉招村聖佛頭間ノ地区ニ集結ス
右縦隊前衛ハ北窪上ニ位置シ垣曲入城ヲ準備ス
左縦隊ハ長家村附近ヲ占領ス
工兵隊ハ聖佛頭呉招村道ニ沿フ両道ヲ逐次補修シツヽ垣曲東北方地区ニ到ル

二、大隊ハ粕底村附近ニ兵力ヲ集結シ該地ニ露營セントス

三、各隊ハ設營者ノ指示ニ從ヒ就宿スヘシ

四、部隊日直將校ハ伏木少尉下士哨トシテ左記人員ヲ宿營地到着后大隊本部前ニ出シ伏木少尉ノ指示ヲ受ケシムヘシ
第一中隊ヨリ下士官一、上等兵一、兵六

五、予ハ粕底村大隊本部ニ在リ

下達法　命令受領者ニ口達筆記セシム

大隊長　幡川少佐

二十四時頃先ス第一中隊到着シ本部第三中隊大隊段列到着スルモ大隊ノ同地集結ヲ完了セシハ十五日五時頃ナリ

七月十五日

大隊長ハ現露營地全ク水ナキヲ知リ宿營地移轉ノ決意ヲナシ電話ヲ以テ小森少尉ニ之ガ意見ヲ具申セシニ意見ヲ容レラル、所トナリ胡村ニ移動シ宿營ノ準備ヲナス

大隊長ハ宿營地轉移ニ関シ左記大隊命令ノ要旨ヲ口達ス

命令ノ要旨左ノ如シ　七月十五日十六時於[illegible]

一、大隊ハ現在宿營地ハ水ノ[illegible]ナル[illegible]ノ胡林ニ宿營地ヲ移動セントス

二、各隊ハ左ノ順序ニ依リ各隊ハ[illegible]二〇分ノ間ヲ逐次胡林ニ集結

スヘシ　出發時刻ハ十四時トス
大隊本部　第一　第二　第三大隊段列
二、各隊ハ設營者ヲ速ニ大隊本部前ニ差出シ小森少尉ノ指示ヲ受
ケシムヘシ
依テ小森少尉ハ先行セシ各隊設營者ヲ伴ヒ胡村ニ到リ大隊ノ設營
ヲナシ任務完了後再ヒ旅團司令部ニ到リ連絡ニ任セリ
大隊長ハ更ニ露營ニ關スル命令ヲ下達ス

追五作命第二八五號

追撃第五大隊命令

七月十五日　二十時〇分
於胡村大隊本部

一、大隊ハ本夜胡村ニ露營セントス
二、各隊ハ設營者ノ指示ニ依リ就宿スヘシ
三、部隊日直將校ハ第三中隊ノ將校トス
四、各隊ハ露營地区間ヲ自ラ警戒スル外露營地到着直チニ左
ノ如ク露營衛兵ヲ配置シ夫々外方ニ対シ警戒セシムヘシ

第一中隊	胡村西端	下士官一、兵四、	
第二中隊	〃南端	右	仝
大隊段列	〃北端	右	仝

胡村南端ハ9MGsニ於テ警戒スル筈
五、予ハ胡村中央ニ在リ
二〇時命令受領者ヲ差出スヘシ

大隊長　幡川少佐

下達法　命令受領者ニ口達筆記セシム

七月十六日

胡林ニ集結待期ス
兵站輜重第三中隊長ノ指揮下ニ在リテ前進シアリシ大行李ハ本日部
隊ニ到着ス

92

一、八時左記支隊命令ヲ受領ス（中作命三一二號）
命令ノ要旨左ノ如シ
一、支隊ハ別紙軍隊区分ニ基キ諸隊ノ整備ヲ行ヒ絳縣平地ニ向ヒ前進
ヲ準備セントス
一、前衛ニ属スル諸隊ハ本十六日頃行動ヲ開始シ下亳城村附近ニ集結シ
司令官ノ指揮下ニ入ルヘシ
十七日二時迄ニ垣曲西北方ニ進出スヘシ
三、本隊第一群ニ属スル部隊ハ前衛諸隊通過後適宜行動ヲ開始シ
概ネ明十七日拂曉迄ニ小趙村附近ニ集結シ群長ノ指揮下ニ入ルヘシ
四、後衛ニ属スル諸隊ハ明十七日後衛司令官ノ指揮ヲ以テ竿庄附近
ニ集結スヘシ
大隊長ハ右命令ニ基キ左記命令ヲ下達ス

追五作命第二八六號

追撃第五大隊命令

七月十六日二十一時〇分
於胡村大隊本部

一、支隊ハ明十七日垣曲西側地区ニ態勢ヲ整ヒ絳縣平地ニ向ヒ前進ヲ準
備ス
二、大隊間ノ区分左ノ如シ

前衛	第一中隊一小隊（伏木少尉）	
後衛	第三中隊	（一小隊欠）
本隊第一群	追撃第五大隊	
	（オ二、オ三、及第一中隊一小隊欠）	
本隊第二群		
	第三中隊一小隊	

三、前衛ニ属スル第一中隊一小隊ハ本日沒後宿營地出發下亳城
村附近ニ到リ前衛司令官ノ指揮ニ入ルヘシ
四、前衛ニ属スル第三中隊主力ハ明十七日竿庄附近ニ到リ前衛司

令官ノ指揮ニ入ルヘシ
五、本隊第一群ニ属スル部隊ハ明十七日四時三〇分迄ニ車廠位置ニアリテ
出発準備ヲ完了スヘシ
六、本隊第二群ニ属スル第三中隊ノ一小隊ハ明十七日拂暁後現在ノ位置
ニ在リテ本隊第二群長川ル長ノ指揮ニ入ルヘシ
七、工兵隊ニ配属シアル第一中隊ノ一小隊ハ現在地ニ在リテ原所属ニ復歸スヘシ
八、予ハ明十七日四時三〇分車廠位置ニ在リ後大隊主力ト共ニ行動シ
趙村ニ到ル

大隊長　幡川少佐

下達法　要旨ヲ各隊ニ速ニ口達シタル後命令受領者ニ口達筆記

七月十七日

昨十六日ノ軍隊区分ニ依リ第一群長ノ指揮下ニ入ルヘク四時三
十分同村ヲ出発山地ノ悪路ヲ前進ス　途中十九時三〇分左記第

－11－

一群命令ヲ受領ス（一群作命第一號）

命令ノ要旨左ノ如シ

一、敵ニ関シ新報ヲ得ス
二、第一群本十七日夜一部ヲ以テ東坡村ニ主力ヲ以テ文家湾附近ニ露営セント
ス
三、歩兵第二中隊及迫撃第五大隊ヨリ巡察将校トシテ中少尉（准尉含ム）
一ヲ二十時迄ニ差出スヘシ

右命令ニ基キ大隊長ハ左記命令ヲ下達ス

迫五作命第二八七號

迫撃第五大隊命令　　七月十七日、一九、三〇分　於文家湾東側河原

一、敵状ニ新報ヲ得ス
支隊ハ本夜左ノ如リ露営ス

前衛　尊坡　長直村間
第一群　東坡村及　文家湾
第二群　東交斜村　西文斜村
後衛　五芳輔　覧潰村間

二、大隊ハ本夜第一群主力ノ一部トシテ文家湾東側河原ニ露営セン
トス
露営司令官　温井少佐トス
露営日直将校　加藤歩兵中尉トス
三、各隊ハ設営者ノ指示セル所ニ基キ露営スヘシ
四、部隊日直将校巡察将校ヲ兼ヌ第一中隊　塚原少尉
五、部隊衛兵トシテ左ノ人員ヲ大隊本部ニ差出シ部隊日直将校ノ指揮ヲ
受ケシムヘシ

第一中隊ヨリ　下士官一　上等兵一　兵三

六、各隊ハ特ニ露営地外方ニ對シ警戒スヘシ

－12－

七、予ハ文家湾東側河原大隊本部ノ位置ニ在リ
二十六時命令受領者ヲ差出スヘシ

大隊長　幡川少佐

下達法　命令受領者ニ口達筆記セシム
別命ナケレハ明十八日七時出発ノ予定
大隊ハ文家河東方河原ニ天幕露営ス
二十三時左記第一群命令ヲ受領ス（一群作命第三號）

ソノ要旨左ノ如シ

一、第一軍ハ明十八日七時宿営地出発文家湾、皐落鎮、馬窪道ヲ
馬窪ニ向ヒ前進セントス
二、行軍序列ハ本十七日ニ仝シ
大隊長ハ右命令ニ基キ左記大隊命令ヲ下達ス
迫五作命第二八八號

遊撃第五大隊命令

七月十七日二三、一〇
於大家湾東側河原

一、支隊ハ明十八日馬窪（横山令関東南方約六吉）ニ向ヒ前進ス
二、大隊ハ本日ト同様ノ序列ヲ以テ前進セントス
三、各隊ハ七時車廠位置ニアリテ出発準備ヲ完了スヘシ
四、左記諸官ハ臬落鎮ニ於ケル弾薬糧秣ノ受領ノタメ旅團ヨリ出ル先発者ト同行臬楽鎮ニ到ルヘシ

左記

大隊副官　　池田主計軍曹

五、予ハ明十八日七時車廠ノ位置ニアリ

大隊長　幡川少佐

下達法　命令受領者ニ口達筆記セシム
注意　明日行軍ノ際敵ノ遊撃企図ニ乗セサル事

七月十八日

13

大隊ハ七時三十分出発同時弾薬及糧秣補充ノタメ井野副官池田主計先行旅團高島副官ト連絡ス大隊ハ途中糧秣ノ補充ヲ行ヒ弾薬ハ途中之ヲ輜重隊ニ依頼シ猛雨　泥濘悪路ト戦ヒツヽ馬窪ニ向ヒ前進ス
十九時左記第一群命令ヲ受領ス（一群作命第四號）

命令ノ要旨左ノ如シ

一、敵ニ関シ新報ヲ得ス支隊ハ本十八日夜言家山臬落鎮間ニ宿営ス
二、第一群ハ本十八日上丁村官店村間ニ露営セントス
大隊長ハ右命令ニ基キ左記露営命令ヲ下達ス

七月十八日二〇時二〇分
於下坡底

露営命令

一、敵ニ関シ新報ヲ得ス
混成第四旅團ノ部隊ハ本十八日十三時最後ノ部隊ヲ以テ臬落鎮ヲ出発セリ
二、左記部隊ハ下坡底下丁村間ノ地区ニ露営セントス

左記

3Li/IIIi　9Mg.s、車輌部隊　5LiM ノ主力　Fa/4A　丁中隊　3RL

三、各隊露営地区ニ就テハ現地ニ於テ示ス
四、露営日直将校　5LiM　道家歩兵大尉トス
巡察将校トシテ二十二時迄ニ左ノ如ク差出スヘシ
5LiM　小隊長一　丁中隊　小隊長、一
五、警戒ハ各隊毎ニ実施スヘシ
六、予ハ丁坡底中央ニ在リ

露営司令官　幡川少佐

下達法　命令受領者ニ口達筆記セシム
更ニ大隊長ハ左記命令ヲ下達ス

14

遊五作命第二八九號

七月十八日二〇時三〇分
於下坡底

遊撃第五大隊命令

一、敵ニ関シ新報ヲ得ス
混成第四旅團ノ部隊ハ本十八日十三時最後ノ部隊ヲ以テ臬落鎮間ノ地区ニ宿営ス
二、大隊ハ本夜下坡底ニ露営セントス
三、各隊ハ設営者ノ指示スル所ニ依リ就宿スヘシ

露営司令官　幡川少佐
露営日直将校　道家大尉

四、露営衛兵トシテ左記ノ如ク本部前ニ差出シ露営日直将校ノ指揮ヲ受ケシムヘシ
第一中隊ヨリ下士官一、上等兵一　兵六
五、部隊日直将校　大隊段列ヨリ　小隊長　一

六、部隊衛兵トシテ左記ノ如ク大隊本部前ニ差出シ部隊日直将
校ノ指揮ヲ受ケシムヘシ
大隊段列ヨリ下士官一、上等兵一、兵六
七、予ハ下坂底大隊本部ノ位置ニ在リ

大隊長　　播川少佐

下達法　命令受領者ニ口達筆記セシム
二十四時左記第一群命令ヲ受領ス
命令ノ要旨左ノ如シ
一、若干ノ敵ハ後衛ノ後ニ現ハレタルモノノ如シ
支隊ハ明十九日横嶺関附近ニ前進ス前衛ハ七時三〇分其ノ先頭
ヲ以テ宿営地出発煙約窪附近ニ向ヒ前進ス
二、第一群ハ明十九日上丁村横嶺関道ヲ先ス横嶺関ニ向ヒ前進ス
大隊長ハ直チニ右命令ニ基キ大隊命令ヲ下達ス

追五作命第二九〇號

追撃第五大隊命令

七月十八日二十四日
於下坂底

一、支隊ハ明十九日横嶺関附近ニ向ヒ前進ス
前衛ハ七時三〇分其ノ先頭ヲ以テ宿営地出発畑約窪ニ向ヒ前進ス
二、大隊主力ハ本隊第一線トナリ前日ノ行軍序列ヲ以テ前進セントス
三、各隊ハ七時二十分迄ニ左ノ如ク集合スヘシ
大隊本部　下坂底南側ヲ先頭トシ途上縦隊
爾余ノ主力ハ車廠位置ニ在テ出発準備ヲ完了
四、予ハ十九日七時二十分大隊本部ノ先頭ニ在リ

大隊長　　播川少佐

下達法　命令受領者ヲシテ要旨ヲ速ニ各隊ニ傳達セシメタル後
口達筆記セシム
注意　一、今日モ萬末宋ヲ燃リカリシカ爾後絶対斯ルコトナキ様

特ニ横嶺関ヲ火災ニシナイコト
二、無断ニ止ツタ部隊ハ其ノ状況ヲ直チニ報告スヘシ
前方部隊モ後方部隊モ事故其ノ他ノ行軍カ順調ニ行カナイ
時ハ直チニ報告スヘシ

二　戰斗経過ノ概要（官店村附近ノ戰斗）

七月十九日

一、七時三〇分出發ス道路ハ本道ト雖モ連日ノ豪雨ノタメ甚シク悪ク且ツ急坂ナリ文字通リ泥濘膝ヲ没スノ状態ナリ
余リニ道悪シキタメ本道ノ通過ヲ断念シ井野副官ハ他ニ道ナキヤヲ偵察セシ結果若干ノ工事ヲ施サハ河原道ヲ通ル方、遥ニ良道ナルヲ知リ直チニ工事ヲナシ辛シテ車輌ヲ河原ニ誘導前進ス然レ共己ニ最モ難路ヲ通過シ終レル二、三車輌ハ本道ヲ前進セリ
大隊長ハ小森少尉　小林獣醫　小口軍醫外兵若干名ヲ伴ヒ大休止後大隊ノ先頭ニアリテ行進セリ
本道ハ部分的ニ急坂箇所アリテ車輌ノ前進意ノ如クナラス
大隊長ハ稍々前方ヲ前進ノ三車輌モ逐次前進シ来リ難所ヲ通過シ終ル頃十五時突如トシテ右前方ヨリ猛烈ナル敵ノ「チエツコ」ノ狙撃ヲ受ケタリ
大隊長ハ直チニ人馬ヲ凹地ニ集結セシメ直チニ小森少尉ヲシテ第一中隊ニ此ノ状況ヲ告ゲ急遽射撃スヘシトノ連絡ヲ為サシメ速ニ砲ヲ前方ニ推進セシムヘキヲ促ス
同時小林獣醫ハ井野副官ニ此ノ状況ヲ連絡途中ニ道路補習中ノ小銃手全部集メ大隊長ノ下ニ馳セシメテ附近ノ警戒ニ任ス
敵ノ遊撃隊約四〇〇―五〇〇ノ敵ハ官店村東方高地及北方高地ヲ占領シ我カ前進ス

歩兵隊ハ概ニ前方ニアリテ之ト連絡全然ツカス車輌部隊ノミ遠ク離ルヽニ到レリ
9MGSノ大行李援護ノ軽機関銃約一ヶ分隊ハ此ノ時官店村西北方高地ニアル敵ヲ攻撃中ナリ
大隊長ノ命ニ依リ小森少尉ハ身落鎮ニアル第二群長高樹大佐ノ下ニ到リ戦況ヲ詳細ニ報告シ歩兵ノ應援ヲ依頼シ約一ヶ小隊ヲ誘導シ夜暗ヲ冒シテ雨中難路ヲ同地ニ到ル
大隊長ハ直チニ別紙要図其ノ一ノ如ク鈴木小隊塚原小隊ヲ指揮シ且9MGSノ一分隊 LMノ臨時編成ノ田崎曹長ノ指揮スル小銃約一小隊ヲ以テ当面ノ敵ヲ攻撃ス
接戦数時間ノ猛攻ニ遭ヒ敵ハ遂ニ遊撃企図ヲ断念シ北方山中及西方ニ退却セリ時ニ二十時四〇分ナリ
大隊ハ該敵ヲ撃退後隊伍ヲ整ヘ幽谷ヲシカモ河川ヲ横切リテ夜行軍ヲ續行ス
戦斗経過別紙要図ノ如シ
先ニ身落鎮ニ連絡セシ小森少尉及中野軍曹援護ノ小隊ヲ従ヘテ官店村ニ到着セリ 已ニ敵ハ我ニ撃退セラレテ西方ニ四散ス、大隊ハ前進ヲ續行セリ

本日射耗弾

第一中隊	榴弾	七八
	狭窄弾	一三
	計	九一

八、馬 異状ナシ

三、戦闘後ニ於ケル彼我ノ形勢

我ニ撃退セラレタル四〇〇―五〇〇ノ遊撃隊ハ西方及北方山中ニ退却セルモ尚時ヲ得テ遊撃ヲ企図スルモノノ如シ
大隊ハ当面ニ現出セル敵部隊ヲ二〇時四〇分頃撃退シ引續キ夜行軍ヲ

（七月十九日官店村附近戦斗要図）

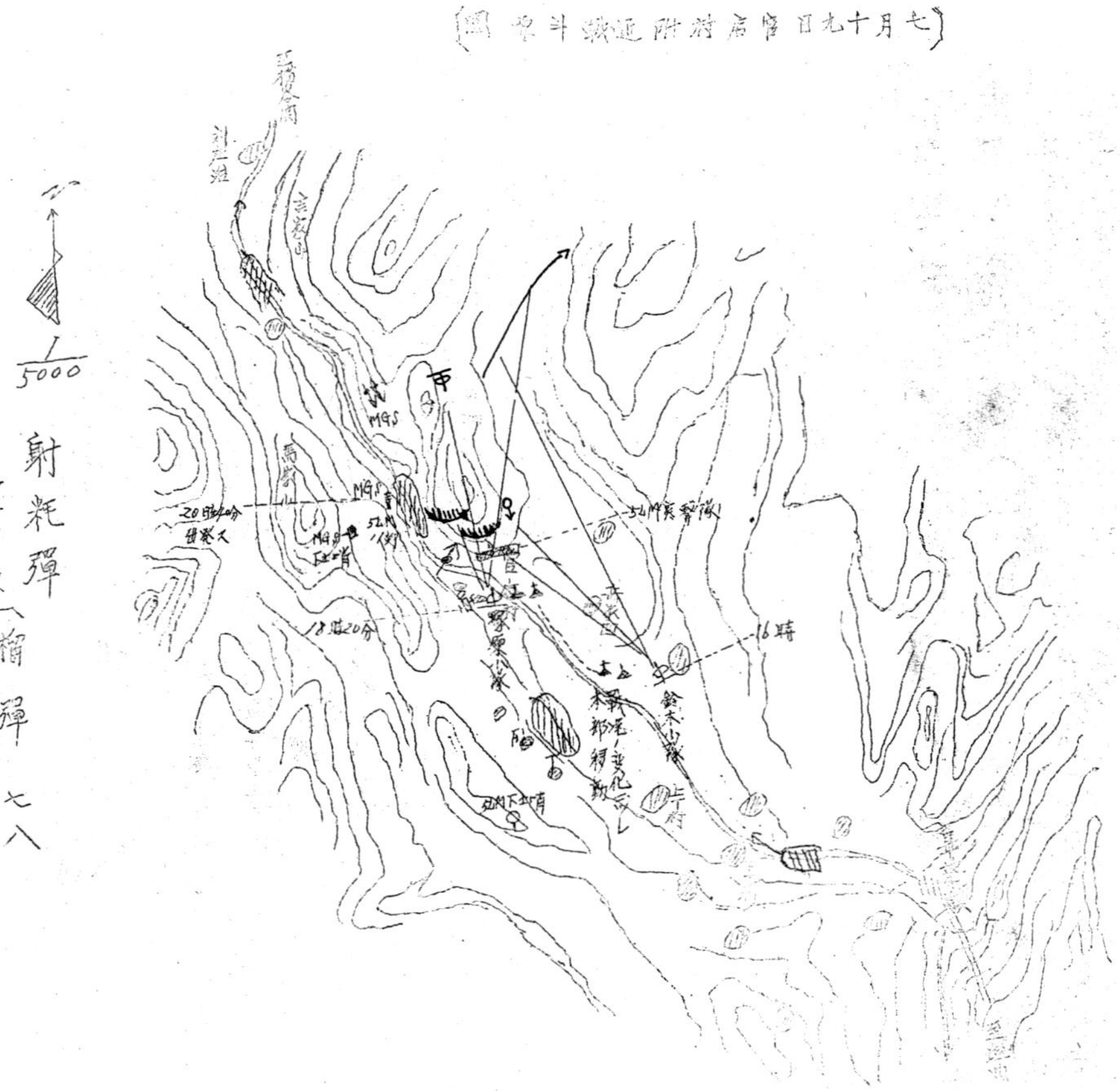

射耗弾

第一中隊	榴弾	七八
	赤弾	一三
	計	九一

セルモ夜暗ノタメ全然前方ハ視エス　止ムナク月明ヲ待ツタメ大休止ス
十時漸ク月上リテ僅カニ前方ヲ見得ル程度トナレバ前進ヲ続行シ二十四時劉庄治ニ大休止シ部隊ノ集結ヲ待ツ
途中事故車輛ノタメ大隊段列ハ六時相次テ輜重隊ハ八時同地ニ到着ス　朝食大休止後同地ヲ井野副官（旅團司令部ニ連絡）小森少尉ハ聯隊長ニ連絡シ部隊追及ノ状況並ニ十九日十五時ヨリ交戦セシ戦斗経過ニツキ報告ス
此ノ時六時左ノ第一群命令ヲ受領ス（一群作命第六號）
命令ノ要旨左ノ如シ
一、敵十九日官店村附近ニアリ敵ハLMヲ有スル四五百ノ敵ノモノニシテ独立機関隊及戎追撃五大隊之ト交戦シ東北方ニ撃退セリ
二、第一群ハ横嶺関ニ集結セントス
大隊ハ十時現在地出発　従来ノ行軍序列ニ入リ前進ス

二十日九時五十分前日来連絡ニ当リアリシ傳騎梨本上等兵来リテ左記支隊命令ヲ受領ス（中作命第三二〇号）
命令ノ要旨左ノ如シ
一、支隊ハ本二十日横嶺関及ソノ西北側地区ニ主力ヲ集結シ尓後ノ行動ヲ準備セントス
二、集結地ノ細部ニ関シテハ現地ニ於テ指示ス
大隊長ハ二十時左記大隊命令ヲ下達ス
追五作命第二九一號
追撃第五大隊命令
七月二十日二十一時
於横嶺関西北方部落
一、支隊ハ一部ヲ以テ横嶺関附近ノ要地ヲ占領シ主力ハ横嶺関及其ノ附近ニ集結ス
二、大隊ハ本二十日夜横嶺関西北方部落ニ露営セントス
三、各隊ハ設営者ノ指示スル所ニ従ヒ就宿スヘシ

四、部隊日直将校　大隊段列ヨリ小隊長一
五、左ノ如ク二十二時迄ニ部隊衛兵ヲ本部前ニ出シ部隊日直将校ノ指揮ヲ受ケシムヘシ
左記
第一中隊ヨリ　下士官一　上等兵一　兵三
大隊段列ヨリ　右　仝
六、予ハ横嶺関西北方無名部落ニ在リ
大隊長　幡川少佐
下達法　命令受領者ニ口達筆記
二十一日横嶺関守備隊命令（中作命第三二三號）ニヨリ中野支隊ノ編成ヲ解カレ大隊ハ新ニ歸還部隊トナリ二十二日十四時横嶺関出發　工兵隊長江島少佐ノ指揮ニ入リ曲沃ニ向ヒ前進シ七月二十六日引續キ前進臨汾ニ到着シ同地ニ於テ江島少佐ノ指揮ヲ脱シ第一〇八師団長ノ直接指揮下ニ復帰ス

昭和十三年自九月至十月

大別山突破戦闘

中隊長代理

大別山脈突破作戦沙窩附近ノ戦闘[redacted]

一、戦闘前ニ於ケル彼我形勢ノ概要

1、山西省臨汾ヨリ沙窩ヘ進出迄ノ行動ノ概要

(1) 七月三十日山西省臨汾ヲ出發シ列車輸送ニテ八月二十六日蚌埠着第二軍ノ隷下ニ入ル、

(2) 八月二十九日蚌埠ヲ出發シ行軍ニテ九月三日廬州ニ到着同日二軍作命甲第四七三號ニ依リ第十六師團ニ配屬セル（一六師作命甲第五二八號）

九月五日廬州ニ於テ受領セシ歩三三作命甲第三四九號ニ依リ大隊ハI/33i長ノ區處ヲ以テ九月八日（八時廬州出發九月十四日方家集ニ於テ師團主力ニ追及ス

(3) 九月十七日一中隊ヲ先遣隊ニ配屬シ（一六師作命甲第五五〇號）主力ハ許家灣（商城西方約四粁）ニ在リテ前進準備ヲナス

1

(4) 九月二十八日師團主力トシテ22A長ノ區處ニ依リ前進同三十日第一線ノ展開ニ伴ヒ師團豫備トナリ爾後沙窩東北方高地區ニ待機ス

2、彼我ノ形勢

(1) 葉家集附近ニ於テ頑強ニ抵抗セシ敵ハ我カ軍ノ猛攻ニ依リ西方及西南方ニ退却セリ、

(2) 我ハ敵ニ追尾シ各地ニ敵ヲ撃破シツヽ九月十六日商城ヲ占領シ同日既ニ其ノ西方地區ニ進出主力ハ商城附近ニ集結シ爾後ノ追撃ヲ準備ス

敵ハ大別山脈各要衝ニ陣地ヲ占領シ我軍ノ進出ヲ阻止セントスルモノヽ如シ、

去ル九月十八日商城附近ヲ出發セシ我先遣隊（旅團長篠原少將ノ率イル331、2LPWs、II/22A、1/5LM、ヲ基幹トス）ハ道々歩々抵抗スル一部ノ敵ヲ撃破シツヽ十九日　十八時第一線ハ沙窩南北ノ線ニ進出シ引續キ攻撃ヲ續行、二十六日夕先遣隊ハ沙窩南方磨盤山ヲ攻撃中ナリ師團ハ

2

先遣隊ノ背後ニ進出セシ敵ニ對シ二十六日以來攻撃ヲ開始ス、敵ハ我カ師團ノ增援ニ驚キ福田河、麻城方向ヨリ兵力ヲ增加北進セシメ大別山脈ノ天嶮ヲ利用シテ堅固ナル陣地ヲ占領シ該陣地線ニ於テ決戦ヲ企圖スルモノヽ如シ、

二、戦闘ニ影響ヲ及シタル氣象地形及住民地ノ狀態

1、快晴ナル天候少ク殆ト連日午前十時頃迄甚シキワ終日濃霧アルヲ常トス是カ爲觀測ヲ妨ケ第一線歩兵部隊トノ協定ニ遺憾ノ点アリ、尚夜間ハ寒サ強ク且霧アリテ兵ハ健康ヲ害シ又マラリヤ患者多クシテ戦闘力ヲ減シタリ、

2、沙窩附近ノ地形ハ濕地帯多ク又山地ハ本道ニ迫リテ山岳重疊シアリテ本道以外ハ道路ト雖モ車輛ノ通過不可能ニシテ部隊ノ行動容易ナラス本道ハ處々破壊妨害セラレ處ニ依ツテハ『クリーク』戦車壕ヲ構築シテ我カ行動ヲ妨害セリ、

3

3. 橋梁ハ悉ク破壊若シクハ焼却セラレアリテ是レカ修理ニ多クノ日時ヲ費セリ、
地形ハ一般ニ急斜面ニシテ岩盤ヲ以テ覆ワレ嶮峻ナル峰アリ縦深横長ナル谷迫リテ砲列陣地ニ適セル地無ク編成ニ基ク迫撃砲ノ威力ヲ發揚シ能ワサリキ、
表面ハ一般ニ黄泥土ニシテ降雨ノ際ハ滑リテ車輌ハ勿論徒歩兵ト雖モ歩行困難ナリ、爲ニ陣地變換ニハ多大ノ時間ト勞力ヲ費スヲ常トス、

4. 住民ハ抗日意識濃厚ニシテ沿道ノ諸部落ニハ殆ント住民ナク遠ク山間谷地ニ避難シ中ニハ敵ト連絡勤務ヲナシアリ、

4

三、彼我ノ兵力、交戦セシ敵ノ團隊號、將帥ノ氏名、編制、裝備、素質、及戰法（先遣支隊ノ分ハ別冊第三中隊戰闘詳報ニ依ル）

1. 彼我ノ兵力、交戦セシ敵ノ團隊號、將帥ノ氏名、

(1) 我カ兵力及將帥ノ氏名、次ノ如シ、

師團長　藤江中將
旅團長　篠原少將
33i長　近藤大佐
38i長　山田大佐

第十六師團
獨立輕裝甲中隊
獨立山砲一大隊
野戰重砲聯隊
迫撃第五大隊
高射砲一中隊
獨立工兵一中隊

(2) 敵ノ兵力、將帥ノ氏名、團隊號、次ノ如シ（情報記録ニヨル）

七一軍長　宗希濂
六一師長　鐘松

5

八七師長　孫發課

270、360、870、610、1660、880、300、310、等ニシテ總兵力三五〇〇〇ヲ下ラサルカ如シ、

2. 編制裝備、素質、及戰法

(1) 敵三十一師ニ屬スル捕虜ニツキ調査セシ結果左ノ如シ、
小銃及同彈藥一〇〇發ヲ有セシモ射撃セシコトナシ、
一連約八〇名ニシテ小銃約四〇、彈藥一人當リ一〇〇發ナリ、
機關銃ハ一連三、
迫撃砲ハ一營ニ三門―数門ヲ有セリ、

(2) 各師共輕迫撃砲ヲ相當多ク有シ又十二糎級砲及山砲二乃至三門ヲ有ス、主トシテ砲ハ沙窩及其ノ南方地區ニ使用ス
手榴彈ハ豊富ニ携帯シアリテ白兵戰ニ入ラントスル時猛烈ニ是ヲ使用セリ、

(3) 大小行李輜重ナキカ如キモ後方連絡勤務ハ土民ヲ多数使役セリ、

6

(4) 服裝ハ區々ナルモ概ネ正規ノ軍衣袴ヲ着セルモノ多ク中ニハ便衣ヲ着セルモノ或ハ軍服ノ上ニ便衣ヲ着セルモノアリ、

(5) 敵ハ中央直系軍ニシテ周到ナル訓練ヲ受ケタルモノヲ基幹トシ外ニ若干ノ短期訓練ヲ受ケシモノ及ヒ新募兵モ混入シアリ、

(6) 敵ハ土民ト密ニ連絡シ或ハ便衣ヲ着シテ土民ノ如ク装ヒテ谷地ニ集結シアリテ所謂ゲリラ戰法ニヨリ後方ヲ攪乱シ我ガ兵站線ヲ襲撃ス

(7) 九月十八日頃ヨリ主トシテ870、880ハ沙窩附近ニ於テ我先遣支隊ヲ撃滅セントスル企圖アルモノ如ク大別山系ノ既設陣地ヲ出テゝ支隊背後ヲ攻撃シ攻勢的態度ニ出テタリ、

(8) 要スルニ敵ハ数ケ師團、素質裝備良好ナル中央直系軍ハ大別山脈ノ嶮ニ據リ武漢三鎮防衛最後ノ必死的抵抗ヲ試ミタリ、

四、各時期ニ於ケル戰闘經過及之ニ關聯セル隣接部隊ノ動作並連絡施設

7

岩山附近ノ戰闘準備（自十月二日至十月五日）

1 大隊ハ22i聯隊長ノ區處ニヨリ九月二十八日十三時三〇分主力ニ追及爾後第一線ノ進捗ニ伴ヒ逐次集結地ヲ前方ニ推進セシメ九月二十九日師團主力ノ展開ニ伴ヒ師團豫備トナリ爾後沙窩東北方地區ニ待期ス

十月二日十時戰闘司令所ニ於テ各部隊長會合ノ際大隊長ハ第十六師團命令ヲ受領シ（六師作命甲第五七四號）其ノ結果大隊ハ歩兵隊トシテ30iBニ與ヘ38iニ連絡ノ結果大隊長ハ左記大隊命令ヲ下達ス（30iB命令ハ附録30iB作命甲第四八六號參照）

追五作命第三四號

追撃第五大隊命令

十月二日二〇時 於呉灣東側

一、敵情友軍ノ狀況及師旅團ノ企圖竝ニ部署別紙師旅團命令ノ如シ

大隊ハ歩兵隊ニ配屬セラレ其ノ第二中隊ヲ以テ歩兵第三十三聯隊ニ大隊主力ヲ以テ歩兵第三十八聯隊ニ配屬セラル

二、大隊主力ハ明三日沙窩西南側地區ニ集結地ヲ轉移シ爾後ノ攻撃ヲ準備セントス

三、各隊ハ明三日八〇〇迄ニ出發準備ヲ完了シ置クヘシ

四、予ハ現在地ニ在リ

大隊長 幡川少佐

下達法 要旨ヲ口達シタル後筆記セルモノヲ交付ス

2、十月三日九時出發大隊長ハ大隊副官井野中尉、小森少尉及ヒ第一第三段列各隊長ヲ伴ヒ沙窩西南方高地上ニ在ル38i長ノ下ニ到ル途中沙窩西南側附近ニ大隊ノ集結地ヲ偵察スヘク小森少尉岩倉少尉ニ命シ他ノ者ト共ニ同高地ニ登リ聯隊長ト會同シ前面ノ敵情及聯隊ノ企圖追撃大隊ノ任務等ニ付キ打合セスル所アリテ後大隊長ハ第一第三中隊ニ夫々陣地偵察ヲ命シタル後十八時再ヒ各自任務終リテ部隊ノ位置ニ歸ル次テ部隊ヲ沙窩西南側ニ移動同地ニ於テ明四日ノ部署ト各中隊ニ任務ヲ與ヘタル後天幕露營ス

註、十月二日ヨリ十二日ニ至ル第二中隊ノ33iニ配屬間ハ別冊第二中隊戰闘詳報ニ依ル、

3、十月四日大隊長ハ大隊副官井野中尉及小森少尉大隊指揮機關ヲ伴ヒ八時集結地ヲ出發十時沙窩西南側高地ニ到リ大隊觀測所通信所其ノ他所要ノ位置ヲ定メ夫々ノ工事ヲナス、前面ハ連ノ敵陣地ニシテ時々我カ工事ヲ妨害スル『チエッコ』銃アリ

大隊ハ日沒迄ニ概ネ工事ヲ完了シ中隊又陣地進入ヲナシ得ルノ準備ニアリ、日暮レシニヨリ同高地上ニ於テ夜ヲ徹ス、大隊長ハ大隊集結地警戒及細部ノ部署ニ關シテハ段列長ニ命シテ是ヲナサシム、

此ノ日大隊ノ陣地占領要圖別紙其ノ一ノ如シ、

二十三時左記歩三八命令ヲ受領ス（歩三八作命第六八九號）

命令ノ要旨左記ノ如シ

一、敵情及友軍ノ情況別紙六師作命甲第五七五號要旨ノ如シ

別紙其ノ一

迎撃第五大隊陣地占領要図

（十月四日十八時ヨリ五日夜ニ於ケル）

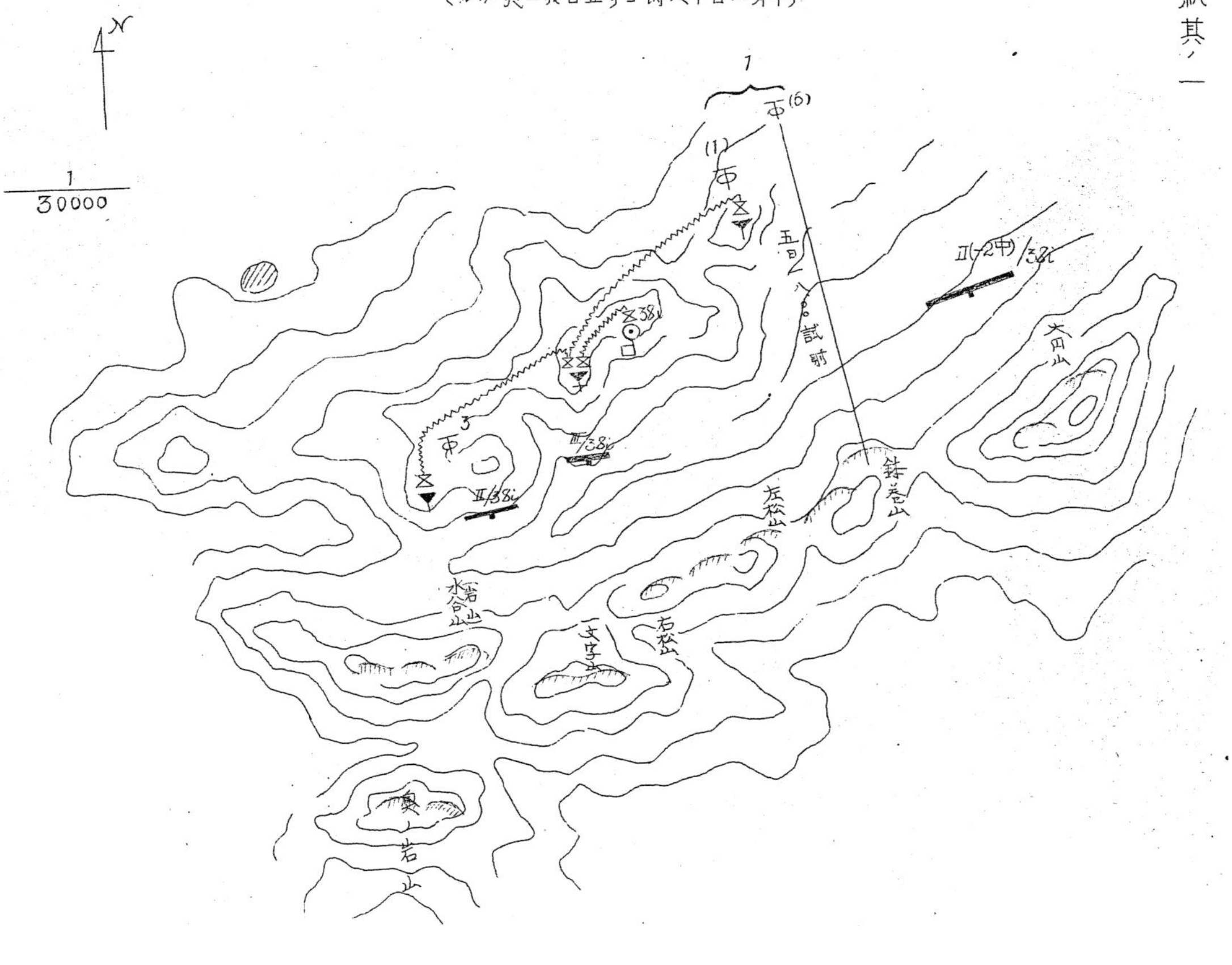

五日
射耗弾〔試射〕
榴弾 一五

負傷 一
歩兵上等兵 宮澤定雄（二十三時〇分）

別ニ飛行機ノ通報ニ依レハ三日四〇〇頃約二百ノ敵ハ南路口北方約一千ノ敵ハ南路口福田河ノ間ヲ北上セルモノノ如シ

聯隊正面ノ敵陣地ノ寫景圖別紙ノ如シ

二、聯隊（配屬部隊元ノ如シ）ハ六日〇六〇〇迄ニ攻撃陣地ヲ敵前至近距離ニ推進シ重点ヲ右ニ保持シ岩山、松山、鉢巻山一帯ノ敵ニ對シ拂曉攻撃ヲ準備シ砲兵火力ト密ニ連繋シテ敵陣地ヲ奪取シ次テ大圓山ノ陣地ヲ攻略セントス、

砲兵隊ハ主力ヲ以テ聯隊ノ攻撃ニ協力ス、

歩砲協定ノ細部ニ關シテハ別ニ示ス

三、第三大隊ハ右第一線トナリ現在第十中隊ノ占領セル地區ヲ含ミ以西線ニ展開シ岩山高地（含ム）以西ノ敵陣地ニ對シ六日〇〇三〇以後行動開始シ〇六〇〇迄ニ攻撃ヲ準備スヘシ、

特ニ岩山ヲ占領後第三大隊正面ニ對スル戰果ノ擴張ヲ準備シ置クヘシ、

11

四、Ⅱ/22Aハ主トシテ第二大隊ノ戰鬪ニ協力スル筈、

第二大隊ハ中第一線トナリ第三大隊ニ連繋シ一文字山松山鉢巻山ノ敵陣地ニ對シ六日〇〇三〇以後行動ヲ開始シ〇六〇〇迄ニ攻撃ヲ準備スヘシ、

特ニ攻撃ノ重点ヲ右方ニ保持スヘシ、

Ⅲ/22Aハ主トシテ第三大隊ノ戰鬪ニ協力スル筈、

五、第三大隊第二大隊トノ戰鬪地境左ノ如シ、

現在第十中隊ノ占領セル陣地ノ左端岩山高地ノ左端ヲ連ヌル線（線上第三大隊ニ含ム）トス、

六、攻撃前進ノ時機ハ後命ス、

第一大隊（－3 +1/3 4）ハ左第一線トナリ現在陣地ニ於テ大圓山附近ノ敵陣地ニ對シ聯隊主力ノ攻撃ヲ容易ナラシムル如ク攻撃ヲ準備スヘシ、

七、Ⅲ/BS（2中）ハ第二大隊左翼後山頂附近ニ陣地ヲ占領シ主火力ヲ以テ第二大隊ノ戰鬪ニ一部ノ火力ヲ以テ第三大隊ノ戰鬪ニ協力スヘシ、

12

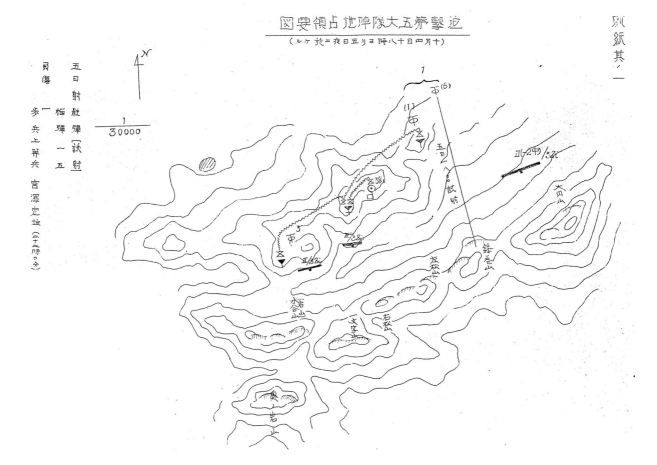

八、SLM(一中)ハ第三大隊正面後方山腹ニ陣地ヲ占領シ主トシテ右中両第一線當面ノ山腹ノ敵陣地及技線後方ノ有利ナル目標ヲ求メテ制壓スヘシ
二、大隊長ハ聯隊命令ニ基キ左記大隊命令ヲ下達ス、

迫五作命第三四五號

迫撃第五大隊命令

十月四日二〇〇〇
於沙窩西南側高地

一、敵情友軍ノ状況聯隊ノ企圖並ニ部署及歩砲協定ニ關スル指示別紙歩兵第三十八聯隊命令ノ如シ、
二、大隊(第二中隊欠)ハ歩兵第三大隊占領地區後方ニ陣地ヲ占領シ主トシテ歩兵第二第三大隊ノ戰闘ニ協力セントス、
三、第三中隊ハ舊歩兵第十中隊占領地區後方ニ陣地ヲ占領シ主トシテ右第一線タル歩兵第二大隊ノ戰闘ニ協力スヘシ、
四、第一中隊ハ歩兵第三大隊占領地區後方山腹ニ陣地ヲ占領シ主トシテ中第一線タル歩兵第三大隊ノ戰闘ニ協力スヘシ、

五、大隊射撃計画ノ大要別紙ノ如シ
各中隊ハ更ニ細部ニ就テハ當該協力大隊長ト密ニ協定スヘシ、
六、各中隊ハ五日夜迄ニ諸準備ヲ完了スヘシ、
七、射撃開始時期ハ六日天明後トス
但シ第一中隊ハ其ノ試射ノ一部ヲ五日夕實施スヘシ、
其ノ細部ニ就イテハ別ニ指示ス、
八、彈藥ハ歩兵第二第三大隊ノ岩山及「トガリ山」高地奪取迄ニ概ネ三〇〇發ヲ爾後ノ戰闘ノ為約一五〇發ヲ標準トシテ使用スヘシ、
九、大隊段列ハ沙窩西北側凹地ニ位置スヘシ、
特ニ彈藥補充ニ就テハ師團兵器部ト密ニ連絡スヘシ、
又大隊段列長ハ各隊残置人馬車輌ノ集結並ニ警戒等ニ關シ區處スヘシ、
十、予ハ四日夜以後沙窩西南側高地山頂ニ在リ、

大隊長　幡川少佐

下達法　各隊長ニ要旨ヲ示シタル後筆記セルモノヲ交付ス、

大隊射撃計画ノ概要

中隊／時機	3	1	摘要
任務	主トシテ右IIニ協力	主トシテIIIニ協力	
第一期（歩兵近接時期）	岩山(舎台以西敵第一線陣地ニ對シ制壓〔留彈〕	岩山(舎台以東ノ敵第一線陣地ニ對シ制壓〔留彈〕	一、第三中隊ハ三門第一中隊ハ六門トス 二、彈藥使用ハ第三第四時期及適時ヲ重点トス 三、大圓山攻撃ニ際シテハ大隊主力ヲ以テ之ニ協力スルニ[ノ]トシ細部ハ別ニ指示スルモノトス、
第二期（砲兵突撃支援射撃時期）	仝上ニ對シ砲兵ノ制壓ヲ免レタル敵ニ對シ制壓〔留彈〕	仝右	
第三期（歩兵第一線陣地突破時期）	奥ノ岩山(舎台以西ノ敵制壓〔留彈〕一部岩山ニ陣地變換	一文字山ノ敵ニ對シ制壓〔留彈〕	
第四期（歩兵岩山三文字山攻略時期）	IIノ占領地區確保ニ協力スルト共ニ一部ヲ以テIII右側方ヨリスル敵ノ妨害制壓〔留彈〕〔特種彈〕	IIIノ行動ニ伴ヒ逐次鉢巻山大圓山方向ニ射撃ヲ指向シIIIノ左側方ヨリスル敵ニ對シ制壓〔留彈〕	
適時	岩山右斜面及石垣山、三角山、等右方ヨリスル妨害及陣地後方ノ有利ナル目標ニ對シ制壓〔特種彈〕	左松山方向ヨリスル敵ノ妨害及陣地後方ノ有利ナル目標ニ對シ制壓〔特種彈〕〔留彈〕	

4. 敵ハ執拗ニモ再三我ニ夜襲セリ、
十月五日ニ於ケル彼我ノ態勢ハ變化ナク大隊ハ此ノ日更ニ陣地ノ補修偽装ヲナスニ殆ト一日ヲ費セリ、
第一中隊ハ十八時ヨリ鉢巻山左斜面ニ對シ試射ヲナシ明日ノ射撃ヲ準備ス、
大隊長ハ觀測所ニテアリテ當面ノ敵状偵察ニ専念シ各中隊長ハ準備ヲサく怠リナシ、
夜ニ入リ第一線歩兵ニ對スル敵ハ猛烈ハ乱射及手榴彈ヲ投セリ十九時五十分益々乱射ヲナシ流彈ハ頭上ヲ掠メテ飛來セリ、

5. 本日射耗彈
第一中隊　榴彈　一五

6. 負傷　一　歩兵上等兵　宮澤定雄
本部通信手歩兵上等兵宮澤定雄ハ第一中隊放列陣地通信所ニ於テ勤務中敵ノ流彈ヲ受ケ二十二時左大腿部ニ貫通銃創ヲ受ケタル

モ尚任務ヲ續行シ居リテ退カス軍醫ノ手當ヲ受ケテ後退入院セリ、

岩山附近ノ戰鬪（自十月六日至十月十二日）

十月六日

1、準備ハ成レリ、天候又快晴ナリ、將兵ノ士氣ハ衝天ノ勢ナリ、大隊長以下本部觀測手ハ六時砲隊鏡ヲ据ヘ通信手又送受話器ヲ手ニス、各中隊同時ニ射撃準備ヲ完了シアリテ機ノ熟スルヲ待テリ、此ノ日ハ恵マレタル天候ニシテ敵陣地ノ狀態明瞭ニ我カ砲隊鏡ニ映セリ、砲兵隊ハ曉ノ空ヲ破ッテ試射ヲ開始ス、第一中隊ハ六時五十分右松山ニ對シ、第三中隊ハ七時五分岩山ニ對シ夫々試射ヲ開始ス、七時四十分第三大隊ハ攻撃前進シ一文字山右松山ニ第二大隊ハ岩山ニ對シ攻撃ヲ開始セリ、

砲兵ハ第一線ノ前進ニ當リ効力射ヲ迫撃大隊ハ一文字山ヨリ第三大隊

ヲ妨害スル敵重火器ヲ求メテ制壓スヘク第一中隊ヲシテ射撃セシム、七時五十分第三中隊ハ砲兵ノ射撃不可能ナル興ノ岩山ノ手前凹地ノ敵陣地ヲ射撃ス

早朝ヨリ晴レテヰタ戰場ノ空モ九時頃ヨリ曇リ四面ハ濃霧ニ蔽ハレテ前方ノ敵陣地ハ見エスナリヌ、

第一線各大隊ハ却ッテ濃霧ヲ利用シテ敵陣地至近ノ距離ニ迫リ九時三十分第二大隊ハ岩山中腹ニ第三大隊ハ松山ニアリテ敵ト相對峙ス、

砲兵隊ハ濃霧ノ爲射撃ヲ中止ス、

十一時霧漸ク霽レテ微ニ敵陣地霞ミテ見ユ此ノ時松山方向ヨリ第三大隊ヲ側妨スル敵重火器アルヲ認メ大隊長ハ直ニ第一中隊ヲシテ之ニ對シ榴彈ヲ射撃セシム、

我カ迫撃砲協力ノ下ニ十一時三十分第三大隊ハ右松山ヲ又相前後シテ十一時四十分第二大隊ハ岩山ノ頂上近ク迫レリ、

岩山高地ハ敵陣地ノ要点ナリ從ッテ彼又該高地ニ重点ヲ置テ迫撃

砲機關銃等相當多ク兵力モ四千アリシコト略々確實ナリ迫撃砲モ六七門有セリ、故ニ第二大隊ノ苦戰ハ想像スルニ餘リアリ、左松山ヲ占領セシ第三大隊ハ岩山ノ裏斜面ヨリ敵迫撃砲ノ射撃ヲ受ケテ同高地確保困難ヲ感セントスルヤ大隊長ハ期ヲ失セス第三中隊ヲシテ該斜面ニ榴彈、特種彈ヲ以テ集中射撃シ全ク是ヲ沈默セシメタリ、

第二大隊ハ敵前至近ノ距離ニアリテ突撃準備ヲナシ發煙彈信號下ニ岩山頂上ニ向ヒ突撃ヲ敢行ス、第三中隊是ニ協力セシモ敵頑強ニシテ意ノ如クナラス加フルニ敵迫撃彈盛ニ落下セリ、突撃意ノ如クナラス、至近ノ距離ニアリテ敵ト相對シ好期ヲ窺フ、敵迫撃砲ノ集中射ヲ受ケ損害續出ス、

大隊長ハ常ニ全般ノ狀勢ヲ明察シ適時各中隊ニ指導シ或ハ射撃ヲ命スル等主トシテ敵迫撃砲ノ撲滅制壓ニ努メツツ第一線大隊ノ攻撃ニ密ニ協力セリ、

第二大隊ハ更ニ猛攻ヲ開始セリ依ッテ大隊ハ連續的ニ敵迫撃砲及重

火器ニ對シ猛射制壓シ十七時十分完全ニ岩山一帶ヲ占領セリ右第一線大隊岩山後ニ水谷山ト名ツクヲ占領スルヤ大隊長ハ第三中隊ノ一ケ分隊ヲ岩山ニ陣地變換セシムヘキヲ命セリ、

第三中隊長木幡中尉ハ自ラ砲一門ヲ以テ兵ヲ鼓舞激勵シツツ四粁以上ノ距離而モ嶮峻ナル岩石頂上ニ分解搬送シ主力ヲ藤原中尉ニ指揮セシメテ岩山ニアリテ第二大隊岩山確保ト戰果ノ擴張ニ協力セリ、

是レヨリ先第三大隊方面ニアリテハ有利ニ進展シテ十六時十分右松山ヲ占領ス、此ノ際第一中隊ヲシテ一文字山ヨリスル敵重火器ヲ制壓シ第三大隊ノ向山占領並ヒニ確保ニ協力セリ、

尚第一線大隊ハ戰果ノ擴張ヲナセリ、

2、二十時歩三八命令ヲ受領ス（歩三八作命第六號ノ九五）

命令ノ要旨左記ノ如シ

左記

一、聯隊ハ明拂曉ヨリ攻撃ヲ準備セントス、
二、各隊ハ現在ノ態勢ヲ以テ夜ヲ徹スヘシ、

3. 大隊長ハ聯隊命令ニ基キ左ノ大隊命令ヲ下達ス

迫五作命第三六號

迫撃第五大隊命令

十月六日十八時
於沙窩西南側高地

一、聯隊正面ニ有力ナル敵尚頑強ニ陣地ヲ確保シアリ
聯隊ハ本六日夜現占領地區ヲ確保シ明拂曉ノ攻撃ヲ準備ス

二、大隊ハ本六日夜現在ノ態勢ヲ以テ夜ヲ徹シ明拂曉攻撃再興ノ諸準備ヲナサントス

三、各隊ハ明七日左松山以東ノ地區ニ對シ射撃シ得ル如ク準備ヲ完了シ置クヘシ

四、大隊段列ハ本六日中ニ左記彈藥ヲ受領スヘシ

左記

榴彈　五〇〇發　特種彈　三〇〇發

尚右彈藥中榴彈三〇〇、特種彈五〇ヲ明拂曉迄ニ左ノ如ク第

21

一第三中隊ニ交付スヘシ

第一中隊ヘ　榴彈一五〇　特種彈九〇ヲ第一中隊砲側ニ於テ

第三中隊ヘ　榴彈一五〇　特種彈六〇ヲ第三中隊砲側ニ於テ

五、予ハ沙窩西南側高地山頂ニ在リ

大隊長　幡川少佐

下達法　要旨ヲ各隊長ニ示シタル後筆記セルモノヲ交付ス

4. 大隊ハ日暮レテ観測不能トナリタルヲ以テ別紙其ノ二要圖ノ如キ態勢ヲ以テ夜ヲ徹シ明拂曉攻撃再興ノ準備ヲナス

5. 此ノ日戰闘經過ノ大要別紙要圖其ノ二ノ如シ

本日射耗彈左ノ如シ

彈種＼中隊	第一中隊	第三中隊
榴彈	一三三	二七四

22

別紙其ノ二

迫擊第五大隊水谷山附近戰闘要圖

（十月六日六時〇分ヨリ六日夜ニ至ル）

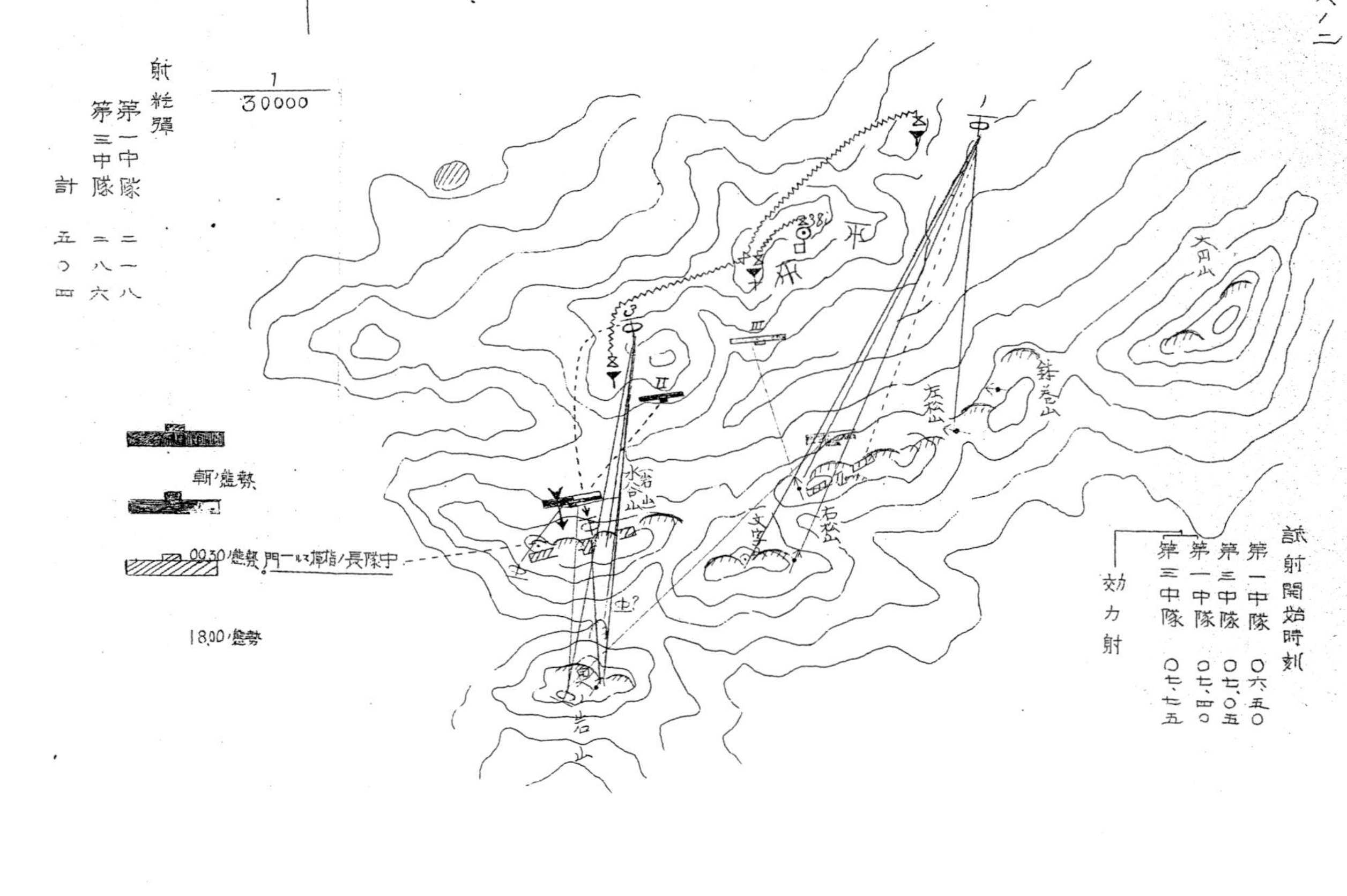

特種彈	八三	一二
合計		五〇四

十月七日

1、第一線ハ靜肅ナリ、大隊以下七時配備ニツキ各中隊射撃準備ヲ完了セシモ、惜シムヘシ、濃霧ノ爲觀測全然不可能ナレバ止ムナク霧ノ霽ルヲ待チアリ、第一線各大隊モ攻撃前進スル模様ナシ、

2、十一時四十分歩三八命令ヲ受領ス（歩三八作命第六號ノ九六）命令ノ要旨左記ノ如シ、

左記

一、奥ノ岩山及右側前面一文字山左ノ松山トンガリ山大圓山ニハ相當ノ敵兵アリ砲兵隊ハ奥ノ岩山及右側前面一文字山左ノ松山トンガリ山大圓山ニ對シテ射撃スル筈、

重砲一ケ中隊ヲ以テ岩山右側方ノ敵ヲ制壓スル筈

二、聯隊ハ戰果擴張ノ爲ノ攻撃ヲ準備セントス、

三、第一大隊ハ岩山ニ至リ奥ノ岩山攻撃準備ヲナスヘシ、

四、第三大隊ハ一文字山ノ攻撃ヲ準備スヘシ、

五、第二大隊主力ハ岩山北側斜面ニ集結待期スヘシ、

六、三浦部隊（2ｻ/331i）新ニ指揮ニ入ル）ハ大圓山ニ對スル攻撃ヲ準備スヘシ、

七、LM大隊ハ主力ヲ以テ奥ノ岩山一文字山ノ線ヲ制壓シ歩兵ノ攻撃前進ニ當リテハ一部ヲ以テ第一大隊ニ直接協力スヘシ、

3、大隊長ハ小森中尉ヲシテ右命令ニ基キ大隊命令ノ要旨ヲ各中隊長ニ傳達セシメタル後左ノ大隊命令ヲ下達ス、

追五作命第三四七號

追撃第五大隊命令

十月七日一二〇〇 於沙窩西南側高地

一、奥ノ岩山及其ノ右側前面一文字山左松山「トンガリ山」大圓山ニハ

相當ノ敵兵アリ、

砲兵隊ハ其ノ主力ヲ以テ是等敵陣地ヲ射撃シ、重砲一ケ中隊ヲ以テ岩山右側方ノ敵ヲ制壓スル筈、

聯隊（2ｻ/331i新ニ増加）ハ戰果擴張ノ爲メ攻撃準備ス、之カ部署ノ概要左ノ如シ、

1 第一大隊（一ケ中隊缺）ハ岩山ニ到リ奥ノ岩山附近ニ對シ爾後ノ攻撃ヲ準備ス、

2、第三大隊ハ現在地ニ在リテ第一大隊ニ連繫シ一文字山ニ對シ攻撃ヲ準備ス、

3、第二大隊（一小隊缺）ハ第一大隊到着セハ一部ヲ以テ現在線特ニ右側方ニ對シ警戒シ主力ハ岩山北側斜面ニ集結待機ス、

但シ其ノ重火器ハ第一大隊ノ戰闘ニ協力ス、

4、2ｻ/331iハ第一大隊ト交代シ大圓山ニ對スル攻撃ヲ準備ス

5、山砲大隊ハ主力ヲ以テ岩山ニ陣地ヲ占領シ奥ノ岩山及一文字山ヲ

制壓シ主トシテ歩兵第一大隊ノ戰闘ニ協力ス、

6、RiA、TiAハ現在地ヨリ第一線大隊ノ戰闘ニ協力ス、

7、第一第三大隊ノ攻撃前進時期ハ砲兵ノ射撃後ノ豫定ナリ、

二、大隊ハ主力ヲ以テ奥ノ岩山、一文字山ノ線ノ敵ヲ制壓シ主トシテ歩兵第一第三大隊ノ戰闘ニ協力セントス、

三、第三中隊ハ現在地ニ在リテ奥ノ岩山及其ノ両側地區ニ對シ射撃シ主トシテ歩兵第一大隊ノ戰闘ニ協力スヘシ、

特ニ右方面ヨリスル敵ノ妨害ニ對シ適時是ヲ制壓スヘシ、

四、第四中隊ハ現在地ニ在リテ一文字山ニ對シ射撃シ主トシテ第三大隊ノ戰闘ニ協力スヘシ、

特ニ左松山方向ヨリスル敵ノ妨害ニ對シ適時是ヲ制壓スヘシ、

五、本戰闘ノ爲各中隊ハ彈藥約一五〇發ヲ標準トシテ使用スヘシ、

六、予ハ依然現在地ニ在リ、

大隊長　幡川少佐、

下達法　要旨ヲ各隊長ニ示シタル後命令受領者ニ口達筆記セシム、

戦場ハ終日濃霧ニ包マレテ展望ヲ許サス、視界僅カニ五〇米内外ナリ、各中隊ハ大隊命令ノ如ク諸準備ヲナシ止ムナク夜間射撃ノ要領ヲ以テ射撃シ歩兵部隊ノ攻撃ニ協力セリ、第三大隊ハ十六時左松山ヲ續イテ十七時「トガリ山」ヲ占領セリ、十八時十分大圓山方向ヨリ第三大隊ノ占領セシ左松山「トガリ山」ニ敵迫撃砲弾落下セルヲ知リ第一中隊ハ大圓山ノ右斜面裏ヲ射撃シテ是ヲ制壓ス、第三中隊特ニ水谷山ニアリシ一ケ分隊ハ奥ノ岩山ニ對シ射撃シ第天隊奥ノ岩山ヲ攻撃スルニ當リテハ密ニ是ニ協力セリ、奥ノ岩山及右斜面ニハ相當ノ敵アリテ頗ル頑強ニ抵抗シ尚迫撃砲数門ヲ以テ水谷山ノ友軍ニ對シ猛射ヲナセリ、第三中隊ハ該迫撃砲陣地ノ撲滅ニ努ム、

27

4. 十九時歩三八命令ヲ受領ス(歩三八作命第六號ノ九七)
命令ノ要旨左ノ如シ、

左　記

一、Ⅰ正面ニハ迫撃砲ヲ有スル有力ナル敵散在シ一文字山ニハ相當ノ敵アリ、Ⅲ方面ニ於テハ「トンガリ山」方面ニ戦果ノ擴張ヲ實施シ左松山一帯「トンガリ山」ヲ占領セリ、

二、凡ハ夜間敵ノ逆襲ニ對シ嚴ニ警戒シツツ概ネ現在ノ態勢ヲ以テ夜ヲ徹シ明日ノ攻撃ヲ準備セントス

三、諸隊ハ概ネ現在ノ態勢ヲ以テ夜ヲ徹スヘシ、

5. 大隊ハ日没迄観測所ニアリテ後別紙要圖其ノ三ノ如キ態勢ヲ以テ夜ヲ徹ス、

6. 本日ノ射耗弾左ノ如シ、

弾種＼中隊	第一中隊	第三中隊
榴弾	七	二三

28

別紙其ノ三

迫撃第五大隊水谷山附近戦闘要圖

(十月七日七時ヨリ七日夜ニ至ル)

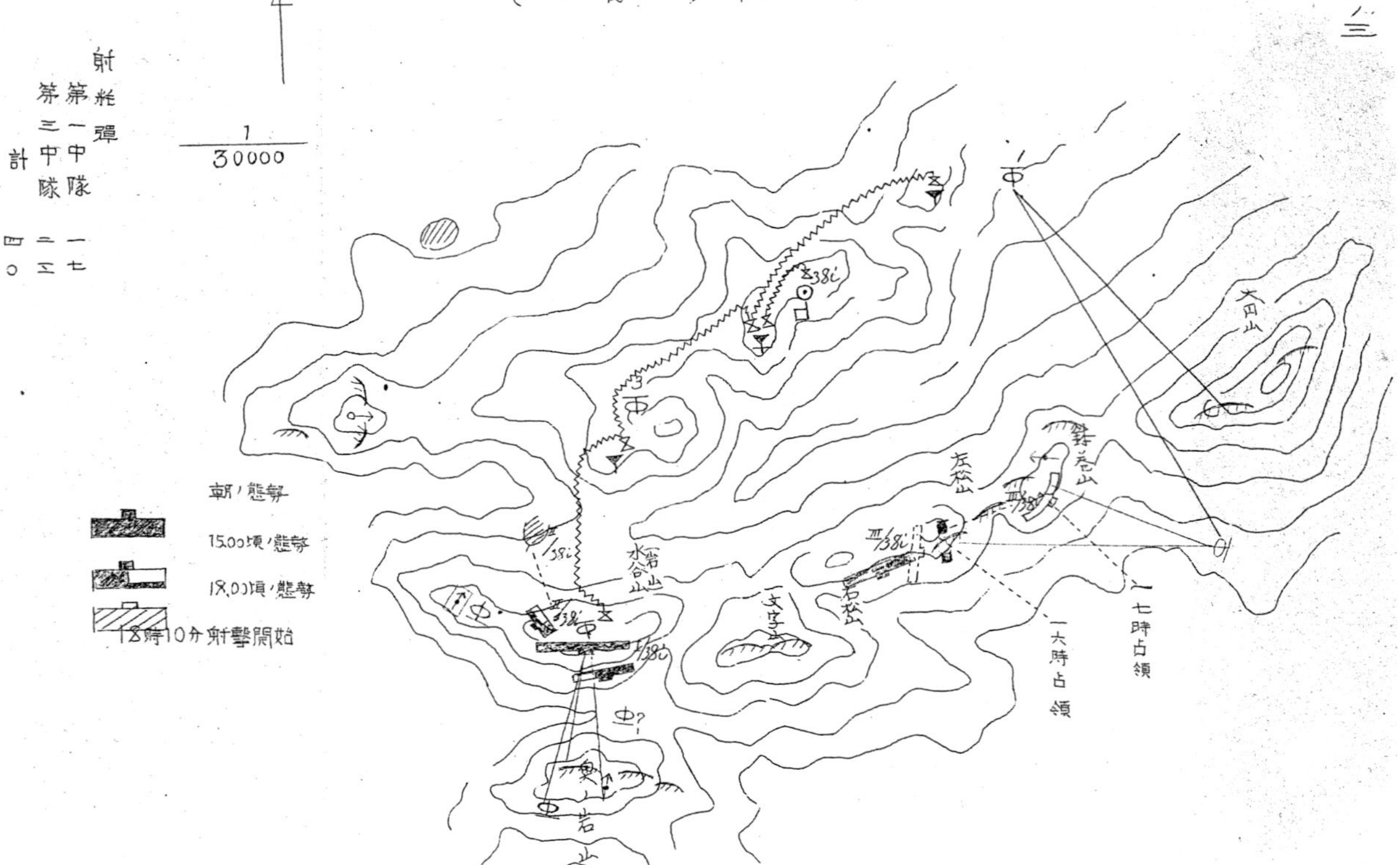

特種彈	一〇	〇
合計		四〇

十月八日

1. 文字山奥ノ岩山大圓山ハ概シテ岩盤ニシテ極メテ嶮峻ナリ、加フルニ所々深谷アリテ攀登ニスラ困難ナリ、敵ハカヽル天成ノ陣地ニ更ニ堅固ナル陣地ヲ構築シテ頑強ニ抵抗ヲ持續シツヽアリ、
今朝モ濃霧ナリ、大隊ハ七時諸準備ヲ完了ス、聯隊ハ攻撃ヲ續行セルモ濃霧ニ妨ケラレテ砲兵ノ協力ハ得テ望ムヘカラス、第一線ノ戰闘餘リニ進捗セス、第一中隊ハ七時三十分一文字山ニ對シ射撃ス、地形ヲ熟知セル敵ハ霧ノ中ニアリ自ラ水谷山頂上ニ對シ迫撃砲ノ集中射ヲナス、敵ノ彈着良好ナリ、
第一大隊ハ砲兵ノ協力ヲ待タスシテ奥ノ岩山ニ對スル攻撃ヲナスニ決シ、八時三十分攻撃前進ヲ開始セリ、
水谷山ニアリシ第三中隊長木幡中尉ハ砲一門ヲ以テ密ニ第一大隊ニ連絡シ之カ戰闘ニ協力八時四十分ヨリ奥ノ岩山ニ對スル射撃ヲ開始セリ、

2. 九時歩三八命令ヲ受領ス(歩三八作命第六號ノ九九)
命令ノ要旨左ノ如シ

左記

一、聯隊ハ先ツ奥ノ岩山一文字山大圓山ヲ攻略セントス、
二、第一大隊ハ奥ノ岩山ヲ攻略スヘシ、
三、第二大隊ハ第一大隊後方ヨリ戰果ヲ擴張シ得ルノ態勢ニアルヘシ、
四、第三大隊ハ大圓山ニ對スル攻撃ヲ準備スヘシ、
五、其ノ他ノ部隊ハ前命令ノ如ク行動スヘシ、
大隊長ハ右命令ニ基キ左ノ大隊命令ヲ下達ス

迫五作命第三四八號

迫撃第五大隊命令　十月八日〇九一五 於沙窩西南側高地上

一、敵情其ノ後大ナル變化ナシ、
第十師團ノ一部ハ信陽南方約十八粁ノ地点ニ於テ京漢線ヲ遮断セリ
聯隊ハ先ツ奥ノ岩山一文字山大圓山ヲ攻略ス、
砲兵隊ハ主力ヲ以テ聯隊ノ攻撃ニ協力シ其ノ重砲一ケ中隊ハ右側面ノ敵ヲ制壓スル筈、
聯隊部署ノ概要左ノ如シ
1. 第一大隊(-1中 II+1中)ハ砲兵協力ノ下ニ奥ノ岩山ヲ攻略シ次テ一文字山ニ向ヒ戰果ヲ擴張ス、
2. II(-2中)ハIノ後方ヨリ随時戰果ヲ擴張ス
但シ其ノ重火器ハ先ツIノ攻撃ニ協力ス、
3. IIIハ其ノ主力ヲ左松山『トガリ山』附近ニ移動シ砲兵射撃ヲ容易ニシ、大圓山ニ對スル攻撃ヲ準備ス、
但シ其ノ重火器ハ先ツIノ攻撃ニ協力ス、
4. 其ノ他ノ部隊ハ前命令ノ如ク行動ス、
二、大隊ハ主力ヲ以テ先ツIノ攻撃ニ次テ大圓山ノ攻撃ニ協力セントス、
三、第三中隊ハ主トシテIノ攻撃ニ協力スヘシ、
四、第一中隊ハ先ツ一文字山ニ對シ射撃シ一文字山攻略後ハ大圓山ニ對スル攻撃ニ協力スヘシ、
五、予ハ現在地ニ在リ、

大隊長　幡川少佐

下達法　命令受領者ニ口達筆記セシム、

各中隊ハ大隊命令ノ如ク諸準備ヲ完了シ九時四十分夫々電話ヲ以テ報告ス、

3. 十二時三十分頃ヨリ濃霧稍ウスラキテ僅ニ展望ヲ許スニ至レハ今朝來戟トシテ静マリ返ツテヰタ戰線ハ砲聲轟キワタリテ小銃機關銃聲盛ニ第一線各大

隊ハ攻撃前進ヲ開始セリ、時ハ來レリ、同時第一中隊ハ先ツ一文字山ニ對シ射撃シ第三大隊主力ノ左松山ヘノ移動ヲ掩護シ次テ大圓山左斜面ニ對シ射撃ス、
十四時三十分歩三八命令ヲ受領ス（歩三八作命第六號ノ三）
命令ノ要旨左ノ如シ
左記
一、聯隊ハ先ツ大圓山高地ヲ奪取シ後奥ノ岩山ヲ攻撃セントス、
二、三浦部隊ハ十五時攻撃前進スヘシ、
三、各火砲部隊主力ハ三浦部隊大圓山攻撃ニ協力シ爾後奥ノ岩山攻撃ニ協力スヘシ、
十六時四十分第三大隊ハ奥ノ岩山ニ對シ攻撃前進シ第三中隊是ニ協力ス第一線攻撃前進ヲ開始スルヤ敵ハ水谷山頂上ニ對シ迫撃砲ヲ猛射ス第一線ハ敵彈下ヲ潜リテ逐次奥ノ岩山ニ接近シアリ、友軍損害續出シ且該方面ノ敵ハ昨日ニ比シ稍々活氣ヲ呈シ來タレリ、我ハ猛攻ヲ續行ス、

彼我ノ銃砲聲猛烈ハナリ、
十七時四十分第一中隊ハ一文字山ノ敵掩蓋ヲ撃滅ス、
十九時三十分觀測不能ナリ、中隊ハ夜間射撃ノ準備ヲナシツヽ現在地ニ於テ夜ヲ徹ス、
此ノ日ノ戰闘經過要圖別紙其ノ四ノ如シ
4. 二十四時歩三八命令ヲ受領ス（歩三八作命第六號ノ二〇）
命令ノ要旨左ノ如シ
左記
一、聯隊ハ現態勢ヲ以テ夜ヲ徹シ爾後ノ攻撃ヲ準備セントス、
二、各火砲部隊ハ工ノ奥ノ岩山及一文字山占領後ノ確保ニ協力準備シアルヘシ、
大隊長ハ右命令ニ基キ左記大隊命令ヲ下達ス、
迫五作命第三四九號

迫撃第五大隊水谷山附近戰闘要図
（十月八日七時ヨリ同日夜ニ至ル）
別紙其ノ四

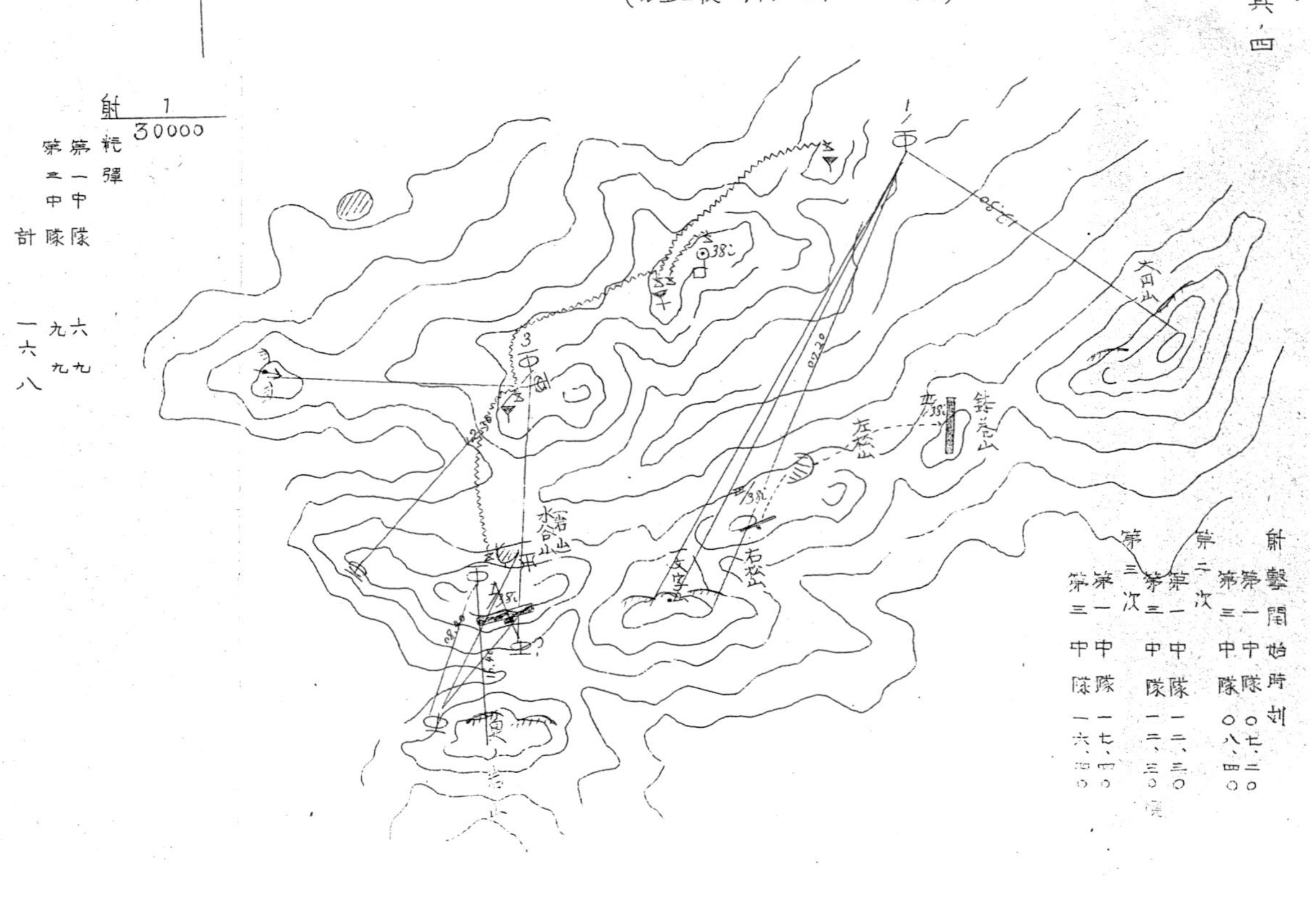

迫撃第五一大隊命令

十月八日二四、〇〇
於沙窩西南側高地上

一、聯隊ハ現態勢ヲ以テ夜ヲ徹シ爾後ノ攻撃ヲ準備ス
部署ノ概要左ノ如シ、
1、第一大隊第五中隊ヲ加ヘ第一中隊ヲ缺キ明九日與ノ岩山及ビ一文字山ニ對シ黎明ノ攻撃ヲ準備ス、
2、第一大隊(三ヶ中隊缺)ハ第一大隊ノ戦果擴張ニ協力ス
3、各火砲部隊ハ第一大隊ノ與ノ岩山及ビ一文字山占領後ノ確保ニ協力ス、
二、大隊ハ主力ヲ以テ歩兵第一大隊ノ與ノ岩山及ビ一文字山占領後ノ確保ニ協力セントス、
三、第三中隊ハ主力ヲ以テ與ノ岩山、一文字山前方及ビ右方ニ對シ射撃シ得ルノ準備ニアルヘシ、
四、第一中隊ハ大圓山方向ニ對シ射撃シ得ルノ準備ニアルヘシ、
五、予ハ現在地ニ在リ、

35

大隊長 幡川少佐

下達法 命令受領者ヲ集メ口達筆記セシム、

5. 本日ノ射耗弾左ノ如シ

弾種／中隊	榴弾	特種弾	合計
第一中隊	六六	三	一六八
第三中隊	四二	五七	

十月九日

左記

1. 五時聯隊本部ヨリ左記電話アリ、
『昨夜岩山方面ニ有力ナル敵ノ夜襲アリ、

36

敵ハ岩山左斜面前方凹地ニ蝟集中ナルニ依リ之ヲ射撃スヘシ』ト
聯隊長ノ要求ニ應シ大隊ハ直ニ第一中隊ヲシテ該凹地ノ敵ヲ射撃シ敵ノ攻撃企圖ヲ破碎セリ、

2. 夜ハ明クレトモ前日ノ如ク濃霧立コメテ觀測ハ勿論視界僅カニ四、五十米ナリ、第一線ハ極メテ靜肅ナリ聯隊ノ企圖ヲ聞クニ『第一線各大隊ハ目下攻撃準備中ニシテ第一大隊ハ十六時三十分ヨリ與ノ岩山ニ對シ攻撃ス突撃ニ當リテハ發煙中隊ノ毒煙ヲ利用ス、同時LMハ與ノ岩山及其ノ右斜面ヨリスル敵LMヲ求メテ制壓スヘシ』ト
依ッテ大隊長ハ第三第一中隊長ニ其ノ要旨ヲ傳ヘ各中隊ニ是ニ基ク任務ヲ與ヘテ之ガ準備ヲナサシム、
即チ 第三中隊ハ與ノ岩山及ビ其ノ右斜面ニ對シ、
第一中隊ハ一文字山ニ對シ夫々準備ヲナサシム
十六時三十分第一大隊攻撃ヲ開始スルヤ各中隊時コソ來レト射撃ヲ開始シ榴弾及特種弾ニテ敵ヲ制壓ス、

37

戦況逐次進展シテ十六時五十分第一大隊ハ與ノ岩山脚ニ到達尚攻撃ヲ續行中ナリ、昨八日水谷山ニアリシ第三中隊長ハ藤原中尉ト其ノ指揮ヲ交代シ、藤原中尉水谷山ニアリテ第一大隊ノ攻撃ニ密ニ協力シ、敵重火器ヲ制壓或ハ敵密集部隊ニ對シ多大ノ損害ヲ與ヘタリ
又第三中隊ハ一文字山ノ左裏ニアル敵迫撃砲ヲ制壓ス、
大隊觀測所ニアリテハ大隊長以下觀測手ハ專心敵ノ動靜ヲ觀破シ各中隊ノ射撃ヲ指導シ或ハ有利ナル目標ヲ指示スル等ヨク第一線大隊ノ戦闘ニ協力シタリ、
通信手ハ常ニ連絡ニ任シタリ特ニ大隊本部ト第三中隊藤原小隊トノ電話網ハ此ノ際最モ重要ナル唯一ノ連絡施設タリ、

3. 約一時間ニ亘ル接戦格闘ノ結果十七時三十分第一大隊ハ與ノ岩山及一文字山ヲ占領シ頂上高ク日章旗ヲ揭ク、
同高地占領迄水谷山ニアリテ重要ナル通信勤務ニ從事シアリシ向山上等兵、茂原上等兵加藤一等兵ハ敵迫撃砲彈ノタメ屢斷線スレトモ敵彈

38

下ヲ冒シテ勇敢保線ニ努メヨク大隊長ノ射撃指揮ヲ圓滑ナラシメ第一線大隊ヲ同高地ノ占領ニ協力ヲ容易ナラシメタリ。

又藤原小隊ハ水谷山ニアリテ奮然敵ノ逆襲ヲ阻止シ又第一大隊ノ奥ノ岩山攻撃ニ當リテハ困難ナル地形ヲ克服シテ沈着ヨク敵弾下ニアリテ制壓若シクハ撲滅ス、戦闘激烈ヲ極メルニ從ヒ第三中隊ハ益々敵迫撃砲弾ノ猛射ヲ受ケ二十三時遂ニ分隊長渡邊一郎軍曹戦死シ歩兵伍長飯塚芳雄、歩兵上等兵室井義雄戦傷、

同夜第一大隊ハ占領地區ヲ確保シ大隊ハ別紙要圖其ノ五ノ如キ態勢ヲ以テ夜ヲ徹ス。

砲側ニ在リシ歩兵上等兵高橋恒雄及歩兵伍長小日向榮一郎ハ敵迫撃砲弾ノタメ夫々四時及五時破片創ヲ受ケシモ尚任務ヲ續行セリ。

4. 本日射耗弾左ノ如シ。

弾種＼中隊	榴弾	特種弾	合計
第一中隊	五一	五一	
第三中隊	五七	一〇	一五九

5. 損害

第三中隊

戦死	下士官	渡邊一郎	一
戦傷	下士官	飯塚芳雄、小日向榮一郎	二
	兵	室井義雄、高橋恒雄	二

十月十日

1. 戦線ハ物静カニ夜ハ明ケタリ。

濃霧ハ變ジテ小雨模様トナル東ニ展望ヲ許サズ大イニ天候ハ障害ヲ受ク

十時聯隊ヨリ左ノ要旨ヲ達セラル。

別紙其ノ五

迫撃第五大隊奥ノ岩山附近戦闘要圖

(十月九日五時ヨリ十月十一日夜ニ至ル)

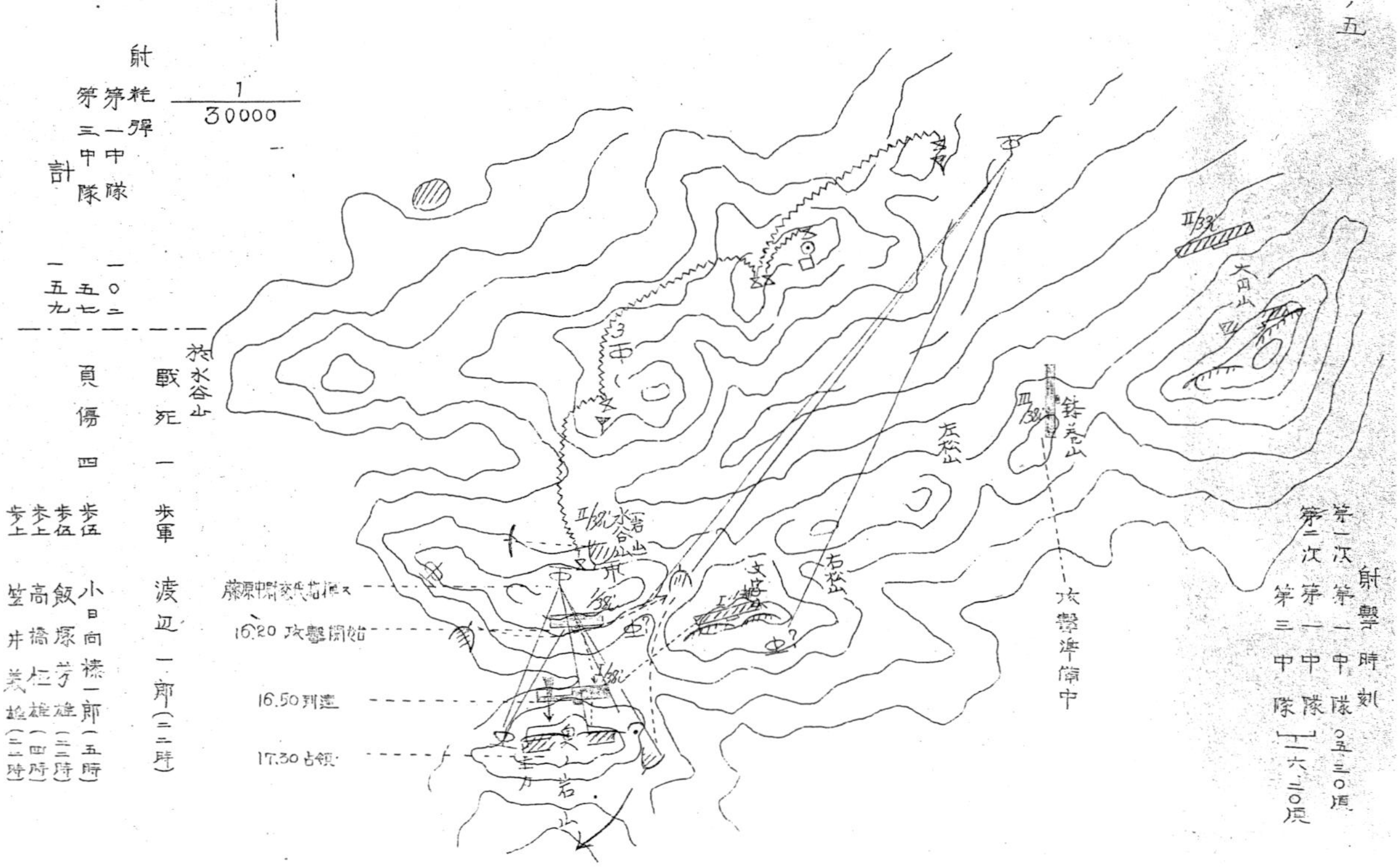

左記

『聯隊ハ本十日占領地域ヲ確保シ戦場ノ整理ヲナス

Ⅲハ二文字山奥ノ岩山ノ右斜面ニ對シ射撃準備ヲナシオクヘシ』ト

依ッテ大隊長ハ第一中隊ニハ二文字山ヲ第三中隊ニハ奥ノ岩山右斜面ニ對シ射撃準備ヲナスヘク命ス、

十九時十五分聯隊要旨命令ヲ受領ス（要旨命令十月十日十九時）

一、聯隊ハ明拂暁大圓山ヲ攻撃セントス、

二、各火砲部隊ハ概ネ現在地附近ニアッテ大圓山ヲ攻撃シ得ルノ準備ニアルヘシ、

大隊長ハ聯隊要旨命令ニ基キ左記大隊命令ヲ下達ス

左記

迫五作命第三五〇號

迫撃第五大隊命令

十月十日一九、一五
於沙窩西南側高地上

一、聯隊ハ明十一日拂暁大圓山ヲ攻撃ス

之ガ部署ノ概要左ノ如シ

1、Ⅱガ/33iハ直接大圓山ヲ攻撃ス、

2、Ⅲハ其一ヶ中隊欠主力ヲ以テ左松山トガリ山ヲ占領シテ大圓山攻撃部隊ヲ協力シ主力ハトガリ山北側凹地附近ニ集結シ爾後戦果ヲ擴張スル準備ヲナス、

3、Ⅰハ奥ノ岩山及二文字山附近ヲ堅固ニ占領シ歩兵隊右翼ノ據点トナル要スレハ大圓山背後ノ敵ヲ制壓ス、

4、Ⅱハ一部ヲ以テ右側方面ヲ堅固ニ警戒シ主力ハ現在地ニ於テ待機ス、

5、各火砲部隊ハ概ネ現在地附近ニ於テ大圓山攻撃ニ協力ス

二、大隊ハ主力ヲ以テ大圓山ノ攻撃ニ協力セントス、

三、第一中隊ハ大圓山ニ對シ射撃シ得ル如ク準備スヘシ、

四、第三中隊ハ主力ヲ以テ歩兵第一大隊ノ奥ノ岩山及二文字山確保ニ協力一

部ヲ以テ大圓山攻撃ニ協力スヘシ

状況ニ依リ主力ヲ以テ大圓山背後ヲ射撃シ得ル如ク準備スヘシ、

五、各中隊ハ明十一日六時三十分迄ニ諸準備ヲ完了スヘシ、

六、予ハ現在地ニ在リ、

大隊長　幡川少佐

下達法　要旨ヲ各隊ニ傳達シタル後命令受領者ニ口達筆記セシム

二十時明拂暁攻撃ニ關スル要旨命令ノ本命令到達ス（歩三八作命第六〇三號）

大隊ハ昨九日ノ態勢ヲ以テ夜ヲ徹ス、

十月十一日

此ノ日又霧深シ大隊ハ六時三十分準備ヲ完了シアレトモ終日濃霧ノ為

射撃出来ス、又第一線各大隊ハ占領地ヲ確保シテ當面ノ敵情地形ヲ偵察中ナリ、

三浦部隊（Ⅱ/33i）ハ十三時十分大圓山左斜面ヨリ攻撃ヲ開始セシモ大隊ハ霧ノタメ射撃出来サリシヲ遺憾トス、濃霧ヲ利用シテ三浦部隊ハ逐次敵ニ迫リ十四時十五分概ネ大圓山ノ四合目ニ進出シテ敵ト相對峙中ナリ、

十九時歩三八命令ヲ受領ス（歩三八作命第六號ノ一〇三）

命令ノ要旨左ノ如シ

左記

一、前面ノ敵情ハ大ナル變化ナシ

大圓山ニハ一部ノ敵アルモノノ如シ、

二、聯隊ハ引續キ大圓山ニ對シ一部攻撃ヲ實施スルト共ニ岩山附近據点確保ニ任セントス、

三、三浦部隊ハ天頂攻略ニ努ムヘシ、

四、第三大隊ハ三浦部隊ニ追隨シ得ルノ準備ニ在ルヘシ
五、其ノ他ノ部隊ハ現態勢ニ於テ前任務ヲ續行スヘシ
大隊ハ聯隊命令ニ基キ依然現任務ヲ續行シ前日ト同シ態勢ヲ以テ夜ヲ徹ス、

左松山ヘ陣地變換（十月十二日）

十月十二日

1. 矢張リ霧アリ、敵陣地ハカスミテ見ユ
奥ノ岩山一帯及文字山前面ノ敵ハ我ニ撃退セラレタルモ大圓山及ソノ南側地區ニハ未タ相當ノ敵アルモノノ如ク大圓山攻撃ノ三浦部隊ハ其後大ナル進捗ヲ見ス依然敵ト對峙シアリ、
大隊ハ七時諸準ヲ完了シテ射撃ノ時期ヲ待チアル時十一時五十分歩三八命令ヲ受領ス（歩三八作命第六號ノ二〇四）

45

命令ノ要旨左ノ如シ

左記

一、大圓山及其ノ南側地區ニハ相當ノ敵アルモノノ如シ
三浦部隊ハ大圓山手前右斜面ノ敵ニ百五十米前ニ在リ、
二、Rハ大圓山攻撃ノ態勢ヲ整ヘントス、
三、Ⅲハ主力ヲ以テ大圓山西南側附近ヨリ三浦部隊ト協力シテ大圓山ヲ攻略スルノ準備ヲナスヘシ
四、Ⅱハ左松山及トゲリ山北側谷地附近ニ移動シテ大圓山攻撃ノ戰果擴張ニ任シ得ルノ準備ヲナスヘシ
五、Ⅰハ奥ノ岩山水谷山ニ文字山一帯ヲ占領シ右翼ノ據点トナルヘシ
六、RiA及火力部隊ハ左松山一帯ニ對シ主トシテAノ射撃不可態ノ地區ニ對シ射撃ヲ準備シ大圓山攻撃ノ準備ヲナシ得ルノ準備ニアルヘシ其各陣地ハ相互ニ協定スヘシ
大隊長ハ聯隊命令ニ基キ先ツ岩山（水谷山）ニアリシ藤原小隊ヲシテ左松

46

山ニ陣地變換セシムヘキヲ命シ自ラ大隊本部機關ヲ伴ヒ直ニ左松山ニ觀測所ヲ移動ス、霧ノ中ヲ峯又峯ヲ傳イテ十八時左松山ニ到着大隊觀測所ノ位置ヲ決定工事ヲ施ス、
續イテ第三中隊長木幡中尉一ヶ分隊ヲ指揮シ同高地上ニ陣地變換シ大隊長ニ連絡スル所アリ、
相前後シテ聯隊本部此處ニ位置ス、山岳重疊タル山ヲ越エテノ陣地變換ハ多大ノ時間ヲ費シ殆ト前半夜ヲ陣地變換ニ費セリ、
小雨降リテ寒氣ヲ覺エ、夜露ニ濡レツツ天幕下ニ夜ヲ徹ス（別紙要圖其ノ六參照）

38i ヨリ 33i ニ配屬替（十月十三日）

十月十三日

濃霧アリ、前面ノ敵陣地ハカスミテ全然見エス

47

昨夜來聯隊本部ニ連絡中ノ中野軍曹聯隊本部ヲ通シテ第十六師團命令ヲ受領シ九時三十分大隊長ニ渡ス（十六師作命甲第五八九號）
右命令ヲ受領スルヤ大隊長ハ左記大隊命令ヲ下達ス

左記

追五作命第三五一號

迫撃第五大隊命令　十月十三日九、三〇 於左松山

一、10Dハ信陽西側ニ又3Dハ其ノ東方地區ニ進出シ岡田支隊ハ信陽東門ヲ爆破シテ城内ニ進入セリ
13Dノ戰鬪ハ逐次進展シツツアリ、
Dハ新ニ38i(-I)、重榴一中隊、BAs一中隊（一ヶ分隊缺）、LM一中隊、P一小隊右翼隊トシテ大圓山ニ對スル攻撃ヲ歩兵隊（38i主力ヲ缺キ重榴一大隊主力ヲ屬ス）ヲ左翼隊トシテ磨盤山南側高地ニ對スル攻撃ヲ夫々準備ス、
左翼隊ハ38iノI(-1)、LM一中隊ヲ右第一線トシテ第二望樓高地大別臺

48

別紙其ノ六

追撃第五大左松山陣地占領要図

（七月十二日七時ヨリ十八時以後ニ於ケル）

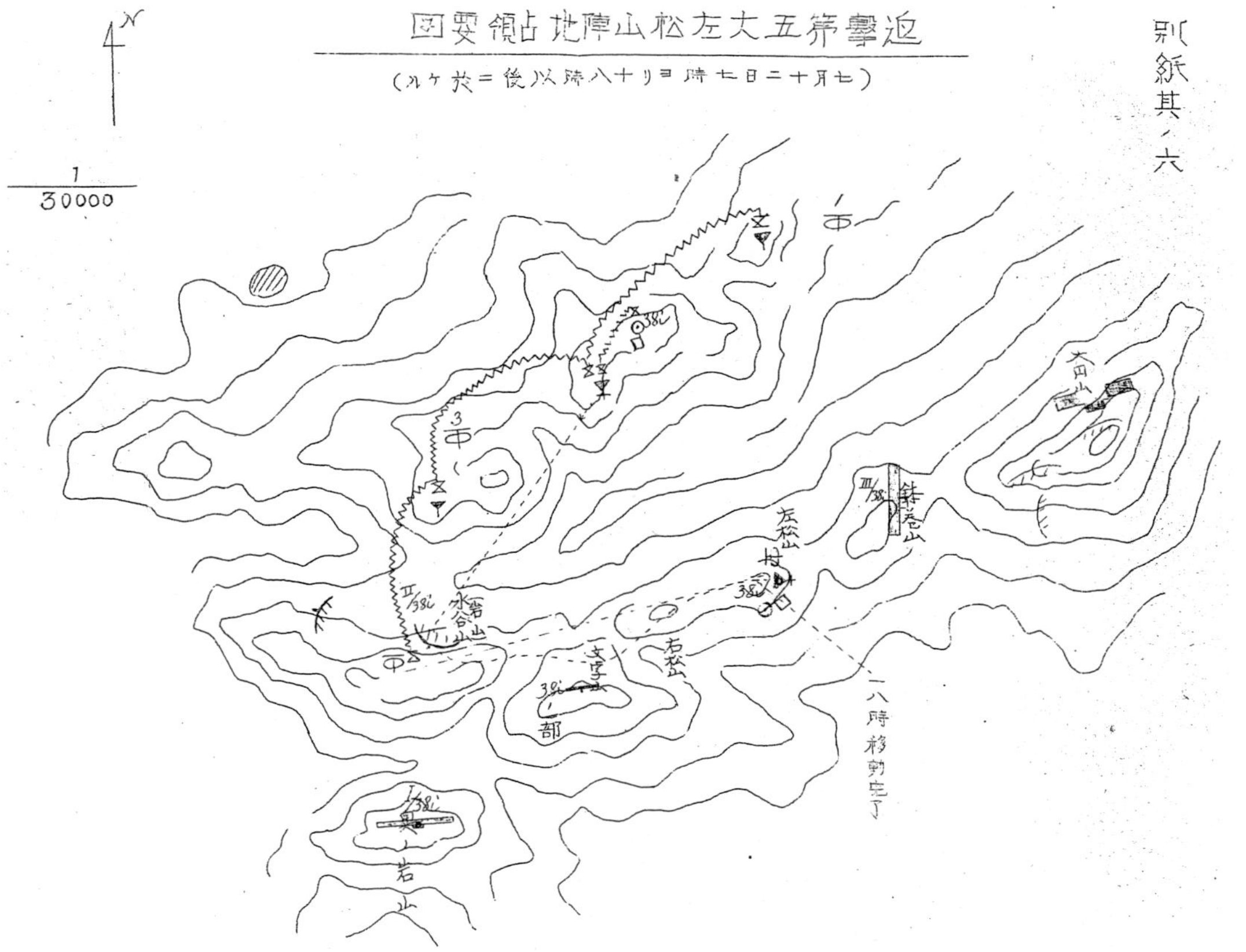

及ニ其ノ北側高地ニ對スル攻撃ヲ331、511（三ヶ中隊缺）BAハ主力ヲ左第一線トシ李家凹西北側高地西山ニ對スル攻撃ヲ夫々準備ス、

二、大隊ハ各一ヶ中隊ヲ右翼隊及左翼隊右第一線大隊ニ主力ヲ以テ左翼隊左第一線聯隊ニ配屬セラレ爾後ノ攻撃ヲ準備セントス、

三、第三中隊ハ右翼隊ニ配屬ヲ命ス、

四、第一中隊ハ左翼隊右第一線大隊ニ配屬ヲ命ス

五、第二中隊ハ爾今予ノ指揮ニ復歸スヘシ、
尚配屬シアリシ大隊段列ノ一部ヲ大隊段列長ノ指揮ニ復歸セシムヘシ、

六、大隊段列長ハ第二中隊ニ配屬シアリシ大隊段列ノ一部ヲ其ノ指揮ニ入ルヘシ、

七、予ハ今ヨリ先ツ左翼隊司令部ニ次テ331本部ニ到ル、

大隊長　幡川少佐

下達法　要旨ヲ逐次各隊長ニ口達シタル後筆記セルモノヲ交付ス

是ヨリ先、大隊長ハ先ツ同高地ニ往リシ第三中隊長ニ命令ノ要旨ヲ口達シ

49

自ラ大隊副官井野中尉、小林中尉傳令山田上等兵ヲ伴ヒ先ツ301Bニ連絡スヘク、他ノ本部書記觀測通信班ハ夫々車廠位置ニ集結後取敢ヘス通信班ハ331本部ニ到ルヘキヲ命シテ左松山ヲ下リ途中折柄陣地偵察中ノ第一中隊長代理伏木中尉ニ遭ヒテ中隊長ニ大隊命令ノ要旨ヲ口達シタル後十二時三十分沙窩ニ到着、ソレヨリ小林中尉ハ第二中隊長代理三田寿中尉ニ命令ノ要旨ヲ傳フヘキヲ命シ、大隊長ハ大隊副官ヲ伴ヒ301B連絡次テ331ニ連絡ス

連絡ノ際受領セシ左翼隊命令及歩三三命令別紙附録歩三〇旅團作命甲第四九八號及ヒ歩三三作命甲第三八九號ノ如シ

十六時331本部ニ到レル小林中尉ヲ伴ヒテ磨盤山北麓一軒家ニ位置シ尚左松山ヨリ車廠位置ニ集結スル筈ノ本部書記通信觀測班及傳令ヲ同地ニ招致スヘク第二中隊ヨリ地形ヲ知レル兵一ヲ連絡セシム、日既ニ暮レテ朝カラ猛雨ニ道路ハ悪ク且夜暗ノ為メ道路不明瞭ナリ、

二十三時三十分漸ク本部指揮機關同地ニ到着、其ノ儘夜ヲ徹シ明日ノ

50

陣地占領ノ準備ヲナス、

磨盤山附近ノ戰闘（自十月十四日至十月十八日）

十月十四日

1. 右翼隊及左翼隊右第一線ニ關スル戰闘詳報ハ別冊第三第一中隊戰闘詳報ニ依ル、

2. 33i本部ニ連絡ノ爲殘リシ第二中隊今井軍曹左記歩三三命令ヲ受領シ二時大隊本部ニ到ル（歩三三作命甲第三九〇號）

命令ノ要旨左ノ如シ

左　記

一、迂回隊ハ昨十三日十七時六〇〇三西側高地ノ敵陣地ヲ占領セリ

二、左翼隊ハ本十四日A、ノ射撃ニ引續キ攻撃前進ヲ開始シ當面敵陣地ヲ占領スル企圖ヲ有ス

A隊ノ戰闘計画ノ概要別紙ノ如シ

三、R、ハ本十四日夷ニ攻撃準備ヲ進メA隊ト協力シ先西山附近ノ敵陣地ヲ奪取セントス

四、第一線各大隊ハ本十四日一四〇〇迄ニ攻撃準備ヲ完了シA隊ノ射撃ニ連繫シ夫々所命ノ点ニ向ヒ前進スヘシ

五、BA大隊ハ砲兵隊ノ射撃ニ連繫シ適時射撃ヲ實施スヘシ

六、LM大隊ハ前任務ヲ續行スヘシ

大隊長ハ聯隊命令ニ基キ左記大隊命令ヲ下達ス

追五作命第三五二號

追撃第五大隊命令

十月十四日一二時三〇分
於磨盤山北側

一、狀況聯隊ノ企圖及部署歩兵第三三聯隊命令第三九〇號ノ如シ

二、大隊（第一第三中隊缺）ハ左翼隊左第一線タル33iニ配屬セラレ磨盤山南側高地ニ對スル攻撃ヲ準備セントス、

三、第二中隊（田沼中尉ノ指揮スル一ヶ分隊缺）ハ現在地ニ在リテ西山以西ノ地區ニ對シ今十四日正午迄ニ射撃準備ヲ完了スヘシ、

尚砲側ニハ少クモ彈藥二〇〇發ヲ集積スヘシ、

四、田沼中尉ハ一分隊ヲ指揮シ今十四日正午迄ニ磨盤山北麓ニ到リ磨盤山上ニ陣地占領ノ準備ニ在ルヘシ

彈藥ハ少クモ六〇發ヲ携行スヘシ

五、大隊段列長ハ今十四日其ノ主力ヲ以テ第二中隊ノ彈藥集積及田沼小隊陣地占領ニ援助スヘシ

六、通信班ハ第二中隊主力、田沼小隊、歩兵第三十三聯隊本部ト大隊本部間ニ通信網ヲ構成スヘシ

七、予ハ暫ク現在地ニ在リ

今十四日十時岩山ニ到リ次テ磨盤山ニ到ル第二中隊長ハ十四日十時岩山大隊長ノ許ニ到ルヘシ

大隊長　幡川少佐

下達法　要旨ヲ口達シタル後筆記セルモノヲ交付ス、

大隊長ハ大隊副官以下本部指揮機關ヲ伴ヒテ九時出發十時岩山ニ到リテ同高地ニテ聯隊ニ會ヒ歩兵大隊長ト共ニ敵陣地ノ狀況射撃ニ關スル協定其ノ他所要ノ連絡ヲナシ　同時大隊長ノ許ニ到リタル第二中隊長代理三田寺中尉ニ射撃其他ノ指示ヲ與ヘ　磨盤山ニ到リ更ニ前方ノ敵狀ヲ觀察シタル後大隊觀測所ヲ山頂ニ撰定シ夫々所要ノ工事ヲ為サシム、次ニ田沼中尉ハ砲門ヲ駄馬ニテ搬送同高地上ニ於テ大隊長ヨリ細部指導ヲ受ケ陣地占領ノタメ工事所要ノ施設ヲナス、

2. 十二時四十分歩三三命令ヲ受領ス（歩三三作命甲第三九一號）

命令ノ要旨左ノ如シ

左　記

一、攻撃開始ハ明十五日早朝ト決定セラル、

二、聯隊ハ本十四日攻撃準備ヲ續行シ明十五日朝敵陣地ヲ奪取セントス

三、第一線各大隊ハ明拂曉迄ニ攻撃準備ヲ完了スヘシ

四、爾餘ノ諸隊ハ前任務ヲ續行スヘシ。
大隊長ハ聯隊命令ニ基キ左ノ大隊命令ヲ下達ス。

迫五作命第三五三號

迫擊第五大隊命令

十月十四日十三時〇分
於磨盤山上

一、攻擊開始ハ明十五日早朝ニ變更セル
二、大隊ハ本十四日攻擊準備ヲ續行シ明拂曉迄ニ諸準備ヲ完了セントス
三、各隊ハ明十五日拂曉迄ニ諸準備ヲ完了スヘシ。
尚本十四日中ニ彈藥ヲ更ニ左ノ如ク砲側ニ集積スヘシ。
第二中隊主力　一〇〇發
田沼小隊　三〇發
四、予ハ日没迄ハ磨盤山頂ニ在リ。
爾後同山北麓部落ニ位置ス。

55

大隊長　幡川少佐

下達法　命令受領者ニ口達筆記セシム。

引續觀測所ノ設備ト工事ヲナス。同高地ハ敵迫擊砲ノ目標ニシテ彈痕鮮カニ附近ニ集中シアルヲ見ル。

依ッテ砲彈ヲ顧慮シテ堅固ナル掩蓋ヲ設ケント着々工事ヲ進メツツアル時十六時敵迫擊ノ發見スル所トナリ、数彈ノ射擊ヲ受ケタリ。幸我ニ損害ナシ。

依ッテ既ニ射擊準備ヲ完了シアリシ田沼小隊ヲシテ之ヲ制壓セシム。効果アリテ其ノ後敵ハ射擊セス。

大隊ハ十七時三十分準備ヲ完了セリ。大隊長ハ第二中隊主力及田沼小隊ヲシテ努メテ敵迫擊砲陣地ヲ確認スルト共ニ夜間射擊ノ準備ヲナシ同地ニ於テ夜ヲ徹スヘキヲ命シ、大隊本部ハ磨盤山北麓部落ニ到リ夜ヲ徹ス。

此ノ日ニ於ケル彼我ノ態勢及大隊陣地占領別紙要圖其ノ七ノ如シ。

3.

56

別紙　其七

迫擊第五大隊磨盤山附近ノ陣地占領要圖
（十月十四日十二時卅分ヨリ同日夜ニ於ケル）

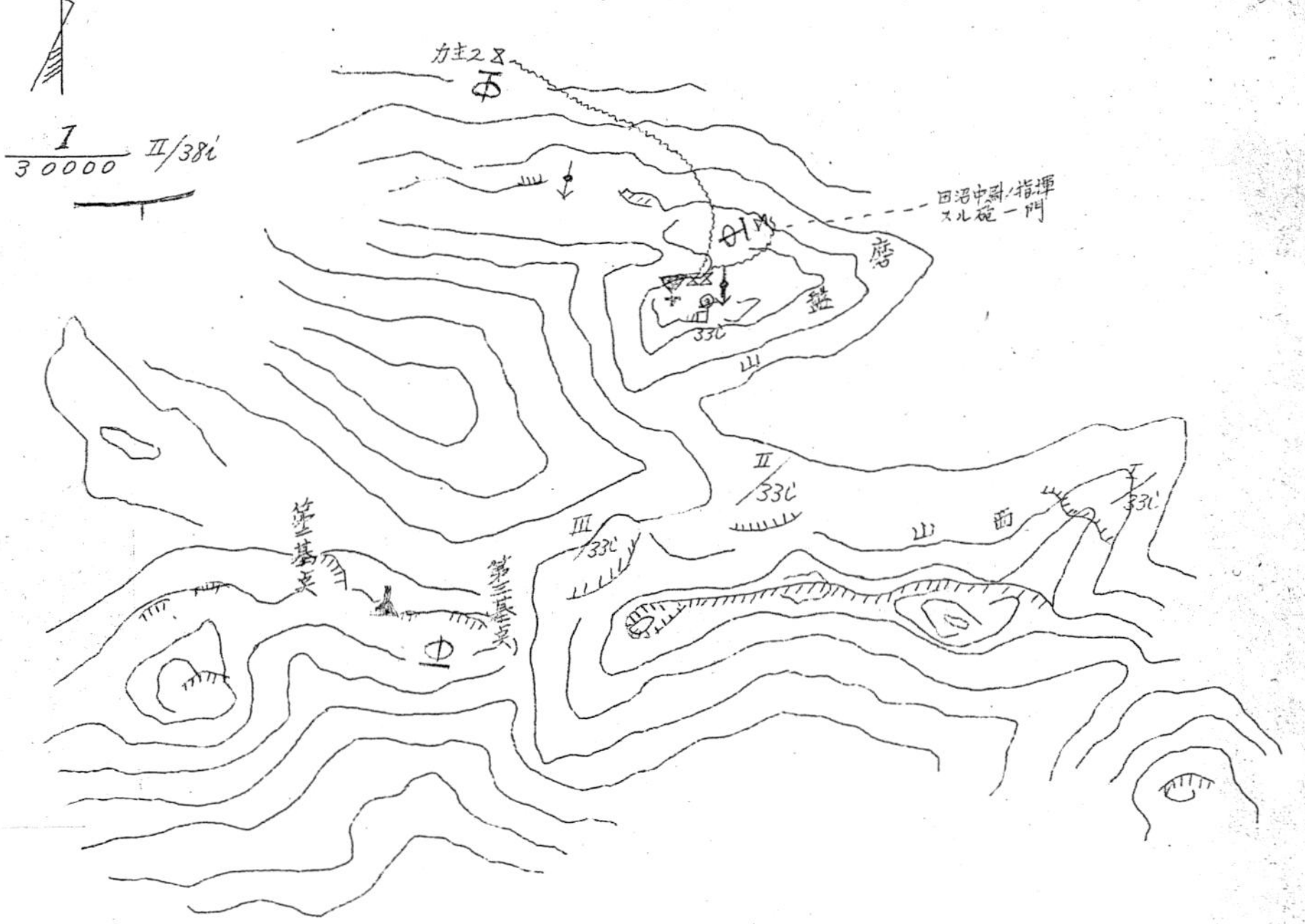

十月十五日

1. 早朝ヨリ小雨降ル七時大隊本部ハ磨盤山観測所ニ位置ス當面ノ敵状變化ナシ同時中隊モ射撃準備ヲ完了セリ

2. 九時十分第一線歩兵ハ當面ノ敵陣地ニ對シ攻撃ヲ開始セリ

第三基点附近ノ敵迫撃砲ハ我一線部隊特ニ第三大隊ノ攻撃ヲ妨害セシニヨリ第二中隊主力ヲシテ該陣地ニ榴弾射撃ヲナシテ之ヲ制壓シ續イテ九時五分田沼小隊ニハ第三基点ノ敵陣地ヲ射撃セシム

敵ハ我カ砲ノ射撃絶ユルヤ暫クシテ再ヒ射撃ス

331長ハ該迫撃砲コソ連日我ヲ惱マセシモノニシテ我カ攻撃ヲ妨害スルコト甚シ努メテ之カ撲滅ヲ希望ス

十時二十分ヨリ砲兵隊ハ當面ノ敵陣地要点ニ對シ破壊及制壓射撃ヲ開始セリ

大隊ハ十時四十五分ヨリ第三基点附近ノ敵迫撃砲陣地ニ對シ或ハ榴弾ヲ以テ或ハ赤弾ニヨリ徹底的ニ射撃シ之ヲ撲滅セスンハ止マス猛射ヲ浴セタリ敵ハ

完全ニ撲滅セラレタルモ一部ハ我カ適確ナル猛射ニ耐エス逐ニ變換セシモノノ如シ

大隊ハ動揺セル敵迫撃砲陣地ニ對シ機ヲ失セス引續キ射撃ス砲兵射撃ト我カ砲ノ制壓射撃ノ下ニ第一線大隊ハ逐次攻撃前進シ敵至近ノ距離ニアリテ對峙スヤヤ暫クシテ再ヒ砲兵ノ突撃支援射撃ノ下ニ第三大隊ハ猛烈ナル敵火ヲ冒シテ磨盤山南方高地ノ敵陣地ニ突入ス大隊ハ同時全力ヲ以テ新ニ援助セル敵迫撃砲ヲ制壓シ第一線歩兵ノ突撃ニ協力セリ

第三大隊ノ約一ヶ分隊ハ一旦頂上ヲ占領セシモ敵ノ猛烈ナル手榴弾ヲ浴ヒ且反撃續カサル為メ逐ニ支ヘ切レス無念ニモ退キ敵至近ノ距離ニアリテ對峙ス時ニ十七時二十分敵頑強ニシテ依然抵抗ヲ持續シアリ

我カ弾藥中其ノ二乃至三割ハ不良弾不發弾アリテ發射速度ニ稍遺憾ノ点ナキニシモ非ス

再三再四ノ我猛攻モ大ナル進展ヲ見ス

大隊ハ日没迫依然敵状ヲ監視シ適時敵迫撃砲ヲ制壓シ敵ヲシテ射撃スルノ餘裕ヲ與ヘサリキ

十六時聯隊ハ現態勢ヲ以テ夜ヲ徹シ明拂曉攻撃ヲ再興ストノ聯隊ノ企圖ヲ知リ大隊長ハ第二中隊主力及田沼小隊ニ夫々聯隊ノ企圖ヲ知ラシメ夜間射撃ノ準備ヲナスヘキヲ命シ日没後大隊本部ハ磨盤山北麓一軒家ニ到リ現態勢ヲ以テ夜ヲ徹ス

3. 此ノ日ニ於ケル戰闘經過ノ大要別紙要圖其八ノ如シ

4. 本日ノ射耗弾左記ノ如シ

榴弾	一二六
特種弾	一二三
合計	二四九

十月十六日

1. 前日ヨリ聯隊本部ニ在リテ連絡ニ任シアリシ中野軍曹二時二十分左記歩三三命令ヲ受領シ來ル（歩三三作命甲第三九二號）

命令ノ要旨左ノ如シ

左記

一、右翼隊ハ十五日十七時大圓山最高峯ヲ占領シ引續キ戰果ヲ擴張中ナリ

迂廻隊ハ610.2高地一帯ヲ占領シ犀牛望月附近ノ敵陣地ニ對シ攻撃準備中ニシテ左側支隊ハ洪店ニ進出セリ

師團ハ有力ナル一部ヲ以テ余家集—洪店—両路口方向ノ退路ヲ遮断スルト共ニ本十六日主力ヲ以テ依然攻撃ヲ續行ス之カ為91長ハ主力十榴一中隊ヲ基幹トスル部隊ヲ指揮シ速ニ新ニ左側支隊トナリ主トシテ余家集—洪店—両路口道以北地區ヲ敵ノ退路ヲ遮断ス

二、左翼隊（十榴中隊ヲ除ク其ノ他ノ兵力元ノ如シ）ハ本十六日西山附近ノ敵ニ對シ攻撃ノ續行ヲ企圖ス

三、聯隊ハ本十六日更ニ態勢ヲ整ヘタル後西山附近ノ陣地奪取ヲ再興セシ

別紙其八

迫撃第五大隊磨盤山附近戦斗要図

（十月十五日七時ヨリ十六日夜ニ於ケル）

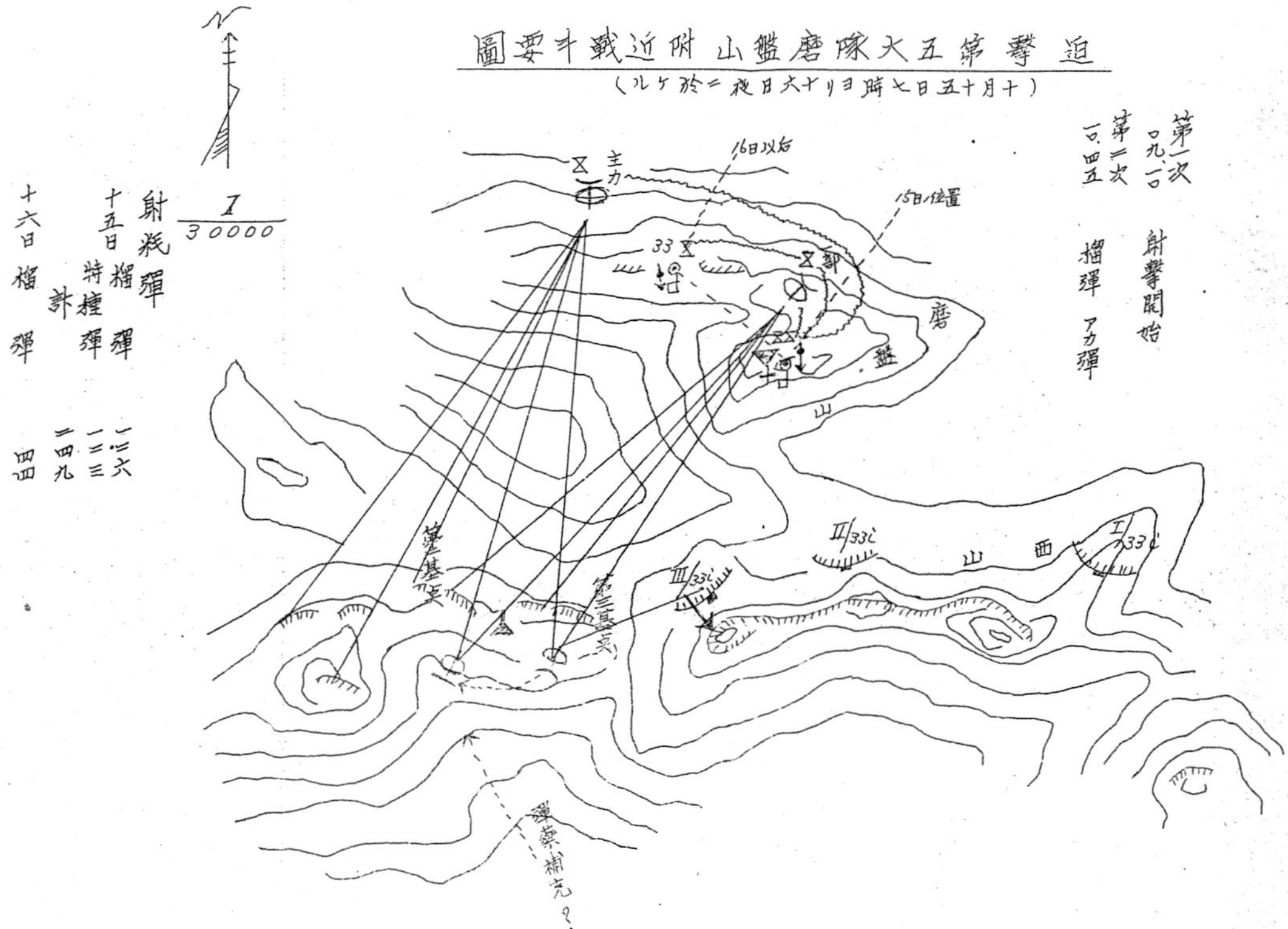

トス

四、Ⅲハ本十六日隊伍ヲ整頓シ攻撃準備ヲ整ヘ突撃再興ヲ準備スヘシ

五、Ⅰハ一部ヲ以テ揚家寨ヲ占領シ迂廻隊ト協力スルト共ニ主力ヲ以テ磨盤山南方地区ニ対スル攻撃ヲ準備スヘシ

六、LM大隊ハ依然主トシテ敵ノ迫撃ヲ求メテ之ヲ制圧スヘシ

大隊長ハ右命令ニ基ツキ左ノ大隊命令ヲ下達ス

2.

迫五作命第三五四号

迫撃第五大隊命令

十月十六日二時三十分
於磨盤山北麓部落

一、状況及ヒ聯隊ノ企図並ニ部署別紙331命令第三九二号ノ如シ

二、大隊ハ本十六日依然現陣地ニ在リテ敵ノ迫撃砲ヲ求メテ之ヲ制圧セントス

三、各隊ハ現陣地ニ在リテ前任務ヲ續行スヘシ
尚各砲側ニ弾薬ヲ少クモ左ノ如ク集積スヘシ

第二中隊主力　二〇〇
田沼小隊　一〇〇

四、通信班ハ本払暁迄ニ磨盤山上大隊観測所ヲ基点トシ岩山歩兵聯隊本部トノ間ニ電話網ヲ架設スヘシ

五、予ハ払暁迄ニ山上観測所ニ到リ同所ニ位置ス

大隊長　幡川少佐

下達法　命令受領者ニ口達筆記セシム

3.

大隊以下七時四十分磨盤山上観測所ニ到リ前面ノ敵情ヲ偵察ス通信班ハ既ニ聯隊本部間ニ電話網ヲ架設シ終レリ中隊又諸準備ヲ完了シ機ノ熟スルヲ待テリ敵ハ昨十五日ニ比シ沈黙シアルノ状態ナリ

大隊長ハ第二中隊主力及ヒ田沼小隊ヲシテ夫々第三基点附近ノ敵迫撃砲陣地ニ対シ適時射撃セシメ又大隊観測所ハ之カ射撃ヲ指揮シ或ハ援助ス

61

62

朝カラノ小雨勝ノ天候ノ為メカ第一線各大隊ハ十三時稍々過トナルモ更ニ攻撃前進ノ模様ナキニ依リ大隊長ハ小森中尉ヲシテ聯隊ニ連絡セシメ聯隊ノ企圖ヲ問ニ『聯隊ハ依然攻撃ノ企圖ヲ有スルモ本十六日ハ第一線各大隊ノ部署態勢ヲ整ヘ更ニ砲兵トノ綿密周到ナル協定ノ結果明早朝攻撃ヲ實施スル予定ナリ』ト。

4 十五時四十分左記歩三三命令ヲ受領ス（歩三三作命甲第三九三號）

命令ノ要旨左ノ如シ

左記

一、聯隊ハ本夜現在ノ態勢ヲ以テ夜ヲ徹セントス。

二、第一線各大隊ハ現在ノ態勢ヲ以テ夜ヲ徹スヘシ。

三、追撃大隊ハ日没迄現任務ヲ續行シ後現在地ニ於テ夜ヲ徹スヘシ。

5. 大隊長ハ右命令ノ要旨ヲ電話ニテ第三中隊長代理三田寺中尉及田沼中尉ニ傳達シ所要ノ指示ヲ與ヘタル後日没後磨盤山北麓一軒家ニ到リ現態勢ヲ以テ夜ヲ徹ス。　敵モ一般ニ沈默シアリ。

63

6. 十五日ヨリ十六日ニ至ル戰闘經過並ニ十六日夜ニ於ケル態勢別紙要圖其ノ八ノ如シ。

7. 本日射耗彈左ノ如シ

第三中隊主力	榴彈	二八
田沼小隊	榴彈	一六
合計		四四

8. 人馬　異狀ナシ

十月十七日

1. 三時三十分歩三三聯隊命令ヲ受領ス（歩三三作命甲第三九四號）

命令ノ要旨左ノ如シ

左記

一、右翼隊ハ十五日大圓山西部高地ヲ奪取シ引續キ戰果ヲ擴張シ且ツ同日夕大圓山東側斜面方向ヨリ逆襲ヲ企圖セシ敵ヲ撃退

64

シ一擧ニ大圓山一帶ヲ確實ニ占領シ十六日殘敵ヲ掃蕩ス。

左側支隊ハ十六日八時ヨリ余家集發高店―西路口方面ニ前進ス。迂廻隊ハ十六日十時三十分小岩（揚家寨東南三粁）東南約五百米閉鎖曲線高地ヲ占領シ犀牛望月ニ對スル攻撃ハ有利ニ進展シツツアリ。

師團ハ本十七日西側地區ヨリ戰果ノ擴張ヲ期ス。

右翼隊ハ本十七日大圓山一帶ノ敵ヲ掃蕩シ完全ニ同高地ヲ占領スルト共ニ大別富士及西山高地ノ攻撃ニ協力スルノ準備ヲナス。

迂廻隊ハ犀牛望月附近ノ敵陣地ヲ攻畧シ左側支隊ハ速ニ當面ノ敵ヲ撃破シテ敵ノ退路ヲ遮斷スル筈。

A隊ハ本十七日約一大隊ヲ以テ右翼隊ノ戰果擴張ニ協力スルト共ニ約一大隊ヲ以テ迂廻隊ノ犀牛望月及李家山南側高地ノ攻撃ニ協力スルノ準備ヲナス。

P隊ハ現任務ヲ續行シ他ノ一中隊ヲ以テ右翼隊ノ戰果擴張特ニ大

65

別富士及西山方向ニ對スル攻撃ニ協力ス。

左翼隊ハ本十七日現態勢ヲ以テ攻撃續行ノ準備ヲナス。

左翼隊第一線部隊ハ右翼隊ノ掃蕩ニ連繫シ成可ク前方ニ地利ヲ確保スルニ努ムヘシ。

十榴大隊ハ現在地ニ於テ現所屬ニ復歸ス。

二、聯隊ハ本十七日現態勢ヲ以テ攻撃續行ノ準備ヲナサントス。

三、第一線各大隊ハ現態勢ヲ以テ攻撃續行ノ準備ヲナスヘシ。

四、爾餘ノ諸隊ハ依然現任務ヲ續行スヘシ。

2. 大隊長ハ右命令ニ基キ本十七日早朝磨盤山上大隊觀測所ニ到リ七時三十分大隊ハ諸準備ヲ完了セリ。

敵ハ昨夜來全線ニ亘リ大動搖ヲ來シ其ノ大部ハ退却ノ徴アリ此ノ狀況ヲ看破セル第一線各大隊ハ敢然攻撃ヲ開始シ特ニ再度敵陣地ニ突入格闘セシモ敵彈集中下ニアリテ占領シ難ク至近ノ距離ニアリテ對峙シアリシ西山堅陣モ我猛攻ニ遭ニ遂ニ抵抗ヲ斷念シ該陣地ヲ放棄セシモノノ如ク第三大隊

66

七時五十分之ヲ占領シ相次テ第一大隊ハ九時已分磨盤山南方高地ヲ完全ニ占領セリ。各大隊ハ更ニ戦果擴張中ナリ。是ニヨリ敵ノ精鋭カ天成ノ嶮峻ト武漢防衛ノ最後的抵抗トニヨリ死守セシ大別山脉ノ敵堅陣モ遂ニ敵ヲシテ放棄セシメ大別山系突破ノ動因ヲナシタリ。大隊ハ数日前ヨリ磨盤山最高峯ニ在リテ第一線各大隊ニ協力、最モ我カ第一線部隊攻撃ヲ妨害セシ敵迫撃砲陣地ヲ常ニ制壓シ西山及磨盤山南方高地ノ攻撃ニ當リテハ密ニ連繋シ之カ戦闘ニ協力セリ。

3. 西山一帯ノ高地占領セルニヨリ大隊ハ前方ニ陣地ヲ前進セント田沼小隊ニ其ノ準備ヲナサシメツツアル時十時左記要旨命令ヲ受領ス

左記

要旨命令

一 聯隊ハ吊橋灣、李家凹ニ向ヒ追撃セントス（部隊ノ態勢現在ノ如シ）

二 追撃大隊ハ成ルヘク速ニ前方ニ陣地ヲ推進スヘシ

4. 大隊長ハ直ニ田沼小隊ヲシテ陣地變換セシメ次テ第二中隊主力ヲ前方ニ推進

セシム。

第一線各大隊ハ大ナル敵ノ抵抗ヲ受クル事ナク有利ニ進捗十一時已ニ西山及ヒ磨盤山南方高地一帯ノ掃蕩ヲ終リ引續キ戦果擴張中ナリ。

十一時四十分田沼小隊ハ分解搬送ニヨリ其ノ一分隊ヲ西山西北麓附近ニ陣地變換ス。之レヨリ先西山最高峯ニアリテ前面ノ敵状ヲ偵察シアリシ大隊観測所ハ本道ヲ破求店方向ニ退却スル敵部隊ヲ發見、大隊長ハ田沼小隊ヲシテ之ヲ射撃セシムヘク大隊観測所田沼小隊間ニ電話網架設ヲ命シ大隊副官井野中尉ヲシテ直接之レカ射撃ヲ指揮セシム。第二中隊主力ハ三田寺中尉之レヲ指揮シ主トシテ大圓山後方凹地ヲ射撃ス。

歩兵大隊ハ益々有利ニ進展シツツアリ。大隊ハ第一線ノ進捗ニ伴ヒ更ニ陣地ヲ前方ニ推進セシムル為メ十七時稍々過田沼小隊ノ陣地ヲ吊橋灣東北方約一粁附近ニ陣地變換準備ヲ命シ日没迄大隊長ハ射撃ニ關スル適切ナル指示ヲナシ後吊橋灣東北方無名部落ニ到ル。二十時頃中隊長代理三田寺中尉及田沼中尉大隊長ニ連絡シ明十八日ニ關スル指示ヲ受ケ夫々之レ

ク準備ヲナス。

陣地變換ハ總テ深谷且急坂ナル峯ヨリ峯ヘノ山地ニ於ケル分解搬送ニ依ルモノニシテ駄馬ヲ使用セシモ中隊長以下ノ勞苦ハ極メテ大ニシテ且多大ノ時間ヲ費セリ。之レカ為田沼小隊ノ如キハ全員殆ント休ムノ暇ナク夜間弾薬ノ運搬ヲ實施シ十八日四時漸ク運搬ヲ完了セリ。

5. 此ノ日ノ戦闘經過並ニ十九時迄ノ態勢別紙要圖其ノ九ノ如シ（九時以後大隊ハ吊橋灣東北方無名部落ニ於テ夜ヲ徹ス）

6. 本日ノ射耗彈左ノ如シ

彈種／中隊	第二中隊主力	田沼小隊
榴彈	二四	二五
特種彈	一九	（火焔彈）一〇
合計	七八	

7. 人馬 異状ナシ

十月十八日

1. 三時三十分歩三三命令ヲ受領ス（歩三三作命甲第三九五號）

命令ノ要旨左ノ如シ

左記

一 師團ノ追撃ハ概ネ順調ニ進捗シ第一線各隊ハ近ク敵ニ尾シテ追撃ヲ續行ス。

右翼隊ハ主力ヲ以テ本道西側高地ノ敵ヲ制壓シツツ追撃ス。

迂廻隊ハ犀牛望月附近ノ敵ヲ撃破シ王家山東側高地ヲ經テ小界嶺南側地區ニ向ヒ追撃ス。右側支隊ハ努メテ速ニ洪壬屋箕寨ノ敵ヲ撃破シ両路口北側地區ニ進出シ敵ノ退路ヲ遮斷ス。

A隊ハ依然両翼隊ト協力スルト共ニ明十八日拂曉迄ニ其ノ陣地ヲ推進シ其ノ主力ヲ以テ李家凹南方高地ニ對シ協力スヘシ。一部ヲ以テ犀牛望月ノ敵陣地ニ對シ火力ヲ準備ス。

P隊ハ主力ヲ以テ本道上ノ障害排除ニ努ムヘシ。

別紙其ノ九

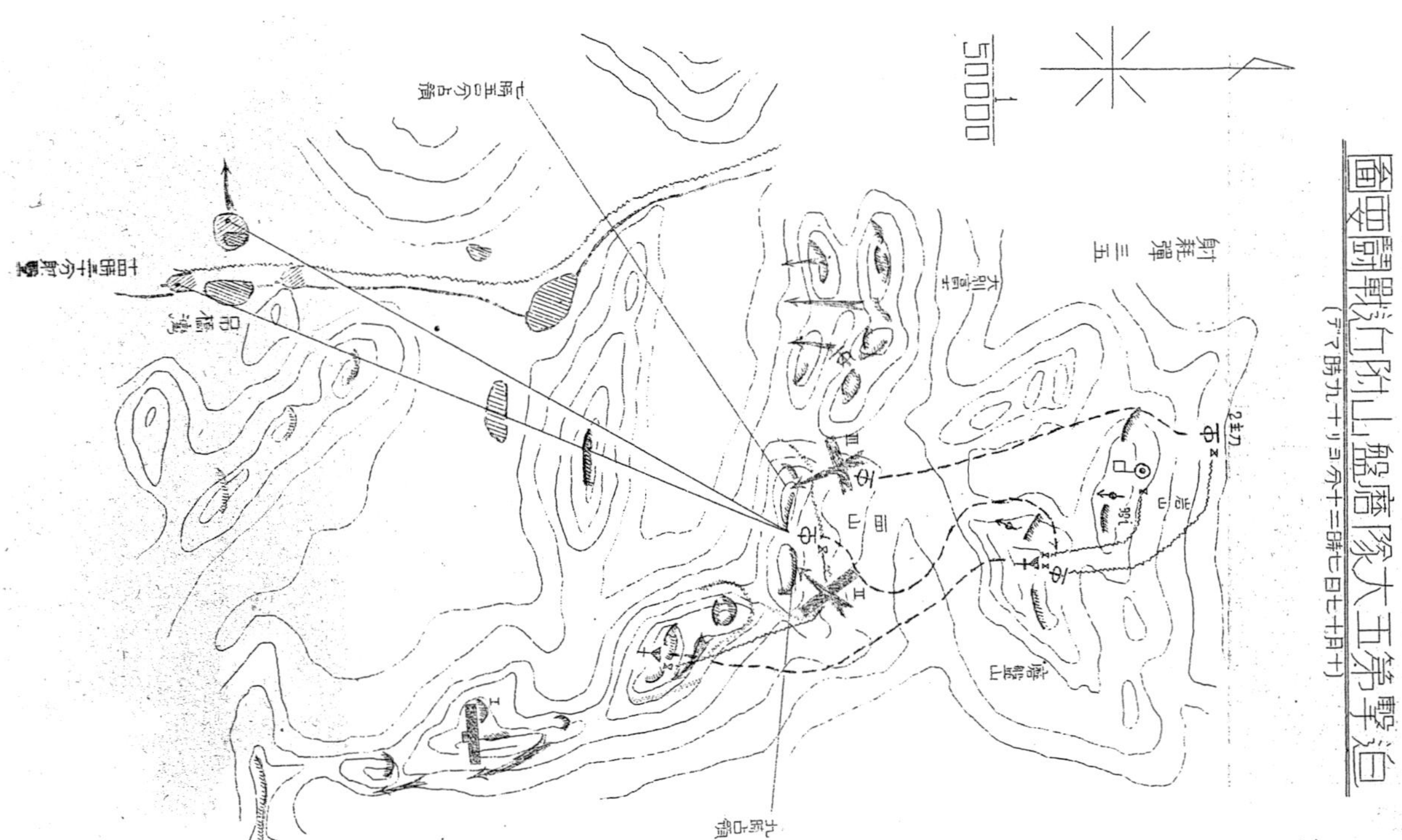

右翼隊ハ現態勢ヲ以テ先行破求店——王家山南北高地ノ線ニ敵ヲ急追ス

右第一線部隊ハ碩子溝方面ヨリ吊橋灣東側高地ヲ經テ先ス破求店ニ向ヒ敵ヲ急追ス

二、聯隊ハ明十八日七時行動ヲ開始追撃續行主力ヲ以テ李家凹西北方高地ヨリ先ス王家山南方高地ニ向ヒ敵ヲ急追セントス

三、Ⅲ配屬部隊如故）ハ當面ノ敵ヲ撃破シ標高四六七、五ノ高地ヲ經テ先ス宋家沖ニ向ヒ敵ヲ急追スヘシ

四、Ⅱ（RiA配屬部隊如故）ハⅠニ協力、先ス李家凹南側高地ノ敵ヲ撃破シ走虎山ヲ經テ王家山南方高地ニ向ヒ敵ヲ急追スヘシ
磨盤山南方高地守備隊ハ李家凹南側高地ヲ奪取後大隊ニ復歸スヘシ

五、Ⅰハ李家凹方向ヨリ其ノ南側高地ノ敵ヲ撃破シ走屋山ヲ經テ王家山南側地區ニ敵ヲ急追スヘシ

71

特ニ迂廻隊ト連繋ニ努ムヘシ

六、RiA中隊ハ先ス主力ヲ以テ李家凹南側高地ノ戰鬪ニ協力爾後王家山ニ向ヒ前進適時Ⅰ、Ⅱ方面ノ戰鬪ニ協力スヘシ

七、LM大隊ハⅢノ後方ヲ躍進シ適時第一線ノ戰鬪ニ協力スヘシ

八、BAs中隊ハ先ス李家凹南側地區ノ戰鬪ニ協力爾後王家山附近ノ戰鬪ニ協力スヘシ

2. 大隊長ハ聯隊命令ニ基キ左ノ大隊命令ヲ下達ス

追五作命第三五五號

追撃第五大隊命令

十月十八日三時二十分
於吊橋灣東北方一粁無名部落

一、狀況及聯隊ノ企圖並ニ部署別紙RiA命令第三九五號ノ如シ

二、大隊ハ歩兵第三大隊ノ後方ヲ躍進シ第一線ノ攻撃ニ協力セントス

三、第二中隊主力ハ現陣地ニ在リテ今十八日天明以後主トシテ第二第三大隊ノ戰鬪ニ協力シ得ル如ク射撃準備ヲ整フヘシ

72

四、田沼小隊ハ今拂曉迄ニ歩兵第三大隊本部後方ニ陣地ヲ推進シ主トシテ第二第三大隊ノ戰鬪ニ協力シ得ル如ク射撃準備ヲ整フヘシ

五、大隊段列ハ本道ノ修理成ルニ伴ヒ本道ヲ逐次躍進シ大隊主力ニ追及スヘシ

六、通信班ハ大隊本部ト第二中隊主力、田沼小隊トノ間ニ通信網ヲ構成スヘシ

七、予ハ天明以後吊橋灣東北高地東端附近ニ在リ
爾後第一線部隊ノ前進ニ伴ヒ吊橋灣東側高地ヲ經テ宋家冲北方高地ニ到ル

大隊長　幡川少佐

下達法　命令受領者ニ口達筆記セシム

3、八時大隊ハ別紙要圖其ノ十ノ如ク新ニ陣地進入シ八時三十分五四六五高地及本道ヲ南方ニ向ヒ退却スル敵部隊ヲ發見シ田沼小隊ヲシテ射撃

セシメ引續キ破求店附近ノ敵陣地ヲ制壓シ更ニ第一第三大隊ノ標高五四六五高地攻撃ニ當リテハ第三大隊ニ協力シ同高地一帶ノ敵及掩蓋ヲ射撃[illegible]準備アリ、

4. 大隊長ハ田沼小隊ヲ直轄シ主力ハ三田寺中尉之ヲ指揮シテ何レモ第二大隊ノ五四六五高地攻撃ニ當リテハ密接ニ之レト連絡シテヨク敵ヲ射撃制壓ス、該方面砲兵ノ射撃思ハシカラス我迫撃砲獨リ之ニ協力シテ第一線歩兵ノ攻撃ヲ容易ナラシメタリ、
十五時四十分331主力李家凹西北側高地ニ對シ突撃ヲ開始スルヤ大隊ハ全力ヲ以テ之レカ突撃ヲ支援シ331主力ノ同高地攻撃ヲ容易ナラシメタリ、
十七時四十分完全ニ之ヲ占領セリ、
日没後大隊長ハ中隊ニ夜間射撃ノ準備ヲ命シタル後大隊指揮機關ヲ伴ヒ吊橋灣東北方約一粁ノ無名部落ニ於テ夜ヲ徹ス、
此ノ日ニ於ケル態勢別紙要圖其ノ十ノ如シ

5. 本日ノ射耗弾左ノ如シ

別紙其十

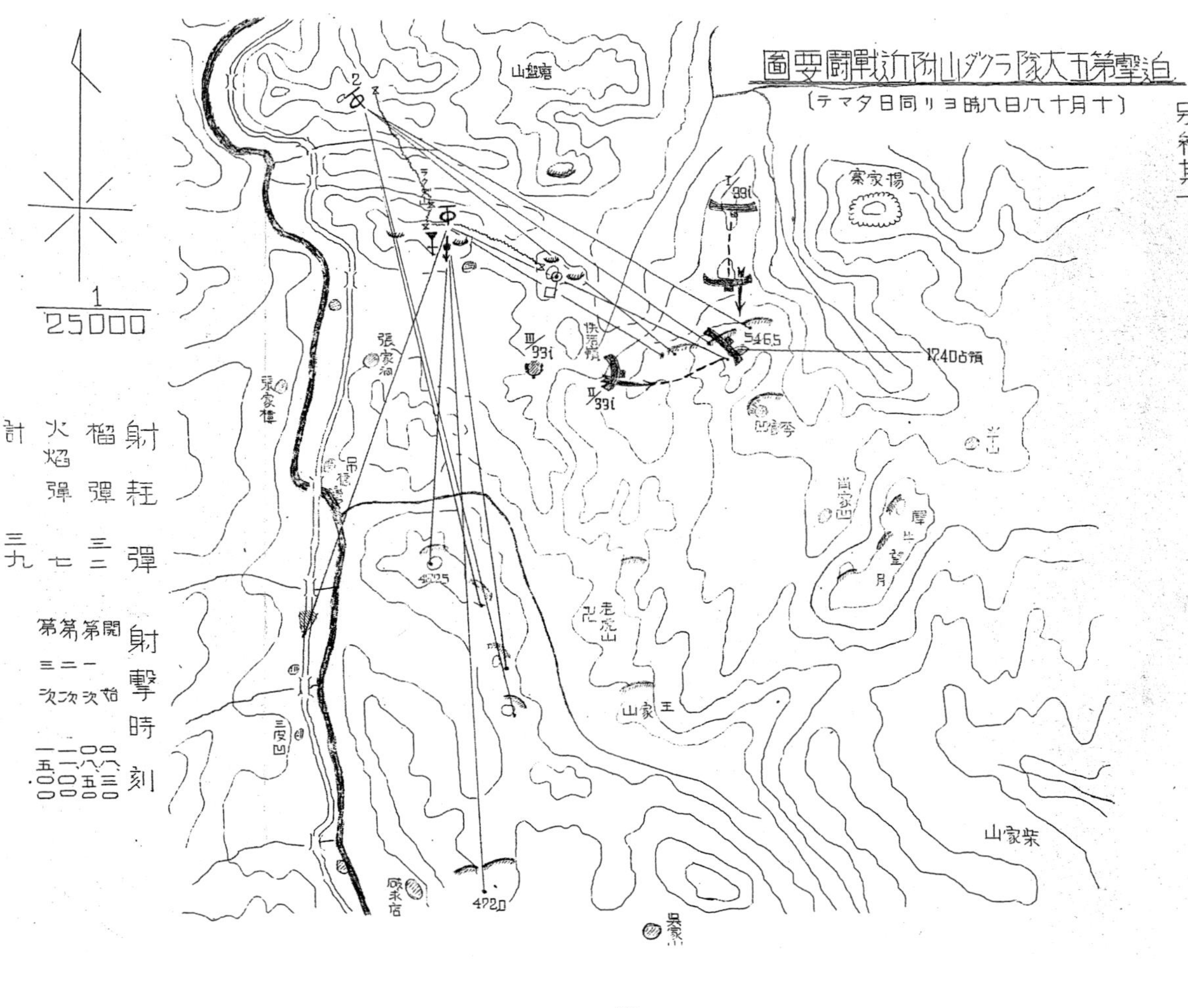

射耗弾

榴弾	火焰弾	計
三二	七	三九

射撃時刻

開始	第一次	第二次	第三次
〇八三〇	〇八五〇	一二〇〇	一五〇〇

彈種＼中隊	第二中隊主力	田沼小隊
榴彈	一〇	二二
火焔彈		七
合計		三九

6、人馬　異狀ナシ

西山附近ノ戰鬪（十月十九日）

十月十九日

1　三時左記步三三命令ヲ受領ス（步三三作命甲第三九八號）

命令ノ要旨左ノ如シ

左記

一、小馬凹地吊橋灣東側大家山東側ノ各高地ハ敵之ヲ占領シアリテ我第一線ハ之ニ近迫シ攻撃中ナリ

75

師團ハ本十九日敵ノ配備完カラサルニ乘シ速ニ當面ノ敵ヲ擊破シ西路口隘地ニ迂廻追擊ス

右翼隊ハ本十九日主力ヲ本道西側山腹ニ沿ヒ進メ所在ノ抵抗ヲ排除シ小思嶺ニ向ヒ追擊ヲ續行ス特ニ白雲山制高稜線ニ沿ヒテ進ミ師團ノ主力ノ進出ヲ容易ナラシメ左翼隊ハ速ニ王家山ノ敵ヲ擊破シテ小思嶺ニ向ヒ敵ヲ追擊續行セントス

迂廻隊ハ十九日砲兵ノ威力ヲ遲滯スルコトナク當面ノ敵ヲ小思嶺ニ向ヒ突進ス

左側支隊ハ本十九日當面ノ敵ヲ擊破シテ西路口北側隘路口ニ於テ敵ノ退路ヲ遮斷ス

凡隊ハ本十九日一部ヲ以テ右翼隊ノ主力ヲ以テ左翼隊ノ追擊ヲ協力ス特ニ本道西側ニ在ル敵ノ側防火器ヲ破壞シ破求店附近ニアル敵砲兵ノ制壓ニ努ムル筈

二、聯隊（配屬如故）ハ本十九日ハ時行動ヲ開始シ速ニ老虎山附近ノ

76

敵ヲ擊破シテ小思嶺ニ向ヒ敵ヲ追擊續行セントス

聯隊ノ攻擊重点ハ老虎山稜線ニ於テ指向ス

第一線大隊ハ依然現在任務ヲ續行スヘシ

三、第三大隊（配屬如故）ハ先ス標高四六七、五高地ノ敵ヲ擊破シテ同高地稜線ニ沿ヒ敵ヲ驅逐シ一部ヲ以テ同高地稜線ニ沿ヒ敵ヲ急追セシメ爾後既ニ命令セシ通リ兵力ヲ集結シ旅團長ノ直轄タルヘシ配屬聯隊砲行動ニ關シテハ既ニ命令セシ通リ

四、第一大隊（配屬如故）ハ第一大隊ニ協力シ先ス老虎山東側稜線ノ敵ヲ擊破シ爾後同稜線西側斜面ヲ先ス王家山南側高地ニ向ヒ敵ヲ急追スヘシ

五、第一大隊ハ第二大隊ト協力シ先ス老虎山稜線ノ敵ヲ擊破シ同稜線最高地ヲ先ス王家山南側高地ニ向ヒ敵ヲ急追スヘシ

特ニ迂廻隊ト連絡ヲ要ス

六、（省略）

七、迫擊第五大隊ハ拂曉迄ニ西山附近ニ陣地ヲ推進シ主トシテ第一第二

77

大隊ノ戰鬪ニ協力スヘシ

八、明中隊ハ依然現在地ニ於テ主トシテ第一大隊ノ戰鬪ニ協力シ第一線ノ前進ニ伴ヒ老虎山北側附近ニ陣地ヲ推進スヘシ

2、大隊長ハ右命令ニ基キ左記大隊命令ヲ下達ス

迫五作命第三五八號

迫擊第五大隊命令

十月十九日　三時二十分
於吊橋灣東側谷地無名部落

一、狀況及聯隊ノ企圖並ニ部署別紙步兵第三三聯隊命令ノ如シ

二、大隊ハ今十九日ハ時迄ニ射擊準備ヲ完了シ聯隊主力ノ攻擊ニ協力セントス

三、第二中隊主力ハ天明後行動ヲ開始シ磨盤山南側最高峯南側凹地附近ニ陣地ヲ變換シ聯隊ノ四五九高地攻擊ニ協力スル如ク準備ヲ整フヘシ

新陣地到着後田沼小隊ヲ其ノ指揮ニ復歸セシム

78

四、田沼小隊ハ本十九日八時迄ニ磨盤山南側最高峯南側凹地ニ陣地變換ヲ完了シ聯隊主力ノ戦闘ニ協力スヘシ、
中隊主力ノ新陣地到着後中隊長ノ指揮下ニ復歸スヘシ、
五、大隊段列ハ本道ノ修理快復スルニ伴ヒ逐次其ノ集結地ヲ前方ニ推進スヘシ、
六、通信班ハ大隊本部観測所ト第二中隊聯隊本部間ニ通信網ヲ構成スヘシ、
七、予ハ八時以後大隊観測ニ在リ、

大隊長　幡川少佐

下達法　命令受領者ニ口達筆記セシム、

3. 大隊長以下八時昨十八日ノ大隊観測所位置ニアリ、同時既ニ田沼小隊ハ新陣地ニ進入射撃準備ヲ完了シ待機ス、依ッテ四六五三高地ノ敵陣地ヲ撃滅スヘク八時三十分射撃ヲ開始ス、

十三時頃ヨリ敵砲弾大隊本部観測所附近ニ飛來ス、明カニ我ヲ射撃シ居レリ、然レトモ大隊長以下観測手ハ尚モ観測ヲ持續シ特ニ敵山砲陣地ト認ムル四六五三高地南方ノ敵陣地ニ對シ章点ヲ指向シ田沼小隊ヲシテ射撃セシム、我カ射撃止メハ再ヒ敵ハ砲撃ヲ開始シ時々我カ附近ニ砲弾落下セリ、
第二中隊主力モ新陣地ニ進入、田沼小隊ヲ其ノ指揮ニ復歸セシム、
更ニ十四時頃ヨリ本部観測所東方凹地附近一帯ニ敵山砲及迫撃砲弾集中落下セリ、大隊ハ該敵陣地ヲ發見セント努メシモ容易ナラサリキ
然レトモ観測セシ敵陣地附近ニ對スル我適確ナル集中射ニ恐レヲナシテカ敵陣地ハ後退セルモノノ如ク十五時以後ハ完ク沈黙セリ、我制壓射撃ノ援護ノ下ニ第一線ハ逐次攻撃前進シ第二中隊ハ之ニ協力ス、十九時概ネ第三大隊後方ニ陣地變換ヲ完了シ當大隊正面ノ敵陣地ヲ射撃ス、
大隊ハ第一線ノ進捗ニ伴ヒ逐次第一第三大隊後方ニ移動シ此ノ日別紙要圖其十一ノ如キ態勢ヲ以テ夜ヲ徹ス、

4. 大隊段列長ハ常ニ大隊長ト連絡ヲ保チテ適時所要ノ弾薬ヲ各中隊ニ

別紙其十一

射撃開始　八三〇
第一次　一三〇〇
第二次　一四〇〇

迫撃第五大隊岩山附近戦闘要圖
（十月十九日八時ヨリ同日夜ニ至ル）

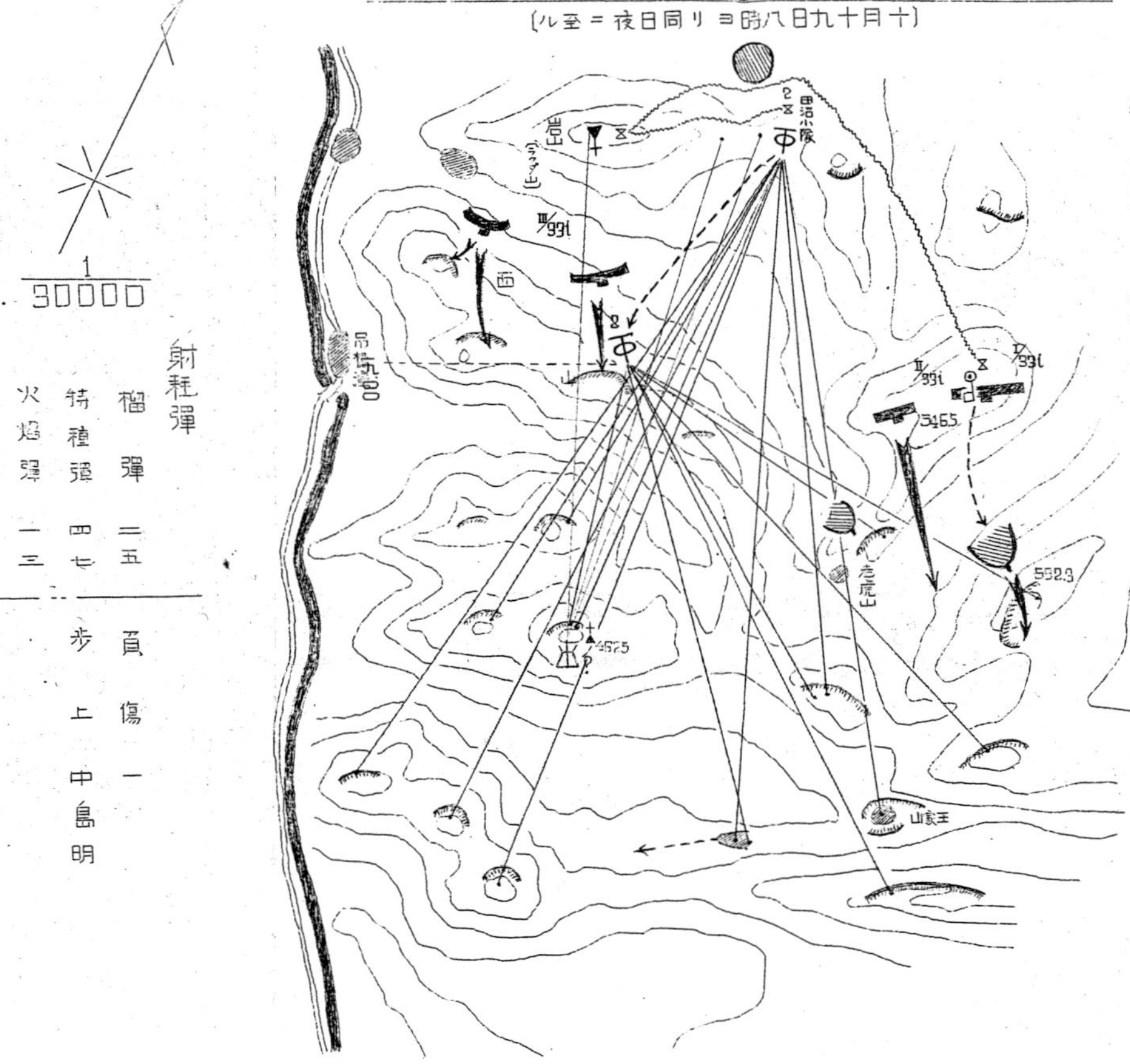

1/30000

射耗弾

榴弾	二五
特種弾	四七
火焔弾	一三
計	八五

負傷一
歩上中島明

補充シ中隊ノ戰闘ニ支障ナキヲ期シタリ。
此ノ日陣地變換ノ爲メ彈藥運搬中第二中隊歩兵上等兵中島明ハ十五時敵ノ遺棄セル手榴彈ノ爲メ左脚ニ負傷セリ。

5、本日ノ射耗彈左ノ如シ。

彈種＼中隊	第二中隊
榴彈	二五
特種彈	四七
火焔彈	一三
合計	八五

6、第二中隊負傷

兵 一

歩兵上等兵 中島明

81

犀牛望月附近ノ戰闘（自十月二十日 至十月二十三日）

十月二十日

1. 三時四十分歩三三命令ヲ受領ス（歩三三作命第三九九號）
命令ノ要旨左ノ如シ。

左記

一、聯隊ハ先ス犀牛望月附近ノ敵陣地ヲ奪取シタル後更ニ追撃ヲ續行セントス。
二、第一大隊ハ本二十日拂曉迄ニ犀牛望月北側稜線北麓附近ニ展開シ犀牛望月ニ進出シ一部ヲ以テ犀牛望月最高峯ヲ確保セシメ主力ハ第二線トナリ第二大隊ノ後方ヲ續行スヘシ。
攻撃前進ノ時期ハ九時ト豫定スルモ別命ス。
三、追撃大隊ハ本二十日拂曉迄ニ李家凹西北高地西側附近ニ陣地ヲ占領シ主トシテ第一大隊ノ戰闘ニ協力スヘシ。

82

2、大隊長ハ右命令ニ基ツキ左ノ大隊命令ヲ下達ス。

迫五作命第三五七號

迫撃第五大隊命令

十月二十日四時〇分
於吊橋灣東北側谷地無名部落

一、情況及聯隊ノ企圖並ニ部署別紙991命令ノ如シ。
二、大隊ハ今二十日九時迄ニ諸準備ヲ完了シ主トシテ歩兵第一大隊ノ戰斗ニ協力セントス。
三、第二中隊ハ現陣地附近ニ於テ主トシテ歩兵第一大隊ノ犀牛望月最高所ノ攻撃ニ協力シ得ル如ク九時迄ニ射撃準備ヲ完了スヘシ
四、田沼小隊ハ天明後李家凹西北側高地西側附近ニ陣地ヲ變換シIノ戰闘ニ協力スヘシ。
五、大隊段列ハ昨十九日豫定ノ如ク行動スヘシ。
本二十日以後下士官一兵四ヲ大隊本部ノ位置ニ差出シ大隊副官ノ指示ヲ受ケシムヘシ。

83

六、通信班ハ大隊本部ト第二中隊主力田沼小隊間ニ新ニ通信網ヲ構成スヘシ。
七、予ハ七時現在地出發李家凹西北側高地ニ到ル、

大隊長 幡川少佐

下達法 命令受領者ニ口達筆記セシム、

3、大隊長以下ハ八時三十分李家凹西北側高地ニ到リ新ニ同高地上ニ觀測所ヲ設ク。同時陣地偵察ノ爲メ先行セル田沼中尉ハ大隊長ヨリ陣地指示ヲ受ケ命ニ依リ先ツ李家凹西北側高地西側附近ニ陣地進入シ先ツ諸準備ヲナス、長距離ニ亘ル陣地變換ト急峻ナル地形及重疊セル山岳ヲ踏破シツツ分解搬送セシ爲多大ノ時間ト勞力ヲ伴フモ將兵ノ士氣益々騰リ速ニ作業ヲ完了セリ。
又第一、第二大隊ノ戰闘ニ密ニ協力スルタメ大隊長ハ第二中隊主力ヲ現在田沼小隊ノ陣地附近ニ到ラシムルニ決シ、中野軍曹ヲ派シテ連絡セシメ且ツ誘

84

導ヲ兼ネシム、十四時中隊主力到着同地ニ陣地進入ス、
第三大隊正面ハ一両日前ヨリ敵稍々活溌トナリ、我カ砲兵ハ射撃少キニ乘シ迫撃砲ヲ以テ第一線ノ占領地域ニ對シ集中射撃ヲナス、然レトモ該方面僅カニ聯隊砲ト山砲一中隊ノ外、敵迫撃砲ヲ制壓スルコト能ハス、而モ死角ヲ利用シ巧ミニ工事ヲ施シ偽装ヲナシアル為メ陣地ノ發見容易ナラス、又發見スレトモ死角内陣地ハ之ヲ射撃スルモ何等効果ナク只切歯扼腕スルノミニテ處置ナシ、斯ル場合我迫撃砲ノミ獨リ制壓シ得ルノ特性ヲ有セリ、即チ我カ砲陣地變換シ來ルヤ聯隊長以下大イニ喜ヒ且期待スルコト頗ル大ナルモノアリ、
十一時三十分頃歩兵ノ第一線附近ニ敵迫撃砲彈盛ニ落下セリ、第一線ヨリハ制壓ヲ依頼シ來ル、大隊長以下大隊觀測所ニアル者悉ク敵陣地ノ發見ニ努メシモ容易ニ見當ラス、
十二時三十五分第一線中隊ヨリ敵迫撃砲陣地ノ位置ニツキ報告シ來リシニ依リ敵陣地ヲ確カメ本部ハ田沼小隊ヲ直接指揮シ該陣地ニ對シ特種彈射撃ヲナシテ是ヲ制壓セシメタリ、目的ヲ達シ暫ク敵ハ沈黙セリ、第一大隊ハ我

砲ノ制壓射撃ヲナシ在ル間逐次犀牛望月最高峯ニ向ヒ攻撃前進シ十五時頂上ヲ距ル約三〇〇米附近ニ前進セリ、
十六時十分再ヒ敵迫撃砲彈落下ス、敵ノ陣地ハ三箇所ニアルモノノ如ク彈着ノ形況ヨリ判斷スルニ二箇所ニアルコト確實ナリ、
田沼小隊ヲシテ是ヲ制壓セシム、十六時二十五分第二中隊主力ヨリ東ニ後方ニ敵迫撃砲陣地ラシキモノヲ發見ストノ報告ニヨリ三田寺中尉ヲシテ之カ射撃ヲナサシム、榴彈一〇發ヲ射耗ス、次テ十七時四十五分犀牛望月要圖其ノ二望ノ字附近ニ敵部隊集結中ナルモノノ如ク同高地稜線ヲ移動セル敵大部此處ニ姿ヲ消ス、大隊長ハ相當多数ノ敵集結中ナリト判斷シ第二中隊主力ニ命シ之ヲ榴彈ニテ射撃セシム、敵ニ與ヘシ損害相當ナラン、此ノ日ノ戰闘經過別紙要圖其ノ三ノ如シ、

4. 十九時陽漸ク暮レテ遠望ヲ許サザルニ至レハ中隊ニ夜間射撃ノ準備ヲナシ現位置ニアリテ夜ヲ徹スル如ク命シ大隊ハ別紙要圖其ノ三ノ如キ態勢ヲ以テ夜ヲ徹ス、

5. 本日射耗彈左ノ如シ

彈種＼中隊	第二中隊
榴彈	四六
特種彈	一一
火焔彈	六
合計	六三

6. 人馬　異状ナシ、

十月二十一日

1. 八時二十分大隊ハ前日ノ配備ニツキテ前面ノ敵情ヲ觀ルニ昨二十日ト大ナル變化ナシ、
此ノ日天氣晴朗ニシテ遠望視界共ニ大ニシテ射彈ノ觀測ニハ極メテ良キ條件ナリ、

大隊長ハ直轄タリシ田沼小隊ヲ中隊主力ニ復歸セシム、
第二中隊ハ八時四十分原点附近ヲ移動スル敵ニ對シ榴彈ヲ射撃ス、十一時三十分頃原点ノ後方ヲ盛ニ見エツ隱レツスル敵兵ヲ認メ原点ニ對シ数發ノ榴彈ヲ射撃シ續イテノ右松林附近ニ敵アルヲ知リ之ヲ射撃ス第一大隊ノ攻撃ヲ側妨スル敵火力ヲ制壓ス、
我カ射撃ノ適時適切ナル協力ノ下ニ第一大隊ハ十二時二十五分犀牛望月最高峯ヲ占領セリ、同時同高地稜線ヲ續々退却スル敵アルヲ認ムルヤ大隊長ハ機ヲ失セス之ヲ射撃セシム、
聯隊本部ハ我カ觀測所ト同高地上ニ在リ聯隊本部ニ在リテ命令ヲ受領セシ佐々木軍曹歩三三命令（歩三三作命第四〇一號）ヲ受領シ十二時五十分大隊長ニ渡ス、
命令ノ要旨左ノ如シ、

左　記

一、第一大隊ハ十二時二十五分犀牛望月ヲ占領シ第三大隊ハ攻撃前進ヲ開始

セリ、

一、迫撃大隊ハ第一大隊ノ犀牛望月最高峯ヲ確保スル迄現在地ニ在リテ敵ノ逆襲ヲ阻止シタル後李家凹南側高地附近ニ陣地ヲ變換シ第二大隊ノ戰鬪ニ協力スヘシ

2. 大隊長ハ右命令ニ基ツキ特ニ犀牛望月右斜面及ヒ反對斜面ニ對シ射撃準備ヲナサシメ十三時向フ斜面ヲ射撃ス、迫撃砲ノ射撃効ヲ奏シ敵ハ逆襲ノ企圖ヲ放棄セシモノノ如ク、十三時十分第一大隊犀牛望月一帯ヲ確保セルヲ認メ本部ハ李家凹南側高地ニ移動ス、三田寺中尉ニハ取敢ヘス砲門ヲ分解搬送ニ依リ李家凹南側高地脚附近ニ陣地ヲ推進セシムヘキヲ命セリ。
十四時十分大隊本部ハ移動ヲ完了シ、觀測所ノ位置ヲ決定所要ノ準備ヲナス
同時第二中隊長ノ指揮スル一部ヲ同高地ニ陣地變換ヲ命ス十五時十分中隊主力ハ田沼中尉之ヲ指揮シアリシヲ以テ大隊長ハ直ニ旗竿高地ヲ射撃セシム
同高地ニハ未タ相當多数ノ敵兵アルモノハ如ク、右往左往移動シアルヲ目撃ス
歩兵第二大隊ハ午ヨリ旗竿高地攻撃ノ部署ヲナス、友軍砲兵ハ時々同高

地上ヲ砲撃ス我大隊モ亦時々射撃ス、逃ケ足立ツタル敵ハ我カ威力ニ恐レ旗竿高地ノ陣地動揺ノ模様アリ、三田寺小隊ハ好機ナリト十四時三十分榴彈ヲ浴セカク、

3. 大隊長ハ日没迄周到ナル敵情監視ヲナシ中隊ニハ夜間射撃ヲ命シタルマヽ十八時三十分大隊本部ハ吊橋灣東北側無名部落ニ至リ別紙要圖其ノ三ノ如キ態勢ヲ以テ夜ヲ徹ス、

4. 此ノ日ノ戰鬪經過要圖別紙其ノ三ノ如シ

5. 本日射耗彈左ノ如シ

彈種＼中隊	第二中隊
榴彈	三七
火焔彈	二
合計	三九

6. 人馬 異状ナシ

十月二十二日

1. 一時五十分歩三三命令ヲ受領ス（歩三三作命第四〇二號）
命令ノ要旨左ノ如シ

左記

一、敵ハ全面的ニ退却ヲ開始セルモノノ如シ
二、第二大隊ハ本二十二日八時追撃ヲ再興シ老虎山南側稜線ニ進出スヘシ
三、第一大隊ハ第二大隊ノ進出ヲ援助シタル後沈上南側高地ニ向ヒ敵ヲ急追スヘシ
四、迫撃大隊ハ現位置ニアリテ先ツ第二大隊ノ戰鬪ニ協力シタル後第一大隊ノ戰鬪ニ協力スヘシ

2. 大隊長ハ右命令ニ基ツキ天明後李家凹南側高地觀測所ニ到リ、中隊ハ又陣地ニアリテ八時三十分諸準備ヲ完了シ時機ノ到來ヲ待ツ、
天氣良シ、第二大隊ハ八時三十分ヨリ旗竿高地ニ對シ追撃ヲ再興ス、大隊長ハ全般ノ敵情ヲ觀察シ八時三十分先ツ旗竿高地後方ノ敵陣地ヲ射撃

セシメ第二大隊ノ攻撃ヲ容易ナラシム、

3. 九時三十分歩三三命令ヲ受領ス（歩三三作命第四〇三號）
命令ノ要旨左ノ如シ

左記

一、第一大隊ハ犀牛望月ニ進出後沈上南側高地―陶家山南側―呉家山東側高地ニ向ヒ敵ヲ急進スヘシ
二、迫撃大隊ハ依然犀牛望月南方ノ敵迫撃砲ヲ求メテ制壓シ爾後一部ハ第二大隊、主力ハ第一大隊ノ戰鬪ニ協力スヘシ

4. 大隊ハ聯隊命令ノ如ク行動シ第一大隊攻撃前進スルヤ旗竿高地後方ノ敵迫撃砲及附近ノ敵陣地ヲ射撃ス、犀牛望月附近ノ殘敵ハ合シテ其ノ兵力約二〇〇ヲ下ラサルモノノ如ク、同高地上ニ在リテ尚抵抗ヲ持續シツツアリ、十三時五十五分第一大隊ハ有利ニ前進シ我カ砲ノ協力ノ下ニ十四時老屋山東南方高地ノ敵ヲ撃退、敵ハ續々退却ヲ開始セルヲ認ムルヤ機ヲ失セス該敵ニ榴彈ノ集中射ヲ浴セカケタリ、敵ハ四分五裂西南方ニ潰乱セリ斯クテ第一大隊

ノ犀牛望月西端高地ヲ占領確保ニ多大ノ効果ヲナセシモノト信ス。

大隊長ハ努メテ弾薬ノ節用ニ重点ヲ置キ必要ナル時機ニハ充分迫撃砲ノ特性威力ヲ発揮スルコトニ留意シツツ大隊観測所ニ在リテ常ニ全般ノ戦闘推移ヲ洞察シ適切ナル射撃命令ヲ下シ時ニハ大隊副官ヲシテ射撃指揮ヲナサシム

5. 日暮レテ大隊ハ現態勢ヲ以テ夜ヲ徹ス。

6. 此ノ日ノ戦闘経過別紙要図其ノ三ノ如シ
本日ノ射耗弾左ノ如シ

弾種＼中隊	第二中隊
榴弾	二〇
火焔弾	一
合計	二一

7. 人馬　異状ナシ

十月二十三日

1. 二時五十分歩三三命令ヲ受領ス(歩三三作命第四四号)
命令ノ要旨左ノ如シ

左記

一、聯隊ハ本二十三日払暁追撃ヲ再興シ陶家山北側高地ノ敵ヲ撃破シ小界嶺ニ向ヒ追撃セントス
二、第一大隊ハ払暁追撃ヲ再興シ陶家山北側高地ノ敵ヲ撃破シ小界嶺ニ向ヒ追撃スヘシ
三、第三大隊ハ第一大隊ノ攻撃ヲ援助シタル後第二線トナリ第一大隊ノ後方ヲ続行スヘシ
四、LM大隊ハ依然現陣地ヨリ第一大隊ノ攻撃ニ協力シ特ニ第一大隊ノ陶家山攻撃ニ当リ其ノ稜線ヨリ敵ノ行フ逆襲ヲ阻止スヘシ

2. 大隊長ハ聯隊命令ニ基ツキ左記大隊命令ヲ下達ス

別紙其ノ三

迫撃第五大隊犀牛望月附近戦闘要図
(十月二十日八時三十分ヨリ十月二十二日夜ニ至ル)

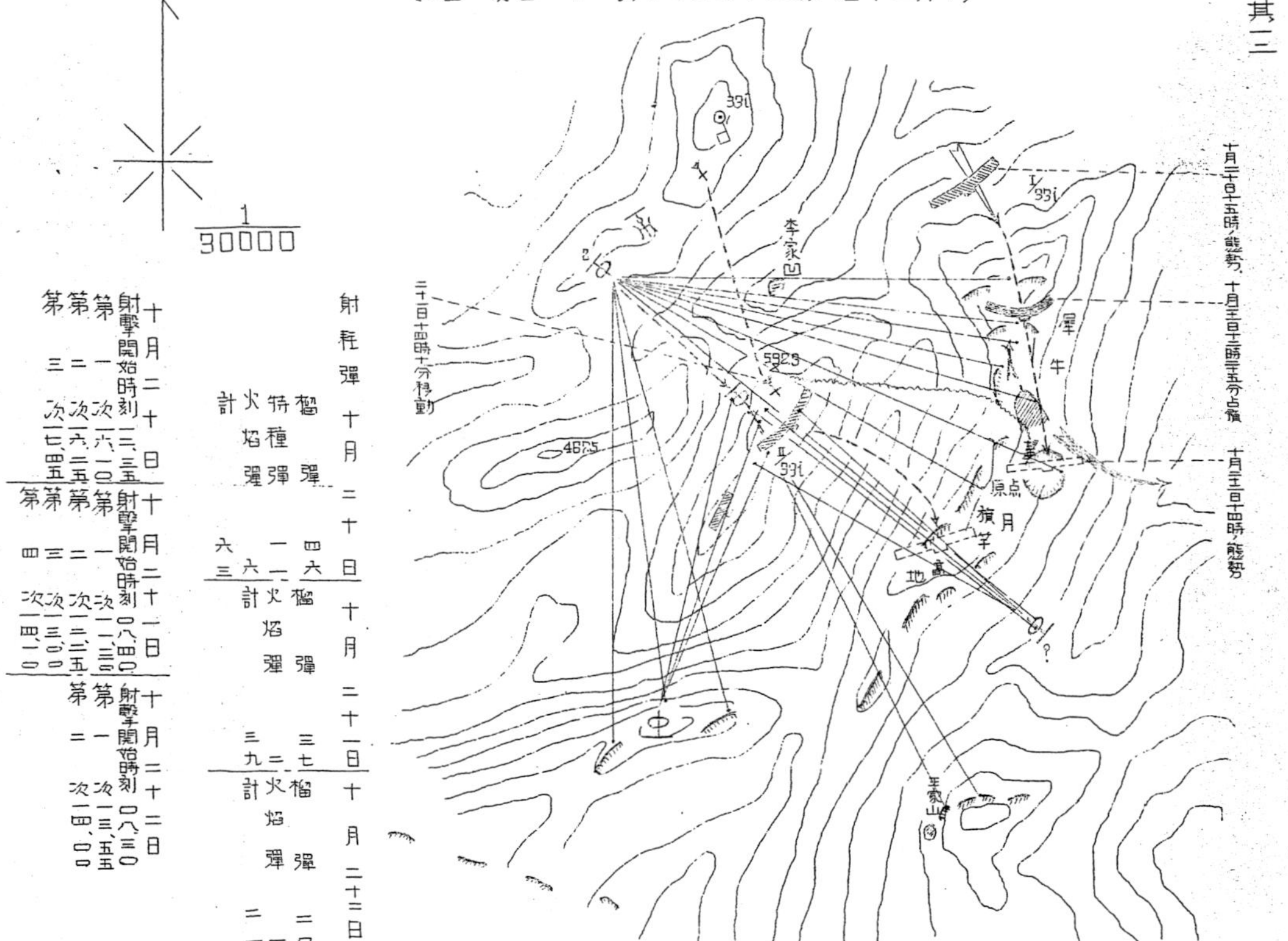

左　記

追五作命第三五八號

追撃第五大隊命令

十月二十三日三時 於李家凹西側無名部落

一、聯隊ハ本二十三日拂曉追撃ヲ再興シ陶家山北側高地ノ敵ヲ撃破シ小界嶺ニ向ヒ前進ス

第一大隊ハ陶家山北側高地ノ敵ヲ撃破シ小界嶺ニ向ヒ追撃シ第三大隊ハ現在地ニ於テ第一大隊ノ陶家山北側高地ノ攻撃ヲ援助シタル後第二線トナリ第一大隊ノ後方ヲ續行ス RiAハ犀牛望月西端附近ニ陣地ヲ變換シBA中隊ハ現陣地ニ在リテ夫々第一大隊ノ攻撃ニ協力ス

二、大隊ハ現陣地ニ在リテ第一大隊ノ攻撃ニ協力セントス

三、第二中隊主力ハ現陣地ニ在リテ旗竿高地及陶家山西南方高地ニ對シ本二十三日八時迄ニ射撃準備ヲ完了スヘシ

四、田沼小隊ハ舊位置ニ在リテ第一線ノ旗竿高地攻略ノ後直ニ該高地後方ニ陣地變換ヲナシ得ル如ク準備シアルヘシ

五、通信班ハ新ニ本二十三日八時迄ニ大隊觀測所ト聯隊本部間ニ通信網ヲ構成スヘシ

大隊本部ト舊陣地間トノ電話網ハ之ヲ撤收スヘシ

六、予ハ八時以後李家凹南測高地ニ在リ

大隊長　幡川少佐

下達法　要旨ヲ隊長ニ口達シタル後筆記セルモノヲ交付ス

大隊長ハ大隊指揮機關ヲ伴ヒ昨二十二日ノ配備ニツキ是ヨリ先小森中尉ハ大隊長ノ命ニ依リ通信ノ構成班ヲ伴ヒ早朝ヨリ大隊觀測所ト新ニ位置セル聯隊本部間ニ電話ヲ架設シ大隊補助觀測所トナリ或ハ聯隊本部間ト通信連絡ニ任シ大隊ノ射撃ヲ有利ニ導キタリ八時諸準備ヲ完了ス

九時三十分第一大隊ハ陶家山北側高地ニ向ヒ攻撃前進中ニシテ其ノ第一線ハ逐次同高地ニ近迫シツヽアリ

大隊ハ好機ヲ捉ヘテ時々射撃ス

3、十時五十五分歩三三命令ヲ受領ス

命令ノ要旨左ノ如シ

左　記

一、陶家山北測高地ニハ敵相當堅固ナル陣地ヲ構築シアリ第一大隊ハ目下同高地附近ヲ攻撃中ナリ

二、第一大隊ハ陶家山北測高地ヲ占領セハ陶家山東方ヲ經テ呉家山東方高地ノ敵陣地ヲ攻撃スヘシ

三、第三大隊ハ第一大隊陶家山東北側高地ヲ奪取セハ直ニ陶家山南側高地東北角ヲ攻撃シ呉家山東北側高地北端ヨリ敵陣地ヲ奪取スヘシ

四、LM大隊ハ第一大隊陶家山北側高地奪取セハ逐次陶家山北側地區附近ニ陣地ヲ進メ第三大隊ノ戰鬪ニ協力スヘシ

聯隊命令ニ基キ大隊ハ本朝來第一大隊ノ攻撃ニ協力特ニ第一大隊陶家山北側高地（旗竿高地）攻略ニ當リテハ十三時十分ヨリ射撃砲兵ノ効力射ト共ニ砲兵彈ノ射撃不可能ナル凹地及敵迫撃砲陣地ヲ求メテ制壓主

トシテ榴彈ヲ射撃ス

火砲ノ援護射撃ノ下ニ第一大隊ハ大ナル敵ノ抵抗ヲ受クルコトナク十四時二十分旗竿高地ヲ占領シ引續キ戰果ヲ擴張ス敵ハ全ク戰意ヲ失ヒテ西南方ニ退却セリ

此ノ狀況ヲ見ルヤ大隊長ハ直ニ第二中隊主力ハ旗竿高地西南側脚附近ニ一部ハ同高地西北側高地附近ニ陣地ヲ變換ヲ命シ自ラハ大隊指揮機關ヲ伴ヒ陶家山南側高地上ニ到リ大隊觀測所ノ位置ヲ決定若干ノ工事ヲ施シテ前面ノ敵情ヲ見ルニ小部隊陣地ニ據リテ我ヲ阻撃ス

三田寺中尉發熱ノ爲メ後方ニ下リ靜養シ中隊ノ指揮ハ田沼中尉トル此ノ時田沼中尉小隊長代理曾澤曹長ハ陣地偵察ノ爲メ先行大隊長ニ連絡シ十七時稍々過所命ノ位置附近ニ陣地變換ヲ完了シ射撃準備ヲ急キ十八時彈藥ヲ運搬集積ヲ完了ス中隊主力モ陣地進入セリ

5、4

大隊ハ明日ノ準備ヲナシタル後別紙要圖其ノ二三ノ如キ態勢ヲ以テ夜ヲ徹ス

此ノ日ノ戰鬪經過別紙要圖其ノ一三ノ如シ

迫撃第五大隊犀牛望月附近戦闘要図

(十月二十三日八時ヨリ同日夜ニ至ル)

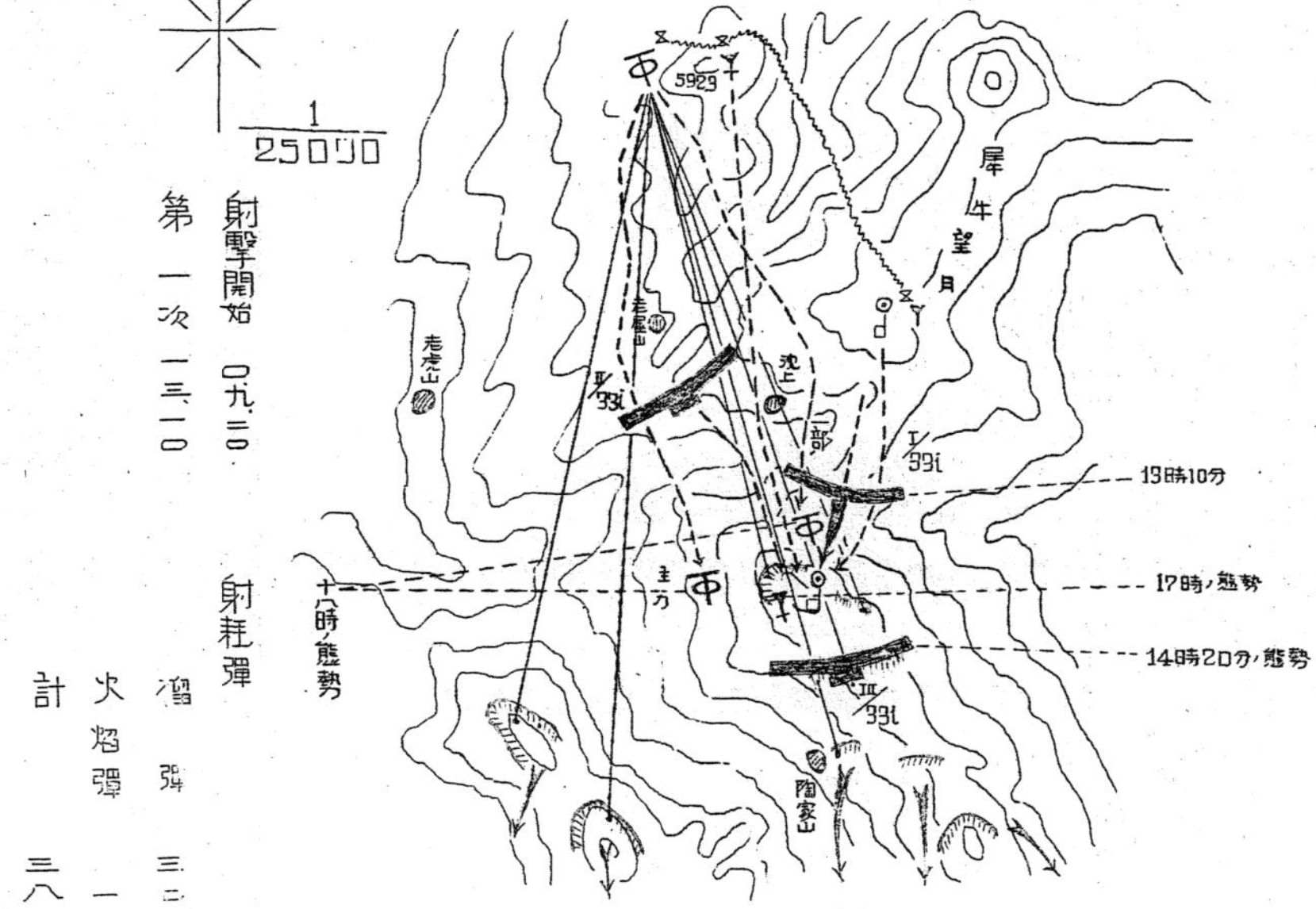

6. 本日ノ射耗弾左ノ如シ

弾種＼中隊	第二中隊
榴弾	三七
火焔弾	一
合計	三八

7. 人馬 異状ナシ

1. 十月二十四日

大隊本部ハ六時旗竿高地西南端高地上ニ位置シ先ツ前面ノ敵状ヲ見ルニ敵ハ総退却セリ

大隊長ハ此ノ状況ヲ見ルヤ直ニ第二中隊ニ前進準備ヲ命シ爾後大隊本部ハ第一線ノ進捗ニ伴ヒ逐次前進ス

大隊長ハ陶家山北側高地ニ到リタル時十時左記歩三命令ヲ受領ス

99

(歩三作命第四〇五號)

命令ノ要旨左ノ如シ

左記

一、當面ノ敵ハ退却セシモノノ如シ

二、聯隊ハ引續キ呉家山南側稜線三道河北側既設陣地ヲ經テ敵ノ退路ヲ遮斷セントス

三、第三大隊ハ第二線トナリ第一大隊ニ續行スヘシ

四、LM大隊ハ暫ク現在地附近ニ位置シIノ戰闘ニ協力シ後呉家山東側高地附近ノ陣地ヲ推進スヘシ

十四時更ニ歩三命令ヲ受領ス(歩三作命第四〇六號)

命令ノ要旨左ノ如シ

左記

一、敵ハ既ニ麻城方向ニ退却セリ

二、R(缺除配屬部隊如故)ハ兵力ノ集結ヲ待ツ事ナク逐次先進部隊ニ

100

追及セントス、
三、各隊ハ概ネ兵力集結終ラハ直ニ前進ヲ開始追及スヘシ
四、予ハ速時現在地出發麻城ニ向ヒ前進ス、
大隊長ハ左記命令ニ基キ左記大隊命令ヲ下達ス、

追五作命第三五九號
追撃第五大隊命令

十月二十四日十四時
於小界嶺南側

一、敵ハ退却セリ、
師團ハ麻城ニ向ヒ敵ヲ追撃ス、
舊左翼隊ハ追撃隊トナリ既ニ追撃中ナリ、
二、大隊（第二中隊欠）ハ追撃隊トナリ麻城ニ向ヒ敵ヲ追撃セントス、
三、第一第二中隊ハ成ル可ク速ニ車輛編成トナリ追撃隊主力ニ追及スヘシ
四、大隊段列ハ各隊ニ彈藥ノ補充ヲ行ヒタル後更ニ彈藥ノ補充ヲ受ケ成ル可ク速ニ大隊主力ニ追及スヘシ

五、予ハ暫ク現在地ニ在リ、後先着中隊ト共ニ前進ス、

大隊長　幡川少佐

下達法　要旨ヲ隊長ニ筆記送達シタル後筆記セルモノヲ送付ス、

2、大隊本部ハ十四時小界嶺南側部落ニ到リ爾後河口鎭ニ向ヒ追撃ス、二十四日以後ハ河口鎭ニ向フ追撃戰鬪詳報ニ依ル、

五、齟齬過失其他將來ノ参考トナルヘキ事項
一、敵ハ戰鬪場裡ニ於ケル掛引巧妙ニシテ退却開始ノ時ハ黑龍ヲ上ケ又煙ヲ焚キテ退却ノ信號トス、
又射撃ハ極メテ沈着シ好機ニノミ射撃スルカ如キ退却前ニハ斷乎タル攻勢ヲトルカ如キ、或ハ狙撃手ヲシテ巧ミニ狙撃セシムルカ如シ、
將來右ニ對シ反對ノ對策ヲ講スルトキハ効ヲ奏スルコト明ナリ、
二、飛行機ノ効力ハ極メテ有効ニシテ特ニ地上鈎取ニヨリ空地運絡ヲナストキハ全般ノ狀

況ヲ明ニシ得テ適時適切ナル戰鬪ヲ指導シ得ヘシ、
特ニ今回ノ如キ山岳戰鬪ニ於テハ飛行機ノ協力ハ絶對必要ナリ、然レトモ飛行機ノ偵察ハ必スシモ信用シ得サルコトモアリ、敵ナシト飛行機ノ通報ニ接シ意外ニ多数ノ敵ニ遭遇スルコトアリ、特ニ今回ノ敵陣地ノ狀態ヲ見ルニ巧ミニ偽裝ヲナシ或ハ掩蔽部ヲ造ル等上空ニ對スル遮蔽ニ充分意ヲ用ヒタリ、
之ニ反シ我ハ殆ト上空ニ對スル顧慮ヲナサス暴露セル陣地ニ依リ或ハ後方車輛ノ如キ全ク集結地ヲ暴露シアリ、此ノ点將來注意ヲ要スルモノト思フ、
三、今回戰鬪ノ如ク死角ヲ利用シテ堅固ナル陣地ニ據レル敵ニ對シテハ迫撃砲ノ効果頗ル著大ニシテ必要缺クヘカラサル裝備ノ一ナリ、唯彈藥中不良彈、不發彈相當多クシテ三一三割ノ射撃速度遲滯セリ原因ハ彈藥箱ノ防濕装置不良ニ基因シ火藥類ノ濕氣ヲ吸收セル爲ナリ、
四、今次作戰間ニ於ケル化學戰實施ノ概況
（一）當大隊ノあか彈ヲ使用シタルハ第十六師團ノ大別山系突破作戰間ニシテ先ツ先遣支隊ニ配屬セル一ケ中隊ニヨリ使用ヲ開始セラレ爾後師團主力ノ展開

ニ伴ヒ大隊全力ヲ以テ使用セリ、
（二）あか彈射耗数左ノ如シ
總数　一、五八四
内譯　一、先遣隊配屬間（一ケ中隊）　二七六
　　　一、主力攻撃間（三ケ中隊）　一、三〇八
備考
1、右總数ハ砲腔ヲ出テタルモノノ数ニシテ其ノ中約五〇位ノ近彈及不發彈アリタリ、
2、右總数ノ外使用セルモ砲腔ヲ出テサル不發彈約五〇〇發位アリタリソノ主因ハ濕氣ヲ吸收セル爲ナリ、
（三）あか彈使用ノ要領ハ殆ント大規模集中使用シ得ス、小規模使用又ハ榴彈代用ニ使用スルノ已ムナキ狀態ナリキ蓋シ之レカ主因ト思惟スルモノ左ノ如シ
1、砲腔ヲ出サル不發彈多キコト、
2、砲数ノ多ク布置シ得サルコト、（山地行動ノタメ一部駄載ニ一部搬送スル等ノタメ　臂力）

3. 彈藥ノ補充所望ノ如クツカサルコト、

（四）一般ノ所見ヲ述フレハ左ノ如シ、

1 あか彈ハ氣象條件良好ノ時使用セハ僅少彈数ト雖モ瓦斯効果アルコトヲ確認セリ、

2. 歩兵ノ之レカ成果ヲ利用スル点ニ於テハ一般的ニ充分ナラサル点多シ、

3. 今回ノ如ク比高大ナル山地ニ於テ廣正面ニ点々山頂ヲ占領シアル敵ニ對シテハ命中セシムルカ或ハ附近風上ニ彈着セシムルヲ要ス、之カ爲メニハ相當彈数使用ノ要アリ、

4. 今回ノ如キ山地戰ニ於テハ死角ヲ利用シテノ蔭蔽近接容易ナルヲ以テ第一線陣地ニ對シテ單ニ瓦斯量ノ見地ヨリ言ヘハあか彈使用ヨリハ局部的ニあか彈使用ヲ容易且ツ有利トスル如ク感シタリ、

5. 其ノ他迫擊あか彈ハ約三〇〇〇米内外ノ射程ニ於テ榴彈ニ比シ約一〇〇米程度射距離ヲ短縮スルク如シ、

戰闘詳報第一號附表

昭和　年　月　日

迫擊第五大隊死傷表

區分		本部	第一中隊	第二中隊	第三中隊	大隊段列	總計	備考
戰闘參加人馬	將校	七	三	二	四	一	一七	
	准士官以下	一〇五	一八四	一六五	一七九	一三八	七六一	
	馬匹	六四	八四	七九	七六	八二	三九〇	
死	將校							
	准士官以下				一		一	
	馬匹				三	一〇	一三	
傷	將校							
	准士官以下	一		二	七		一〇	
	馬匹				二		二	
生死不明	將校							
	准士官以下							
	馬匹							

戰闘詳報第二號附表

昭和　年　月　日

迫擊第五大隊兵器損耗表

種類	區分	品目	本部	第一中隊	第二中隊	第三中隊	大隊段列	總計	備考
消費	彈藥	榴彈		302	487	700		1,489	
		特殊彈		237	208	344		789	
		火煙彈		3	46	24		73	
		小銃實包						809	
		拳銃實包							
損失	武器	九四式迫擊			1			1	
		小銃							
		拳銃							
		銃劍							
		軍刀							
	彈藥	榴彈							
		特殊彈							
		火煙彈							
		小銃實包							
		拳銃實包							
	器材								
	器具	輜重車			1			1	
		乘馬具							
		輓馬具			1		3	4	
		[illegible]			7			7	
	材料其他								

追撃第五大隊本部編成表

自昭和二〇、二、一
至昭和二〇、三、二六

指揮班
- 大隊長 歩兵少佐 幡川錬治
- 副官 歩兵中尉 井野清重

観測班
- 観測掛下士官 歩兵軍曹 兒玉秀行
- 上 山田虎雄
- 上 間宮清
- 上 吉川万重雄

通信班
- 班長 歩兵中尉 小森親憲
- 通信掛下士官 歩兵軍曹 中野重門
- 第一構成班 長 上 郷原徹、上 北原一長、上 加藤儀三郎、上 飯島清、一 増渕恒治、一 関千秋、一 田中英
- 第二構成班 長 上 宮澤文憲、上 向山富太郎、上 松野正憲、上 荒原義二郎、一 加藤善一、一 野代文雄
- 第三構成班 長 上 宮澤定雄、上 倉澤一喜、上 高山汎、上 伊藤善一、一 石田百平、一 伊藤春美

掩護班
- 小銃班 長 歩兵軍曹 瀧澤宗行、一 小口誠一、一 樽町鐘一、一 長尾小七、一 中村次佐七、一 越三郎、一 上倉安常、一 藤森國人、一 松村大、一 山本藤四郎、一 梅村善太郎、一 伊藤正美
- 軽機関銃班 長 適上 上原正衛、一 松本竜治、一 小林豊治
- 第一分隊 長 歩伍 林荒雄、上 古畑計雄、一 西角守朝廣、一 根本光明、一 澤畑憲、一 宇野重雄、一 小島忠一、一 富田昌男、一 大内哲武、一 荻原潔、一 矢代
- 第二分隊 長 歩伍 中村重雄、一 中山清治郎、〃 田村英雄、〃 塚原圭二郎、〃 坂戸安義、〃 木名瀬金男、〃 町田豊之助、〃 山谷由蔵、〃 由良恒雄

合部
- 書記 歩兵軍曹 大内貞司
- 歩兵軍曹 佐々木理佐
- 給与掛 歩兵軍曹 小野作太郎
- 兵器助手
- 歩兵適上 柏井和司

経理部
- 主計中尉 安坂留吉
- 軍曹 池田登吉
- 助手 適上 近藤正吉

衛生部
- 軍医中尉 石川一信
- 小口宇一
- 清水宗四郎
- 衛生軍曹 熊谷清

獣医部
- 獣医中尉 小林芳治
- 獣医務軍曹 棚田喜次

技術部
- 砲技伍 羽田松男

註 氏名上部ニ記入セル〃、入院ヲ示シ、数字ハ其月日ヲ示ス

大行李
- 傳令 輜重適上 根本秋太郎
- 馬取 適上 山浦武兵
- 特務一 井出辰男
- 歩兵一 浅川良造
- 長 軽軍 後藤俊雄
- 適上 富澤剛道、上 太田要巳、上 大井正太郎、特務一 西澤保雄
- 特務二 関島刀一、市川太郎男、渡邊傳、森山勇、小橋隆一郎、楠澤徹二、小池林、松澤房、赤沼石雄、石原信一、徳崎要次郎、百瀬房吉、瀧澤義晴、小松正、竹村芳雄、金子富男、細屋栄儀、長屋策六、木下光夫、宮島文朗、中島正重、下條喜徹、相澤盛、山崎陸夫、吉成吉郎、本参次三郎、田中芳三郎、住谷信、矢部富司

追撃第五大隊第一中隊編成表

中隊長代理 歩兵中尉 伏木保之

- 給与掛軍曹 小笠原尊勝
- 連絡伍長 冨田五郎
- 観測伍長 中里徳太郎
- 〃 上等兵 酒井喜美
- 〃 〃 海老原争次
- 通信伍長 小河原武人
- 〃 上等兵 斉藤陽恵
- 〃 〃 新井安人
- 通信上等兵 西川留雄
- 〃 上等兵 高橋寅雄
- 喇叭手 小林治雄
- 〃 一等兵 木谷道男
- 傳令 高橋正夫
- 馬取 入田太一
- 衛生上等兵 小林茂雄
- 取兵上等兵 齊不千本
- 〃 大高是義
- 〃 一等兵 小坂井吾志智
- 〃 長訓義雄

区分	特業官等	氏名	分隊
第一小隊	小隊長代理 軍曹	大塚英司	山本武文、上田一美、長谷部定男、柏谷正一、下田森蔵、重野好文、竹花新蔵、宮下駒雄、大須賀吉三郎、富張仁三郎、西村忠一 / 中沢英男、色川政美、鈴木竹志、菊地義雄、花塚英一、佐藤善輔、宮下一、半田釋数、高庭勝昌、米川武雄、古畑進 / 大野忠、鐘江清三郎、春山平次、武田良雄、神田林猶早、塚原勝吉、小平梅吉、佐々木友吉、小平家家正、矢口寺夫、上野武三郎、飯島恒雄、山田政、新井早
第二小隊	隊長 中尉	鈴木準一	堀口弘、田中福一、大西金三郎、小池寛、坂本敦、野尻吾、大野猶雄、石井林作、大貫甚一、渡辺政之、林秋雄、稲垣雄 / 徳村孝一、福田衆雄、茅野儀平、伊藤正人、斎木和清、秋葉七、松本武、小川則、宮下作、藤井忠良、須藤好男、渡部高吉 / 菊地進、中根政雄、吉井達夫、田村僅、石島好雄、市毛好、小堀豊吉、横須賀黄吉、渡辺吉郎、櫻山武三郎、金子成、武田吉一、遠野祥造
第三小隊	小隊長代理 曹長	佐野利勇	大久保謹作、後藤田長一、入江幸運、杉村四郎、平沢義、宮沢元正、柳橋生、高野隆、松本政三郎、桑川田保、金井 / 滝沢達弘、中根義順、渡辺義雄、桜井林郎、板橋蔵、市川荒三、宮入吉、古谷豊治、門間吉、北條一、永瀬榮、栗林郎 / 中村次、山岸廣作、渡辺勝次、中島勇治郎、小坂井良平、落合勝太郎、市川残命、竹沢青司、齊藤喜重、大島喜、鈴木生
中隊段列	段列長 准尉	細萱一郎良	杉山田大郎、諸沢長三郎、青木水二、吉沢盛義、中岸万吉、山崎[illegible]、上川[illegible]、国井恒、宮沢青、牧[illegible]、西[illegible]、内川[illegible]、石井[illegible]、小野芳 / 張替[illegible]、加藤[illegible]、郡司[illegible]、佐々木[illegible]、新井[illegible]、小林[illegible]、内田[illegible]、谷田[illegible]、土田[illegible]、松島[illegible]、川沢[illegible]、宮[illegible]、安島[illegible]、甲上[illegible]、前田[illegible]、坂田[illegible] / 大塚道、井上[illegible]、新井[illegible]、中村[illegible]、飯田[illegible]、鈴木[illegible]、久保田[illegible]、岩井[illegible]、五明[illegible]、徳竹[illegible]、川浦[illegible]、大久保[illegible]、寺内[illegible]

迫撃第五大隊第二中隊編成表

中隊長 中尉 早川武夫

准尉 黒河内利義
曹長 會沢勇
兵器掛 瓦斯掛 軍曹 今井清重
連絡掛 仝 藤田義弘
給与掛 仝 赤羽幸一
観測掛 上 古田信二
上 松尾亥三郎
通信手 上 原道雄
上 北沢港
上 大堀一郎
衛生兵 上 依田茂
上 北原實
中隊長伝令 上 林部武
伝令 上 中村道治
馭兵 上 桂川次郎
上 林万三
一 酒井幸翁
喇叭手 一 原茂雄

第一小隊 長 少尉 小野吾一

第一分隊
長伍 テ上 テ上 上 上 上 一 一 一
大橋金治 篠崎安太郎 河島奇彦 寺島忠 福地直八 藤田久雄 沓掛久太 小松武茂 松島清繁

第二分隊
長伍 上 上 上 上 上 上 一 一
沖山善男 小島利雄 小林喜好 石沢治男 飯島宗雄 三村要 宮下卓尓 額賀茂 茂木清三郎

第三分隊
長伍 テ上 上 上 上 上 一 一 一 一
須藤玄市 中島明 梅山徳太郎 遠藤正義 柴田経雄 小池正夫 山本貞三 田中寅雄 鈴木梅吉 池山喜太郎

小銃第一分隊
長上テ 上 上 上 一 一 一 上
中山幸蔵 石田巳 渡辺朝雄 小坪繁 田野井益二 横須賀年雄 滝沢税 青島喜代登

第二小隊 長 少尉 田沼時治

第一分隊
長軍 テ上 テ上 上 上 上 上 一 一 一
半田光雄 進藤広太郎 稲垣清四郎 安原武男 島田任爾 中沢一三 肥塚與四郎 徳武良利 戸塚田之助 宮田正

第二分隊
長伍 上 上 上 一 一 一 一 一 一
藤城吉一 黒岩長二 吉葉國雄 宇佐美貞男 有賀三四郎 高見沢賢吾 丸山良吉 三井孝二 五味保男 小林堯

第三分隊
長伍 上 上 一 一 一 一 一
三村竹千代 伯耆田平重郎 軍司八郎 高橋卯一郎 清水末一郎 稲葉邦一 加瀬弥五郎 杉本松太郎 石原作治

小銃第二分隊
長上テ 上 上 上 上 一 一 上
北村芳一 塩原喜代人 栗田英三 斉藤正 関根友義 伊王野資次 小林國幸 永井藤之介

第三小隊 長 少尉 三田寺洪農亮

第一分隊
長伍 テ上 上 上 上 一 一 一
大久保重治 新井幸太郎 佐藤作三 三沢仁 海老沼清信 鈴木良吉 竹前袈裟雄 石崎福治

第二分隊
長伍 テ上 上 上 一 一 一 一
佐々木芳雄 田中智 上條清渡 松田豊 堀田平次郎 伊藤初 猿田秀雄 土屋吟次郎 唐沢一郎

第三分隊
長伍 テ上 上 上 一 一 一 一 上
鈴木長三郎 谷田初太郎 山井憲一 小松末吉 岡廣次 松本藤次郎 柴九十九 大竹久雄 中塚喜八

段列小隊 長 准尉 黒河内利義

第一分隊
長伍 テ上 テ上 一 一 一 一 一 一 一 一
長谷川好正 大沢正美 林静 本木連一 吉沢義重範 鈴木武雄 栗山正三郎 小松改敏 磯崎長兵衛 渡辺武二 市瀬繁

第二分隊
長伍 テ上 上 上 上 一 一 一 一 一 一 一 上 上 一
橋本仁平 熊沢義治 上原要治 伊藤俊蔵 谷田部光国 土屋喜平 宮久保清治郎 藤枝善次 平野新作 櫻本松次郎 野村春吉 鈴木幸七 黒沢袈裟一 北原實 小池二助

第三分隊
長伍 テ上 上 上 一 一 一 一 一 一 一 一 一 一
早瀬浩 小倉正次 稲垣勇 多賀谷順一 西沢英雄 小沼傳之助 山中松直 加藤常義 清水袈裟太 米川広道 住谷崇多 広瀬義友 大山惣吉 小林多勝

第四分隊
長軍 テ上 上 一 一 一 一 一
松島勝 中野武夫 坂口亥太郎 和田新三 伊藤保之 鈴木繁穂 大久保象治 出沢五郎 箕輪義衛 福島義照 田中貞憲

迫撃砲第五大隊第三中隊編成表

中隊長 歩兵中尉 水幡信

准尉（中隊段列長） 塩澤旗一
曹長 磯部廣
兵器係 歩軍 瓦斯係 歩伍 小日向藤三郎
右仝 鈴塚芳旗
喇叭 歩上 木下正寿
適 工上 関口正胡
工上 小比木賞作
歩一 大出武旗
歩一 中澤次保
馭 歩上 小金澤太郎
傳令 歩上 高林安衛
傳令 歩上 高野正治

観測分隊
長 歩伍 矢島茂
適 歩上 萬谷幸一
歩上 吉沢秀雄
歩上 伊東桂男
歩上 野泉光雄
歩上 中沢宰衛

通信分隊
長 歩伍 井上與造
歩上 高田鋼雄
歩上 崎田福松
歩上 市村正
馭 歩上 倉田勇一

第一小隊長 歩兵少尉 河野正

1長 歩軍 渡邊一郎
1 2 3 4 5 6 馭 馭 馭
歩一 歩上 歩上 歩上 歩一 歩工 歩一 歩一 歩一
小川太治 森與重 清澤松德 菊地三代榮 清水二郎 吉川眞一 三枝清治 田村勇 坂田重平

2長 歩伍 倉田正勝
1 2 3 4 5 馭 馭 馭
適歩上 歩上 歩上 歩上 歩上 歩一 歩一 砲一
平塚市郎 藤井大門 小林金次郎 大田宗一 宮澤金平 飯塚龍男 武井尊之助 石原一郎

3長 適歩上 磯山恒雄
1 2 3 4 5 6 馭 馭 馭
歩上 歩上 歩上 歩上 歩上 砲上 歩一 歩一 歩一
宮下洞秦 室井義雄 中村六治 今井他郎 塩澤祐雄 坂本玉治 廣瀬友一 荒崎政市 風間武夫

小銃分隊長 適歩上 谷平
歩上 歩上 歩一 歩一 歩一 歩一
横田清美 小口勝己 太田松 田守吉長二 齊藤辰人 中澤榮次郎

第二小隊長 歩兵少尉 藤原正己

4長 歩伍 濱野榮一
1 2 3 4 5 6 7 馭 馭 馭
歩上 歩上 歩上 歩一 歩一 歩一 砲一 歩一 歩上 歩上 歩一
太田倉人 赤田宗市 佐々木猪造 永峰年男 荻原喜代三 須藤亀吉 坂正一 青木照雄 徳田美郎 生田勇三郎

5長 歩伍 鈴木實
1 2 3 4 5 6 馭 馭 馭
歩上 適歩上 歩上 歩一 歩一 歩一 歩一 歩一 歩一
市瀬律 春原徳納 真下忠一郎 藤澤林三 小林誠 竹内正一 吉川惣一 雨谷幸 峯田進

6長 歩伍 高野静次
1 2 3 4 5 6 馭 馭 馭
歩上 歩上 歩上 歩一 歩一 歩一 歩一 歩一 砲
福田榮 井上三男 稲田浸 河野眷雄 堀内大夫 左澤榮造 高見幸一郎 仲田莊 片岡賢治

[illegible]分隊長 適歩上 松澤満一
歩上 歩上 歩一
永作誠 町田博 手塚賢助

第三小隊長 歩兵少尉 大澤精郎

7長 歩軍 酒井淳夫
1 2 3 4 5 6 馭 馭 馭
歩上 歩上 歩上 歩一 歩一 歩一 砲一 歩一 歩一
河田廣治 阿部治郎 藤沢盛業 遠藤議 浅野好 浅野保 矢島惠 田中良亥 片桐武一

8長 歩伍 哥胡嘉雄
1 2 3 4 5 6 馭 馭 馭
歩上 適歩上 歩上 歩一 歩一 歩一 歩一 歩一 歩一
内田喜勝 宮下喜又 日原光彦 小澤清次 太田信永 坪芳男 平後雄 代永忠正 戸谷義夫

9長 歩伍 塩澤武彦
1 2 3 4 5 馭 馭 馭
歩上 適歩上 歩上 歩上 歩一 歩一 歩一 歩一
閏間長次郎 高橋恒夫 湯澤喜八 小林善治 飯島眷雄 加藤安雄 熊田竹三郎 薛瀬西之助

中隊段列長 歩兵准尉 塚田正夫

1長 歩伍 齊藤政雄
手 馭 馭 馭 馭 馭 馭 馭 馭 馭
歩上 歩上 歩一 歩一 歩一 歩一 歩一 歩一 歩一 歩一 歩一
塩沢勝己 磯野道男 酒井孝雄 眞戸政男 金井正一 岡野金藏 西野實 糀家良平 小山福寿 池田新一 水澤泉雄

2長 歩伍 油井忠雄
手 馭 馭 馭 馭 馭 馭 馭 馭 馭
歩上 砲上 歩上 歩一 歩一 歩一 歩一 歩一 歩一 歩一
松尾安雄 町田貞重 穂永昌 佳谷俊正 岩崎利雄 町田文七 深貝助藏 阿部剛作 西達地次 木内保

3長 歩伍 吉岡喜一
馭 馭 馭 馭 馭 馭 馭 馭 馭 馭
歩上 歩上 砲上 歩一 歩一 歩一 歩一 歩一 歩一 歩一
渡辺平 金子保助 小野治夫 月岡平正 高村正一郎 永島清次 岡田忠義 所田藤太郎 竹内正義 町田清治

4長 歩伍 齊川格一
手 馭 馭 馭 馭 馭 馭 馭 手
歩上 歩一 歩一 歩一 歩一 歩一 歩一 歩上 歩一
牧内秀市 小林竹太 龍山好 齊藤足好 林眞人 北島好二 西村太男治 飯村佐 山辺達松

備考

迫撃第五大隊大隊段列編成表

段列長 歩兵中尉 岩倉彰宣

指揮班	
軍曹	栗沢元十
同	高野小平太
伍長	入田一也
同	北島長次郎
上等兵	森山善太郎
同	山上正行
輜特一等兵	高見沢元一

傳令	
上等兵	小林興藏
同	西尾平八
一等兵	益子正男

衛生兵	
上等兵	平賀新之助
同	新井欣一

小隊	分隊長	摘要階級	氏名
第一小隊長 歩兵准尉 吉野三治	上等兵 中野義行	上上一一一一一一一一一一一	佐々木亮一、樋口數馬、林武、上野幸知、市村次郎吉、丸山清美、澤井廣、小室菊男、久保忠郎、小林清、磯崎春次郎、高木正男、倉島寧
	伍長 丸岡眞人	上上上上一一上一上上一一一	宮田新太郎、佐藤實治、吉田雄治、飯田宗四郎、野口勘、山岸六平、小林高太郎、関澤幸一、石井七藏、照沼保夫、増田勇之助、藤田信、渡邊金藏
	上等兵 鳥羽達三郎	上上上一一一一一一一一一一上	福澤重明、宮下四郎、川手安一、木下福一、愛川甚一郎、武士光夫、錦引榮作、佐藤三男、鶴六郎、荒野七郎、竹内勇吉、久保田藤重
	計		
第二小隊長 歩兵曹長 田崎眞雄	上等兵 田切邦武	上一一一一一一一一一一上	幸丸茂、丸山一美、稲垣政五郎、宮坂吉基、美齊津三郎、田中桂太郎、木下蔡義、竹内定通、原通男、北林今朝美、東田恒次郎
	伍長 古谷源吉	上上上一一一一一一上一	横嘉重、水沢銀治、人見一志、小坏勝行、伊藤威桑、町田富弥、飯島信義、渡辺政彦、中村喜治、小林登喜三
	上等兵 越知三郎	上上一一一一一一一一上	宮崎輝馬、田中利夫、清滝眞津雄、菊池勝室、田島武雄、富田富弥、大森正、澤畑信之助、矢島寅次、藤森勝義
	計		
第三小隊長 歩兵曹長 栗崎眞助	上等兵 知久熊三	上上上一上一一一一一一一	宮澤慶治、大西次太郎、細田健藏、海老沢義之丞、田中登、伊藤眞一、中塚正二、飯田甚一郎、飯島彦一、北原三佐男、尾崎只男
	伍長 篠塚善一郎	上上上上一一一一一一一一上	矢澤尚友、川合眞實、内山要雄、松李之助、藤澤鉄藏、下技鴨吉、平沢宗太郎、小島平、石嵜良雄、箕川貫、永島梅吉、田中靜雄
	上等兵 芦ヶ谷善治	上上上一一一一一一一一一一一	永原榮吉、宮坂元男、富田武夫、辺田金秋、手面宗勝、安喰秀次、谷田榮三、菊池光一、椎名敏之助、小野芳松、久保木熊三、遠峯實、石塚四郎、青砥同雄
	計		

備考
本部勤務 中島篤
経理室勤務 山崎幹雄
鶴田留五郎

附録

軍師旅聯隊命令

二軍作命甲第四七三號

第二軍命令　　九月二日一八、〇〇　於盧州

迫撃第五大隊ヲ第十六師團ニ配屬ス

右部隊ハ盧州ニ於テ第十六師團長ノ指揮下ニ入ルヘシ

第二軍司令官　稔彦王

下達法　印刷交付

六師作命甲第五三八號

第十六師團命令　　九月三日一六、〇〇　於盧州

一、迫撃第五大隊ハ爾今予ノ隷下ニ入ラシメラル

二、歩兵第三十三聯隊長ハ同大隊ヲ區署シ固始ニ到ラシムヘシ

三、迫撃第五大隊ハ盧州ニ於テ彈藥補充ヲ行ヒタル後歩兵第三十三聯隊

1

長ノ區署ヲ以テ固始ニ向ヒ前進スヘシ
四、予ハ九月五日盧州發七日六安ニ到リ爾後概ネ第二梯團ト同行ス

師團長　藤江惠輔

下達法。命令受領者ニ印刷交付

歩三三作命甲第三四九號
歩兵第三十三聯隊命令
九月五日十九時〇分
於盧州聯隊本部

一、進河々畔壽縣穎上霍邱附近ニハ敵三十二師ノ一部隊アルカ如ク我カ第一線兵團ハ既ニ烏龍廟葉家集ノ線附近ニ進出シ光州商城ノ線ニ向ヒ前進中ナリ
師團ハ一部ヲ以テ概ネ固始葉家集以東盧州間主要交通線上及附近ノ要地ヲ警備シ主力ヲ以テ速ニ固始附近ニ進出シ爾後ノ作戰ヲ準備ス

二、聯隊ハ師團ノ第四梯團トナリ固始ニ向ヒ前進セントス
第五迫擊大隊衛生隊三分ノ一及第三野戰病院ノ半部ノ前進ヲ區署セシメラル
三、第四梯團ノ軍隊區分左ノ如シ
第一梯隊　R◎、Ⅱ、RiA、TiA、給水班一組
第二梯隊　Ⅰ　區署部隊　迫擊大隊、1/3S
第三梯隊　Ⅲ　給水班一組　區署部隊　1/2 3FL
四、各梯隊ハ左ノ如ク盧州出發固始ニ向ヒ前進スヘシ
第一梯隊　九月七日夕
第二梯隊　九月八日夕
第三梯隊　九月九日夕
五、各梯隊日日ノ到着地点ヲ概定スルコト左圖ノ如ク丁家集椿樹店以東ノ行軍ハ夜間トシ同地以西ノ行軍ハ晝間實施スヘシ
特ニ敗殘兵及土民ニ對シ嚴ニ警戒スルト共ニ六安以西ノ前進ニ方リテハ北方ニ對シ

注意スルヲ要ス又統制道路ニ關スル規定及諸注意ヲ嚴守スヘシ

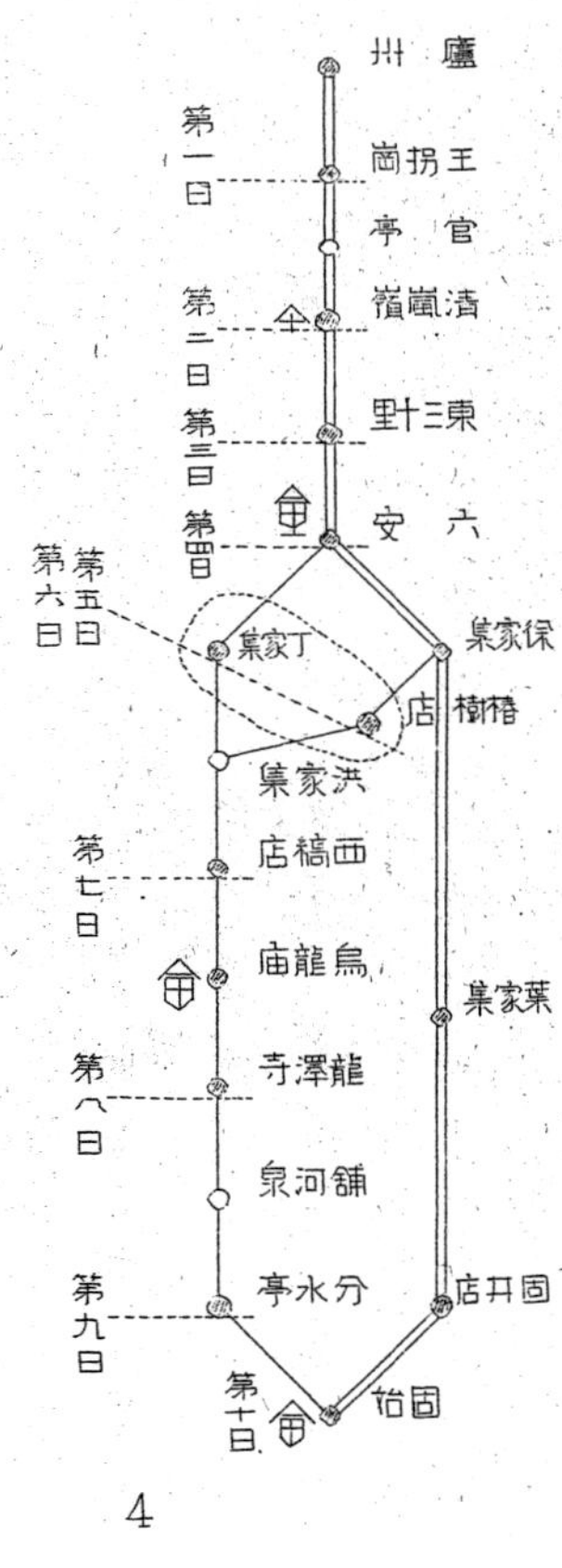

六、行軍間ニ於ケル給養ハ携帶及携行糧秣ヲ使用スヘシ其ノ補充ハ六安ニ於テ行フ
七、各梯隊ハ自隊ノ衛生部員及區署ノ衛生機關ヲ以テ患者收容班ヲ編成シ患者ヲ收容スヘシ
八、第二梯隊長（Ⅰ長）ハ其ノ區署スル衛生隊ヲシテ患者療養所ノ患者ヲ固始又ハ六安ニ輸送スルコトニ勉ムヘシ

九、予ハ七日夕迄現在地ニ在リ後第一梯隊ト共ニ前進ス
六安ニハ師團ノ情報蒐集所開設セラレアリ

聯隊長　山田喜藏

下達法　印刷交付ス
注意
一、新作戰地區内ニ於ケル敗殘兵匪徒土民等ハ抗日意識極メテ熾烈ニシテ交通線ノ破壞兵器物品ノ掠奪ヲ敢テ爲シツヽアリ
各隊ハ本期作戰間右行爲ヲ嚴ニ警戒シ特ニ夜間ニ於ケル兵器ノ盜難ヲ防ク手段ニ萬遺憾ナキヲ期スヘシ
二、馬匹ニ對シテハ時々蹄ノ檢査ヲ實施シ落鐵ヲ豫防スヘシ
三、橋梁ハ不良ニシテ往々穴アリ故ニ夜行軍ニ際シ墜落セサル樣注意スヘシ

一六師作命甲第五五〇號
第十六師團命令
九月十六日二十時
於商城

一、師團當面ニ在リシ敵ノ主部ハ歩々抵抗ヲ爲シツツ西方及西南方ニ向ヒ退却中ナリ。大別山脉ニ拠ケル敵陣地ノ情況別紙要圖ノ如シ。

二、師團ハ一部ヲ以テ速ニ大別山系ノ要衝ヲ占領セシムルト共ニ主力ヲ以テ爾後作戰ヲ準備セントス。

第十三師團トノ作戰地境ハ東容樓山西北側曲河合流点（商城西南方五粁）銅啓寨（商城西南三十粁）王峯山（麻城東北二十五粁）麻城閔家集（麻城西南八粁）ヲ連スル線（線上ハ十三師團ニ屬ス）トス。

三、歩兵第三十旅團長篠原少將ハ先遣隊（30IB(38I) DTL一分隊 2LPWS 1/3K 1/4RST/22A LM一中 16P(二) 1/3S 騎兵五(1/3)）ヲ指揮シテ速ニ商城—胡家祠（商城西々方六粁）—除家集（胡家祠西南方十二粁）—沙窩—麻城道ヲ沙窩南方ニ進出シ光州—沙窩—麻城道上大別山系ノ要衝ヲ占領シテ師團爾後ノ作戰ヲ容易ナラシムヘシ。

特ニ歩兵一大隊輕裝甲車中隊工兵隊ヲ基幹トスル部隊ヲ成ル可ク速ニ先遣シ敵ニ追尾シテ沙窩附近ニ進出セシムヘシ。

6

兵站自動車中隊ノ配屬ノ時期及場所ハ後命ス。

四、爾餘ノ諸隊ハ現態勢ニアリテ爾後ノ作戰準備ヲ行フヘシ。

五、予ハ依然現在地ニアリ。

師團長　藤江中將

下達法　命令受領者ヲシテ口達筆記セシメタル後印刷交付ス。

一六師作命甲第五六一號

第十六師團命令

九月二十七日二一、〇〇
於　施　家　河

一、先遣隊當面ノ敵ハ各方面トモ攻勢ノ徴アリ。

先遣隊ハ昨二十六日午前磨盤山ヲ占領シ東ニ當面ノ敵ヲ力攻中ニシテ近藤支隊ハ余家集附近ニ進出セル約二、〇〇〇ノ敵ヲ一〇、〇〇頃ヨリ攻擊シ戰況有利ニ進展シツツアリ。

7

騎兵隊ハ本朝白雀園北方高地ニ在ル約五〇〇ノ敵ヲ擊退シ引續キ正午頃ヨリ白雀園ヲ占領セル敵ヲ攻擊中ナリ。

二、師團ハ溢出セル敵ヲ擊滅スル目的ヲ以テ主力ヲシテ依然前任務ヲ續行シ爾餘ノ諸隊ハ分水嶺東西ノ地區ニ集結セントス。

三、先遣隊ハ現ニ占領セル地區ヲ確保シ逐次戰果ヲ擴張スヘシ。

四、近藤支隊ハ當面ノ敵ヲ擊破シタル後引續キ沙窩北側ノ敵ヲ攻擊スヘシ。

五、騎兵隊ハ當面ノ敵ヲ牽制シ師團主力ノ攻擊ヲ容易ナラシムヘシ。

六、歩兵第九聯隊（二中隊缺）ハ明二十八日〇六、〇〇迄ニ登子畈及其東側地區ニ兵力ヲ集結スヘシ。

第八中隊ヲシテ前任務ヲ續行セシムヘシ。

七、野砲兵第二十二聯隊第三大隊（二中隊缺）獨立山砲兵第三聯隊第二大隊（二中隊缺）同聯隊段列二分ノ一迫擊第五大隊（一中隊缺）工兵一小隊ハ野砲兵第二十二聯隊長ノ區署ヲ以テ明二十八日〇六、〇〇迄ニ歩兵第九聯隊集結地ニ接シ本道上ニ集結スヘシ。

8

觀測諸機關ハ〇六、〇〇分水嶺ニ挺進スヘシ。

八、通信隊ハ前任務ヲ續行スヘシ。

九、衛生隊（三分ノ二缺）ハ明二十八日〇七、〇〇宿營地出發師團主力ニ追及スヘシ。

十、大行李ハ明二十八日〇七、三〇宿營地出發衛生隊ニ續行スヘシ。

十一、輕重兵隊ハ明二十八日糧秣ヲ補充後師團ニ追及スヘシ。

十二、予ハ現在地ニ在リ明二十八日〇六、〇〇分水嶺ニ到ル。

師團長　藤江中將

下達法　要旨ヲ電話シタル後命令受領者ニ口達筆記セシム。

9

砲三作命第二四八號

野砲兵第二十二聯隊命令

九月二十七日二三、三〇
於　龍　潭　凹

一、歩兵第九聯隊ハ本早朝宿營地出發登子畈ニ向ヒ前進ス。

二、左記部隊（同行軍序列）ハ本職之ヲ區署シ明三十八日一時三十分龍潭河西方三叉路出發胡家祠―施家河―分水嶺道ヲ分水嶺ニ向ヒ前進セントス、

左記

1/4P 出◎ MA IA 5LM RST II(-二中)/3BAs

三、各隊ハ行軍序列ニ従ヒ前進シ得ル如ク集合スヘシ、

四、MA、IAハ左記人員ノ觀測斥候ヲ一時三十分出◎ニ差出シ觀測班長ノ指揮ヲ受ケシムヘシ、

左記

將校 一、下士官 一 兵 二

（砲隊鏡一携行）

五、各隊ハ末タ師團大行李長ノ指揮ニ入ラサル大行李ヲ部隊出發後曲河橋梁西側畑地ニ集合セシメ師團大行李長ノ指揮ニ入ラシムヘシ、

六、予ハ一時三十分龍潭河西方三叉路ニ在リ、

10

下達法、要旨ヲ電話及傳令ヲ以テ傳達シタル後命令受領者ニ口達筆記セシム

聯隊長 大須賀大佐

注意

地上ニ對スル警戒ノミナラス上空ニ對スル警戒ヲ怠ルヘカラス

一六師作命第五七四號

第十六師團命令

十月二日一五〇〇 於呉灣

一、師團及10D、13D當面ノ敵情並ニ師團ノ態勢別紙師團情報記録第三一號ノ如シ

13Dハ新店南側高地ノ敵陣地突破後銅緊寨ヲ攻略シ麻城ニ進出ヲ企圖ス

二、師團ハ一部ヲ以テ敵ヲ牽制シ主力ヲ以テ小馬黄冲東西ノ敵陣地攻略ヲ準備セントス、

11

師團ノ重点ハ本道以西ノ地區トシ敵陣地突破ハ十月五日ト豫定ス、

三、右側支隊ハ梨樹棚西々南高地及阮家灣西側附近ノ敵ヲ驅逐シテ師團ノ右側背ヲ掩護スルト共ニ十月三日以後随時揚柳河（白雀園西々南約七粁）王家灣（黄畈西方約八粁）附近ヲ北流スル無名河ノ谷方向ニ陽動シ敵ノ注意ヲ支隊方面ニ牽制スルニ努ムヘシ、

三浦大隊ハ本三日夜交代スヘシ、

四、左側支隊ハ主力ヲ以テ顯山及四馬墩附近ヲ占領シテ南方ニ對シ警戒シ一部ヲ以テ葛廟―余家集間ノ交通線ヲ確保スルト共ニ十月四日以後洪店方向ニ陽動シ敵ノ注意ヲ該方面ニ牽制スルニ努ムヘシ、

五、歩兵隊ハ十月三日夜ヨリ第一線ノ交代ヲ行ヒ小馬冲西側及磨盤山西南側敵陣地ノ突破ヲ準備スヘシ、

特ニ晝間ノ行動ニ注意シ主力ノ企圖ヲ秘匿スルニ努ムヘシ、

六、砲兵隊ハ主力ヲ以テ歩兵隊ノ東樓南側及小馬冲西側敵陣地一部ヲ以テ磨盤山西側敵陣地突破ニ協力シ得ル如ク呉灣南側及沙窩附近ニ陣地

12

ヲ準備スヘシ、

特ニ陣地進入及陣地ヲ秘匿スルニ努ムルト共ニ一部ヲ第一線附近ニ推進シ密ニ歩兵隊ニ協力シ得ル如ク準備スヘシ、

細部ニ關シテハ歩兵隊ト協定スヘシ、

七、工兵隊ハ主力ヲ以テ砲兵隊ノ陣地進入ヲ援助シ一部ヲ以テ師團主力行動地區内ノ交通設備ニ任スヘシ、

八、高射砲隊ハ現在地ニ在リテ防空ニ任シ十月四日夜呉灣附近ニ陣地ヲ推進シ師團主力ノ防空ニ任スヘシ、

九、豫備隊ハ呉灣附近ニ位置スヘシ、

但シ2LRWsハ現在地ニ在リテ待機スヘシ、

歩兵一中隊1/4MGヲ以テ三、四日ノ間楊家寨北側高地附近ヨリ顯山附近ニ亘ル間ノ掃蕩ヲ行フヘシ、

十、通信隊ハ右側支隊左側支隊歩兵隊砲兵隊間ノ通信連絡ニ任スヘシ、

十一、1FLハ塔家山ニ待機シ2FLハ馬家店ニ開設スヘシ、

13

十二、大行李ハ宗祠氏東山間輜重ハ東山宗家集間ニ位置スヘシ
十三、諸隊ハ嚴ニ師團ノ企圖ヲ秘匿シツヽ其任務ヲ續行スヘシ
十四、予ハ暫ク呉灣ニ在リ

師團長　藤江中將

下達法　隊長又ハ副官ヲ招致シ要旨傳達後印刷命令交付、

十六師作命甲第五七四號別紙

軍隊區分

右側支隊　長　9i長
9i(-III)
師團無線一
20K(-1/4)
9/22A
1/3S(-1/3)

左側支隊　長　8/9i長
傳騎二
旅團無線一
9iノ補充員

14

步兵隊　司令官　☆/30iB
30iB
2/16K
II(-5)
1/2RSt/3BAs
VLM
2(-1/4)/16P

砲兵隊　長　22A長
22A(-9)
1大 1/2RSt/12SA

工兵隊　長　16P長
16P(-2(-1/4))
9/8Ps

高射砲隊
6AA/GD

豫備隊
II(-8 1/4 MG)/9i
2LPWs

15

步三〇旅作命甲第四八六號

步兵隊命令　十月二日十八時十分 於打破石東方一粁半凹地

一、敵情友軍ノ情況竝ニ師團ノ企圖及之ニ基ク部署ハ十六師作命甲第五七四號ノ如シ
二、30iB 2/16K、II(-5) 1/2RST/9BAs VLM 2P(-1/4) ハ步兵隊トナリ小馬黄冲西側及磨盤山西南側敵陣地ノ突破ヲ準備セントス
三、38i(一BLT一機、傳騎二、II BAs(二中)、VLM(一中)、2P(1/4)ヲ屬ス)ハ右第一線トナリ小馬黄冲西側高地ノ敵ニ對シ現在III/33iノ占領シアル高地ヨリ東樓南側高地ニ亘ル線ニ展開シ攻撃ヲ準備スヘシ
四、33i(一大隊(二中MG二小缺)缺BLT一機、傳騎二、一中/II BAs 一中/VLM 一小/2P屬ス)ハ左第一線トナリ磨盤山西南側敵陣地ニ對シ本道以東概ネ現在ノ線ニ於テ攻撃ヲ準備スヘシ
五、第一線兩部隊ノ戰鬪地境ハ沙窩—西路口道(線上ハ左ニ屬ス)トス
第一線各部隊ハ十月二日夜ヨリ第一線ノ交代ヲ行ヒ五日拂曉迄ニ攻撃陣地ヲナルヘク敵陣地ニ近ク推進スル如ク準備スヘシ

16

六、一大隊(二中隊MG二小缺)ハ豫備隊トナリ汪家灣附近ニ位置スヘシ
七、兩聯隊ハ步兵隊司令部ニ有線通信網ヲ構成スヘシ
八、各隊ハ交代其他攻撃準備ノ行動ニ當リテハ嚴ニ企圖ノ秘匿ニ努ムヘシ
九、予ハ暫ク現在地ニ在リ
明三日日沒後汪家灣附近ニ至ル

步兵隊司令官　篠原次郎

下達法　步三三長ヲ招致シ要旨ヲ命令シ後命令受領者ヲ集メ口達筆記セシム

要旨命令　十月二日

一、38i(旅團無線一、傳騎二、II/BAs(二ヶ中隊)、2/P(2/4缺)、5LM(一中缺))ハ右第一線トナリ小馬黄冲西側高地ノ敵ニ對シ現在III/33iノ占領シアル高地ヨリ東樓南側高地ニ亘

17

ル間ニ展開シ攻撃ヲ準備セントス、
左第一線トノ戦闘地境ハ沙窩南北ニ通スル本道トス、
二、聯隊ハⅢ/33i及Ⅲ/38iノ第一線ノ交代ヲ行フ為左ノ如ク行動ス、
Ⅰ 工長ノ指揮スル歩兵三ケ中隊及重火器指導機關工長ノ指揮スル歩兵二ケ中隊、
部隊ハ上記ノ順序ニ現在聯隊本部ノ位置スル西側三叉路ヲ明三日五時其ノ先頭ヲ以テ出發シ天明迄ニ左ノ如ク集結スヘシ、
Ⅱ 沙窩西々北約二六〇〇小流ト点線路ノ交合点西南側附近、
Ⅰ 同合点ノ東側附近
三、爾餘ノ部隊ノ現在地ヨリ出發ハ明三日夕刻後ト豫定スルモ別命ス
但シ所要ノ指揮機關ハ偵察ノ為先行スヘシ、
四、予ハ所要ノ指揮機關ト現在地ヲ七時出發集結地ヲ經テⅢ本部ニ到ル、

聯隊長　近藤大佐

18

下達法　命令受領者ニ口達筆記セシム、

指示

Ⅱハ Ⅲ/33i、Ⅰハ Ⅲ/38iト交代スル豫定ナリ、

注意

敵眼ニ遮蔽スル如ク萬事ニ考慮スヘシ
BIs及BIM隊長ハ所要ノ最小限ノ人員ヲ伴ヒ附近偵察ノ為聯隊本部ニ到ルヘシ

歩三八作命第六ノ九四號

歩兵第三十八聯隊命令　十月四日二二時〇分 於沙窩西方無名部落

一、敵情及友軍ノ情況別紙〔六師作命甲第五七五號要旨〕ノ如シ、
別ニ飛行機ノ通報ニ依レハ三日一四、〇〇頃約二百ノ敵ハ西路口北方約一千ノ敵ハ西路口福田河ノ間ヲ北上セルモノノ如シ、
聯隊正面ノ敵陣地ノ寫景圖別紙ノ如シ、
二、聯隊〔配屬部隊如故〕ハ六日〇六、〇〇迄ニ攻撃陣地ヲ敵前至近距離ニ推

19

進シ重点ヲ右ニ保持シ岩山、松山、鉢巻山一帯ノ敵ニ對シ拂曉攻撃ヲ準備シ砲兵ノ火力ト密ニ連繋シテ敵陣地ヲ奪取シ次テ大圓山ノ陣地ヲ攻略セントス、
砲兵隊ハ主力ヲ以テ聯隊ノ攻撃ニ協力ス、
歩砲協定ノ細部ニ關シテハ別ニ示ス、
三、第二大隊ハ右第一線トナリ現在十中隊ノ占領セル地區ヲ含ミ以西ノ線ニ展開シ岩山高地〔含ム〕以西ノ敵陣地ニ對シ六日〇〇、三〇以後行動ヲ開始シ〇六、〇〇迄ニ攻撃ヲ準備スヘシ、
特ニ岩山ヲ占領後第三大隊正面ニ對スル戦果ノ擴張ヲ準備シ置クヘシ、
Ⅱ/22Aハ主トシテ第二大隊ノ戦闘ニ協力スル筈、
四、第三大隊ハ中第一線トナリ第二大隊ニ連繋シ一文字山、松山、鉢巻山ノ敵陣地ニ對シ六日〇〇、三〇以後行動ヲ開始シ〇六、〇〇迄ニ攻撃ヲ準備スヘシ、
特ニ攻撃ノ重点ヲ右方ニ保持スヘシ、
Ⅳ/22Aハ主トシテ第三大隊ノ戦闘ニ協力スル筈
五、第二大隊第三大隊トノ戦闘地境ハ左ノ如シ、

20

現在第十中隊ノ占領セル陣地ノ左端、岩山高地ノ左端ヲ連ヌル線〔線上ハ第二大隊ニ含ム〕トス、
攻撃前進ノ時機ハ後命ス、
六、第一大隊〔3/1 十3/4〕ハ左第一線トナリ現在陣地ニ於テ大圓山〔イ高地〕附近ノ敵陣地ニ對シ聯隊主力ノ攻撃ヲ容易ナラシムル如ク情況許ス限リ敵ニ近接シ攻撃ヲ準備スヘシ、
攻撃前進ノ時機ハ後命ス、
七、RIAハ一ケ分隊ヲ以テ第二大隊左翼後山頂附近ニ陣地ヲ占領シ岩山高地及其ノ両側自動火器ヲ制壓セシメ一ケ小隊ヲ以テ第二大隊正面ニ陣地ヲ占領シ聯隊攻撃重点方向ヲ側防スル自動火器ヲ求メテ制壓スヘシ、
八、TIAハ一ケ小隊ヲ第三大隊正面山頂ニ陣地ヲ占領シ主トシテ岩山含ム以東ノ掩蓋機關銃ヲ求メテ撲滅スヘシ、
九、ⅡBAS〔2中〕ハ第二大隊左翼後山頂附近ニ陣地ヲ占領シ主火力ヲ以テ第二大隊ノ戦闘ニ一部ノ火力ヲ以テ第三大隊ノ戦闘ニ協力スヘシ、

21

十、VLM(二中)ハ第三大隊正面後方山腹ニ陣地ヲ占領シ主トシテ右中西第一線當面ノ山腹ノ敵陣地及稜線後方ノ有利ナル目標ヲ求メテ制壓スヘシ
十一、各火砲部隊ノ射撃開始ハ企圖ノ秘匿上六日天明後トス
十二、ITLハ第一線大隊旅團司令部間ニ有線通信網ヲ構成スヘシ
十三、第三丙西中隊1/3 4、2P(2/4)ハ豫備隊トス
第三大隊ノ右翼後附近ニ位置スヘシ
第四中隊ノ一ケ小隊ハ本道附近ニ在リテ車輛部隊ノ援護並ニ警戒ニ任スヘシ
十四、予ハ現在地ニ在リテ明五日三、〇〇以後第三大隊本部東側山頂ニ在リ

聯隊長　近藤元

下達法　要旨ヲ傳ヘタル後印刷交付

注意
一、第一線ノ攻撃ノ際ハ輕裝トス
二、第一線ノ標識ハ國旗小發煙筒信號彈ヲ以テ示ス

22

歩三八作命第六ノ九五號

歩兵第三十八聯隊命令

十月六日十六時
於沙窩西南側高地

一、聯隊ノ前面ニハ未タ有力ナル敵存在シアリ
二、聯隊ハ現在占領セル水谷山手前岩山ヲ爾今水谷山ト稱ス)松山ヲ確保シ夜間特ニ敵逆襲ニ備エルト共ニ明拂曉ヨリ攻撃ヲ準備ス
三、各隊ハ現在ノ態勢ヲ以テ夜ヲ徹スヘシ
四、給養ハ携帯糧秣ニ依ルヘシ
五、予ハ現在地ニ在リ

聯隊長　近藤大佐

下達法　命令受領者ニ口達筆記セシム

23

歩三八作命第六ノ九六號

歩兵第三十八聯隊命令

十月七日十時〇分
於沙窩西南側高地

一、奥ノ岩山及右側前面一文字山左ノ松山トンガリ山大圓山ニハ相當ノ敵兵アリ砲兵隊ハ奥ノ岩山及ヒ右側前面一文字山左ノ松山トンガリ山大圓山ニ對シテ射撃スル筈
重砲一ケ中隊ヲ以テ岩山右側方ノ敵ヲ制壓スル筈
二、聯隊(Ⅱ(一二中)/93i)ヲ新ニ予ノ指揮下ニ入ル)ハ戰果擴張ノタメノ攻撃ヲ準備セントス
攻撃前進ノ時期ハ砲兵隊ノ射撃後ト豫定スルモ別命ス
三、Ⅰ(一1中)ハ岩山ニ至リ奥ノ岩山附近ニ對シ爾後ノ攻撃ヲ準備スヘシ
野砲三大隊ハ直接協力スル筈
四、Ⅲハ現在地ニ於テⅠニ連繋シ一文字山ニ對シ攻撃ヲ準備スヘシ
特ニ左松山及ヒトンガリ山ニ對シ敵情ヲ偵察スヘシ
野砲三大隊ハ直接協力スル筈
五、Ⅱ/(一1中)ハⅠ到着セハ一部ヲ以テ現在線特ニ右側方ニ對シ警戒セシメ主力ハ岩山北

24

側斜面ニ集結待機スヘシ
但シ重火器部隊ハⅠノ攻撃ニ協力シ得ルノ準備ニアルヘシ
六、三浦部隊(二中)ハⅠト交代シ大圓山ニ對スル攻撃ヲ準備スヘシ
尚大圓山ニ對スル攻撃ノ爲敵狀地形ノ偵察ヲ實施スヘシ
攻撃前進ノ時期ハ別命ス
主力ノ攻撃前進ニ當リテハ爲シ得レハ協力スヘシ
七、5LM(一2)ハ主力ヲ以テ奥ノ岩山一文字山ノ線ヲ制壓シ歩兵ノ攻撃前進ニ當リテハ一部ヲ以テⅠニ直接協力スヘシ
八、獨立山砲(一2中)ハ主力ヲ以テ岩山ニ陣地ヲ占領シ奥ノ岩山一文字山ヲ制壓シ歩兵ノ攻撃前進ニ當リテ主トシテⅠノ戰闘ニ協力スヘシ
九、聯隊砲速射砲ハ現在地ヨリ第一線大隊ノ戰闘ニ協力ノ準備ニ在ルヘシ
十、丙中隊Ⅱノ一小隊工兵第二中隊(一2/4)ハ豫備隊トシテ現在地ニ位置スヘシ
十一、予ハ依然現在地ニ在リ

聯隊長　近藤元

25

下達法　要旨ヲ傳ヘタル後口達筆記セシム、

注　意

一、第一線戰線標示ヲ充分ニサレ度

二、小發煙筒ヲ飛行機ノ飛來セサルトキ使用シテ可ナリ、

歩三八作命第六ノ九七號

歩兵第三十八聯隊命令

十月七日十八時四十五分
於沙窩西南側高地

一、Ⅰ正面ニハ迫擊砲ヲ有スル有力ナル敵散在シ一文字山ニハ相當ノ敵アリ、Ⅲ方面ニ於テハトンガリ山方面ニ戰果ノ擴張ヲ實施シ左松山一帶トンガリ山ヲ占領セリ、

二、Rハ夜間敵ノ逆襲ニ對シ嚴ニ警戒シツヽ概ネ現在ノ態勢ヲ以テ夜ヲ徹シ明日ノ攻擊ヲ準備セントス、

三、第一線各大隊ハ左右ノ連繫ヲ密ニシ敵ノ變化ニ關シテハ速ニ報告スヘシ、

四、Iハ岩山附近ニ陣地ヲ占領シアル山砲、迫擊砲ノ援護ニ任スヘシ、

五、両中隊ハ一ケ小隊ヲ以テRIA小隊及迫擊砲ノ援護ニ任スヘシ、

六、其他ノ部隊ハ概ネ現在ノ態勢ヲ以テ夜ヲ徹スヘシ、

七、給養ハ携帶口糧甲ニ依ルヘシ、

八、予ハ依然現在地ニ在リ、

聯隊長　近藤元

下達法　命令受領者ヲ集メ口達筆記セシム、

注　意

一、凡寫景圖ノ奥ノ岩山ト稱シアルハ實際誤ニ付訂正ス、

歩三八作命第六ノ九九號

歩兵第三十八聯隊命令

十月八日八時四十五分
於沙窩西南側高地上

一、敵情其後大ナル變化ナシ、

二、第十師團ノ一部ハ信陽南方約十八粁ノ地点ニ於テ京漢線ヲ遮斷セリ、

二、聯隊（配屬部隊）ハ現在ノ如シ先ス奥ノ岩山一文字山大圓山ヲ攻略セントス

凡隊ハ主力ヲ以テ聯隊ノ攻擊ニ協力ス其ノ重砲一ケ中隊ハ材木置場附近ニ陣地ヲ占領シ主トシテⅠノ左側前面ノ敵ヲ制壓スル筈

三、Ⅰ（1中 十五）ハ砲兵協力ノ下ニ奥ノ岩山ヲ攻略スヘシ奥ノ岩山占領セハ一文字山ニ向ヒ戰果ヲ擴張スヘシ、

四、Ⅱ（-2中）ハⅠノ後方ヨリ隨時戰果ヲ擴張シ得ル態勢ニアルヘシ、其他重火器部隊ヲ以テⅠノ攻擊ニ協力セシムヘシ、

五、Ⅲハ其ノ主力ヲ左松山トガリ山附近ニ移動セシメ砲兵ノ射擊ヲ容易ニシ其ノ重火器部隊ヲ以テⅠニ協力セシメ其ノ間三浦部隊ト連絡シツヽ大圓山ニ對スル攻擊ヲ準備スヘシ、

六、其他ノ部隊ハ前命令ノ如ク行動スヘシ、

七、第六中隊ハ豫備隊トス、其兵力ハ岩山西側附近ニ於テ右側方ノ敵ニ對シ警戒スヘシ、

八、予ハ現在地ニ在リ、

聯隊長　近藤大佐

下達法　要旨ヲ傳ヘタル後命令受領者ニ口達筆記セシム、

歩三八作命甲第六ノ一〇〇號

歩兵第三十八聯隊命令

十月八日十四時〇分
於沙窩西南側高地上

一、聯隊ハ先ス大圓山高地ヲ奪取シ其後奥ノ岩山ヲ攻略セントス、

二、三浦部隊ハ十五時攻擊前進スヘシ、

三、Ⅲハ主トシテ重火器部隊ヲ以テ先ツ大圓山ヲ攻擊シ爾後奥ノ岩山攻擊ニ協力スヘシ、

其ノ一ケ中隊ハ隨時三浦部隊方面ニ使用シ得ルノ準備ニアルヘシ、

四、各火砲部隊主力ハ三浦部隊大圓山攻擊ニ協力シ爾後奥ノ岩山攻擊

ニ協力スヘシ
五、予ハ現在地ニ在リ

下達法　命令受領者ニ口達筆記セシム

聯隊長　近藤大佐

歩三八作命第六〇一號

歩兵第三十八聯隊命令

十月八日二三時三十分
於沙窩西側高地

一、聯隊ハ現態勢ヲ以テ夜ヲ徹シ爾後ノ攻撃ヲ準備セントス
二、I(II+5 I-1)ハ明九日奥ノ岩山及一文字山黎明攻撃ヲ準備スヘシ
其ノ實施ノ時機ハ大隊ニ於テ決定スヘシ
三、II(5中6中欠)ハIノ戰果擴張ニ協力シ得ルノ準備ニアルヘシ
四、各火砲部隊ハIノ奥ノ岩山及一字山占領後ノ確保ニ協力ノ準備ニアルヘシ

五、第一線部隊ハ豫想スル敵ノ逆襲ニ對シ破碎ノ準備ヲ爲シ特ニ敵ノ企圖ノ偵知ニ努ムヘシ
六、給養ハ携帯口糧甲ニ依ルヘシ
七、予ハ現在地ニ在リ

下達法　要旨ヲ傳ヘタル後命令受領者ニ口達筆記セシム

聯隊長　近藤大佐

要旨命令

十月十日十九時
於沙窩西南側高地上

一、凡ハ明拂曉大圓山ヲ攻撃セントス
二、三浦部隊ハ直接大圓山ヲ攻撃ス
三、IIIハ一ケ中隊トMG主力ヲ以テ左松山トガリ山ヲ占領セシメ三浦部隊ノ攻撃ヲ協力ス

其ノ主力ハトグリ山北側凹地附近ニ集結シ戰果ヲ擴張シ得ルノ準備ニアルヘシ
四、Iハ奥ノ岩山及一文字山附近ヲ堅固ニ占領シ歩兵隊右翼ノ據点トスヘシ
要スレハ大圓山背後ノ敵ヲ制壓シ得ルノ準備ニアルヘシ
五、IIハ一部ヲ以テ左側方面ヲ堅固ニ警戒シ現在地ニ於テ待機スヘシ
六、各火砲部隊ハ概ネ現在地附近ニアリテ大圓山ヲ攻撃シ得ルノ準備ニアルヘシ
七、工兵隊ハ現在地附近ニ於テ待機スヘシ
八、工兵丙中隊ハ豫備隊トス
九、予ハ現在地ニ在リ

下達法　命令受領者ニ口達筆記セシム

聯隊長　近藤大佐

歩三八作命第六〇三號

歩兵第三十八聯隊命令

十月十日二十三時三十分
於沙窩西南側高地

一、當面ノ敵狀ハ本朝來概ネ平穩ニシテ積極的ノ模樣ナシ
Iハ七、三〇奥ノ岩山一帯及一文字山ヲ占領セリ
二、歩兵隊ハ主力ヲ以テ明十一日拂曉ヨリ大圓山及大別富士附近ノ敵陣地ノ攻撃ヲ準備ス
三、左第一線部隊ハ明拂曉迄ニ概ネ現在ノ線ニ於テ當面ノ敵陣地ノ攻撃ヲ準備ス右側支隊ハ口主力ノ右側背ヲ掩護スルト共ニ其ノIIIヲ以テ水谷山西側高地附近ヲ占領シ歩兵隊ノ岩山確保ニ協力ス凡ハ直接協力スル筈
攻撃前進及突撃ハ砲兵ノ制壓及突撃支援射撃トノ協調ヲ周到ナラシムルヲ要ス
四、III(-12)ハ明拂曉迄ニ歩兵一中隊MG主力ヲ左松山トガリ山附近ニ配置シ三浦部隊ノ攻撃ニ火力ヲ以テ協力セシメ主力ハトガリ山北麓附近ニ待機シ戰果ノ擴張ニ應スルノ準備ヲナスヘシ

五、Ⅰ(十12)ハ概ネ現態勢ヲ以テ岩山一文字附近ヲ堅固ニ占領シ右翼ノ據点タルヘク成シ得レハ一文字山附近ヨリ大圓山背後ニ對シ大圓山攻撃ニ協力シ得ルノ準備ヲナスヘシ
六、Ⅱ(十6)概ネ現在地附近ニ於テ一部ヲ以テ右側ヲ警戒セシメ主力ハ待機スヘシ
七、第六中隊ハ打破石東方ニ至リ第一中隊ト交代シ日豫備隊タルヘシ
八、各火砲部隊ハ概ネ現在ノ配置ニ於テ三浦部隊大圓山攻撃ニ協力スルノ準備ヲナスヘシ
九、通信班ハ依然現任務ヲ續行スヘシ
十、丙中隊及P中隊ハR豫備隊トナリ概ネ現在地附近ニ位置スヘシ
十一、予ハ依然現在地ニ在リ

聯隊長　近藤大佐

下達法　要旨ヲ傳ヘタル後命令受領者ヲ集メ口達筆記セシム

歩三八作命第六〇三號

歩兵第三十八聯隊命令

十一月十一日十八時三十分
於沙窩西南側高地

一、前面ノ敵状ハ大ナル變化ナシ
大圓山ニハ一部ノ敵在ルモノノ如シ
三浦部隊ハ大圓山ノ四合目附近ニ進出セリ
二、聯隊ハ引續キ大圓山ニ對シ一部攻撃ヲ實施スルト共ニ岩山附近據点確保セントス
三、三浦部隊ハ薄暮ヲ利用シテ松山稜線附近ニ進出占領シナシ得レハ引續キ天頂攻略ニ努ムヘシ
四、Ⅲハ一ケ中隊ヲ現在三浦部隊豫備隊ノ位置附近ニ進出セシメ三浦部隊ニ追隨シ得ルノ準備ニアルヘシ
主力ハ前任務ヲ續行スヘシ
五、其他ノ部隊ハ現態勢ニ於テ前任務ヲ續行スヘシ
六、給養ハ携帯口糧甲ニ依ルヘシ

七、予ハ依然現在地ニ在リ

聯隊長　近藤大佐

下達法　命令受領者ニ口達筆記セシム

歩三八作命第六〇四號

歩兵第三十八聯隊命令

十月十二日十一時三十分
於沙窩西南側高地

一、大圓山及其南側地區ニハ相當ノ敵アルモノノ如シ
三浦部隊ハ大圓山手前右斜面ノ敵ニ百五十米前ニ在リ
二、Rハ大圓山攻撃ノ態勢ヲ整ヘントス
三、Ⅲハ主力ヲ以テ大圓山西南側附近ヨリ三浦部隊ト協力シテ大圓山ヲ攻略スルノ準備ヲナスヘシ
四、Ⅱハ左松山及トガリ山北側谷地附近ニ移動シテ大圓山攻撃ノ戰果擴張ニ

任シ得ルノ準備ヲナスヘシ
五、Ⅰハ奥ノ岩山水谷山一文字山一帯ヲ占領シ右翼ノ據点トナルヘシ
六、RiA及火力部隊ハ左松山一帯ニ對シ主トシテRノ射撃不可能ノ地區ニ對シ射撃ヲ準備シ大圓山攻撃準備ヲナシ得ルノ準備ニアルヘシ其各陣地ハ相互ニ協定スヘシ
七、予ハ左松山或ハトガリ山附近ニ到ル豫定

聯隊長　近藤元

下達法　命令受領者ニ口達筆記セシム

歩三〇旅作命甲第四九八號

左翼隊命令

十月十二日十七時〇分
於打破石東方四〇地

一、師團主力方面ノ情況ハ依然大ナル變化ナシ

情報ニ依レハ敵ハ新集（沙窩西方四粁）方向ヨリ一部ヲ以テ朱家畈（双輪河西方八粁）ニ進メ師團當面ノ敵ノ作戰ニ策應スルノ企圖ヲ有スルモノノ如シ
迂廻隊ハ昨十一日夜6102高地（楊家寨東南二粁）ヲ完全ニ占領セリ
第十師團ハ信陽西側ニ又第三師團ハ其ノ東北側ニ進出シ岡田支隊ハ信陽東門ヲ爆破シ城内ニ進入セリ
第十三師團ノ戰鬪ハ逐次進展シツヽアリ
師團ハ天象ノ影響最モ少キ左方ニ重点ヲ轉移シ速ニ主力ヲ以テ李家凹方向ヨリ小界嶺方向ニ向フ攻撃ヲ準備ス
381i（約二大隊缺）重榴一中隊BAs一中隊（一分隊缺）LM一中隊1/4Pハ新ニ右翼隊トナリ一部ヲ以テ岩山ヲ確保スルト共ニ明十三日拂曉迄ニ主力ヲ以テ大圓山ニ對スル攻撃ヲ準備ス
迂廻隊ハ犀牛望月附近ニ進出シ左翼隊方面ノ敵陣地右側背ヲ攻撃ス
右側支隊ハ土門關南側及陳家凹附近ニ有力ナル搜索據点ヲ占領シ其ノ主力ヲ集結シ特ニ朱家畈及虎灣方向ヨリスル敵ノ攻勢企圖ノ偵知ニ努ム

38

左翼支隊ハ洪店及呉家嶺南方地區ニ前進シ洪店―走廟道及6018高地附近ノ敵ヲ牽制シ迂廻隊ノ攻撃ヲ容易ナラシム
砲兵隊（四缺）ハ本十二日一部ヲ以テ依然歩兵隊ノ攻撃ニ協力スルト共ニ明十三日拂曉迄ニ主力ヲ以テ呉灣南側附近ニ各一部ヲ以テ沙窩呉家嶺附近ニ陣地ヲ占領シ主力ヲ以テ右翼隊ノ大圓山攻撃及迂廻隊ノ攻撃ニ協力スルノ準備ヲナス
工兵隊ハ本十二日主力ヲ以テ砲兵隊ノ陣地占領ヲ援助ス
爾餘ノ諸隊ハ依然現任務ヲ續行ス

二、歩兵隊（前項右翼隊所屬部隊及工兵中隊ヲ缺キ重榴一大隊（一中隊缺）ヲ屬ス）ハ爾今左翼隊トナリ本十二日依然戰果ノ擴張ニ努ムルト共ニ明十三日拂曉迄ニ主力ヲ以テ李家凹西北側高地一部ヲ以テ西山ニ對スル攻撃ヲ準備セントス

三、歩三八ノ一大隊（一中隊缺）傳騎二LM一中隊ハ右第一線トナリ本十二日夜第一線ヲ交代シ明十三日拂曉迄ニ第二望樓高地大別富士及其北側高地ニ對スル

39

攻撃ヲ準備スヘシ

四、歩三三、傳騎二VLM（三中隊缺）IIBAs（一中隊缺）ハ左第一線トナリ本十二日依然戰果ノ擴張ニ努ムルト共ニ明十三日拂曉迄ニ主力ヲ以テ李家凹西北側高地一部ヲ以テ西山ニ對スル攻撃ヲ準備スヘシ

五、第一線両部隊戰鬪地域ノ境界ハ打破石東南方高地西方頂上ヲ連ヌル線（線上ハ右ニ屬ス）トス

六、重榴大隊ハ概ネ現在地附近ニ於テ主力ヲ以テ左第一線部隊ノ李家凹西北側高地攻撃ニ一部ヲ以テ右第一線部隊ノ攻撃ニ協力スルノ準備ヲナスヘシ

七、工兵中隊（三小隊缺）ハ一部ヲ以テ右第一線ニ主力ヲ以テ左第一線部隊ノ攻撃ニ協力スヘシ

八、第　中隊ハ豫備隊トナリ本夜打破石東方一粁半凹地ニ位置スヘシ

九、予ハ暫ク現在地ニ在リ後打破石東方一粁半凹地ニ至ル

左翼隊長　篠原次郎

40

下達法　歩兵隊長ニ要旨ヲ命令シ後命令受領者ヲ集メ口達筆記セシム

歩三八作命第六〇五號

歩兵第三十八聯隊命令

十月十二日二十二時
於左松山頂上

一、師團主力前面ノ情況依然大ナル變化ナシ
情報ニ依レハ敵ハ新集（沙窩西方四粁）ヨリ一部ヲ以テ朱家畈ニ進出シ師團當面ノ敵ノ作戰ニ策應スルノ企圖ヲ有スルモノノ如シ
迂廻隊ハ昨十一日夜六時十分ニ高地ヲ完全ニ占領セリ
第十師團ハ信陽西側ニ又第三師團ハ其ノ東北側ニ進出シ第十三師團ノ戰鬪ハ逐次進展シツヽアリ
師團ハ天象ノ影響最モ少キ左方ニ重点ヲ轉向シ速ニ主力ヲ以テ李家凹方面ヨリ小界嶺ニ向フ攻撃ヲ準備セントス
左翼隊（301B、331i、381i（II-1中）、重榴一大隊（-1中））ハ明十三日拂曉迄ニ主力ヲ以テ李家凹

41

北側高地一部ヲ以テ西山ニ對スル攻撃ヲ準備ス、
二、R(Ⅱ(一中)、傳騎四、重榴一ケ中隊BA(S)(一中隊一段列)5LM一中隊P一小隊)ハ新ニ右翼隊トナリ有力ナル一部ヲ以テ岩山ヲ確保スルト共ニ明十三日拂曉迄ニ主力ヲ以テ大圓山ニ對スル攻撃ヲ準備セントス、
兩翼戰鬪地境ノ境界ハ沙窩—麻城道(左翼隊ニ屬ス)トス、
R隊ハ一部ヲ以テ大圓山攻撃ニ協力スル筈、
三、Ⅲ(一中缺)ハ大圓山攻撃部隊トナリ明十三日拂曉迄ニ概ネ三浦部隊ノ現在占領地附近ニ於テ大圓山攻撃ヲ準備スヘシ、
攻撃前進ノ時期ハ別命ス、
四、Ⅰハ依然前任務ヲ續行シ其ノ一ケ中隊ハMG一小隊ヲ予ノ直轄タラシメトグリ山附近ニ前進セシムヘシ、
五、Ⅱ(缺)三浦部隊ハ左翼隊長ノ指揮下ニ入リ現所屬ニ入ルヘシ、
六、各火砲部隊ハ概ネ現在ノ位置ニ於テ大圓山攻撃準備ニアルヘシ、
七、RTLハⅠ、Ⅱ間ニ電話網ヲ構成スヘシ、

八、予ハ左松山ニ在リ

聯隊長　近藤元

下達法　要旨ヲ傳ヘタル後命令受領者ニ口達筆記セシム、

歩三三作命甲第三八九號

歩兵第三十三聯隊命令

十月十二日二十二時〇分
於磨盤山北麓一軒家

一、第十師團ハ信陽西側ニ又第三師團ハ其ノ東側ニ進出シ岡田支隊ハ信陽東門ヲ爆破シ城内ニ進入セリ、
第十三師團ノ戰鬪ハ逐次進展シツツアリ、
二、38i(缺Ⅰ)ヲ基幹トスル部隊ヲ以テ新ニ右翼隊トナシ十三日拂曉迄ニ大圓山ニ對スル攻撃ヲ準備ス、
三、30iB(38i主力缺重榴一大隊主力ヲ屬ス)ハ爾今左翼隊トナリ主力ヲ以テ磨盤山

南方高地ニ對スル攻撃ヲ準備ス、
四、聯隊(傳騎二5LM(三ケ中隊缺)2BA(S)(一中缺)屬ス)ハ左第一線トナリ主力ヲ以テ磨盤山南方高地一部ヲ以テ西山ニ對スル攻撃ヲ準備セントス、
38iノ一ケ大隊(一ケ中隊ヲ缺キLM一中隊ヲ屬ス)ハ左翼隊ノ右第一線トナリ十三日拂曉迄ニ第二望樓高地大別富士及其ノ北側高地ニ對スル攻撃ヲ準備ス、
右第一線トノ戰鬪地境左ノ如シ、
打破石東南方高地(現ニRⅡノ觀測所)西山西麓鞍部道路大別富士南方高地ノ西方頂上ヲ連スル線(線上ハ右ニ屬ス)トス、
五、Ⅲ(一中缺TIA配屬)ハ右第一線十四日拂曉迄ニ概ネ現在線ニ於テ先ス西山高地ニ對スル攻撃ヲ準備スヘシ、
六、Ⅱ(5中 1/4MG缺 RIA屬ス)ハ中第一線成可ク速ニⅠ右第一線中隊ノ守備ヲ繼承シ十四日拂曉迄ニ西山東側高地ニ對シ攻撃ヲ準備スヘシ、
七、Ⅰ(5中 1/4 2MG屬ス)ハ左第一線十四日拂曉迄ニ概ネ現在線ニ於テ主力ヲ以テ磨盤山南方高地ニ對スル攻撃ヲ準備スヘシ、

八、迂廻隊ハ犀牛之背附近ニ進出シ右側背ヲ攻撃ス、
第一線大隊ノ戰鬪地境左ノ如シ、
右中大隊間　岩山高地西山東方鞍部ヲ連スル線、
中左大隊間　磨盤山最高峯東麓磨盤山南方高地頂上ヲ連スル線、
九、5LM(三ケ中隊缺)Ⅲ後方成可ク近ク陣地ヲ占領シアルヘシ、
西山南方凹地附近ニ位置スル敵ノ迫撃ヲ制壓ⅢⅡノ戰鬪ニ協力スヘシ、
十、BA大隊(三中隊缺)ハ主力ヲ以テ打破石東南方高地附近ニ一部ヲ以テ『ラクダ』山北側附近ニ陣地ヲ占領シ主トシテⅢⅡノ戰鬪ニ協力スヘシ、
十一、R隊ハ主力ヲ以テ吳灣南側附近ニ各一部ヲ以テ沙窩吳家嶺附近ニ陣地ヲ占領シ主力ヲ以テ左翼隊ノ戰鬪ニ協力ス、
十二、發煙中隊ハ暫ク現在地ニアリテⅢⅡノ攻撃ニ協力スルノ準備ヲ為スヘシ、
十三、Ⅲノ一中隊ハ豫備隊トス、磨盤山東北麓ニ位置シ特ニ東北方ニ對シ警戒スヘシ、
十四、予ハ現在地ニアリ、

聯隊長　山田大佐

下達法　命令受領者ニ口達筆記セシム（但シ山砲隊ニハ筆記セルモノヲ送付）

十月十三日　〇一〇〇
於打破石東方一粁半凹地

歩三〇旅作命甲第四九九號

左　翼　隊　命　令

一、師團主力方面ノ戰況大ナル變化ナシ
師團ハ本十三日依然攻撃ヲ準備ス
右翼隊ハ岩山附近ヲ確保スルト共ニ攻撃準備ヲ續行シ主力ヲ以テ明十四日拂曉迫ニ大圓山敵陣地ニ近迫シ突撃ヲ準備シ一部ヲ大圓山側背ニ指向シ又情況特ニ天候ニ依リテハ砲兵火力ノ發揚ヲ待ツコトナク敵陣地ヲ急襲スルコトニ努ム
砲兵隊ハ十三日両翼隊ト密接ナル協調ヲ行ヒ十四日拂曉迫ニ主力ヲ以テ左翼隊ノ攻撃ニ一部ヲ以テ右翼隊ノ大圓山攻撃ニ協力スルノ準備ヲナス

二、左翼隊ハ本十三日依然攻撃準備ヲ續行シ明十四日拂曉迫ニ歩砲兵密接ナル協調ノ下ニ於テ行フ西山及磨盤山南側高地敵陣地攻撃ヲ準備セントス

三、右第一線部隊ハ十三日依然攻撃準備ヲ續行シ明十四日拂曉迫ニ歩砲兵密接ナル協調ノ下ニ於テ大別富士及其両側高地ノ敵陣地攻撃ヲ準備スヘシ

四、左第一線部隊ハ十三日依然攻撃準備ヲ續行シ明十四日拂曉迫ニ歩砲兵密接ナル協調ノ下ニ於テ行フ西山及磨盤山南側高地ノ敵陣地攻撃ヲ準備スヘシ

五、野砲兵（十榴）大隊ハ主力ヲ以テ左第一線ノ西山及磨盤山南側高地敵陣地攻撃ニ一部ヲ以テ右第一線ノ大別富士及其ノ両側高地ノ敵陣地攻撃ニ協力スルノ準備ヲナスヘシ

六、第一線部隊ノ突撃ト砲兵隊トノ突撃支援射撃ニ關シテハ特ニ緊密ナル協定ヲナスヘシ

七、工兵中隊ハ依然現任務ヲ續行スヘシ
工兵一小隊ハ更ニ増加セラル

八、豫備隊ハ十三日依然現在地ニ位置シ十四日拂曉迫ニ打破石東方高地東側ニ位置スヘシ

九、予ハ暫ク現在地ニ在リ
十四日拂曉打破石東南方高地ニ到ル

左　翼　隊　長　　篠　原　次　郎

下達法　命令受領者ヲ集メ口達筆記セシム

歩三三作命甲第三九〇號

歩兵第三十三聯隊命令

十月十四日一時三〇分
於磨盤山東北麓一軒家

一、迂廻隊ハ昨十三日十七時6ID2西側高地ノ敵陣地ヲ占領セリ

二、左翼隊ハ本十四日A（ABA）ノ射撃ニ引續キ攻撃前進ヲ開始シ當面ノ敵陣地ヲ占領スル企圖ヲ有ス
A隊ノ戰鬪計畫ノ概要別紙ノ如シ

三、Rハ本十四日更ニ攻撃準備ヲ進メA隊ト協力シ先ス西山附近ノ敵陣地ヲ奪取セントス

四、第一線各大隊ハ本十四日十四時迫ニ攻撃準備ヲ完了シA隊ノ射撃ニ連繋シ夫々所命ノ点ニ向ヒ前進スヘシ

五、BA大隊ハ砲兵隊ノ射撃ニ連繋シ適時射撃ヲ實施スヘシ

六、LM大隊ハ前任務ヲ續行スヘシ

七、豫備隊ハ暫ク現在地ニ待機スヘシ

八、予ハ十時岩山ニ後磨盤山最高峯ニ到ル

聯　隊　長　　山　田　大　佐

下達法　命令受領者ニ口達筆記セシム

歩兵第三十三聯隊作命甲第三九〇號
別　紙

野砲隊戰鬪計畫ノ概要

一、早朝ヨリ試射ヲ開始シ（射擊開始ハ別命）之ニ引續キ叭ヲ以テ約一時間西山及磨盤山南側高地ノ要点ヲ破壞シタル後突擊支援射擊ヲ行ヒ歩兵ノ突擊ヲ援助ス歩兵突擊ニ移レハ火力ヲ後方側方ニ移シ歩兵ノ突擊ヲ妨害スル火力ヲ制壓ス

二、左翼隊方面試射時間約一時間

第一大隊　大別富士後方高地ニ

第三大隊　大別富士後方高地西山及磨盤山南側高地

10榴隊　大別富士後方高地LM陣地西山及磨盤山南側高地

三、効力射火力指向要領

1、破壞射擊

三ケ中隊ヲ西山及磨盤山南側高地ニ指向シ各々完全ニ破壞ス

Bi配屬10榴ハ同時ニ該地區ノ破壞ニ任ス

2、西山及磨盤山突擊

イ、支援射擊

AⅡⅢノ中隊ノ火力（集中地域ノ配當ハ叭長ノ担任トス）

ロ、射程延伸側防火器ノ制壓

AⅠハ鉢巻山（LⅡ）ノ突擊目標ノ東南側陣地ノ側防火器ノ制壓

AⅢノ中隊ハ大別富士東方高地東端ニ出現ヲ豫想スル重火器ヲ制壓

10榴中隊ハ大別富士東方高地附近ニアルLMノ制壓

3、大別富士東方高地突擊（省略）

四、突擊支援射擊ノ要領

第一回　一分四發　一分間

第二回（第一回終了後三分ヲ間シ）二分四發　二分間

五、射程延伸及側防火器制壓射擊要領

緊要ナル時機以外ハ要点ニ對シ緩徐ナル射擊ヲ持續スルモノトス

歩三三作命甲第三九一號

歩兵第三十三聯隊命令　十月十四日十二時七分 於磨盤山東北麓一軒家

一、當面ノ敵陣地ニ對スル攻擊開始ハ明十五日早朝ト決定セラル

二、聯隊ハ本十四日引續キ攻擊準備ヲ續行シ明十五日朝Aノ射擊ニ引續キ當面ノ敵陣地ヲ奪取セントス

三、第一線各大隊ハ依然攻擊準備ヲ續行シ明拂曉迄ニ之ヲ完成シ突擊ニ遺憾ナキ樣期スルト共ニ身心ノ休養ニ努ムヘシ

四、爾餘ノ諸隊ハ前任務ヲ續行スヘシ

聯隊長　山田大佐

下達法　命令受領者ヲ集メ口達筆記セシム

歩三三作命第三九二號

歩兵第三十三聯隊命令　十月十六日二時 於磨盤山山麓

一、右翼隊ハ十五日十七時大圓山最高峯ヲ占領シ引續キ戰果ヲ擴張中ナリ
迂廻隊ハ六〇三高地一帯ヲ占領シ犀牛望月附近ノ敵陣ニ對シ攻擊準備中ニシテ又左側支隊ハ洪店ニ進出セリ
師團ハ有力ナル一部ヲ以テ余家集―洪店―両路口方向ノ退路ヲ遮斷スルト共ニ本十六日主力ヲ以テ依然攻擊ヲ續行ス之カ為弘長ハ弘主力十榴中隊ヲ基幹トスル部隊ヲ指揮シ新ニ右側支隊トナリ主トシテ余家集―洪店―両路口道以北ノ地區ヲ敵ノ退路ヲ遮斷ス

二、左翼隊（十榴中隊ヲ除ク其他ノ兵力如故）ハ本十六日西山附近ノ敵ニ對シ攻擊ノ續行ヲ企圖ス

三、聯隊ハ本十六日更ニ態勢ヲ整ヘタル後西山附近ノ陣地奪取ヲ再興セントス
A協力ハ概ネ前日ノ如ク旅團ノ右第一線部隊ハ左翼隊ニ連繋シ當面ノ敵陣ニ對シ攻擊ヲ續行スル筈

四、第三大隊（第二中隊復歸）ハ本十六日隊伍ヲ整頓シ攻擊準備ヲ整ヘ突擊再興ヲ準備スヘシ突擊開始ノ時期ハ別命ス

五、第一大隊ハ一部ヲ以テ揚家寨ヲ占領シ迂廻隊ト協力スルト共ニ主力ヲ以テ磨盤山南方地區ニ對スル攻撃ヲ準備スヘシ
六、迫撃砲大隊ハ依然主トシテ敵ノ迫撃ヲ求メテ之ヲ制壓スヘシ
七、山砲中隊ハ主トシテ第一大隊ノ戰鬪ニ協力スヘシ
八、發煙中隊ハ明朝第二第三大隊ノ後方ヲ前進シ両大隊ノ攻撃ニ協力スヘシ
九、第五中隊一小隊ハ豫備隊トス先ス磨盤山東北麓附近ニ位置シ第一線ノ攻撃前進ニ當リテハ岩山附近ヨリ第三第二大隊中央後ヲ前進スルノ準備ニアルヘシ
十、通信班ハ岩山ヲ基点トシ各大隊✡間ノ通信連絡ニ任スヘシ
十一、予ハ暫ク現在地ニアリ後岩山ニ到リ突撃實施ニ當リテハ第二第三大隊ノ後方ヲ前進ス

下達法　命令受領者ニ口達筆記セシム

聯隊長　山田大佐

54

歩三三作命甲第三九三號

歩兵第三十三聯隊命令　十月十六日十五時四十分 於岩山頂上

一、聯隊ハ本夜現在ノ態勢ヲ以テ夜ヲ徹セントス
二、第一線各大隊ハ現在ノ態勢ヲ以テ夜ヲ徹スヘシ
三、9LM大隊明中隊ハ日没迄現任務ヲ續行シ後現在地ニ於テ夜ヲ徹スヘシ
四、爾餘ノ諸隊ハ前任務ヲ續行スヘシ

下達法　命令受領者ニ口達筆記セシム

聯隊長　山田大佐

55

歩三三作命甲第三九四號

歩兵第三十三聯隊命令　十月十七日二時三十分 於磨盤山麓一軒家

一、右翼隊ハ十五日大圓山西部高地ヲ奪取シ引續キ戰果ヲ擴張シ且ツ同日夕大圓山東側斜面方向ヨリ逆襲ヲ企圖セシ敵ヲ撃退シ一擧ニ大圓山一帯ヲ確實ニ占領シ十六日殘敵ヲ掃蕩ス
左側支隊ハ十六日八時ヨリ余家集發洪店ー両路口方面ニ前進ス
迂廻隊ハ十六日十時三十分小山后揚家寨東南二粁ー東南約五〇〇米閉鎖曲線高地ヲ占領シ犀牛望月ニ對スル攻撃ニ有利ニ進展シツツアリ
師團ハ本十七日両側地區ヨリ戰果ノ擴張ヲ期ス
右翼隊ハ本十七日大圓山一帯ノ敵ヲ掃蕩シ完全ニ同高地ヲ占領スルト共ニ大別富士及西山高地ノ攻撃ニ協力スルノ準備ヲナス
迂廻隊ハ犀牛望月附近ノ敵陣地ヲ攻略シ左側支隊ハ速ニ當面ノ敵ヲ撃破シテ敵ノ退路ヲ遮斷スル筈
凡隊ハ本十七日約一大隊ヲ以テ右翼隊ノ戰果擴張ニ協力スルト共ニ約一大隊ヲ以テ迂廻隊ノ犀牛望月及李家凹南側高地ノ攻撃ニ協力スルノ準備ヲナス
P隊ハ現任務ヲ續行シ他約一中隊ヲ以テ右翼隊ノ戰擴張特ニ大別富士及西山方面ニ對スル攻撃ニ協力ス

56

左翼隊ハ本十七日現態勢ヲ以テ攻撃續行ノ準備ヲナス
左翼隊第一線部隊ハ右翼隊ノ掃蕩ニ連繋シ成可ク前方ニ地利ヲ確保スルニ努ムヘシ
十榴大隊ハ現在地ニ於テ現所屬ニ復歸ス
二、聯隊ハ本十七日現態勢ヲ以テ攻撃續行ノ準備ヲナサントス
三、第一線各大隊ハ現態勢ヲ以テ攻撃續行ノ準備ヲナスヘシ
四、爾餘ノ諸隊ハ依然現任務ヲ續行スヘシ
五、予ハ暫ク現在地ニ在リ後岩山ニ到ル

下達法　要旨ヲ電話テ傳ヘタル後命令受領者ニ對シ口達筆記セシム

聯隊長　山田喜藏

57

歩三三作命甲第三九五號

歩兵第三十三聯隊命令　十月十七日二十四時 於快活嶺

一、師團ノ追撃ハ概ネ順調ニ進捗シ第一線各隊ハ近ク敵ニ尾シテ追撃ヲ續行中ナリ
右翼隊ハ主力ヲ以テ本道西側高地ノ敵ヲ制壓シツツ追撃ス
迂廻隊ハ犀牛望月附近ノ敵ヲ撃破シ王家山東側高地ヲ經テ小界嶺南側地區ニ向ヒ追撃ス、右側支隊ハ努メテ速ニ洪毛屋箕寨ノ敵ヲ撃破シ両路口北側地區ニ進出シ敵ノ退路ヲ遮断ス
A隊ハ依然両翼隊ニ協力スルト共ニ明十八日拂曉迄ニ其ノ陣地ヲ推進シ其ノ主力ヲ以テ李家凹南方高地ニ對シ協力スヘシ一部ヲ以テ犀牛望月ノ敵陣地ニ對シ火力ヲ準備ス
P隊ハ主力ヲ以テ本道上ノ障碍排除ニ努ムヘシ
左翼隊ハ現態勢ヲ以テ先行破求店ー王家山南北高地線ニ敵ヲ急追ス
右第一線部隊ハ碩子溝方向ヨリ吊橋灣東側高地ヲ經テ先ス破求店ニ向ヒ敵ヲ急追ス
二、聯隊ハ明十八日七時行動ヲ開始追撃ヲ續行主力ヲ以テ李家凹西北方高地ヨリ先ス王家山南方高地ニ向ヒ敵ヲ急追セントス

三、III（配屬部隊如故）ハ當面ノ敵ヲ撃破シ標高四六七五ノ高地ヲ經テ先ス宋家沖ニ向ヒ敵ヲ急追スヘシ
四、II（RIA配屬部隊如故）ハIニ協力先ス李家凹南側高地ノ敵ヲ撃破シ老虎山ヲ經テ王家山南方高地ニ向ヒ敵ヲ急追スヘシ
磨盤山南方高地守備部隊ハ李家凹南側高地ヲ奪取後大隊ニ復歸セシムヘシ
五、Iハ李家凹方向ヨリ其ノ南側高地ノ敵ヲ撃破シ老屋山ヲ經テ王家山南側地區ニ敵ヲ急追スヘシ
特ニ迂廻隊ト連繫ニ努ムヘシ
六、RIA中隊ハ先ス主力ヲ以テ李家凹南側高地ノ戰闘ニ協力爾後王家山ニ向ヒ前進適時I II方面ノ戰闘ニ協力スヘシ
七、LM大隊ハIIIノ後方ヲ躍進シ適時第一線ノ戰闘ニ協力スヘシ
八、BAs中隊ハ先ス李家凹南側地區ノ戰闘ニ協力爾後王家山附近ノ戰闘ニ協力スヘシ

九、發煙筒中隊ハ其ノ一部ヲ以テIII IIノ戰闘ニ協力セシメ爾餘ハ豫備隊ト共ニ前進スヘシ
十、豫備隊ハIIノ後方ヲ前進スヘシ
十一、予ハ李家凹西側高地ニ在リ、其ノ南側高地ヲ經テ王家山南方高地ニ到ル

聯隊長代理　渡邊綱彦

下達法　命令受領者ニ口達筆記セシム

注意

一、明十八日十時以降十二時ノ間ニ於テ爆撃機ヲ以テ當面ノ敵陣地ニ對シ爆撃セラルヽニ付キ第一線標示ヲ確實ニスル事
二、各隊ハ本道追撃間成可ク速カニ後方ニ殘置シアル兵器彈藥等整備スル事ニ努ムル事
三、車輛編制部隊ハ山地ノ行動不便ナルヲ以テ戰闘進捗ニ伴ヒ本道上ヲ推進スル様準備セラレ度ク

歩三三作命甲第三九八號

歩兵第三十三聯隊命令

十月十九日二時五分
於李家凹西側高地西麓

一、小馬凹地吊橋灣東側大家山東側ノ各高地ニハ敵之ヲ占領シアリテ我第一線ハ之ニ近迫シ攻撃中ナリ
師團ハ本十九日敵ノ配備完カラサルニ乘シ速ニ當面ノ敵ヲ撃破シ両路口隘地ニ迂廻追撃ス
右翼隊ハ本十九日主力ヲ本道西側山腹ニ沿ヒ進ミ所在ノ抵抗ヲ排除シ小界嶺ニ向ヒ追撃ヲ續行ス特ニ白雲山制高稜線ニ沿ヒテ進ミ師團主力ノ進出ヲ容易ナラシメ左翼隊ハ速ニ王家山ノ敵ヲ撃破シテ小界嶺ニ向ヒ敵ヲ追撃續行セントス
迂廻隊ハ十九日砲兵ノ威力ヲ遲滞スルコトナク當面ノ敵ヲ小界嶺南側ニ向ヒ突進ス
左側支隊ハ本十九日當面ノ敵ヲ撃破シテ両路口北側隘路口ニ於テ敵ノ退路ヲ遮断ス

A隊ハ本十九日一部ヲ以テ右翼隊ノ主力ヲ以テ左翼隊ノ進撃ヲ協力ス特ニ本道西側ニ在ル敵ノ側防火器ヲ破壊シ破求店附近ニアル敵砲兵ノ制壓ニ努ムル筈

二、聯隊（配屬如故）ハ本十九日八時行動ヲ開始シ速ニ老虎山附近ノ敵ヲ撃破シテ小思嶺ニ向ヒ敵ヲ追撃續行セントス

聯隊ノ攻撃重点ハ老虎山稜線ニ於テ指向ス

右第一線大隊ハ依然現在任務ヲ續行スヘシ

三、第三大隊（配屬如故）ハ先ス標高四六七五高地ノ敵ヲ撃破シテ同高地稜線ニ沿ヒ敵ヲ驅逐シ一部ヲ以テ同高地稜線沿ヒ敵ヲ急進セシメ爾後既ニ命令セシ通リ兵力ヲ集結シ旅團長直轄タルヘシ配屬聯隊砲ノ行動ニ關シテハ既ニ命令セシ通リ

四、第二大隊（配屬如故）ハ第一大隊ニ協力シ先ス老虎山東側稜線ノ敵ヲ撃破シ爾後同稜線西側斜面ヲ先ス王家山南側地區ニ向ヒ敵ヲ急追スヘシ

五、第一大隊ハ第二大隊ト協力シ先ス老虎山稜線ノ敵ヲ撃破シ同稜線最高地ヲ

先ス王家山南側高地ニ向ヒ敵ヲ急追スヘシ特ニ迂廻隊ト連絡スルヲ要ス

六、聯隊砲中隊ハ拂曉迄ニ姚家凹ニ陣地ヲ推進シ主トシテ第二大隊ノ戰闘ニ協力シ一部ノ火力ヲ標高四六七五高地ニ指向スル如ク準備シ隨時第三大隊ノ戰闘ニ協力スヘシ

七、迫撃第五大隊ハ拂曉迄ニ西山附近ニ陣地ヲ推進シ主トシテ第一第二大隊ノ戰闘ニ協力スヘシ

八、BI中隊ハ依然現在陣地ニ於テ主トシテ第一大隊ノ戰闘ニ協力シ第一線ノ前進ニ伴ヒ老虎山北側附近ニ陣地ヲ推進スヘシ

九、發煙中隊ハ豫備隊ト共ニ前進シ隨時第一線大隊ノ戰闘ニ協力シ得ル如ク準備シアルヘシ

十、豫備隊ハ第一線ノ進出ニ伴ヒ老虎山東側稜線西麓ニ沿ヒ前進スヘシ

十一、TLハ本十九日八時迄ニ聯隊本部ト第一線大隊✡間ノ連絡ニ任スヘシ

十二、予ハ標高五九三高地西側稜線ヨリ第一線ノ進出ニ伴ヒ老虎山南側高地ニ到ル

下達法　各隊命令受領者ヲ集メ口達筆記セシム

聯隊長代理　渡邊綱彦

歩三三作命甲第三九九號

歩兵第三十三聯隊命令

十月二十日〇時五十分
於快活嶺東方高地

一、師團主力當面ノ戰闘ハ佳ニ入リ尚若干ノ進捗ヲ見タルモ聯隊當面ノ敵ハ犀牛望月附近ニ相當堅固ナル陣地ヲ占領シアリ

迂廻隊ハ犀牛望月左側支隊ハ黄馬灣ノ敵ヲ攻撃中ナリ

信スヘキ情報ニ依レハ敵全軍ハ我軍ノ猛撃ニ依リ大動亂ヲ來シ其ノ大本營ハ衡陽（長沙西南方三十里）ニ後退セルモノノ如シ

酒井旅團ハ新集方面ヨリ突進セル敵ヲ攻撃ノタメ昨十九日光山附近ニ進出セリ

6Dハ既ニ攻撃ヲ開始セリ

師團ハ本二十日猛烈ナル攻撃ヲ續行ス

右翼隊ハ本二十日依然追撃ヲ續行ス

左翼隊ハ本二十日王家山東側地區ヨリ小思嶺ニ向ヒ攻撃ヲ續行ス

A隊ハ依然一部ヲ以テ右翼隊ニ主力ヲ以テ左翼隊ノ追撃ニ協力ス

情況許ス限リ數門ト雖モ前方ニ躍進セシメ両翼隊ノ戰闘ニ協力スル筈

二、聯隊（Ⅲヲ缺キ配屬如故）ハ先ス犀牛望月附近ノ敵陣地ヲ奪取シタル後更ニ追撃ヲ續行セントス

協力A隊ノ戰闘計畫ハ更ニ示ス

三、Ⅱ（IA 1/2ヲ屬ス）ハ現在地ニ於テⅠノ犀牛望月北側稜線攻撃ヲ援助シⅠ同稜線ニ進出セハ之ニ連繋シ犀牛望月同上月ノ字附近ニ進出シ爾後引續キ其ノ西南稜線ニ沿ヒ當面ノ敵ヲ撃破シテ先ツ王家山東側高地ニ進出スヘシ

四、Ⅰ（IA小隊ヲ屬ス）ハ本二十日拂曉迄ニ犀牛望月北側稜線北麓附近ニ展開シ同稜線ヨリ犀牛望月ノ敵陣地ヲ攻撃シ犀牛望月ニ進出シ同時以西ノ敵陣地ヲ奪取シタル後一部ヲ以テ犀牛望月最高峯ヲ確保セシメ主力ハ第二線トナリⅡノ

後方ヲ續行ス
犀牛望月攻略ニ當リテハ酒井隊ト連繫スル事ニ努ムヘシ
Iノ攻撃前進ノ時期ハ概ネ九時ト豫定スルモ更ニ別命ス
五、IIIハ爾今師團長ノ直轄トス
六、RIA中隊ハ本二十日拂曉迄ニ李家凹西方高地ニ陣地ヲ推進シ先ツ犀牛望月最高所以西ノ敵自動火器ヲ射擊スヘシ
七、BA中隊ハ本二十日拂曉迄ニ李家凹西北高地西側稜線ニ陣地ヲ躍進シ主トシテ犀牛望月最高所（含ム）以東ノ特ニ犀牛望月北側ノ敵重火器ヲ射擊スヘシ
RIA BAノ陣地推進ニ際シテハPハ之ヲ援助ス詳細ハ既ニ現地ニ於テ指示シタル通リ
八、LM大隊ハ本二十日拂曉迄ニ李家凹西北高地西側附近ニ陣地ヲ占領シ主トシテIノ戰闘ニ協力スヘシ
九、發煙筒中隊ハ依然豫備隊ト行動ヲ共ニシ前任務ヲ續行スヘシ
十、通信隊ハI II及✡トRトノ連絡ニ任スヘシ
十一、豫備隊ハ五九二、三高地西側稜線中腹ニ位置スヘシ

66

十二、爾後進出ニ關シテハ更ニ示ス
十三、予ハ標高五九二、三高地上ニ在リ戰闘進捗ニ伴ヒ犀牛望月西端ニ前進ス

聯隊長代理　渡邊綱彦

下達法　命令受領者ニ口達筆記セシム

歩三三作命甲第四〇號

歩兵第三十三聯隊命令

十月二十一日一時二十五分
於李家凹西北側稜線

一、右翼隊ハ昨二十日更ニ若干ノ進出ヲ見ル左翼隊主力ハ夕刻犀牛望月最高峯附近ノ距離ニ近迫シ又左側支隊ハ十七時過洪毛屋基寨敵陣地ヲ奪取セリ
師團ハ敵ヲ小界嶺南方ニ捕捉殲滅ヲ企圖ス右側支隊ハ本夜一部ヲ以テ381ト岩山附近ノ守備ヲ交代本二十一日依然前任務ヲ續行ス右翼隊ハ本夜岩

67

山附近ノ守備ヲ右側支隊ニ繼承シ本二十一日約一ケ大隊ヲ以テ白雲山ノ敵ヲ掃蕩シ主力ヲ以テ速ニ掃蕩擊滅シ小界嶺ニ壓迫擊滅ス
左翼隊ハ本夜犀牛望月ノ敵陣地ノ攻撃ヲ續行シ二十一日當面ノ敵ヲ擊破シ之ヲ王家山東側地區ヨリ小界嶺方向ニ壓倒擊滅ス迂廻隊ハ犀牛望月ノ敵ニ對スル攻撃ヲ續行シ本二十一日柴家山方向ヨリ小界嶺方向ニ突進ス
左側支隊ハ其ノ戰果ヲ擴張シ本二十一日西路口北側隘路ニ突進其ノ退路ヲ遮斷ス
凡隊ハ逐次陣地ヲ吊橋灣北方約一粁ノ地点ニ進出シ本二十一日主力ヲ以テ左翼隊一部ヲ以テ右翼隊ノ戰闘ニ協力ス
二、聯隊ハ本二十一日犀牛望月ノ敵陣地攻略ヲ續行シ依然老虎山東側稜線ニ沿ヒ小界嶺方向ニ向ヒ進出シ敵ヲ壓倒殲滅セントス
左翼隊右第一線部隊ハ引續キ標高四六七、五高地ノ敵陣地ヲ攻撃シ之ヲ王家山南方ヨリ小界嶺ニ壓倒ス
三、I（配屬如故）ハ本二十一日拂曉ヨリ更ニ攻撃ヲ再起シ既ニ示シタル様行動スヘシ

68

四、發煙筒中隊ハIノ攻撃ニ協力スヘシ
五、爾餘ノ部隊ハ依然前任務ヲ續行スヘシ
六、予ハ戰闘ノ進捗ニ伴ヒ李家凹南側高地ニ前進ス

聯隊長代理　渡邊中佐

下達法、命令受領者ニ口達筆記セシム

歩三三作命甲第四一號

歩兵第三十三聯隊命令

十月二十一日十二時三十分
於李家凹西北方高地

一、第一大隊ハ十二時二十五分犀牛望月最高峯ヲ占領シ引續キ戰果ヲ擴張中ナリ
第二大隊ハ之ニ連繫シ攻撃前進ヲ開始セリ
二、聯隊砲ハ逐次陣地ヲ李家凹南側高地附近ニ推進シ主トシテ第二大隊ノ戰闘ニ協力スルト共ニ約一小隊ヲ第二大隊ニ配屬スヘシ

69

三、BA中隊ハ逐次李家凹南側高地ニ陣地ヲ推進シ沈上（老虎山東南約二粁）南方稜線敵陣地ヲ射撃シ第二大ノ戰鬪ニ協力スヘシ

四、LM大隊ハ豫メ示シタル通リ暫ク現在地ニ於テ敵ノ逆襲ヲ阻止シタル後李家凹南側高地附近ニ陣地ヲ變換シ第二大隊ノ戰鬪ニ協力スヘシ
現在地ニ於ケル逆襲阻止射撃ハ第一大隊ノ犀牛望月最高峯地區ノ確保ヲ以テ終期トス

五、發煙筒中隊ハ豫備隊ト行動ヲ共ニシ隨時第一線ニ協力シ得ルノ準備ニ在ルヘシ

六、豫備隊ハ第一線ノ戰鬪進捗ニ伴ヒ犀牛望月北側谷地ニ向ヒ前進スヘシ

七、予ハ暫ク現在地ニ在リ後李家凹南側高地ニ到ル

聯隊長代理　渡邊中佐

下達法　命令受領者ニ口達筆記セシム

歩三三作命甲第四〇二號

歩兵第三十三聯隊命令

十月二十二日一時三十分
於李家凹

一、二十一日夕刻頃ニ於ケル師團當面ノ狀況左ノ如シ
右翼隊ハ白雲山最高点ニ近迫シ主力ハ吊橋灣西南側高地ノ敵ト相對峙ス
左翼隊ハ吊橋灣東南標高四六七五高地ヨリ老虎山附近ヲ經テ犀牛望月ニ進出シ續イテ戰果擴張中ナリ同方面ニ於テハ敵晝間ヨリ退却ヲ開始セルモノノ如シ
迂廻隊ハ犀牛望月東端ヲ占領シ柴家山方向ニ戰果擴張中ニシテ左側支隊ハ柴家山ノ敵陣地ヲ奪取シ同地西南側五九二九高地附近ノ距離ニ進出シ攻撃續行中ナリ
左側支隊ノ報告ニ依レハ洪店西路口以南ノ敵ハ退却ノ徵アリ師團ハ先ツ麻城平地ニ向ヒ敵ヲ急追ス
右翼隊ハ西路口北側地區ニ向ヒ追撃ス

左翼隊ハ主力ヲ以テ犀牛望月ヨリ王家山東側高地ヲ經テ小界嶺ニ向ヒ追撃ス
迂廻隊ハ依然現任務ヲ續行ス
左側支隊ハ標高五六六三高地方向ヨリ西路口ニ向ヒ突進シ敵ノ退路ヲ遮斷ス
凡隊ハ約二大隊ヲ以テ右翼隊ノ戰鬪ニ主力ヲ以テ左翼隊ノ戰鬪ニ協力ス

二、聯隊ハ所在ノ敵ヲ撃破シ犀牛望月ヨリ呉家山東北側高地ヲ經テ小界嶺ニ向ヒ敵ヲ追撃セントス
右第一線部隊ハ王家山西側高地ヨリ宋家冲南側高地ヲ經テ小界嶺ニ向ヒ追撃ス

三、II（配屬如故）ハ本二十二日八時追撃ヲ再興シ所在ノ敵ヲ撃破シテ老虎山南側稜線ニ進出シ同地ヨリIノ沈上（老虎山東南約一粁）南側高地進出ヲ援助スヘシ

四、Iハ犀牛望月西端附近ヨリIIノ老虎山南側稜線ヘノ進出ヲ援助シタル後犀牛望月南側稜線ニ沿ヒ所在ノ敵ヲ撃破シテ先ツ沈上南側高地ニ向ヒ敵ヲ急追スヘシ

五、RA BA中隊及LM大隊ハ現位置ニ在リテ先ツIIノ戰鬪ニ協力シタル後Iノ戰鬪ニ協力スヘシ

六、發煙中隊ハ依然現任務ヲ續行スヘシ

七、豫備隊ハ第一線ノ進出ニ伴ヒ犀牛望月西側ヨリ沈上ニ向ヒ前進スヘシ

八、通信班ハ依然現任務ヲ續行スヘシ

九、予ハ李家凹南側高地ヨリ犀牛望月西端ヲ經テ沈上南側高地ニ到ル

聯隊長代理　渡邊中佐

下達法　各隊ノ命令受領者ヲ集メ口達筆記セシム

歩三三作命甲第四〇三號

歩兵第三十三聯隊命令

十月二十二日九時十分
於五九二、三高地

一、左側支隊ノ師團ヘノ報告ニ依レハ敵ハ西路口附近ヲ退却中ニシテ左側支隊ハ揚家山（沈上南側高地東南端）ニ進出セリ

二、第一大隊ハ犀牛望月西端ヲ進出セハ直ニ沈上南側高地ヨリ陶家山（沈上南方一粁半）南側ヲ經テ呉家山東側高地ニ向ヒ敵ヲ急追スヘシ
三、RiAハ第二大隊ノ戰闘ニ協力シタル後第一大隊ノ戰闘ニ協力スヘシ
四、BA中隊ハ主トシテ第一大隊ノ戰闘ニ協力スヘシ
五、LM大隊ハ依然犀牛望月南方ノ敵LMヲ求メテ制壓シ爾後一部ヲ以テ第三大隊ノ主力ヲ以テ第一大隊ノ戰闘ニ協力スヘシ
六、爾餘ノ諸隊ハ前任務ヲ續行スヘシ
七、予ハ犀牛望月西端ニ到ル

聯隊長代理　渡邊中佐

下達法　命令受領者ニ口達筆記セシム

74

歩三三作命甲第四〇四號

歩兵第三十三聯隊命令

十月二十三日〇時五十五分
於李家凹

一、師團主力當面ノ敵狀大ナル變化ナシ
第十師ノ一部ハ概ネ「シユキトウ」ニ進出シ又第十三師團ハ將軍塞ヲ占領後福田河方面ニ向ヒ追擊中ナリ
師團ハ本二十三日萬難ヲ排シテ追擊ヲ續行ス右側支隊ハ現任務ヲ續行シンノ歩兵大隊及野砲一中隊ハ風間支隊トナリ本二十三日黎明ヲ利用シ技鼓芝天ゴ門（西方約四粁）ヲ急襲裡ニ占領シタル後象家河ヲ經テ福田河方向ニ追擊ス
左側支隊長ハ迂廻隊ヲ併セ本二十三日當面ノ敵ヲ擊破シテ西路口ニ向ヒ前進ス
左翼隊ト戰闘地境ハ柴家山西側鞍部五六六、三高地（騎龍寺東方約三粁）北部鞍部朱家大廟ヲ連ヌル線トス
凡隊ハ本二十三日一部ヲ以テ兩翼隊ノ戰闘ニ協力シ爾餘ノ部隊ヲ以テ敵砲兵ノ制壓ニ任ス

75

二、聯隊ハ本二十三日拂曉追擊ヲ再興シ陶家山北側高地ノ敵ヲ擊破シ小界嶺ニ向ヒ追擊セントス
上田大隊ハ（第十一中隊缺）當面ノ敵ヲ驅逐シ老虎山南方高地ニ進出後王家山西南高地方向ヨリ小界嶺ニ向ヒ追擊ス
三、第一大隊（配屬如故）ハ本二十三日拂曉追擊ヲ再興シ陶家山北側高地ノ敵ヲ擊破シ小界嶺ニ向ヒ追擊スヘシ
四、第三大隊（配屬如故）ハ現在地ニ於テ第一大隊ノ陶家山北側高地ノ攻擊ヲ援助シタル後第二線トナリ第一大隊ノ後方ヲ續行スヘシ
五、RiAハ本二十三日拂曉迄ニ犀牛望月西端附近ニ陣地ヲ變換シ第一大隊ノ攻擊ニ協力スヘシ
六、BA中隊ハ依然現在地ニアリテ第一大隊ノ攻擊ニ協力スヘシ
七、LM大隊ハ依然現陣地ヨリ第一大隊ノ攻擊ニ協力シ特ニ第一大隊ノ陶家山攻擊ニ當リ其稜線ヨリ敵ノ行フ逆襲ヲ阻止スヘシ
八、發煙中隊ハ約一小隊ヲ以テ第一大隊ノ攻擊ニ協力セシメ主力ハ依然豫備隊ト共ニ

76

行動スヘシ
九、爾餘ノ諸隊ハ依然現任務ヲ續行スヘシ
十、予ハ犀牛望月西端ニ在リ第一線前進ニ伴ヒ陶家山北側高地ニ前進ス

聯隊長代理　渡邊中佐

下達法　命令受領者ニ口達筆記セシム

歩三三作命甲第四〇五號

歩兵第三十三聯隊命令

十月二十四日九時二十分
於陶家山北側高地上

一、當面ノ敵ハ退却セルモノノ如ク第一線大隊ハ大ナル敵ノ抵抗ヲ受クル事ナク呉家山ノ敵陣地ヲ奪取セリ
二、聯隊ハ引續キ朱家大廟附近ニ急進シ敵ヲ捕捉擊滅セントス

77

三、第三大隊ハ引續キ呉家山南側稜線三道河北側既設陣地ヲ經テ敵ノ退路ヲ遮断スヘシ

四、第三大隊ハ第二線トナリ第一大隊ニ續行スヘシ

五、RIハ逐次呉家山東側高地附近ニ陣地ヲ推進シ第一大隊ノ戰闘ニ協力シ得ル如ク準備スヘシ

六、追撃大隊ハ暫ク現在地附近ニ位置シ第一大隊ノ戰闘ニ協力シ後呉家山東側高地附近ニ陣地ヲ推進スヘシ

七、BA中隊ハ逐次王家山南側高地附近ニ陣地ヲ推進シ第一大隊ノ戰闘ニ協力シ得ル如ク準備シ朱家大廟附近ニ進出ヲ豫想スル敵ノ凡ヲ制壓スル如ク準備スヘシ

RIA、BAノ陣地推進ノ時期ハ工兵中隊援助ス

八、八中隊並ニ發煙中隊ハ豫備隊

豫備隊ハ第一線ノ前進ニ伴ヒ呉家山東北高地ヨリ其南側高地ヲ經テ朱家大廟ニ向ヒ前進スヘシ

九、通信班ハ依然現任務ヲ續行スヘシ

78

十、予ハ呉家山東側高地ヨリ同南側高地ヲ經テ三道河高地ニ到ル

聯隊長代理　渡邊中佐

下達法　命令受領者ニ口達筆記セシム

歩三三作命甲第四〇六號

歩兵第三十三聯隊命令

十月二十四日十三時二十分
於 西　路　口

一、敵ハ既ニ麻城方向ニ退却セリ

師團ハ麻城ニ向ヒ敵ヲ急追ス左翼隊ハ師團追撃隊トナリ沙窩——麻城道ヲ麻城ニ向ヒ追撃ス之カタメⅢ/38i並ニ旅團司令部ハ既ニ先進セリ

二、凡（缺除配屬部隊如故）ハ兵力ノ集結ヲ待ツ事ナク逐次先進部隊ニ追及セントス

三、各隊ハ概ネ兵力集結終ラハ直ニ前進ヲ開始追及スヘシ

79

四、予ハ速時現在地出發麻城ニ向ヒ前進ス

聯隊長代理　渡邊中佐

下達法　命令受領者ニ口達筆記セシム

歩三〇旅作命甲第五一五號

追撃隊命令

十月二十五日二時二十五分
於 揚　龍　寺

一、路傍ニ多数ノ敗残兵アルモ大ナル敵部隊ナシ

二、追撃隊ハ現在地附近ニ於テ大休止セントス

三、前方ニ對シ嚴ニ警戒スヘシ

四、本隊ハ現在地以北ニ於テ大休止スヘシ

各隊ハ四周ニ對シ嚴ニ警戒スヘシ

後尾部隊ハ特ニ後方ニ對シ敗退スル敵ト追及スル友軍及遲留兵トヲ區分シ警戒ヲ嚴ニスヘシ

五、給養ハ携帯口糧ヲ使用スヘシ

六、予ハ揚龍寺ニ在リ

追撃隊長　篠原少将

下達法　先ツ要旨ヲ示シ後命令受領者ニ口達筆記

80

歩三〇作命甲第五一六號

歩兵第三十旅團命令

十月二十五日四時三十五分
於 揚　龍　寺

一、前面ニハ大ナル敵ナキモノ如シ

師團ハ依然追撃ヲ續行ス

二、追撃隊ハ依然麻城附近ニ向ヒ敵ヲ急追セントス

三、Ⅰ/33i、2P缺、2LPWs、1SA ハ前衛トナリ八時✡ノ位置ヲ出發麻城附近ニ向ヒ前進スヘシ

81

四、爾餘ノ部隊ハ本隊トナリ左ノ行軍序列ヲ以テ前衛ノ後方八百米ヲ續行スヘシ
✡ 33i(I) 3A(三ケ中缺) LM(三中缺) II/38i ¼P 重砲聯隊
五、予ハ本隊ノ先頭ニ在リテ前進ス

追撃隊長　篠原少將

下達法　命令受領者ニ口達筆記セシム

82

歩三三作命甲第四〇七號

歩兵第三十三聯隊命令

十月二十五日五時五分
於揚龍寺

一、前面ニハ大ナル敵ナキモノ如シ
師團ハ依然追撃ヲ續行ス
追撃隊ハ依然麻城附近ニ向ヒ敵ヲ急追ス
III(BAs、SA、2iPWs、P¼)ハ追撃隊前衛トナリ八時✡ノ位置ヲ出發麻城附近ニ向ヒ前進ス
二、聯隊(III缺)ハ追撃隊本隊トス
三、各隊ハ八時迄ニ各々現在地ニ於テ出發準備ヲ整エR II I 發煙中隊ノ順序ニ行軍序列ニ入ル
追撃隊本隊ノ行軍序列ハ✡ 33i(I、III缺)、BA(一中)、5LM(一中)、II/38i、P¼、SA(1中)ノ順序トス
四、予ハ聯隊本部ノ先頭ヲ前進ス

聯隊長代理　渡邊中佐

下達法　命令受領者ニ口達筆記セシム

83

84

昭和十三年十月

大別山突破戰闘

中隊長代理

磨盤山西南側並ニ吊橋湾東側及東南側附近戰闘[redacted]

一、戰闘前ニ於ケル彼我形勢ノ概要並ニ戰闘經過
中隊ハ十月十三日迫五作命第三五一號ノ四ニヨリ歩兵第三十八聯隊第二大隊配屬トナル。

中隊長代理伏木中尉ハ右命令ニヨリ沙窩西南側高地、陣地ヲ撤シ沙窩西側凹地車廠ノ位置ニ集結シ新任務ニ對スル準備ヲナスベク命令シ自ラ所要ノ觀測手ヲ伴ヒ磨盤山西側高地ニ到リ配屬大隊トノ連絡、敵情、地形、並ニ陣地偵察ノタメ同地ニ先行ス。

十六時同地附近ニ達シ偵察ノ結果配屬大隊ハ未タ到着シアラサルヲ以テ先ツ中隊ニ同地ニ向ヒ前進スベク命令ス。中隊ハ十八時沙窩西側凹地出発沙窩南側ヲ前進ノ途中歩兵三十八聯隊第二大隊（配屬大隊）ニ合シタルヲ以テ其ノ行軍序列内ニ入リ十月十四日三時磨盤山西側稜線ニ到着歩三八第二大隊作命五ノ

1

第八四號ニ依リ同地ニ陣地ヲ占領ス。
當時ニ於ケル彼我ノ態勢並ニ當中隊ノ戰闘別紙要圖第一並ニ附表第一ノ如シ
迫五作命第三五一號
迫擊第五大隊命令　十月十三日九時三十分於左松山
一、第十師團ハ信陽西側ニ又第三師團ハ其ノ東北地區ニ進出シ岡田支隊ハ信陽東門ヲ爆破シ城内ニ進入セリ。
第十三師團ノ戰闘ハ逐次進展シツヽアリ。

師團ハ新ニ歩兵第三十八聯隊（一大隊欠）重榴一中隊山砲一中隊（一分隊欠）軽迫一中隊　工兵一小隊ヲ右翼隊トシテ大円山ニ對スル攻擊ヲ歩兵隊（38i主カヲ欠キ重榴一大隊主カヲ屬ス）ヲ左翼隊トシテ磨盤山南側高地ニ對スル攻擊ヲ夫々準備ス。

左翼隊ハ38i一大隊（一中隊欠）軽迫一中隊ヲ右第一線トシ第二望樓高地、大別富士及其ノ北側高地ニ對スル攻擊ヲ33i　52M（二中隊欠）BA主カヲ左第一線トシ李家凹西北側高地西山ニ對スル攻擊ヲ夫々準備ス。
二、大隊ハ各一中隊ヲ右翼隊右第一線大隊ニ主カヲ以テ左翼隊ノ左第一線聯隊ニ配屬セラレ爾後ノ攻擊ヲ準備セシムトス。
三、第三中隊ハ右翼隊ニ配屬ヲ命ス。
四、第一中隊ハ左翼隊右第一線大隊ニ配屬ヲ命ス。
五、第二中隊ハ爾今予ノ指揮ニ復歸スヘシ。
尚配屬シアリシ大隊段列ノ一部ヲ大隊段列長ノ指揮ニ復歸セシムヘシ。
六、大隊段列長ハ第二中隊ニ配屬シアリシ大隊段列ノ一部ヲ其ノ指揮ニ入ルヘシ。
七、予ハ今ヨリ先行ス、左翼隊司令部ニ、次テ33i本部ニ到ル。
大隊長　幡川少佐
下達法　要旨ヲ逐次各隊長ニ口達シタル後筆記セシモノヲ交附ス。

2

歩三八第二大隊作命五ノ第八四號

大隊命令

十月十四日七時四十分
於磨盤山西側稜線上

一、師團主力方面ノ戰況大ナル変化ナシ、師團ハ依然攻撃ヲ準備ス
右翼隊ハ岩山附近ヲ確保スルト共ニ攻撃準備ヲ續行シ主力ヲ
以テ十四日拂曉迄ニ大円山陣地ニ近迫シ突撃ヲ準備シ一部ヲ
大円山北側ニ指向シ又狀況特ニ天候ニ依リテハ砲兵火力ノ發
揚ヲ待ツコトナク敵陣地ヲ急襲スルコトニツトム。
砲兵隊ハ十三日兩翼隊ト密接ナル協調ヲ行ヒ十四日拂曉迄ニ
主カヲ以テ左翼隊ノ攻撃ニ一部ヲ以テ右翼隊ノ大円山攻撃ニ
協力スルノ準備ヲナス。
左翼隊ハ依然攻撃準備ヲ續行シ十四日拂曉迄ニ歩砲兵密接ナ
ル協調ノ下ニ於テ行フ西山及磨盤山南側高地ノ敵陣地攻撃ヲ準
備ス
左第一線部隊ハ依然攻撃準備ヲ續行シ十四日拂曉迄ニ歩砲
兵密接ナル協調ノ下ニ於テ行フ西山及磨盤山南側高地ノ敵陣
地攻撃ヲ準備ス
砲兵隊ハ主カヲ以テ左第一線ノ西山及磨盤山南側高地ノ敵陣
地攻撃ニ一部ヲ以テ右第一線ノ大別富士及ヒ其ノ西側高地ノ敵陣
地攻撃ニ協力ノ準備ヲナス。
二、大隊(第六、第八中隊欠軽迫一中ヲ加フ)ハ左翼隊ノ右第一線トナリ
現在33iㇾ第九中隊ノ占領シアル陣地ヲ交代シ大別富士及ヒ其ノ
西側高地ノ敵陣地ニ對シ歩砲兵密接ナル協調ノ下ニ於テ行フ
攻撃ヲ準備セントス。
三、第七中隊(一小欠 機一小)ハ第一線中隊トナリ 9i/33iトノ陣地ヲ交代シ主トシテ
大別富士方向ノ敵ニ對シ攻撃ヲ準備スヘシ
機関銃中隊(一小欠)ハ第七中隊ノ戰鬪ニ協カシ得ルノ準備ヲナス
ヘシ。
3. 大隊砲小隊ハ主トシテ第七中隊ノ攻撃ヲ妨害スル敵機関銃
ヲ求メテ撲滅スヘシ。
迫撃中隊ハ主火カヲ以テ第二望樓大別富士方向ノ敵ヲ制圧
シ一部ヲ以テ第一線中隊ノ左側方向ヨリスル側防機関銃ヲ制圧
ヲ準備スヘシ。
第五中隊ハ豫備隊トス現在地附近ニ位置スヘシ。
山田軍醫中尉ハ大隊本部北方約二百米凹地附近ニ於テ
隊繃帯所ヲ開設スルノ準備ヲナスヘシ
四、予ハ暫ク現在地ニ在リ

大隊長代理 永野大尉

下達法、先ツ要旨ヲ傳ヘタル後各隊命令受領者ヲ集メ口達筆
記セシム。

要圖第一

磨盤山西南側附近彼我態勢並戦闘経過要圖

（於十月十四日八時ヨリ十月十七日二十時三十分）

（迫撃第五大隊第一中隊）

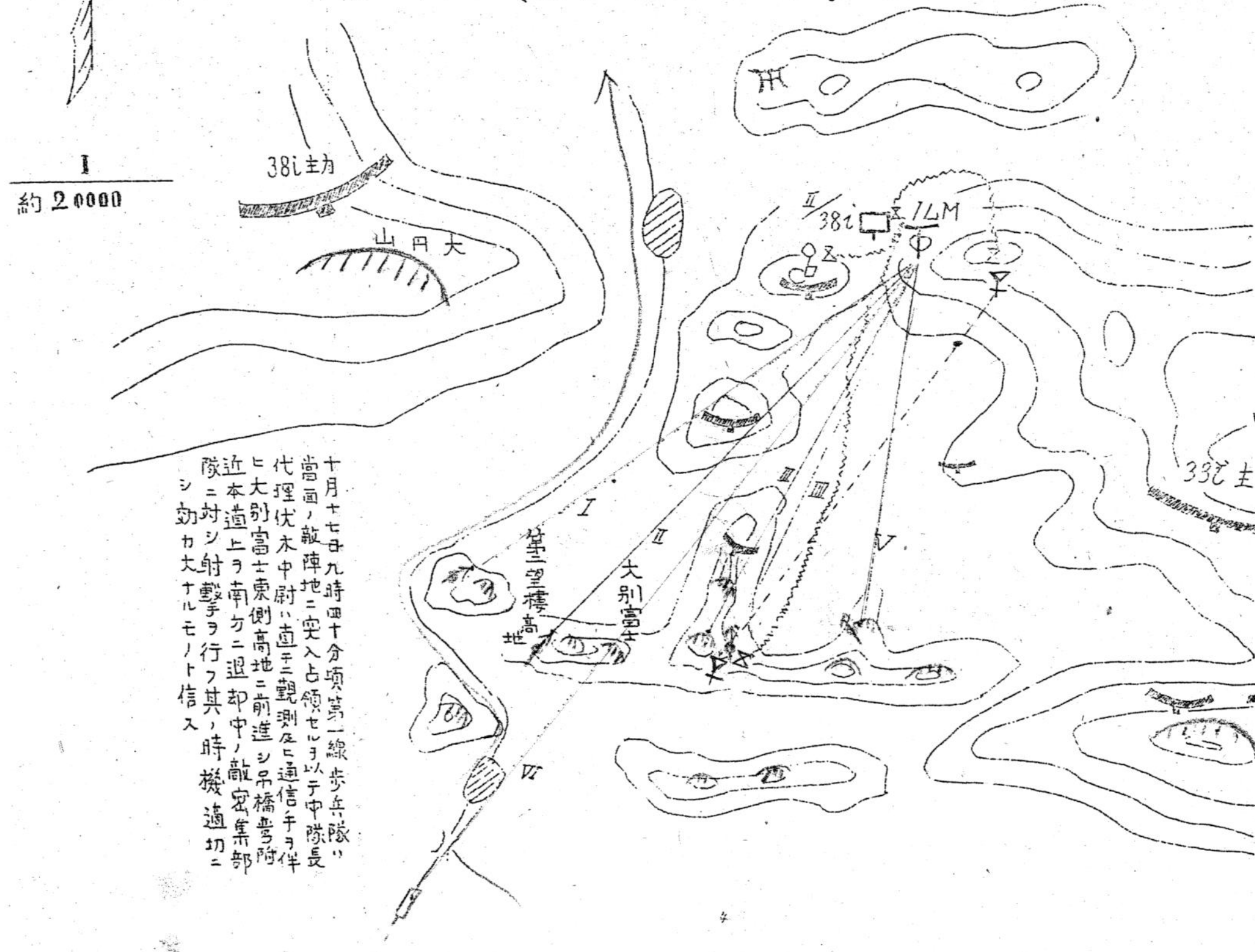

附表第一

自十月十四日 至十月十七日 戦闘間射弾表

迫撃第五大隊第一中隊

日次	区分	Ⅰ	Ⅱ	Ⅲ	Ⅳ	Ⅴ	Ⅵ	計
十四日	時刻	一〇、〇〇	一〇、〇〇					
	弾種	リ一二	リ八					二〇
十五日	時刻			一〇、三五				
	弾種			リ六八	ト一二			八〇
十六日	時刻			八、三〇				
	弾種			リ一九				一九
十七日	時刻		八、四五			八、四五	一〇、三二	
	弾種		リ一二			リ五	リ一〇 ト五一	七八

備考
一、弾薬区分中 リ……榴弾 ト……赤弾ヲ示ス
二、時刻ハ主トシテ効力射開始時ヲ示ス。

歩三八、第二大隊作命五、第八十五號

大隊命令

十月十四日十三時三五分
於磨盤山西側稜線上

一、左翼隊ハ本十四日依然攻撃準備ヲ續行シ明十五日拂曉後野砲隊ノ射撃開始後當面ノ敵陣地ノ攻撃ヲ實施ス
二、大隊ハ依然明十五日ノ攻撃ヲ準備セントス。
三、各隊ハ依然現態勢ヲ以テ明十五日ノ攻撃ノタメノ準備ヲ整フヘシ
第五中隊ハ將來左第一線トナリ大別富士南方高地攻撃ヲ考慮シ所要ノ準備ヲナスヘシ。細部ニ関シテハ別ニ指示ス。
四、野砲第三大隊ハ第二大ノ攻撃ニ直接協力スル筈
五、給養ハ補充セル糧秣ニ依ルヘシ。
六、予ハ磨盤山西側稜線上高地ニアリ。

大隊長代理　永野大尉

下達法　各隊命令受領者ヲ集メ口達筆記セシム。

歩三八第二大隊作命五ノ第八十六號

大　隊　命　令

十月十四日十七時四六分
於磨盤山西側稜線上

一、師團ハ明十五日攻撃ヲ開始ス、右翼隊ハ明十五日天明後實施スル砲兵隊ノ破壊及制圧射撃開始後攻撃前進ヲ開始ス、野砲隊ハ明十五日天明後要點ノ破壊制圧射撃ヲ實施シ引續キ歩三十旅作命甲第五〇五ノ如ク両翼隊ノ突撃ヲ支援ス試射ハ本日中ニ完了スル如ク努ム。

右側支隊ハ其ノ第一大隊ヲ以テ概ネ進出線附近ノ要點ヲ占領セシメ第三大隊ノ主力ハ明十五日拂暁迄ニ集結ス

左翼隊ハ明十五日天明後野砲隊ノ緊密ナル協調ノ下ニ攻撃前進ヲ開始シ當面ノ敵陣地ヲ攻撃ス。

二、大隊（新ニ第六中隊ノ一小隊ヲ属セラル）ハ依然左翼隊ノ右第一線トナリ明十五日天明後野砲隊及ビ重擲大隊ノ實施スル破壊及制圧射撃開始後攻撃前進ヲ開始シ當面ノ敵ヲ攻撃セントス。

三、第六中隊ノ一ケ小隊ハ豫備隊トス

四、各隊任務ハ前命令ニ同シ

五、攻撃前進ノ時機ハ別命ス。

六、攻撃前進ニ當リテハ第一線部隊ハ軽装トシ所要ノ器具器材ハ之ヲ携行スヘシ（特ニ戰標示ノ日章旗及小発煙筒）

糧秣ハ全量携行スルモノトス。

七、予ハ依然現在地ニアリ、攻撃前進ニ當リテハ第七中隊ノ後方ヨリ前進ス。

大　隊　長　代　理　　永　野　大　尉

下達法　各隊命令受領者ヲ集メ口達筆記セシム。

歩三八第二大隊命令要旨
十月十五日七時十分

一、野砲隊ハ午前八時ヨリ射撃ヲ開始スル筈、午前八時ヨリ九時ニ至ル間約一時間重擲大隊ノ要點ニ對スル破壊射撃ヲ實施スル筈。

7

大隊ニ協力スル野砲大隊ノ突撃支援射撃ハ第一回一分四発デ一分間第二回第一回終了後二分間

二、各隊ハ八時三十分攻撃前進ノ準備ヲ完了シ置クヘシ。

大　隊　長　代　理　　永　野　大　尉

歩三八第二大隊作命五ノ第八十七號

大　隊　命　令

十月十五日十八時五十分
於磨盤山西側稜線上

一、右翼隊タル歩兵第三十八聯隊主力ハ十五時三十分頃太円山頂上ヲ占領セリ。

左翼隊ノ右第一線ハ部隊ヲ整理シタル後明十六日野砲隊ノ協力ノ下ニ更ニ攻撃ヲ續行スル筈。

二、大隊（配属部隊故如）ハ依然右第一線トナリ前面ノ敵情地形ヲ偵察シ好期ヲ発見シテ地歩ヲ獲得センコトニツトム。

三、第一線両中隊ハ現在線ヲ確保シ前面ノ敵状地形ヲ捜索スヘシ、特ニ敵ノ移動及ビ退却ノ兆候ナキヤニ注意スヘシ。

四、爾余ノ諸隊ハ依然現在地ニアリテ現任務ヲ續行スヘシ

五、予ハ依然現在地ニアリ

大　隊　長　代　理　　永　野　大　尉

下達法　先ヅ要旨ヲ傳ヘタル後命令受領者ヲ集メ口達筆記セシム。

注意　１、戰闘準備不良ナル部隊アルニ付嚴ニ監督スルヲ要ス。

通報　：　敵ハ六十一師ヲ以テ八十八師ト交代守備セシニヤト判断ス。

歩兵八第二大隊作命五ノ第八十八號

大　隊　命　令

十月十五日二十三時三十分
於磨盤山西側稜線上

一、敵状ニ関シテハ各隊ノ既ニ承知セル通リ。

二、大隊ハ左翼隊ノ右第一線トナリ左三十三聯隊ノ攻撃實施ノ如何ニ関ラス明十六日當面ノ敵ヲ攻撃シ大別富士ニ向ヒ進出セントス。

三、第七中隊（一）一小隊（十）機関銃一小隊）ハ右第一線トナリ明拂暁迄ニ當面ノ敵ヲ攻撃シ得ルノ準備ヲナスヘシ。

8

第五中隊ハ左第一線トナリ明拂暁迄ニ當面ノ敵ヲ攻撃シ得ル準備ヲナス
四、機関銃中隊ハ主力ヲ以テ第七、第五中隊ノ戦闘ニ協カスヘシ
五、大隊砲小隊ハ大隊正面ノ敵自動火器特ニ第一線中隊ノ攻撃ヲ側防スル自動火器ノ制圧ニ任スヘシ。
六、迫撃砲中隊ハ主火力ヲ以テ第五第七中隊當面ノ敵ヲ制圧シ一部ヲ以テ其ノ両翼ヨリ側防スル敵ノ制圧ニ任スヘシ。
七、第七中隊ノ一小隊ハ豫備隊トス。
第七中隊前進後現在全隊ノ占領地点ヲ確保シ且第七中隊ノ戦果ヲ擴張シ得ルノ準備ニアルヘシ。
八、第七中隊ヨリ斥候派遣本道方向及ビ第二望楼高地ノ敵状ヲ捜索シ晩クモ明拂暁迄ニ報告スヘシ。
九、砲兵隊ハ所要ニ應シ更ニ協カスル筈。
之ガ細部ニ関シテハ前命令ノ外別ニ指示ス
十、攻撃前進ノ時機ハ別ニ指示ス。

十一、予ハ明拂暁後鉢巻山北方高地ニ到ル

大隊長代理　永野大尉

下達法、各隊命令受領者ヲ集メ口達筆記セシム。

歩三八第二大隊作命第八十九號

大隊命令

十月十七日二時三十分
於磐磐山西側稜線上

一、右翼隊ハ十五日大円山西部頂上ヲ奪取シ引續キ戦果ヲ擴張シ且全日夕大円山東側斜面方向ヨリ逆襲ヲ企図セシ敵ヲ撃退シテ一擧ニ大円山一体ヲ確實ニ占領シ十六日残敵ヲ掃盪ス
左側支隊ハ十六日八時余家集発ト洪店ー両路口方向ニ前進ス。
迂回隊ハ十六日十時三十分小山岩（柳家嶺東南方二粁）ヲ東南約五百米閉鎖曲線高地ヲ占領シ引續キ摩牛望月高地ノ敵陣地ニ對スル攻撃ヲ有利ニ進展シツヽアリ。
師団ハ本十七日両側地区ヨリ戦果ノ擴張ヲ期ス
右翼隊ハ本十七日大円山一体ノ敵ヲ掃盪シ完全ニ全高地ヲ占領スルト

9

共ニ大別富士及西山高地ノ攻撃ニ協カスルノ準備ヲナス。
迂回隊ハ摩牛望月附近ノ敵陣地ヲ攻略シ左側支隊ハ速ニ當面ノ敵ヲ撃破シ敵ノ退路ヲ遮断スル筈
砲兵隊ハ本十七日約一箇大隊ヲ以テ右翼隊ノ戦果擴張ニ協カスルト共ニ約一大隊ヲ以テ迂回隊ノ摩望月及ビ李家凹南側高地ノ攻撃ニ協カスルノ準備ヲナス。
工兵隊ハ現任務ヲ續行スルノ外約一中隊ヲ以テ右翼隊ノ戦果擴張特ニ大別富士及ビ西山方向ニ對スル攻撃ニ協カス
左翼隊ハ本十七日現態勢ヲ以テ攻撃續行ノ準備ヲナス。
二、大隊（配属欠除部隊故如）現態勢ヲ以テ攻撃續行ノ準備ヲナスト共ニ成シ得レハ右翼隊ノ掃盪ニ連繫シ成ル可ク前方ニ地歩ヲ獲得スルコトニ努メシトス。
三、各隊ハ現態勢ヲ以テ攻撃續行ノ準備ヲナスト共ニ地歩ヲ前方ニ獲得シ得ルノ好期ヲ発見スルコトニ努ムヘシ。

大円山方向ノ彼我ノ戦闘情況及ビ當面ノ敵ノ動静ヲ充分注視シアルヲ要ス
四、予ハ依然鉢巻山北方高地ニアリ。

大隊長代理　永野大尉

下達法、各隊命令受領者ヲ集メ口達筆記セシム。

注意
１、敵兵ハ山嶺ニ敢制ノ位置ヲ占メアリ高制ニシテ敵ノ展望視態ニ鑑ミ第一線各部隊及後方部隊ノ幕営位置ヲ成シ得ル限リ敵眼ニ遮蔽シ且擬装ノ要アリ敵大ノ損害ハタメ無関心ナルモ我ガ配備兵力ハ一目ニシテ敵ニ察知シ得ラルヽノ不利ヲ戒ムヘシ
２、其ノ他行動ヲ敵眼ニ秘匿スルノ注意不充分ナリ殊ニ第一線部隊ノ交通及ビ後方部隊ノ徴発等ノ行動ニ於テ然リ
３、雑談ノ空罐ハ敵方ヨリキラ／＼ト良ク発見サレ来ルヲ以テ之ヲ放棄スルニハ注意スルヲ要ス。

10

二、十月十七日九時四十分頃第一線歩兵隊ハ大別富士東西ノ稜線ニ突入同地ヲ占領セルヲ以テ中隊長代理伏木中尉ハ直チニ観測及通信手ヲ伴ヒ大別富士東側高地ニ前進シ吊橋湾附近ヲ南方ニ退却中ノ敵ヲ射撃ス。

尚前進ニ際シ第二小隊（小隊長鈴木中尉）ヲ大別富士東側高地ニ前進ヲ命ス十二時三十分第二小隊ハ大別富士東側高地ニ陣地進入ヲ終ル。

次テ中隊主力ニ前進ヲ命シ十四時三十分第二小隊ノ位置ニ陣地進入ヲ終ル

2、十月十八日観測所ヲ駱駝山ニ出シ次テ十月十九日第三小隊ヲ同地東側稜線ニ前進セシム

3、十月十九日十一時三十分第一線歩兵隊ハ「ナマコ山」ニ突撃シ同地ヲ占領セルヲ以テ中隊ハ直チニ同地北側凹地ニ前進ノ命令ヲ下シ中隊長代理伏木中尉ハ所要ノ観測手及傳令ヲ伴ヒ直チニ「ナマコ山」ニ前進ス山頂ニ達セントスル頃敵迫撃砲弾ノ集中火ヲ受ケタルモ観測手三名共沈着剛膽良ク中隊長代理ノ意圖ノ如ク敵陣地ノ観測ニ任シ中隊陣地占領ヲ容易ナラシメタリ。

十四時二十分中隊ハ「ナマコ山」北側附近ニ陣地進入ヲ終ル。

4、十月二十日同陣地ヨリ四六七、五高地ノ敵陣地制圧ニ任ス

5、十月二十一日吊橋湾西側稜線ノ敵ヲ制圧シタル後四六七、五高地ニ對シ突撃支援射撃ヲ實施ス

第一線歩兵隊ハ十六時十分四六七、五高地ヲ占領セルヲ以テ中隊ハ同高地東北側附近ニ陣地変換ノ準備ヲナシ第三小隊長大塚軍曹ヲシテ同地ニ到ル進路ヲ偵察セシム

6、十月十九日ヨリ同二十一日ニ至ル間ノ戦闘経過別紙要圖第二並ニ附表第二ノ如シ

要圖第二

吊橋湾東側ナマコ山附近戦闘経過要圖

（於十月十七日十時二十分ヨリ十月二十一日十七時ノ間）

（追撃第五隊第一中隊）

本戦闘ハ配属歩兵大隊ト密接ナル連繋ノ下ニ攻撃ヲ実施シ各時機ニ於ケル射撃ハ敵ニ多大ノ損害ヲ與ヘ歩兵ノ突撃ヲ容易ナラシメタルモノト信ス。

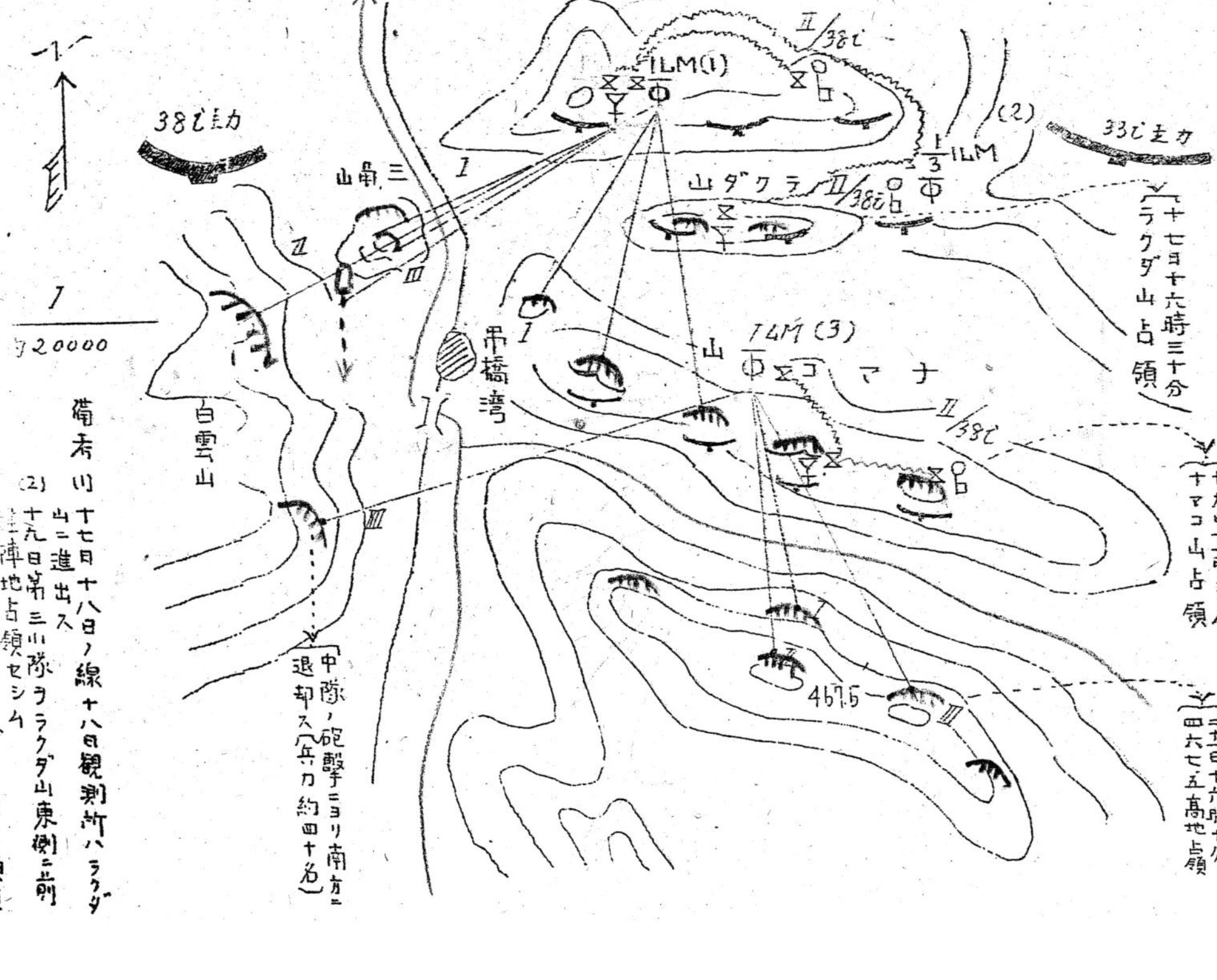

備考 (1) 十七日十八日ノ線十八日観測所ハラクダ山ニ進出ス
(2) 十九日第三小隊ヲラクダ山東側ニ前進陣地占領セシム
(3) 二十日第一線歩兵隊ナマコ山占領直後同地北側ニ陣地占領ス。

附表第二

自十月十七日
至十月二十一日　戦闘間射弾表

迫撃第五大隊第一中隊

目標	区分	十七日 時刻	十七日 弾種	十八日 時刻	十八日 弾種	十九日 時刻	十九日 弾種	二十日 時刻	二十日 弾種	二十一日 時刻	二十一日 弾種
三角山及白雲山	I	一二三〇	ア一四 リ二〇								
	II	〃	リ七								
	III	〃	ア三 リ一〇								
十アコ山	I			一二三〇	ア七 リ六	八・二〇	ア七 リ八				
	II			〃	ア七 リ五	〃	リ七				
	III			〃	ア六 リ五						
四六七五高地	I					一七二〇	ア二〇			一四〇五	ア六 リ一〇
	II					〃	ア一二	一四〇〇	ア一三	一五〇〇	リ九
	III							〃	ア七 リ一九	〃	ア七 リ七
計		五四		三六		五九		三九		三九	

備考
一、リ……榴弾　ア……赤弾ヲ示ス
二、時刻ハ効力射開始時ヲ示ス

歩三八第二大隊作命五ノ第九十號

大隊命令

十月十七日九時四十五分
於ラクダ山北側高地

一、敵ハ本道方向ニ退却セリ。尚有力ナル部隊ハ白雲山東面ノ線ヲ占領シアリ師團ハ依然追撃ヲ續行ス。
左翼隊ハ主力ヲ以テ逐次李家四西北側高地及同地方向ニ移轉シ兩路口ニ向ヒ追撃ヲ續行ス。
二、大隊ハ「テンレコウ」西側高地占領後吊橋湾東側高地方向ヨリ兩路口ニ向ヒ追撃ヲ續行セントス。
三、第七中隊（一小隊欠）ハ右第一線トナリ本道及ビ東側高地方向ニ追撃ヲ續行スヘシ。
四、第五中隊ハ左第一線トナリ第七中隊ニ連繫シ追撃ヲ續行スヘシ。
爾余ノ諸隊ハ豫備隊トシ現在地ニ位置シ第一線ノ前進ニ伴ヒ両中隊ノ後方ヲ前進スヘシ。
五、本夜ハ携行糧秣甲ヲ使用スヘシ。
六、予ハ暫リ現在地ニ在リ後第一線両中隊ノ中央後ヲ前進ス

12

大隊長　片岡少佐

下達法：先ツ要旨ヲ傳達シタル後命令受領者ヲ集メ口達筆記セシム
注意ノ　明十八日十時以後十二時迄ノ間ニ於テ爆撃隊ヲ以テ當面ノ敵陣地ニ對シ爆撃ヲ實施セラルルニ付第一線標示ヲ確實ニセシムヘシ

歩三八第二大隊作命五ノ第九十一號

大隊命令

十月十八日二十三日

一、第一線両中隊ハ本夜半以後月明ヲ利用シ吊橋湾東側高地ノ敵状ヲ捜索シ報告スヘシ。

歩三八第二大隊作命五ノ第九十二號

大隊命令

十月十八日十時三十分
於ラクダ山東側高地

一、敵ハ白雲山々麓ニ之トウチカ高地ニ陣地ヲ占領シアリ。
二、大隊ハ主ラ以テトーチカ高地ヲ占領セントス。
三、第七中隊ハ第一線トナリ現在地ニ展開シトーチカ高地ニ對スル攻撃ヲ準備スヘシ。

四、機関銃中隊ハ主カヲ以テ現在地附近ニ一部ヲ以テラクダ山高地附近ニ陣地ヲ占領シ第七中隊ノ攻撃ニ協力スヘシ、一部ヲ以テ適時白雲山々麓方向ヨリスル敵ノ側防火器ヲ制圧スヘシ。
五、大隊砲小隊ハ主力ヲ以テ現在地附近ニ陣地ヲ占領シ第七中隊正面ノトーチカ高地ニ一部ヲ以テ白雲山々麓ノ敵ヲ制圧スヘシ。
六、迫撃中隊ハラクダ山東麓附近ニ陣地ヲ占領シ主トシテトーチカ高地附近ニ對シ適時敵ヲ射撃實施スヘシ。
七、歩兵ノ攻撃前進及ビ重火器ノ射撃開始ハ別命ス。
八、爾余ハ豫備隊トス現在地附近ニ位置スヘシ。
但シ第六中隊ノ一小隊ハ暫リラクダ山ヲ占領シアルヘシ。
九、上田軍醫中尉ハ隊繃帶所ヲラクダ山東北側鞍部ニ開設スヘシ。
十、予ハ暫リ現在地ニアリ

大隊長　片岡少佐

下達法：各隊長ヲ集メ要旨ヲ口達シタル後各隊命令受領者ニ口達筆記セシム。

3

歩三八第二大隊作命五ノ第九三號

大隊命令

十月十九日九時五十分
於ラクダ山東側高地

一、友軍ノ追撃ハ有利ニ進展シアリ
四/38iハナマコ山約六〇〇米ニ近接シアリ
二、大隊ハ各種火力ヲ以テトーチカ山附近ヲ制圧シタル後トーチカ山高地ニ向ヒ突進セントス。
三、各隊ハ前任務ヲ続行スヘシ
四、各種重火器ハ今ヨリトーチカ山及其ノ南方小丘（イロ陣地）ニ対シ火力ヲ集中スヘシ。
細部ニ就イテハ口達ス。
五、予ハ暫ク現在地ニアリ

大隊長　片岡少佐

下達法　各隊命令受領者ヲ集メ口達筆記セシム。

歩三八第二大隊作命五ノ第九四號

大隊命令

十月十九日十三時三十分
於吊橋湾東側高地

一、大隊ハ現在地ニ一部ヲ残置シ吊橋湾東南側高地東南端附近ニ向ヒ前進セントス
前進シタル後爾後四六七、五高地方向ニ向ヒ前進セントス。
二、第七中隊ハ二小隊ヲ現在地高地附近ニ残置確保セシムヘシ。
三、機関銃中隊ハ其ノ一小隊ヲ現在地ニ残置シ第七中隊ノ一小隊ヲ併セ指揮スヘシ
四、爾余ハ先ノ前ノ谷地ニ集合シ前進ヲ準備スヘシ
五、上田軍医ハ隊繃帯所ヲ吊橋湾東南側高地東南端附近ニ推進シ開設ヲ準備スヘシ。
六、大行李ハ吊橋湾東南側高地東南端ニ向ヒ糧秣ヲ前送スヘシ。

大隊長　片岡少佐

下達法…各隊命令受領者ヲ集メ口達筆記セシム。

歩三八第二大隊作命五ノ第九五號

大隊命令

十月十九日十四時三十分
於吊橋湾東南側高地

一、敵状ハ諸官ノ知レル如シ
二、大隊ハ吊橋湾東南方標高四六七、五高地ヲ攻略セントス
三、第五中隊ハ第一線トナリ其ノ位置ニ展開シ攻撃ヲ準備スヘシ其ノ攻撃前進開始ハ歩兵第三十三聯隊第三大隊ノ前進ニ伴ヒ開始スヘシ。
四、機関銃中隊ハ岩石高地西側高地ニ展開シ主トシテ第五中隊ノ攻撃ニ協力スヘシ。
五、歩兵砲小隊ハ岩石山西側附近ニ陣地ヲ占領シ第五中隊ノ攻撃ニ協力スヘシ。
六、追撃中隊ハ岩石山附近ニ陣地ヲ占領シ第五中隊ノ攻撃ニ協力スヘシ。
七、第六中隊ノ一分隊ハ岩石山北側附近ヲ確保スヘシ。
八、爾余ノ諸隊ハ予備隊トス、一軒家附近ニ位置スヘシ。
九、予ハ暫ク現在地ニアリ。

大隊長　片岡少佐

下達法……先ヅ要旨ヲ達シタル後命令受領者ヲ集メ口達筆記セシム。

歩三八第二大隊作命五ノ第九六號

大隊命令

十月二十日十八時
於砂山

一、敵状ハ諸官ノ知レル如シ
二、大隊ハ本夜現在地附近ヲ確保シ明日ノ攻撃ヲ準備セントス。
三、第一線各隊ハ現在地ヲ確保シ明日ノ攻撃ヲ準備スヘシ
四、第六中隊長ハ其ノ一小隊ヲ岩石山ニ差出シ主トシテ本道方向ニ対シ警戒セシメ三分隊ヲ差出シ島田中尉ノ指揮ヲ受ケ重火器ノ掩護ニ任セシムヘシ。
五、爾余ハ予備隊トス砂山北側凹地附近ニ位置スヘシ
六、上田軍医ハ現任務ヲ続行スヘシ。
七、予ハ砂山北側凹地ニアリ

大隊長　片岡少佐

下達法…各隊命令受領者ヲ集メ口達筆記セシム。

歩三八第二大隊作命五ノ第九七號

大隊命令

十一月二十一日九時三十分
於砂山

一、左翼隊ハ犀牛望月附近ヨリ標高五九二四ノ附近ニ進出セリ
右翼隊ハ本日白雲山附近ノ敵ヲ掃盪シ主力ヲ以テ當面ノ敵ヲ撃破スヘク
師團ハ敵ヲ小界嶺南方ニ捕捉殲滅ス
左翼隊ハ敵ヲ王河家南側地区ニ進出シ小界嶺方向ニ壓倒殲滅ス
二、大隊ハ依然四六七、五高地ノ敵陣地攻撃ヲ續行シ之ヲ王家山南方高地方向ヨリ小界嶺方向ニ壓倒殲滅セントス
三、第五中隊ハ標高々地丸高地附近ノ敵陣地ヲ奪取シタル後最高々地ニ向ヒ前進スヘシ
四、第七中隊ハ右第五中隊ト連繫シ丸陣地ノ東側陣地ヲ奪取シ最高点東南ニ前進スヘシ
五、機関銃中隊ハ主トシテ第一線両中隊ノ攻撃ニ協力スヘシ
一部ヲ以テ標高々地南端附近ノ敵ヲ攻撃前進間常時制圧スヘシ
第一線両中隊ノ前進ニ當リ適宜協力スル為二箇小隊ヲ砂山附近ニ陣地ヲ占領シ得ルノ準備ヲナシアルヘシ
六、大隊砲小隊ハ現在地附近ニ於テ第一線両中隊ノ攻撃ニ協力スヘシ
七、迫撃中隊ハ現在地附近ニ於テ第一線両中隊ノ攻撃ニ協力スヘシ
八、重火器部隊ハ第一線両中隊ノ攻撃前進ノ初期、稜線ヲ通過前進スル時ニ當リ特ニ標高々地附近ノ敵ヲ制圧スヘシ
尚同時特ニ砂山東南方向スル敵ノ側背射陣地ニ對シ又常時一部ヲ以テ制圧スヘシ
九、爾余ハ豫備隊トス、現在地附近ニ位置シ現任務ヲ續行スヘシ
十、予ハ暫ク現在地ニアリ

大隊長 片岡少佐

下達法……各隊命令受領者ヲ集メ口達筆記セシム
注意……攻撃前進ノ時期ハ別命ス

歩三八第二大隊作命五ノ第九八號

大隊命令

十一月二十一日十二時五十分
於砂山高地

一、大隊ハ今ヨリ兵力ヲ轉用シ標高々地北端方向ニ攻撃ノ重點ヲ指向シ標高々地ヲ攻撃セントス
二、第五中隊ハ現在地ヨリ若干西ニ位置ヲ轉位シ標高々地ニ向ヒ攻撃スヘシ
三、第七中隊ハ今ヨリ吊橋東南方地区ニ兵力ヲ轉用シ標高々地ニ向ヒ東南方向ニ攻撃前進シ標高點西北ニ向ヒ攻撃前進スヘシ
四、重火器部隊ハ依然前任務ヲ續行スヘシ
五、攻撃前進ノ時機ハ午後四時ト豫定ス
砲兵及ビ重火器ノ火力ヲ以テ標高々地ヲ制圧シタル後前進ヲ開始ス
六、予ハ暫ク現在地ニアリ爾後吊橋湾東南側ニ到ル

大隊長 片岡少佐

下達法……各隊命令受領者ヲ集メ口達筆記セシム

歩三八第二大隊作命五ノ第九九號

大隊命令

十一月二十一日二十時八分
於老虎山西方谷地

一、大隊ハ本日第一線各中隊ノ奮闘努力ニ依リ標高々地ヲ奪取セリ
四/33iハ老虎山西側ノ線ニ山田部隊ハ犀牛望月、圖上月字附近ニ進出セリ
二、大隊ハ本夜現在地ヲ確保シ夜ヲ徹シ明日ノ追撃ヲ準備セントス
三、第一線各中隊ハ現在地ヲ確保シ夜ヲ徹スヘシ又前方ノ敵状ヲ捜索スヘシ、又第一線両中隊ニ前進セル機関銃小隊ハ各其ノ第一線中隊ニ配属ス
四、機関銃中隊（二小隊欠）及大隊砲小隊並ニ迫撃中隊ハ明日ノ追撃續行ノ為メ所用ノ準備ヲナスヘシ
五、爾余ノ諸隊ハ依然前任務ヲ續行スヘシ
六、予ハ現在地ニ在リ

大隊長 片岡少佐

下達法……各隊命令受領者ヲ集メ口達筆記セシム

歩三八第三大隊作命五ノ第一〇號

大隊命令

十月二十三日九時
於標高々地

一、敵状ハ諸官ノ知レル如シ
二、大隊ハイ、ロ、ハ、ノ陣地ヲ奪取セントス
重點ヲ北方ヨリイニ指向シイ奪取後逐次ロ、ハ、ノ陣地ヲ奪取ス
三、第七中隊ハイ、ノ陣地ヲ突破シロノ方向ニ向ヒ前進スヘシ。
四、MG隊（一小欠）ハ標高々地附近ニ於テ主力ヲ以テイ、ニ一部ヲ以テロ陣地ヲ
制圧シ第七中隊攻撃ニ協カス又白雲山東麓附近ヨリスル側防火器
ニ對シ適時制圧ヲナスヘシ
五、大隊砲ハロ高地附近ニ陣地ヲ占領シ第七中隊攻撃ニ協カスヘシ。
六、追撃中隊ハ第七中隊ノ攻撃ニ協カスヘシ。
七、攻撃前進ノ時機ハ十時三十分トス
八、重砲大隊ハ主トシテ當大隊ノ攻撃ニ協カス。
射撃ノ實施ノ概要、十時ヨリイ、ロ、ハ、ニ、〇彈射撃引續キ攻撃
前進ニ當リイニ主火カロニ一部爾後第一線ノ進涉ニ應シ射程ヲ
延進ス。
九、爾余ノ諸隊ハ依然現任務ヲ續行スヘシ。
一〇、余ハ暫ク現在地ニ在リ。

大隊長　片岡少佐

下達法……各隊命令受領者ヲ集メ口達筆記セシム

要旨命令

十月二十四日八時三十分
於標高々地

一、敵ハ今朝三時三十分第五中隊ト第六中隊ノ夜襲ニ依リ退却各隊
ハ夫々正面ノ陣地占領引續キ追撃ス
二、追撃中隊、大隊砲小行李ハ速ニ本道上ヲ小界嶺ニ向ヒ前進スヘシ
三、大隊本部ハ小界嶺ニ向ヒ前進ス

大隊長　片岡少佐

追五作命第三五九號

追撃第五大隊命令

十月二四日十四時
於小界嶺

一、敵ハ退却セリ。師團ハ麻城ニ向ヒ敵ヲ追撃セントス。
旧左翼隊ハ追撃隊トナリ既ニ追撃中ナリ。
二、大隊（第三中隊欠）ハ追撃隊トナリ麻城ニ向ヒ敵ヲ追撃セントス。
三、第一、第二中隊ハ成可ク速ニ車輛編成トナリ追撃隊主力ニ追及スヘシ
四、大隊段列ハ各隊ニ彈藥ノ補充ヲ行ヒタル後、更ニ彈藥ノ補充ヲ受ケ
成ル可ク速ニ大隊主力ニ追及スヘシ。
五、予ハ暫ク現在地ニアリ後先着中隊ト共ニ前進ス

大隊長　幡川少佐

下達法
要旨ヲ隊長ニ逐次筆記送達シタル後筆記セルモノヲ交附ス。

三、十月二十一日十六時十分四六七、五高地ノ大半ヲ占領ス
中隊ハ同地北側附近ニ陣地ヲ変換スヘク準備ヲ命ス。
二十二日早朝要圖ノ如ク陣地進入ヲ終ル。中隊観測所ハ四六七、五高地
ニ設ケ特ニ第六中隊ノ同高地東端ノ突撃ニ協カシ十三時三十分同地ヲ
占領ス。次テ中隊ハイ、ロ、ハ、ニ、陣地ニ對シ試射ヲ行ヒ爾後第
一線歩兵部隊ト密接ナル連繋ヲ取リツヽ射撃ヲナシタルヲ以テ相當ノ効
果ヲ収メタルモノト確信ス。
特ニ敵最後ノ主陣地ニ對スル赤彈ノ効力ハ敵ヲシテ遂ニ退却ノ止ム
ナキニ到ラシメタルモノト信ス。
四、十月二十四日早朝敵退却セルヲ知リ中隊ハ直チニ前進準備。
中隊ヲシテ先ツ四七二、〇高地ニ前進ヲ命シ中隊長代理ハ同高地ニ向ヒ先
行セルモ同地附近ニ敵兵ヲ見ス直チニ小界嶺ニ向ヒ前進、十一時同地ニ
到着ス。同時配属大隊ハ追撃隊トナリ前進セルヲ以テ爾後ノ追撃
ハ車載ニ依ルヲ至當ト判断シ吊橋湾西北側附近ニ残置シアリシ中

隊車輛ヲ招致シ二十二時小界嶺ニ中隊全部集結セルヲ以テ兩路口ー
ー麻城道ヲ麻城ニ向ヒ前進シ十月二十五日十一時麻城北方八新夏
家灣ニ於テ追撃隊本隊ニ追及シ爾後行軍序列ニ入リテ追撃ヲ續行ス、
同地ニ於テ所屬大隊長ノ指揮下ニ復歸ス。

要圖第三

吊橋灣東南側四六七五及四七二、〇高地附近戰闘經過要圖
（於十月二十一日自リ十月二十四日二十時ノ間）
（追撃第五大隊第一中隊）

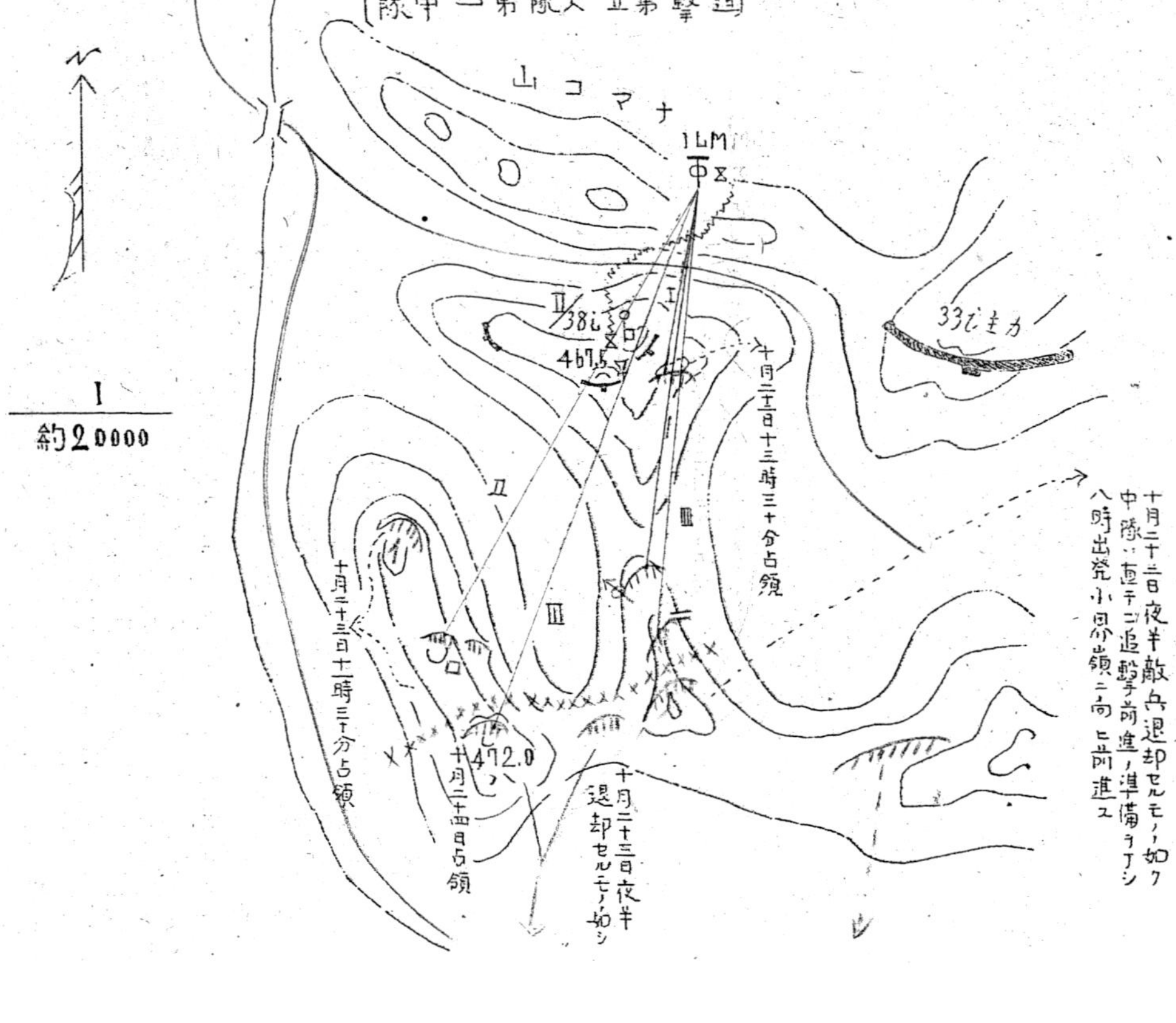

附表第三

自十月二十二日 至十月二十三日 戰鬪間射彈表 迫擊第五大隊第一中隊

目標 / 日時彈種	二十二日 時刻	二十二日 彈種	二十三日 時刻	二十三日 彈種	摘要
I	一〇、三〇	リ 二三 カ 一二			二十二日十三時三十分占領
II	一四、三〇	ア 一一	九、二五	リ 一五 ア 一七	二十三日十一時三十分占領
III			一七、〇五	リ 九	二十三日夜半退却セルモノノ如シ
IIII	一九、〇〇	ト 一八 カ 一	二一、三〇	リ 八 ア 一九	
計		五五		六八	

備考
一、リ…榴彈 ト…赤彈 カ…火彈ヲ示ス
二、時刻ハ主トシテ効力射開始時ヲ示ス、

五、本戰鬪ハ中隊長入院下在ニテ伏木中尉代理ヲ命セラレ参加セルモノナルモ幹部以下良ク中隊長代理ヲ補佐シ一致協力以テ戰鬪任務ノ遂行ニ邁進シ山間ニ於ケル悪路及補給ノ困難ヲ克服シ配属部隊トノ連絡ヲ密ニシ常時偉大ナル効果ヲ収メ第一線歩兵部隊ノ攻擊ヲ容易ナラシメタルハ其ノ功績特ニ顯著ナルモノト信ス。

1、陸軍歩兵中尉 鈴木準一

中隊先任小隊長トシ率先躬行良ク射擊ノ諸準備彈藥ノ補充等細心周密中隊長代理ヲシテ常時効果アル射擊ヲ爲サシメ得タルハ其ノ功績特ニ顯著ナリ。

2、陸軍歩兵上等兵 酒井喜美

同 伍長 中里德太郎

同 上等兵 海老原半次

右ハ本戰鬪間中隊觀測手トシテ觀測最モ困難ナル地形且又數次ノ陣地変換等ニ際シ各種ノ障碍ヲ克服シテ觀測ニ任シタリ特ニ「ナマコ」山占領直後ニ於テ同高地ニ於テ敵迫擊彈ノ集中火ヲ受ケタルモ意トセス敢然任務達成ニ努メ中隊ノ射擊準備ヲ迅速ナラシメタルハ其ノ功績特ニ顯著ナリ。

3、分隊長 陸軍歩兵伍長 瀧澤達弘

二番照準手 同 上等兵 中原順

一番装填手 同 宮入義治

右ハ本戰鬪間特ニ射擊ノ命中確實特ニ十月二十三日四七二、〇東北高地射擊ニ際シテハ敵機關銃ヲ制圧シ右第一線中隊ノ同北側高地占領ヲ容易ナラシメタルハ其ノ功績特ニ顯著ナリ。

4、分隊長 陸軍歩兵伍長 菊池進

二番照準手 同 上等兵 吉井達夫

一番装填手 同 砲兵上等兵 中根政雄

右ハ本戰鬪間ニ於ケル射彈ノ命中確實ニシテ敵ニ多大ノ損害ヲ與ヘ得タルハ平素ニ於ケル整備ノ良好ナルト且戰鬪間ニ於ケル分隊長以下ノ一致協力其ノ効果ヲ発揮シ得タルモノニシテ其ノ功績ハ顯著ナリ。

中隊編成表

昭和十三年十月十三日現在
迫撃第五大隊第一中隊

中隊長代理	
歩兵中尉	伏木保之

職	官等	氏名
給與掛	通信上等兵	小笠原尊勝
運轉伍長	〃	冨田五透
観測	〃	中里德太郎
〃	上等兵	酒井喜美
〃	〃	海老原半次
通信伍長	〃	小河原武人
〃	〃	齊藤陽惠
通信上等兵		新井安人
〃	一等兵	西川冨雄
〃	上等兵	高橋寅雄
喇叭	〃	小林治雄
〃	一等兵	木谷道次
傳令	〃	高堀正史
馬扱	〃	天田太一
馭兵上等兵		齊木千李
〃	〃	大高定義
〃	一等兵	小坂井喜志智
〃	〃	長洲義男
衛生	上等兵	小林茂雄
		澤野祥造

第一小隊

小隊長代理 軍曹 大塚英司

分隊	氏名
第一分隊	山本武夫、上田一美、長谷部定男、猶谷正一、下田森造、重野好文、竹元新藏、宮下駒雄、大須賀吉三郎、富張仁三郎、西村忠一
第二分隊	中澤英男、色川政美、古畑進、鈴木竹志、菊池義雄、花塚榮一、佐藤善輔、宮下一、半田靜茂、高庭勝昌、米川武雄
第三分隊	大野忠三、瀧澤平三、齊山清三郎、武田良次、神田林稍雄、塚原勝明、小平梅吉、佐々木友吉、小平聚次吉、矢口守正、上野武史、飯島恒三郎、山田政雄、新村昇

第二小隊

小隊長 歩兵中尉 鈴木準一

分隊	氏名
第一分隊	堀口弘、田中福一、大西金三郎、小池寛、坂本毅、野尻金吾、大野稲雄、石川林作、大貫甚一、渡邊軍一、林政之、稲垣秋雄
第二分隊	瀧村幸一、堀内榮雄、茅野儀平、伊藤正人、青木清、秋葉和七、松原武、山本朝則、宮下伊作、櫻井忠良、須藤好雄、藤沼留吉
第三分隊	菊地進、中根政雄、吉井達夫、田村好雄、君島好雄、市毛隆、小張豊光、横須賀貞吉、渡邊吉郎、横山喜三郎、金井武成、武田吉一

第三小隊

小隊長代理 曹長 佐野利勇

分隊	氏名
第一分隊	大久保謹慶、瀧田喜作、入江幸一、北村連、平澤四郎、宮澤光義、柳橋正、高野隆生、松本正、奈川田三郎、金井保
第二分隊	瀧澤達弘、中島順、渡邊義雄、齋藤林次郎、板橋林藏、市川亮三、宮入泰次、古谷吉、門間八百治、北條一、永瀬榮太郎、粟林一郎
第三分隊	中村廣治、山岸兼次、渡邊新作、中島勇次郎、小坂井孝、落合良平、前川勝太郎、竹内残命、齋藤清司、大島喜重、鈴木圭

中隊段列

段列長 准尉 細萱高良

氏名
杉山由太郎、諏澤三郎、清水二十義、吉沢益郎、中村多、山崎万善多、川畑喜善、上峰吉男、國澤中、宮清恒、牧原貴夫、西保憲郎、中田實、坂田今朝次、木川交利、小井芳誠
設楽三郎、加瀬金太郎、郡司二郎、佐々木善太郎、荒井貞一郎、小林田郎、内田玉一郎、谷田喜多雄、土田仁作、松本雄、川崎勇、唐澤貞二、安島義進、伊藤正三雄、村上一雄、坂田日出雄
大塚道泰、武井薫、新村利雄、中村忠夫、瀧田昇、飯島豊、鈴村吉、久保田茂一、岩井栄太郎、五明佳人、徳竹香治、川清知治、大久保蕗一郎、吉川竜吉、寺田恒五郎

戦闘詳報第　號附表 武器彈藥損耗表

昭和十三年十月自十三日至二十四日 第一中隊

區分 隊號	消費 彈藥 小銃彈	消費 彈藥 砲彈	損失 武器	損失 彈藥	損失 其他ノ武器
迫五第一中隊		五三二〇〇			
計		五三二〇〇			
備考					

戦闘詳報第　號附表 第一中隊死傷表

昭和十三年十月自十三日至二十四日

區分 隊號	戰斗参加人馬 將校	准士官下士官兵	馬匹	死 將校	死 准士官下士官兵	死 馬匹	傷 將校	傷 准士官下士官兵	傷 馬匹	生死不明 將校	生死不明 准士官下士官兵	生死不明 馬匹
迫撃砲第五大隊第一中隊	二	一七八	八四					一				
總計	二	一七八	八四					一				
備考												

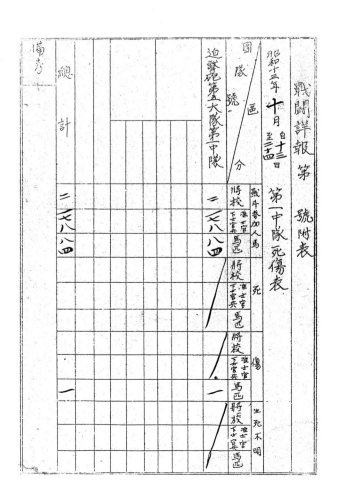

昭和十四年三月

修水河及南昌附近ノ戰闘

中隊長

南山口張附近ノ戰闘

一、修水河附近ノ戰斗ニ敗退セル敵ハ逐次抵抗シツヽ西南方ニ退却シツヽアリ

二、中隊ハ三月二十二日三時青塘刘ニ於テ迫五作命第三九三號ニ依リB支隊（大隊長佐藤少將）ニ配屬ノ命ヲ受ケ同日五時宿營地出發七時嘴上埠ニ於テ其ノ指揮ニ入ル

迫五作命第三九三號要旨

一、當面ノ敵ハ依然退却中ナリ

師團ハ追撃ヲ續行スルト共ニ一部ヲ以テ白練湖方面ノ敵ノ退路ヲ遮〔断〕シ主力ヲ以テ宋埠ニ向ヒ追撃ス

右追撃隊ハ速ニ蔡氏附近ニ於テ敵ノ退路ヲ遮断シタル後上馬源ニ向ヒ追撃ス

佐藤部隊ハ嘴上埠附近進出ト共ニB支隊トナリ圖上岐山邑（永修南西約十三粁）附近ヲ奪取シタル後白練湖附近ノ敵ノ退路ヲ遮断シ次テ南昌對岸ニ向ヒ追撃ス

1

二、大隊（第一中隊及大隊段列一小隊欠）ハ右追撃隊長津田大佐ノ指揮ニ入リ蔡氏附近ノ敵ノ退路ヲ遮断シタル後先上馬源ニ向ヒ追撃ス

三、第一中隊（大隊段列一小隊ヲ附ス）ハ三月二十二日七時迄ニ嘴上埠ニ到リB支隊長ノ指揮ニ入ルヘシ

四、其他ノ部隊ハ五時現在地出發シ得ル如ク第二中隊大隊本部第三中隊大隊段列ノ順序ニ集合スヘシ

五、大隊段列長ハ一小隊ヲ伏木中隊ニ配屬スヘシ

六、川口軍醫（傳令一駄馬一所要ノ衛生材料）ハ本日伏木中隊ニ配屬ス

予ハ青塘刘ニアリ

大隊長　橋詰少佐

三、嘴上埠ニ於テ左記B支隊命令ヲ受ケ其ノ行軍序列ニ從ヒ同地出發前進ス

歩百一旅作命甲第二八二號要旨

B支隊命令

三月二十二日十時三十分
於嘴上埠支隊司令部

一、敗退セル敵ハ隨所ニ抵抗ヲ継續シツヽ西南方ニ向ヒ敗走シツヽアリ

師團主力方面ノ追撃ハ有利ニ進展シ十時三十分頃嘴上埠西南約二粁ヲ東西ニ連ヌル線上ニアルモノヽ如シ

二、支隊ハ取敢ヘス集結ヲ終ヘタル部隊ヲ以テ速ニ南山口張附近ニ進出シ岐山邑及其北方水流ノ敵情地形ヲ偵察セントス

三、歩兵第百一聯隊長ハ部下聯隊（第二・第三大隊欠）ヲ指揮シ前衛トナリ十三時嘴上埠南端出發南山口張附近ニ向ヒ前進シ岐山邑及其北方水流ノ敵情地形ヲ偵察スヘシ

四、爾余ノ諸隊ハ支隊本隊トナリ左ノ行軍序列ニ基キ前衛ノ後方七百米ニ在リテ續行スヘシ

支隊司令部・無線電信第四十六小隊・師團有線分隊

歩兵第百一聯隊第二大隊ノ一中隊・山砲兵第五中隊（大隊段列ノ一部共）・迫撃第一中隊（大隊段列ノ一部共）

歩兵第百一聯隊第二大隊主力・衛生隊三分ノ一

2

五、予ハ暫ク現在地ニ在リ　十三時前衛ノ後尾ニアリ

支隊長　佐藤少将

四

十五時張口隴呉北側ニ於テ南山口張附近ニ陣地ヲ占領セル敵ヲ攻撃スヘシトノ命令ヲ受領ス

中隊長ハ所要ノ観測並ニ通信手ヲ伴ヒ張口隴呉南端ニ進出シ敵情並ニ陣地ノ偵察ヲ行ヒ第一小隊（砲二門）ニ同部落北側ニ陣地進入ヲ命シ十五時三十分諸準備完了ト共ニ歩兵第一線ト密接ニ連絡シ射撃ヲ開始ス（要図第一）敵ハ我カ砲撃ト歩兵第一線ノ攻撃ニ依リ遂次南方ニ潰走シ十六時二十分歩兵第一線南山口張ヲ占領セルヲ以テ十六時三十分射撃ヲ中止ス

五

前衛ハ引続キ戦果拡張ニ努メ南山口何ヲ占領更ニ岐山邑北側水流ノ線ニ向ヒ敵ヲ追撃スルト共ニ残敵ヲ掃蕩ス

中隊ハ支隊命令ニ基キ十八時出発前進ス

歩百一旅作命甲第二ノ八三号

B支隊命令

三月二十二日十七時十分
於張口隴呉支隊司令部

一、南山口張北方高地及其東方高地ノ敵ハ退却ヲ開始セルモノヽ如シ
二、支隊ハ直ケニ敵ヲ追撃セントス
三、前衛ハ速ニ敵ヲ急追シ岐山邑北方小流ノ線ニ前進スヘシ　特ニ岐山邑北方小流ヲ偵察シ速ニ報告スヘシ
四、本隊ハ十八時現在地出発前衛ニ追及ス
五、予ハ本隊ノ先頭ニアリ

支隊長　佐藤少将

六

二十時南山口何北方稜線ニ於テ左記支隊命令ヲ受領シ二十三時河邉宗ニ中隊ヲ集結シ爾後ノ前進ヲ準備ス

歩百一旅作命甲第二ノ八四号

支隊命令

三月二十二日二十時
於河邉宗支隊司令部

一、前衛ハ南山口何及其ノ東北方高地ノ敵ヲ撃破シ引続キ河岸ニ向ヒ戦果ヲ拡張スルト共ニ残敵ノ掃蕩中ナリ
二、支隊ハ兵力ヲ集結シ爾後ノ行動ニ備ヒ岐山邑北側水流ノ情況ヲ偵

3

察セントス
三、前衛ハ依然現任務ヲ続行スヘシ
四、爾余ノ諸隊ハ左ノ如ク兵力ヲ集結スヘシ

支隊司令部 歩兵第百一聯隊第二大隊（一中隊欠） 追撃中隊 無線電信第四十六小隊 衛生隊三分ノ一	河辺宗
山砲兵中隊	南山口何附近

河辺宗附近ニ於ケル露営司令官ハ第二大隊長尾崇歩兵少佐トス

五、歩兵第百一聯隊第二大隊長ハ一中隊ヲ以テ南山口何附近ヲ確保シ右側背ヲ掩護セシムヘシ
六、山砲兵中隊ハ南崇嶺南端ニ陣地ヲ占領シ所要ニ応シ何時ニテモ前衛ノ戦斗ニ協力シ得ル如ク準備スヘシ
七、歩兵第百一聯隊長ハ支隊司令部ト其ノ隊トノ間ニ有線通信網ヲ開設スヘシ
八、予ハ河邉宗ニアリ

支隊長　佐藤少将

4

南山口張附近追撃第一中隊戦斗経過要図
（三月二十二日五時ヨリ十六時三十分ノ間ニ於ケル）

要圖第一（使用地図 永修二万五千分一）

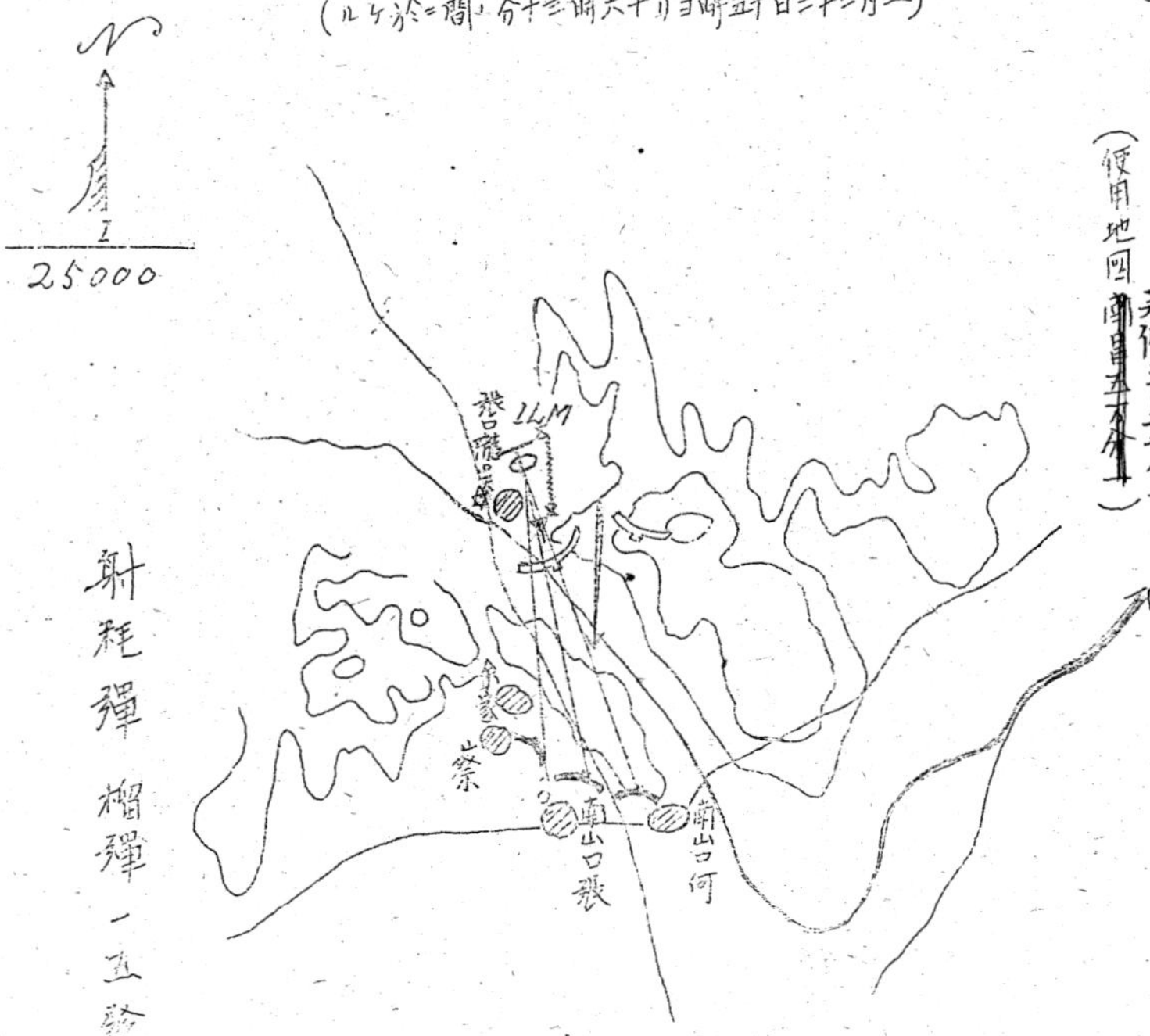

射耗弾 榴弾一五發

岐山邑及馬路口市附近ノ戦闘

一、三月二十三日八時河辺宗出発九時上橋頭熊ニ到着部隊ヲ集結セシムルト共ニ観測手ヲシテ岐山邑ノ敵情捜索ヲナサシム

十時四十五分左記支隊命令ヲ受領シ中隊長ハ直ニ所要ノ観測及通信手ヲ伴ヒ岐山邑ニ向ヒ前進スルト共ニ第二小隊長鈴木中尉ニ岐山邑北方水流ヲ渡河シ速ニ岐山邑ニ向ヒ前進ノ命令ヲ下達ス

中隊長ハ十二時岐山邑南端稜線上ニ於テ渡河準備中ノ歩兵第一大隊ト連絡シ密接ナル協調ヲ為スヲ得タリ　鈴木中尉ハ岐山邑北方ノ水流ヲ渡河終ルヤ瞬時カヲ以テ前進シ十三時中隊長ノ下ニ到着セルヲ以テ直ニ陣地ヲ占領セシメ歩兵第一線ノ前進ニ伴ヒ十四時十分ヨリ射撃ヲ開始シ要圖第二ノ如ク戦斗ス

第一線歩兵ハ我砲弾ノ掩護下ニ逐次前進シ夕刻岐山邑南方第二水流左岸ニ進出セルヲ以テ中隊長ハ次テ前進セル第三小隊ヲシテ自力ニテ渡河ヲ敢行セシメ夜半ニ時下域張ニ前進ス

6

同中隊主力ハ石潭渡北側ニ集結渡河ヲ準備セシム

歩百一旅作命甲第二八六號

支隊命令

三月二十三日十時四十五分
於上橋頭熊支隊司令部

一、飛行機ヨリノ情報ニ依レハ江夏湖西南水流ニハ舟約三十隻中ナリ　又馬路口市——六溪埠附近ニハ約五百ノ敵後退中ナリ
前衛ノ一部ハ今朝十時以来燕溪毛附近ニテ岐山邑ニ向ヒ渡河ヲ開始セリ

二、支隊ハ岐山邑ニ進出セントス

三、前衛ハ成可ク岐山邑東部高地ヲ占領シ爾後ノ前進ヲ準備スヘシ
第二大隊ノ主力ハ岐山邑東部占領後其ノ指揮ニ復ス

四、本隊ヨリ歩兵第百一聯隊第二大隊（一中隊欠）ハ速ニ前衛ニ續行燕溪毛附近ニ於テ渡河シ前衛ノ左翼ニ連繫シ岐山邑東部高地占領後原所属ニ復歸スヘシ

五、中隊長ハ前衛並ニ本隊渡河ニ協力スヘシ

爾後ノ渡河ヲ顧慮シ河川ヲ偵察スルト共ニ舟筏ノ蒐集ニ努ムヘシ
六、山砲兵中隊ハ暫ク現在地ニ在リテ現任務ヲ続行スヘシ
七、迫撃中隊ハ速ニ一小隊ヲ岐山區東部高地ニ進出セシメ第一線ノ攻撃ニ協
力シ主力ハ現在地ニ待機シアルヘシ
八、歩兵第三大隊ノ一中隊ハ支隊予備隊トス　現在地ニ位置スヘシ
九、歩兵第百一聯隊第三大隊（第一中隊ヲ含ム）ハ其ノ到着ト共ニ新屋熊ニ
兵力ヲ集結シ支隊予備隊タルヘシ　又其ノ一小隊ヲ以テ南山口何附近ニ
位置シ支隊後方連絡線ヲ警備セシムヘシ
十、予ハ現在地ニ在リ

支隊長　佐藤少將

7

二、二十四日天明ト共ニ観測通信並ニ第三小隊ヲ伴ヒ馬路口市西南七百米
第二水流左岸提防ニ進出シ渡河準備中ノ歩兵第一大隊ト連絡シ九
時二十分ヨリ射撃ヲ開始ス
敵ハ馬路口市及右岸提防ニ據リ頑強ニ抵抗セルモ我歩兵第一線ハ迫
撃及山砲ノ攻撃ト密接ナル連繋ノ下ニ敵前渡河ヲ敢行シ十五時十分
右岸提防ノ陣地ニ突入シ同地ヲ占領スルヤ直ニ東南方稜線ニ向ヒ敵
ヲ急追ス
中隊長ハ十五時三十分観測手ヲ伴ヒ渡河シ右岸提防ニ進出シ射程ヲ
延伸シテ射撃スルト共ニ中隊主力ノ位置ニ在リテ待機中ノ第一小隊ヲ前
進渡河セシメ十九時三十分右岸提防線ニ陣地ヲ占領セルモ歩兵第一線
ハ早クモ横山北方高地ヲ占領セルヲ以テ射撃ヲ中止シ同夜半ヨリ中
隊主力ノ渡河ヲ開始シ二十五日八時四十五分渡河ヲ終リ中隊ノ集結ヲ
完了セルヲ以テ直チニ南潯鉄路雷子崗ニ向ヒ歩兵第三大隊ニ続行前進シ
十一時十分新棋周車站ニ進出ス
三、本戦斗ハ堤防ヲ巧ニ利用シ頑強ニ抵抗ヲ持続セル敵ナリシモ曲射彈
道ヲ有スル砲ノ威力ヲ遺憾ナク發揮シ同堤防突入ヲ成功セシメタル
モノナリ
一、特ニ十四時十分ヨリ渡河前面提防ニ對シ実施セル赤弾ノ集中射ハ其ノ効
果大ナルモノト信ス

歩百一旅作命甲第二八七號

支隊命令

三月二十三日十七時三十分
於石潭獲北方高地

一、二十三日午後以来支隊ト交戦シツヽアル敵ハ第九十八師ニシテ既ニ戰
意ヲ失ヒツヽアルカ如シ
支隊ノ第一線部隊ハ本二十三日午後既ニ岐山區東南第一水流ヲ渡河シ
第二水流ノ線ニ近迫シツヽアリ　岐山區東南第二水流ノ線及其東方高
地ノ線ニハ少数ノ敵兵アリテ尚抵抗ヲ持続シツヽアリ
飛行機ノ通報ニ依レハ第百一師團第百六師團主力方面ハ大イニ進展
シ安義南方ニ進出セリ　尚戰車ハ本朝奉新ヲ占領シ尚南進中ナリ
又江夏湖南方二、三粁附近ニハ敵兵ヲ見ス
南潯鉄路以東ノ地區ニハ敵兵三々伍々退却シツヽアリ
江夏湖南方一粁ノ地點ニハ民船三十隻アリト云フ
二、支隊ハ明払暁迄ニ馬路口市東方高地ニ進出シ次テ雷子崗ニ突進
シ南潯鉄路ヲ両断セントス

8

三、前衛（新ニ第一第五中隊　聯隊機関銃一小隊　聯隊山砲一分隊ヲ
指揮ニ復ス）ハ本夜極力岐山區東南第二水流ヲ渡河シ明払暁迄ニ先ツ
馬路口市東方ニ突進シ之ヲ確保スヘシ
四、本隊タル諸隊ハ左ノ順序ヲ以テ岐山區東南方第二水流ヲ渡河シ馬路口
市南方地區ニ兵力ヲ集結シ爾後ノ前進ヲ準備スヘシ
支隊司令部（無線小隊共）
歩兵第三大隊
衛生隊三分ノ一
五、迫撃中隊ハ一部ヲ以テ逐次陣地ヲ前方ニ進出シ支隊ノ第一第二水流ノ
渡河ヲ掩護スヘシ
七、獨立工兵中隊ハ岐山區東南第一第二水流渡河設備ヲ速ニ完了シ諸
隊ノ渡河ニ協力スヘシ　特ニ夜間渡河ヲ迅速ナラシムル如ク處置スヘシ
八、支隊予備隊タル歩兵第三大隊ハ其ノ區處下ニ在ル第一第五中隊
及其ノ指揮ニアル聯隊機関銃　聯隊山砲隊ヲ原所属ニ復帰セシムヘシ

九、予ハ今夜暫ク下域張ニ在リ明拂曉馬路口市ニ移ル

支隊長　佐藤少將

要圖第二（使用地圖南昌五万分一）

岐山區及馬路口市附近追撃第一中隊戰斗經過要圖

三月二十三日四時ヨリ三月二十四日二十時ニ至ル間

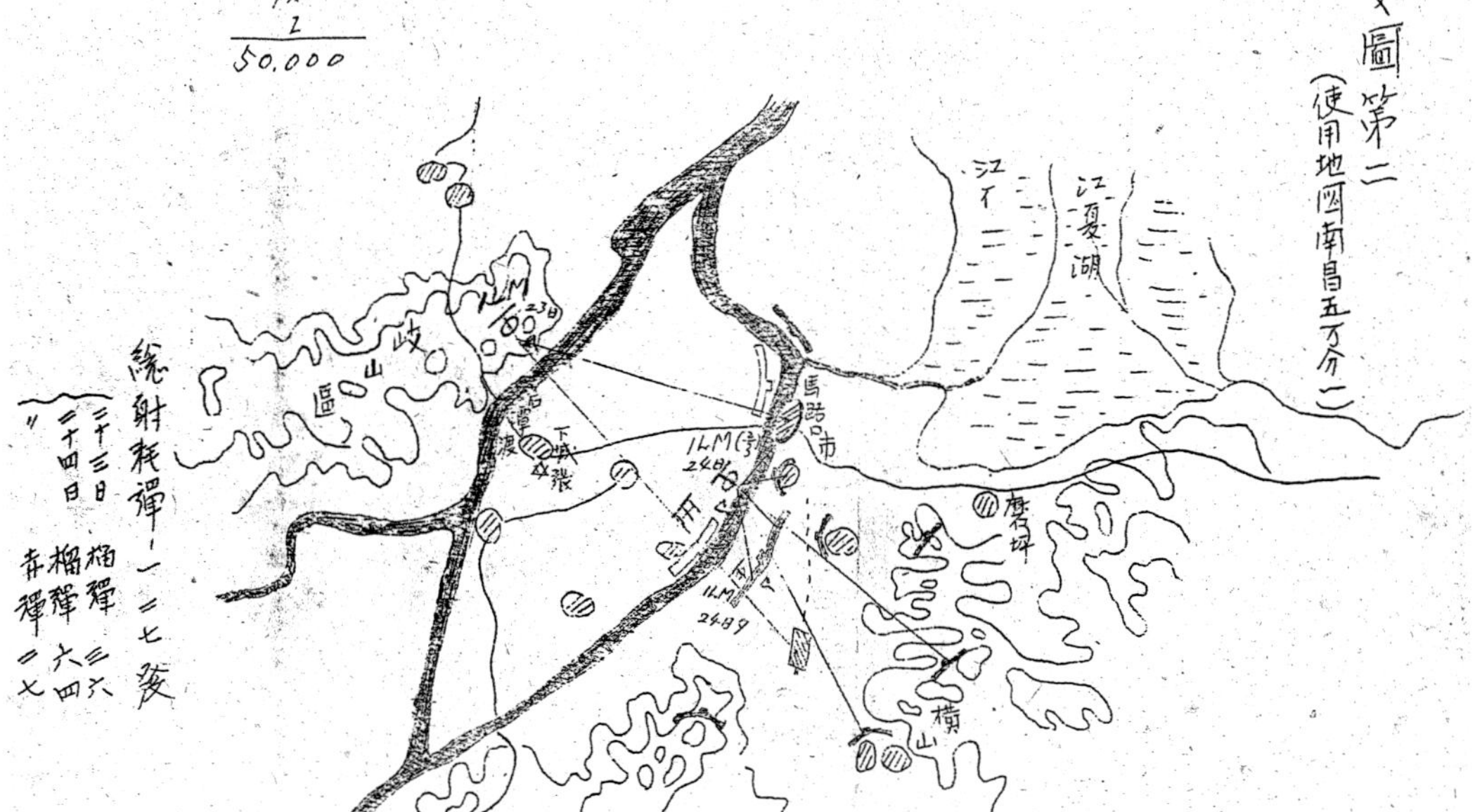

慈姑附近ノ戰鬪

三月二十五日新祺周車站附近ニテ南潯鉄道ヲ遮断セル支隊ハ同鉄道ニ沿ヒ南進ス呉陵坪余附近ニ到ルヤ敵ノ銃火熾烈ニシテ前衛ハ攻撃開始シアリ支隊命令ニ基キ直チニ第一小隊ヲシテ橋東張北方五〇〇米鉄路西側ニ陣地進入十五時四十五分ヨリ橋東張東南稜線ノ敵ヲ射撃ス

十六時二十分橋東張南側ニ陣地ヲ変換シ歩兵第一線ト密接ナル連絡ヲナシ慈姑北側稜線及南側稜線並ニ磨盤嶺ノ敵ヲ射撃ス(要圖第三ノ如シ)

敵ハ我カ砲撃ト歩兵第一線ノ攻撃ニ依リ敵逐次南方ニ退却ヲ開始セルモノノ如ク夕刻歩兵第一線ハ慈姑及其ノ南側稜線ヲ占領セルヲ以テ一部ヲ慈姑ニ主力ヲ橋東張ニ陣地占領拂暁攻撃ノ準備ヲナシ夜ヲ徹ス

敵ハ夜半潰走セルヲ以テ二十六日早朝陣地ヲ撤シ追撃ニ移ル

10

歩百一旅作命甲二ノ八八號

支隊命令

三月二十五日十時四十分
於新祺周車站

一、馬路口市附近ニテ撃破セラレタル敵ハ東南方ニ退却シ其ノ一部ハ六溪埠附近ニ在ルモノノ如シ

捕虜ノ言ニ依レハ白練湖附近ノ敵ハ一昨日来南方ニ向ヒ退却シ本二十五日十時頃約二百ノ敵ハ新祺周車站南方約一粁附近ニ停止シアリ

師團ハ本二十五日十時頃黄水嵩(南昌西方約二十四粁)附近ヲ東進中ナリ

二、支隊ハ速ニ南昌対岸龍興象山獅子山ノ線ニ向ヒ敵ヲ急追セントス

三、歩兵百一聯隊(第一第二大隊欠 工兵半小隊旅團無線一分隊ヲ属ス)ハ追撃隊トナリ正午現在地出發南潯鉄路ニ沿ヒ敵ヲ急追スヘシ

四、歩兵第二大隊ノ一中隊ハ速ニ胡象山桐蔡南潯鉄道両側ノ高地ヲ占領シ白練湖方面ノ敵ニ對シ支隊ノ後方ヲ警戒シ爾後

後衛トナリ追及スヘシ

五、左記部隊ハ本隊トナリ左ノ順序ニ依リ追撃隊ノ後方ヲ続行スヘシ

歩兵第一大隊

支隊司令部

軍無線小隊

歩兵第二大隊(二中隊欠)

山砲兵中隊

追撃中隊

衛生隊三分ノ一

六、予ハ本隊ノ先頭ニ在リテ前進ス

支隊長　佐藤少将

歩百一旅作命甲第二ノ九号

支隊命令

三月二十五日十三時
於慈姑西北方魯

一、敗退セル敵ハ歩々抵抗ヲ継続シツツ慈姑東西ノ線ニ於テ二十五日昼

11

以後頑強ニ抗戦中ナリ

追撃隊ハ珠砂崗及慈姑ヲ占領シ引続キ攻撃ヲ続行中ナリ

二、支隊ハ本夜並明日依然追撃ヲ続行シ速ニ南昌對岸ニ進出セントス

三、追撃隊ハ依然追撃ヲ続行シ速ニ所命ノ線ニ進出スヘシ

旅團無線ノ配属ヲ解ク原所属ニ復歸セシムヘシ

四、第一大隊(欠二中隊 機関銃一小隊欠 旅團無線一機ヲ属ス)ハ既時出発祖御殿高地ヲ迂回シ同高地東側ヲ經テ古城塚附近ニ進出シ敵ノ退路ヲ遮断シ追撃隊ノ攻撃ヲ容易ナラシムヘシ

五、山砲兵中隊並追撃中隊ハ芥東張又ハ魯附近ニ陣地ヲ占領シ拂暁ニ於ケル追撃隊ノ攻撃ニ密接ニ協力シ得ル如ク準備スヘシ

六、本隊タル諸隊ハ芥頭張附近ニ待機シアルヘシ

後衛タル第五中隊ハ其ノ陣地撤退ニ當リ一小隊ヲ新祺周車站ニ残置シテ同地ヲ警備セシムヘシ其ノ撤退ノ時機ハ別命ス

八、予ハ會ニ位置シ前進ニ方リテハ本隊ノ先頭ニ在リテ行進ス

支隊長　佐藤少将

歩百一旅作命甲第二ノ九〇號

支隊命令

三月二十六日午前五時五分
於鮮花嶺東北無名部落

一、慈姑附近ニ於テ頑強ニ抵抗セル敵ハ我カ猛攻ニ依リ昨二十五日夜半以後退却ヲ開始シ追撃隊ハ目下之ヲ追急中ナリ

二、支隊ハ速ニ予定ノ線ニ進出シ渡河ヲ準備セントス

三、追撃隊ハ速ニ龔家山附近ヨリ王家殿附近ニ亘ル線ヲ占領シ南昌東站以東ノ敵情並河川ノ状況ヲ偵察スヘシ

四、歩兵第三大隊（一中隊欠）ハ速ニ石頭口附近ヨリ獅子山附近ニ亘ル線ヲ占領シ南昌車站以東ノ敵情並河川ノ状況ヲ偵察スヘシ

五、追撃隊ト第三大隊トノ捜索警戒ノ地境ハ南昌西北端南昌車站、合肉（？）家墩ノ各東端ヲ連ヌル線トシ線上ハ左ニ屬ス

六、爾余ノ諸隊ハ現在務ヲ續行スヘシ

12

七、予ハ舍肉ニ向ヒ前進ス

支隊長　佐藤少将

歩百一旅作命甲第二ノ九一號

支隊命令

三月二十六日十六時
於大山裏（？）

一、軍ノ續同追撃隊ハ極メテ快速ニ進捗シ一部ハ南昌ニ突入セリ敵ノ有カナル部隊ハ猶南昌北方南潯鉄路地區ニ潜伏シアルモノノ如ク師團ハ南潯鉄路沿線ノ敵ヲ撃滅セントスル軍ノ企圖ニ基キ一部ヲ楊家湖（南昌東北方十六粁）鮮花嶺（南昌北方十七粁）方向ニ急進セシメ當面支隊ト共ニ南潯沿線地區ノ敵ヲ撃滅スル筈ナリ
飛行機ノ通報ニ依レハ歩兵第百三聯隊ノ一部並戦車部隊ハ本日十一時前後南昌北側中正橋ヲ占領シ當ニ南潯沿線ノ敵ハ西北方ニ退却中ナルモノノ如シ

二、支隊ハ依然現任務ヲ續行スヘシ
但所命ノ線ヲ占領後ハ追撃隊ノ編組ヲ解キ現配屬部隊ヲ指揮シ右第一線タルヘシ

四、歩兵第三大隊（山砲兵一分隊及旅団無線一分隊ヲ屬ス）ハ前任務ノ外大山ヨリ傅古嶺北方ヲ経テ雷牌頭裏附近ニ進出シ敵ヲ牽テ之ヲ撃滅シ予定進出線ニ進出スヘシ進出後ハ左第一線トシ山砲兵分隊ノ配屬ヲ解ク

五、爾余ノ諸隊ハ本隊トス　現任務ヲ續行スヘシ

六、旅團通信班長ハ第四項ノ無線分隊ヲ第三大隊ニ配屬スヘシ

七、予ハ舍肉ニ向ヒ前進ス

支隊長　佐藤少将

歩百一旅作命甲第二ノ九二號

支隊命令

三月二十六日二十三時十五分
於舍肉旅團司令部

一、敵情及軍ノ情況既ニ示セル所ノ如シ
右第一線ノ連絡ノ結果ニ依レハ南昌車站ニハ歩兵第百三聯隊ノ一部戦車部隊及戦車隊司令部アリ

13

歩兵第百三聯隊主力ハ同地西南約三粁新近（？）刘附近ニアルモノノ如シ
又同車站ヨリ南昌ニ通スル永久橋ハ爆破セラレタリト云フ

二、支隊ハ依然現在ノ態勢ヲ以テ渡河ヲ準備セントス

三、左右第一線ハ現任務ヲ續行シ渡河ノ目的ヲ以テ敵情並河川ノ偵察ニ力メ特ニ舟筏ヲ蒐集スヘシ

四、独立工兵中隊（岐山區南方第一第二水流渡場勤務員ヲ除ク）ハ速ニ支隊ニ追及スヘシ

五、爾余ノ部隊ハ依然現任務ヲ續行スヘシ

六、予ハ舍肉（南昌西北方約四粁）ニ在リ

支隊長　佐藤少将

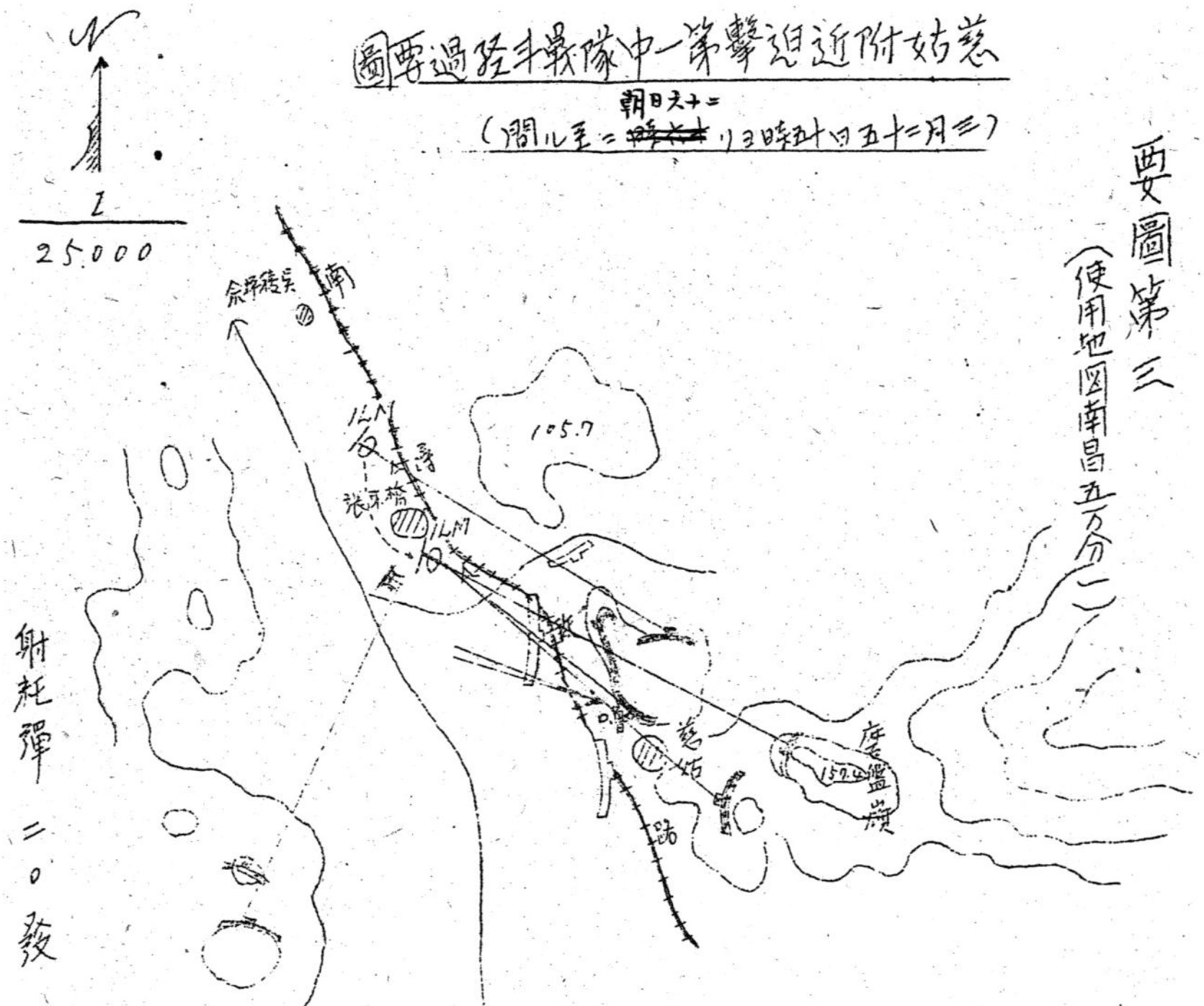

南昌附近ノ戦闘

一、三月二十六日一小隊ヲ前衛ノ後尾ニ主力ハ本隊トナリテ敵ヲ急追シ十八時先遣セル第二小隊ハ玄家殿ニ主力ハ舎内ニ集結ス
中隊長ハ玄家殿ニ先行シ前衛ト連絡シ南昌ノ敵情捜索ニ任ス
二十七日十一時支隊命令ニ基キ先ヅ先遣セル第二小隊ヲ以テ南昌車站西側ニ前進ヲ命シ中隊長ハ観測及通信手ヲ伴ヒ同地ニ先行シ第一線歩兵ト密接ナル連絡ヲナシ陣地偵察ヲ行フ
第二小隊ハ玄家殿南側湖ヲ自力ニテ渡河シ十四時三十分到着セルヲ以テ直ケニ中正橋西北端提防ニ陣地ヲ占領セシメ南昌ノ敵ニ對シ射撃ヲ開始ス
次テ十六時中隊主力到着セルヲ以テ十六時三十分ヨリ全力ヲ以テ歩兵第一線強行渡河ノ支援射撃ヲ實施ス 歩兵第三大隊ハ我カ迫撃砲及戦車砲援護ノ下ニ十七時~~[illegible]~~南昌北岸ニ強行渡河ヲ決行シ同地ヲ占領逐次城内ニ進出セルヲ以テ射程ヲ延伸シ城内ヲ射撃ス(要圖第 15
二、四)十八時三十分射撃ヲ中止シ同地ニ中隊ヲ集結待機ス
本戦闘ハ後ニ湖沼地帯アリ且大贛江ヲ前ニシテ自力ニテ湖ヲ渡リ速ニ陣地占領ヲナシ他ノ火砲ニ先チ歩兵ノ強行渡河ヲ支援シ迫撃ノ威力ヲ遺憾ナク發揮シ敵ニ大ナル損害ヲ與ヘ歩兵第百一聯隊ヲシテ南昌一番乗ニ成功セシメタルモノナリ

歩百一旅作命甲第二〇九三號

支隊命令

三月二十七日十一時
於金水旅團司令部

一、軍及師團主力ノ渡河點ハ生米街方面ナルカ如シ
二、支隊ハ本二十七日一部ヲ以テ大竹山方面ヨリ主力ヲ以テ南昌車站附近ヨリ章江ヲ渡河シ南昌ヲ攻略セントス
三、右第一線ハ南昌車站方面ヨリ好機ニ投シ章江ヲ強行渡河シ南昌ヲ攻略スヘシ
四、左第一線ハ現在地附近ヨリ楊子洲附近ヲ經テ南昌北方地區ニ向ヒ好機ニ投シ章江ヲ強行渡河シ東北部南昌ヲ攻略スヘシ

五、左右第一線ノ戰斗地境ハ警戒機關ノ地境トシ之レヨリ舊飛行場西北角ニ延長ス線上ハ左ニ屬ス
六、迎撃中隊ハ南昌車站附近ニ陣地ヲ占領シ主トシテ第一線ノ渡河ニ協力スヘシ
七、山砲兵中隊ハ一分隊ヲ右第一線ニ配屬シ主力ヲ以テ萬上附近ニ陣地ヲ占領シ主トシテ右第一線ノ渡河ニ協力スヘシ
八、爾餘ノ諸隊ハ暫ク現在地ニ待機シ戰斗ノ進捗ニ伴ヒ萬上附近ニ進出スヘシ
九、予ハ今ヨリ南昌車站附近戰斗司令所ニ移ル

支隊長　佐藤少將

歩百一旅作命甲第二ノ九四號

支隊命令　三月二十七日二十一時　於南昌車站戰斗司令所

一、本二十七日十七時右第一線ノ一部ハ章江ヲ敵前強行渡河シ南昌西北角ニ突入シ續イテ戰果擴張中ナリ　左第一線モ亦渡河ヲ開始セリ

16

二、支隊ハ益々戰果ヲ擴張シ南昌占領ヲ確實ナラシメントス
三、右第一線（新ニ旅團無線一分隊ヲ屬ス）ハ益々戰果ヲ擴張シ南昌東端及南端ニ向ヒ掃蕩ヲ續行スヘシ
歩兵第一大隊（第三中隊欠）ヲ正午南昌車站ニ於テ其ノ指揮ニ復歸ス
歩兵第二大隊（一中隊欠）ハ同隊ノ渡河成功後其ノ指揮ニ復歸セシム同隊復歸後ハ左右第一線ノ名稱ヲ廢シ歩兵第百一聯隊ヲ以テ第一線トス
歩兵第百三聯隊ト南昌掃蕩及警備地域ニ關シテハ相互ニ協定スヘシ
配屬中ノ工兵半小隊ハ第一線渡河終了後其ノ配屬ヲ解キ予ノ直轄トス

四、歩兵第三大隊（旅團無線分隊ノ配屬如舊）ハ渡河成功後原所屬ニ復歸スヘシ
自今山砲兵分隊ノ配屬ヲ解キ原所屬ニ復歸セシムヘシ
五、歩兵第一大隊（第三中隊欠）ハ原所屬ニ復歸ヲ命ス　正午南昌車站ニ到リ其ノ指揮ニ入ルヘシ
配屬中ノ旅團無線分隊ハ自今之ヨリ歩兵第百一聯隊本部ニ轉屬スヘシ
六、爾余ノ諸隊ハ本隊トス　明二十八日七時左記順序ヲ以テ逐次章江ヲ渡河シ対岸ニ集結シ後命ヲ待ツヘシ

支隊司令部（旅無線小隊ヲ含ム）
支隊豫備隊
迎撃中隊
山砲兵中隊
衛生隊

17

衛生隊ハ第一線トノ連絡ヲ緊密ナラシメ前岸ニ於ケル收容ニ遺憾ナキヲ要ス
七、歩兵第三中隊ハ支隊豫備隊トス　暫ク現在地ニ位置シ明二十八日七時渡河點ニ到ルヘシ
八、獨立工兵半小隊ハ第一線ノ渡河終了後ハ其ノ配屬ヲ解キ予ノ直轄トス　本隊ノ渡河ニ協力スヘシ
九、第一野戰病院ハ本隊ノ渡河ニ引續キ南昌ニ向ヒ前進スヘシ
十、諸隊ノ馬匹ハ二十八日七時以後南昌車站ニ集結シ渡河ニ關シ後命ヲ待ツヘシ
十一、予ハ暫ク現在地ニ在リ明二十八日七時渡河点ニ移リ爾後対岸ニ到ル

支隊長　佐藤少將

三、三月二十八日贛江ヲ自力ニテ渡河シ二十三時南昌北側地區ニ集結ヲ了シ待機ス

歩百一旅作命甲二ノ九五号

支隊命令

三月二十八日十七時
於南昌旅団司令部

一、隷下並配属諸隊ノ奮戦ニ依リ支隊ハ昨二十七日完全ニ南昌ヲ占領セリ
師団主力ハ本二十八日三村（南昌南方約二粁）附近ヨリ陳村（南昌西南方約六粁）附近ニ兵力ヲ集結中ナルカ如シ
大島騎兵部隊ハ支隊ニ追及中ニシテ本夕蛟橋（萬上北方四粁）附近ニ到着スル筈ニシテ歩兵第百二旅団主力ハ本二十八日午後渡河ヲ開始スル筈ナリ
二、支隊ハ北部南昌ニ兵力ヲ集結シ市内ノ掃蕩ヲナスト共ニ爾後ノ行動ヲ準備セントス
三、歩兵第百一聯隊主力ハ東北部南昌ニ兵力ヲ集結シ爾後ノ行動ヲ準備スヘシ
一部ヲ以テ舊飛行場ヲ確保スルト共ニ之カ整備ヲ實施スヘシ

18

四、追撃中隊及山砲兵中隊ハ南昌西北角附近ニ集結シ爾後ノ行動ヲ準備スヘシ
五、独立工兵中隊主力ハ主力ヲ中正橋東畔地区ニ集結シ依然贛江ノ渡河作業ヲ実施スヘシ
六、警備隊タル歩兵第百一聯隊第三中隊ハ支隊司令部附近ニ兵力ヲ集結スヘシ
七、重無線小隊ハ支隊司令部附近ニ集結スヘシ
八、衛生隊及第一野戦病院ハ江蘇病院附近ニ兵力ヲ集結シ爾後ノ行動ヲ準備スヘシ且衛生隊ハ後方残置ノ患者ヲ南昌ニ輸送スヘシ
九、爾余ノ諸隊ハ現任務ヲ続行スヘシ
十、北部南昌露営区ニ於ケル露営司令官ハ歩兵第百一聯隊長布施大佐トス
十一、予ハ南昌北端蔣介石住宅ニ在リ

支隊長 佐藤少将

歩百一旅作命甲二ノ九六号

支隊命令

三月二十九日十六時三十五分
於南昌旅団司令部

一、軍ハ諸隊ノ迅速果敢ナル追撃敢行ニ依リ南昌方面ノ敵軍主力ヲ贛江南岸地区ニ完全ニ殲滅シテ南昌ヲ攻略シ浙贛線ヲ遮断セリ
敵ノ有力ナル兵団ハ奉新方向ニ進出ヲ企図シアルモノノ如シ
軍ハ概ネ撫河ノ線ニ於テ追撃ヲ中止シ爾後ノ作戦ヲ準備ス
第百六師団ハ其ノ主力ヲ奉新東田港龍陂橋南ノ地区ニ集結シ高安又ハ奉新西方ニ向フ作戦ヲ準備ス
師団ハ速ニ一部ヲ以テ南方ノ敵ニ対セシメ主力ヲ南昌南方地区ニ集結シテ随時ノ進攻ヲ準備ス
南昌地区守備隊（歩兵第百一聯隊（一大隊ト一中隊欠））ヲ基幹トスル一部ヲ以テ南昌直接警備ニ任スルト共ニ臨時守備区域内ノ残敵ヲ掃蕩シ且一部ヲ以テ舍坩十市店木溪（地名）及沈口街附近ヲ確保スル筈

19

佐枝支隊（歩兵第百五十七聯隊ノ一大隊及歩兵第百三聯隊ヲ基幹トス）ハ南昌西站及其ノ西北方地区ニ兵力ヲ集結待期ス
贛江水路守備隊（歩兵第百五十七聯隊ノ一部ヲ基幹トス）贛江両岸地区ヲ北上掃蕩爾後河岸ノ要地ヲ確保ス
騎兵隊ハ南潯線ヲ北上シテ永修ニ到ル間ノ残敵掃蕩シ再ヒ南昌ニ前進ス
萬家埠守備隊（嘗A支隊ノ一中隊）ハ万家埠附近潦河左岸要地ヲ確保ス
二、支隊（兵力編組別紙ノ如シ）ハ速ニ前進ヲ起シ現ニ贛江右岸ニ進出シアル第百六師団ノ残置部隊ト交代シ南方ノ敵ニ対シ市汊街胡家（梁家渡西方八粁）草巷（梁家渡南側）ノ線及同地以北撫河左岸ノ線ヲ確保セントス
支隊ト南昌地区警備隊トノ戦斗（捜索）地境ヲ左ノ如ク定メラル

東坑巷東端（南昌東南二粁）王庄（東坑巷東南六粁）會元胡村（王庄東南三粁）胡庄（会元胡村東南五粁）ヲ渓湖西南端ヲ連ヌル線トシ線上ハ南昌守備隊ニ属ス

三 歩兵百一聯隊第一大隊（工兵二分隊及旅団無線一分隊ヲ属ス）ハ右縦隊トナリ明三十日朝南昌南端出発南昌―陳村―黄太街道ヲ前進シ第百六師團ノ残置部隊ト交代シツツ南方ノ敵ニ対シ本部ヲ以テ朝渓（湖ノ名ニシテ南昌南方約二十八粁）南側上路楊附近ニ位置シ市汊街ヨリ涂庄 濫口欠附近ヲ経テ胡家ニ亘ル線ヲ占領スヘシ

諜線到着後ハ右翼隊タルヘシ

四 歩兵第百四十九聯隊（第一大隊ト一中隊欠）旅團無線一分隊工兵一小隊（二分隊欠）ヲ属ス）ハ左縦隊トナリ明三十日朝現集結地出発朱湖梅村―揚家壊―沙窩章村―章家―塘岸衣道ヲ前進シ第百六師團ノ残置部隊ト交代シツツ南方ノ敵ニ対シ其ノ本部ヲ

20

万坊裏（上坂湖東方一粁）附近ニ置キ歴山熊ヨリ上洛敷符参山附近ヲ経テ家山ニ至ル線ヲ占領シ且一部ヲ以テ撫河左岸渡口渡襲家萑巷昌ノ線ヲ確保スヘシ

五 左右両縦隊ノ戦斗（捜索）地境ハ萍 株鉄道トシ線上ハ右ニ属ス

六 爾余ハ支隊本隊トス明後三十一日九時南昌総站ヲ先頭トシ歩兵第百四十九聯隊ノ一中隊 支隊司令部（給水班 師團無線分隊ヲ含ム）独立機関銃中隊 独立山砲兵中隊 迫撃中隊 野砲兵第三大隊 野戦ガス小隊 衛生隊六分ノ一 第一野戦病院ノ一部ノ順序ニ集合スヘシ

七 當分支隊タリシ歩兵第百四十九聯隊第一大隊（一中隊欠）ハ蓮塘市（許昌東南々十五粁）附近到着後予ノ直轄トシ沙窩章村ニ向ヒ前進スヘシ

八 各隊大行李ハ現保有糧秣ヲ部隊ニ交付シ南昌野戦倉庫ニ於テ補給ヲ受ケタル後追及セシムヘシ細部ニ関シテハ別ニ指示ス

九 予ハ暫ク現在地ニ在リ明後三十一日九時南昌總站ニ移リ爾後本隊ノ先頭ニ在リテ沙窩章村ニ向ヒ前進ス

支隊長 佐藤大将

別紙

佐藤支隊兵力編組

長 佐藤少將

歩兵第百一旅團（歩兵第百四十九聯隊ノ一中隊及歩兵第百一聯隊（大隊欠）欠）

独立機関銃第一大隊ノ一中隊

独立山砲兵第三聯隊ノ一中隊

野砲兵第百一聯隊第三大隊欠聯隊段列三分ノ一

迫撃第五大隊ノ一中隊

工兵第百一聯隊ノ一小隊

野戦瓦斯第六中隊ノ一小隊

師團無線一分隊

衛生隊六分ノ一

第一野戦病院ノ一部

給水部ノ一部

21

四 翌三十日中隊ハ支隊ノ配属ヲ解カレ原所属ニ復帰スヘキ命令ヲ受領シ同地ニ於テ所属大隊ニ復帰ス

歩百一旅作命甲第二ノ九七號

佐藤支隊命令

三月三十日正午
於南昌旅團司令部

一 師團ハ左記部隊ノ配属ヲ解カル

記

独立機関銃第一大隊 独立山砲兵第三聯隊 迫撃第三大隊

迫撃第五大隊ノ野戦瓦斯第六中隊

又南山口何及雷子嶺ニ残置シアル歩兵第百一聯隊ノ各一小隊ハ集
海蟠軍兵大佐ノ指揮ニ属シ集積弾薬品ノ掩護ニ任セシメラル
二 歩百一旅作命甲第二ノ九六號ニ依リ当支隊ノ配属タリシ前項ニ属
スル部隊ハ自今其ノ配属ヲ解カル
三 前二項ニヨリ配属ヲ解カレタル部隊ハ原所属ニ復帰シ成可ク速
ニ兵力ヲ南昌車站附近ニ集結シ爾後ノ転進ヲ準備スルモノトシ
部隊ノ贛江渡河並兵力ノ集結ニ関シテハ独立山砲兵第三聯
隊長ノ區處ヲ受クルモノトス
四 歩百一旅作命甲第二ノ九六號第六項ニ示ス支隊本部ノ集合ニ関
スル件ハ之ヲ廃止シ歩兵第百四十九聯隊第八中隊衛生隊六分ノ一
第一野戦病院半部ハ明三十一日八時三十分支隊司令部前ニ集
合スヘシ細部ハ現場ニ於テ指示ス
五 予ハ暫ク南昌ニ在リ

支隊長 佐藤少将

22

五 本戦斗間交戦セシ敵ハ九八師 一三九師 一四一師ニ属スル
モノナリ

結言

本戦斗ハ修水河ノ敵陣地突破ニ引続キ南潯鐵道雷子嶺
附近ニ進出シ白練湖方面ヨリノ敵ノ退路ヲ遮断シ南昌対
岸ニ進出ノ任務ヲ帯ヒ出発セシモ途中ニ於ケル数次ニ亘ル頑
強ナル敵ノ抵抗ヲ破摧シ加フルニ五回ニ及フ水流ハ自隊ニ於テ
舟ヲ集メテ強行渡河ヲ決行シ補給ノ困難ヲ克服シ悪路ヲ
突破シ常時歩兵第一線ヲ支援追撃ノ威力ヲ遺憾ナク発揮
シ遂ニ南昌攻略ニ偉大ナル功ヲ奏シタルモノニシテ之一ニ各級
幹部以下一致協力戦斗任務ノ遂行ニ邁進セル結果ニシテ其ノ功
績顕著ナルモノト信ス

一、第二小隊長 陸軍歩兵中尉 鈴木準一

右ハ三月二十七日南昌攻略戦ニ於テ先遣セル小隊長トシテ良ク部下ヲ

督励シ並家殿南側湖ヲ強行渡河シ最モ迅速ニ南昌車站西
側ニ前進シ中隊長ノ指示セル所ニ陣地ヲ占領射撃準備ヲ完了シ
敵弾雨飛スル中ニ在リテ毅然トシテ小隊ヲ指揮シ中隊長ノ意図ノ
如ク常ニ有効ナル射撃ヲ実施シ得タルモノニシテ其ノ功績特ニ顕著ナリ

二 第三小隊長代理 陸軍歩兵曹長 佐野利勇

右ハ三月二十二日夕岐山區ニ於テ先遣小隊トシテ渡河前進ニ際シ自ラ
舟ヲ蒐集シ風強ク退行困難ナルヲ良ク部下ヲ督励シ夜半ニ時ニ亘ル
間何等ノ事故モナク第一水流ノ渡河ヲ了シ翌二十三日拂暁ヨリ馬路
口市附近ノ戦斗ニ参加シ敵前至近ニ陣地占領ヲ命シタルニ迅
速ナル陣地進入ヲナシ中隊長ノ意図ノ如ク常時有効ナル射弾ヲ
以テ第二水流ノ渡河ヲ支援シ遂ニ歩兵第一線ノ強行渡河ヲ成功
ナサシメタルモノニシテ其ノ功績特ニ顕著ナリ

三 観測手 陸軍歩兵軍曹 中里徳太郎
同 陸軍歩兵上等兵 渡邉新作

23

右ハ本戦斗間中隊観測手トシテ中隊長ト共ニ常ニ第一線ニ進出
シ敵弾飛来スル中ニ在リテ沈着敏速良ク敵情捜索、距
離ノ測定射弾ノ観測ニ任シ常時有利ナル報告ヲナシテ中隊
長ヲ補佐シ射撃指揮ヲ容易ナラシメタルモノニシテ其ノ功績ハ特
ニ顕著ナリ

四 分隊長 陸軍歩兵軍曹 大久保謹壹
二番砲手（照準手） 陸軍歩兵上等兵 平澤四郎

右ハ三月二十二日夕ヨリノ岐山區南方第一水流渡河ニ際シ率先舟ノ蒐集
ニ任シテ渡河ヲ決行シ二十三日馬路口市附近ノ戦斗ニ於テ敵小銃機関
弾熾烈ナル中ニ在リテ沈着良ク砲ノ操作ニ任シ命中正確ニシテ有
効ナル射撃ヲ以テ敵ニ多大ノ損害ヲ與ヘ歩兵第一線ノ第二水流ノ渡
河ヲ成功セシメタルモノニシテ其ノ功績特ニ顕著ナリ

五 分隊長 陸軍歩兵軍曹 堀口弘
一番砲手（装填手） 陸軍歩兵上等兵 吉井達夫

右ハ二十七日南昌攻略戦ニ於テ玄家殿東方湖ノ渡河ニ率先強行渡河シ最モ迅速ニ南昌車站西側ニ進出シ射撃ニ際シテハ沈着良ク砲ノ操作ニ任シ命中正確ニシテ敵ニ多大ノ損害ヲ與ヘ歩兵ヲシテ贛江強行渡河ヲ成功セシメタルモノニシテ其ノ功績特ニ顕著ナリ

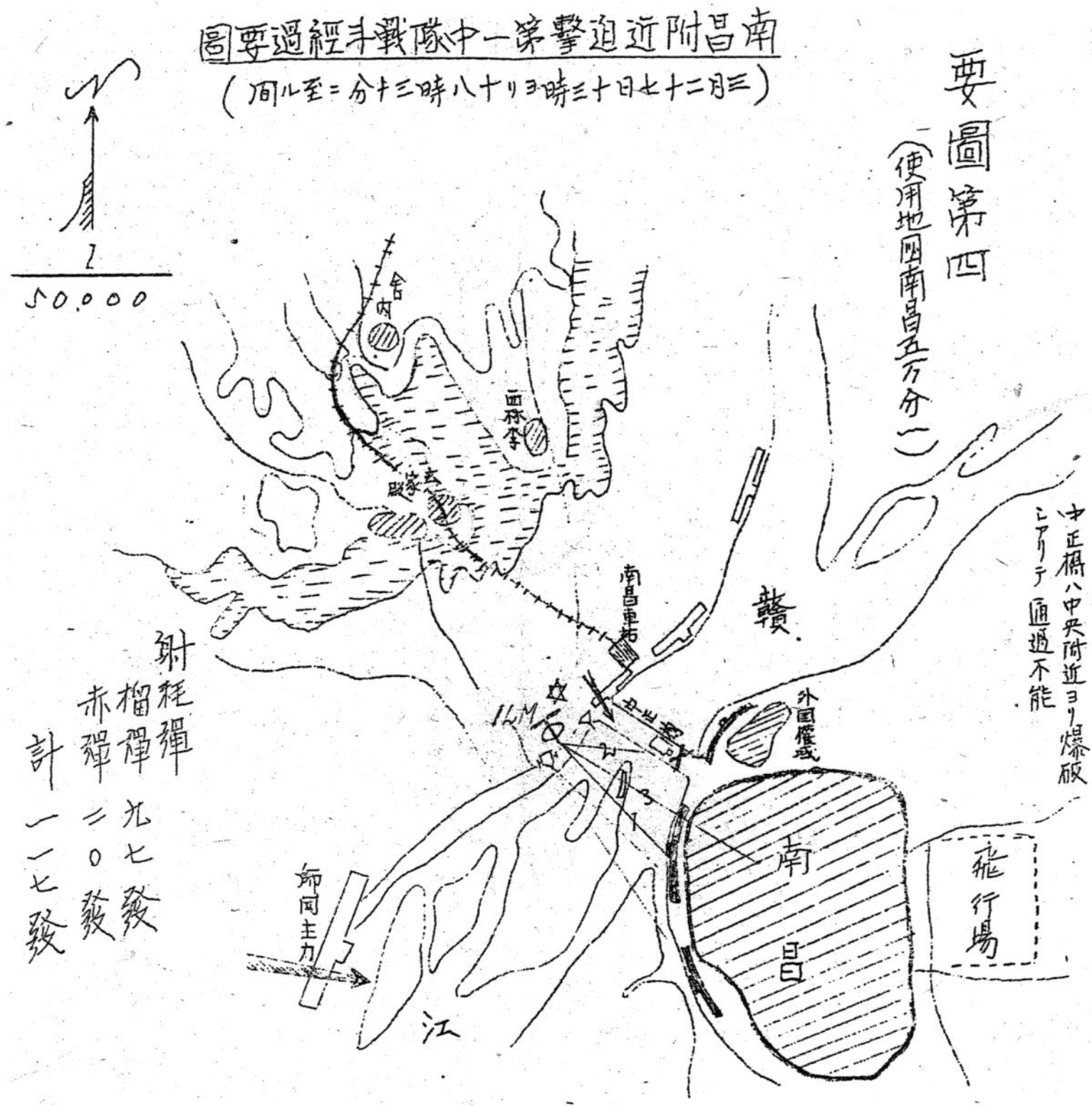

中隊編成表

昭和十四年三月八日現在
迫撃第五大隊第一中隊

中隊長 歩兵中尉 伏木保之

指揮班

職	階級	氏名
給與	歩軍曹	小笠原章勝
兵器	〃	富田五逢
〃	歩伍	入江幸一
觀測	歩軍曹	中里德太郎
〃	歩伍	酒井喜美
〃	〃	海老原半次
〃	歩上	渡邊新次
通信	歩軍曹	小河原試人
通信	歩上	齊藤陽息
〃	〃	新井安人
〃	〃	西川富雄
〃	〃	高橋貞雄
喇叭	〃	小林治雄
〃	〃	木谷道典
衛生	〃	小林茂雄
〃	〃	酒井名
取兵	歩上	大高定義
〃	〃	小坂井喜之智
〃	〃	長洲義男
〃	〃	北條正一
馬扱	〃	高堀正夫
傳令	〃	齊木千本

第一小隊

小隊長 中尉 塚原恩

階級	氏名
分隊長 歩軍曹	大塚英司
砲手1 歩伍	色川政美
〃	長谷川部雄
3 〃	神田林稍雄
〃	菊地義雄
5 歩上	武田良次
6 〃	塚原勝明
〃	花村業市
〃	新村昇
〃	西下雄一
〃	宮原忠雄
〃	柏田駒次郎
駆兵	叶政雄
〃	作山太郎
〃	小平梅吉
砲上	五明佳人
分隊長 歩軍曹	山本武文
砲手1 歩伍	植口達雄
2 〃	上田一美
3 〃	稲谷正一
〃	瀧澤平三
駆兵	下田森蔵
〃	室野好文
〃	竹本新蔵
〃	佐々木友吉
〃	大須賀吉郎
駆兵	富張三郎
〃	矢口仁正
〃	赤間吉造
〃	水川玄徳利
〃	大塚忠一
分隊長 歩軍曹	中沢英男
歩伍	大野忠
歩上	古畑進
〃	香山貴三郎
〃	内田良平
〃	鈴木武志
〃	半田静茂
〃	小平春吉
〃	佐藤袈裟吉
〃	宮下善輔
〃	川口貞一
〃	米川武文
〃	高庭勝雄
〃	飯島恒三郎

第二小隊

小隊長 中尉 鈴木準一

階級	氏名
分隊長 歩軍曹	堀内裟弘
砲手1 歩伍	小口袈雄
〃	田中覚
〃	伊藤一人
〃	吉福雄
〃	坂井正数
〃	大本達雄
〃	野村吉
〃	林之之
〃	石川一
〃	大貫林
〃	渡邊重作
〃	須藤好雄
〃	稲垣秋雄
分隊長 歩軍曹	菊地好進
歩伍	半野好雄
〃	中根吉雄
〃	居島善部
〃	田村武部
〃	渡辺豊克
〃	横山吉一
〃	金田忠良
〃	小堀長次
〃	武井貞吉
〃	櫻森真
〃	大西黄吉
〃	河須賀
〃	横須賀
分隊長 歩軍曹	瀧野達道
歩伍	滝村幸一
〃	賀川常一郎
〃	秋葉和七
〃	青木清
〃	山本則
〃	宮下伊作
〃	小澤栄次郎
〃	藤沼留吉

第三小隊

小隊長 中尉 佐野利勇

階級	氏名
分隊長 歩軍曹	大久保謹吾
〃	岡野喜貴
〃	安田昌部
〃	高橋三業
〃	松澤圭
〃	渡邊政
〃	桑原清三
〃	北村由次
〃	保井四郎
〃	倉沢貞
〃	宮川嘉義
〃	柳橋正光
分隊長 歩軍曹	瀧澤達弘
〃	中田順一
〃	朝日嘉郎
〃	藤原亮藏
〃	坂橋三
〃	市川治
〃	宮入吉
〃	古谷平
〃	落合良作
〃	石川仁部
〃	町田一吉
〃	栗林宗吉
〃	永島喜一
〃	大田太一
〃	天野一重
分隊長 歩軍曹	中村横治
〃	高島男次郎
〃	小林忠
〃	西川勝部
〃	伊藤澤司
〃	渡邊義男
〃	小坂井存
〃	鈴木圭

中隊段列

段列長 特務曹長 細田萬吉

階級	氏名
〃	諸沢大郎
〃	杉沢三郎
〃	吉沢長部
〃	中沢英義
〃	山口孝雄
〃	小林徳藏
〃	牧清大
〃	西井勇
〃	石原貫次郎
〃	西方部
〃	篠崎次郎
〃	不破喜三郎
〃	佐藤司
〃	小林玉一郎
〃	谷口部雄
〃	松木勇雄
〃	川崎義雄
〃	安田進
〃	坂田嘉雄
〃	川崎喜吉
〃	武田榮
〃	新井一
〃	久保寺
〃	岩竹知
〃	大竹洗吉
〃	徳永一
〃	川口吉
〃	山本
〃	橋本一
〃	加藤孝策
〃	山下長吉
〃	荒井部
〃	中村太郎
〃	伊藤三
〃	吉田正吉
〃	林恒明
〃	小林一
〃	高橋道部
〃	松本次雄
〃	佐藤忠吉
〃	七條恒
〃	寺門上

配属大隊段列編成表

小隊長 歩兵曹長 田崎定雄

第一分隊

階級	氏名
歩伍	田切和武
〃	桑田恒次郎
〃	幸九美茂
〃	丸山政一
〃	稲垣五郎
〃	宮坂吉基
〃	美津三郎
〃	木下藤義
〃	田中太郎
〃	原桂男
〃	北林通美
〃	大野今朝美
〃	前野茂弥
歩上	竹内定益通

第二分隊

階級	氏名
歩軍曹	古谷孫吉
歩伍	楯澤喜重
歩上	水見銀治
〃	人坪一志
〃	小邊勝行
〃	渡島政孝
〃	飯村信蔵
〃	中藤喜治
〃	木下成衆
〃	中島銀重郎
〃	神井新六
〃	櫻井新三
〃	小林登
衛上	平賀新之助

第三分隊

階級	氏名
歩伍	宮崎知三郎
〃	田中梓馬
〃	菊地利夫
〃	富田勝重
〃	益子高孫
〃	澤畑益男
〃	田島信之助
〃	大森武雄
〃	矢島正
〃	清瀧賢次
歩上	清瀧津雄

戦闘詳報第　號附表

昭和十四年三月自二十二日至三十日第一中隊死傷表

区分		迫撃第五大隊第一中隊	同 大隊役列			総計
戦斗参加人馬	将校	(一)三				四
	准士官下士官兵	(九)一八六	三九			二三四
	馬匹	(九)八一	二五			二五
死	将校					
	准士官下士官兵					
	馬匹		一			一
傷	将校					
	准士官下士官兵	二				二
	馬匹		一			一
生死不明	将校					
	准士官下士官兵					
	馬匹					

備考

一、( )内ハ配屬ノ小口軍醫中尉以下ヲ示ス

戦闘詳報第　號符表

昭和十四年三月自二十二日至三十日第一中隊武器彈藥損耗表

種類	区分		迫撃第五大隊第一中隊			計
消費	彈藥	迫撃砲彈	二、三二			二、三二
		迫撃赤彈	四七			四七
		小銃彈	二五〇			二五〇
損	武器					
	彈					
失	藥					
	其他ノ武器					

備考

昭和十四年七月五日〜二八日

晋東會戰

中隊長

目次

一 戰闘前ニ於ケル彼我形勢ノ概要

1 中支ヨリ山西省大交鎮ヘ進出迄ノ行動ノ概要

(1) 中支那漢口ニ於テ方軍作命甲第六五九號ニ依リ大隊ハ北支方面軍ノ戰闘序列ニ入ル六月十二日漢口出發後六月十八日北支那方面軍司令官ノ隷下ニ入リ六月二十二日一軍作命甲第四八三號ニ依リ第一軍司令官梅津中將ノ指揮下ニ入ルコトヽナル

(2) 大隊(第二中隊大隊段列一小隊欠)ハ一軍作命甲第四九三號ニ依リ第二〇師團ニ配屬セラレ(第二中隊(大隊段列一小隊屬ス)ヲ一軍作命甲四九三號ニ依リ第一〇八師團ニ配屬臨汾ニ於テ第一〇八師團長ノ指下ニ入ラ云

(3) 大隊主力ハ鐵道輸送ニ依リ石家荘經由六月二十五日山西省侯馬鎮ヘ到着第二〇師團長ノ指揮下ニ入ル六月二十九日大隊ハ二〇師作命甲第六九八號ニ依リ侯馬鎮出發行軍ニ依リ大隊集結地大交鎮ニ至ル

(4) 大隊ハ大交鎮ニ於テ二〇師作命甲第七〇六號ニ依リ歩第三九旅團ニ配屬セラレ大隊(第二、第三中隊大隊段列二小隊欠)及第三中隊(大隊段列一小隊屬ス)ハ其々藤室部隊及室谷部隊ニ配屬セラレ(歩三九旅作命第五六三號)該地ニ於テ一號作戰ノ爲諸準備ヲナス

一

2 彼我ノ形勢

(1) 今次ノ我ガ垣曲作戰ニ依リ垣曲方面ヨリ敗退セル敵ハ逐次陽城晋城方面ニ移動セルモノヽ如ク敵ハ山西省ノ峻嶮ナル山岳地帶ヲ利用シ之ニ蟠踞シ我ニ抗戰スル企圖ヲ有スルカ如シ

諸情報ヲ綜合判断スルニ當面ノ敵ハ第八十三師ナルカ如ク張馬村中村(翼城東南二十数粁)及其ノ周邊諸部落並ニ山中ニハ敵ノ彈藥糧秣集積所及十四軍並ニ八十五師ノ重要軍事諸設等散在シアリ特ニ石家庄楊家庄(張馬村西々北五粁)ニハ第八十三師ノ彈藥倉庫アリ

(2) 関部隊ハ一部ヲ以テ七月五日窑寺頭方面ノ敵ニ主力ヲ以テ七月七日拂曉ヨリ花崖上東峪間ノ敵ニ対シ攻撃ヲ開始シ當面ノ敵ヲ撃滅シツヽ一挙中村附近ニ進出シ該地附近ニ於テ敵ヲ捕捉殲滅シタル後引續キ陽城附近ニ向ヒ前進スルノ企圖ヲ有ス

藤室部隊ハ七月七日拂曉ヨリ花崖上東峪間ノ敵ニ対シ重點ヲ左ニ保持シツヽ攻撃ヲ開始シ敵ヲ撃滅シツヽ速ニ張馬村附近ニ進出シテ中村附近ニ進出スヘキ室谷部隊ト協力シ敵ヲ捕捉殲滅スヘキ態勢ニ在リ

(3) 大隊主力ヲ以テ藤室部隊ニ一部ヲ以テ室谷部隊ニ屬シ大交鎮及絳縣ニ尓後ノ攻撃ヲ準備シ在リ

二 戰闘ニ影響ヲ及シタル氣象地形及住民地ノ状態

(1) 時期ニ炎暑ノ候トハ云ヘ山西省ノ雨期ニ入リ行動間ノ約半数日ハ降續ケル豪雨ニシテ觀測其ノ他戰闘行動ニ支障ヲ來セル点多々アリ尚連日ノ濕潤ニ依リ兵ノ健康ヲ害シ又「マラリヤ」脚氣患者多クシテ戰闘力ヲ減シタリ

(2) 地形ハ一般ニ峻嶮ナル山岳地帶ニシテ重疊セル石道且ツ急斜面ナル道路多ク圖上ノ本道ト雖モ車輛ノ通過頗ル困難ナリ殊ニ降續ケル豪雨ノ爲メ河床道トナリ或ハ急坂ナル道路ハ泥濘ト化シ徒歩兵ト雖モ歩行意ノ如クナラサル情況ニシテ多大ノ時間ト勞力ヲ費スヲ常トス

(3) 諸部落ニハ抗日宣傳標語ヲ見受ケ住民ハ抗日意識旺盛ニシテ沿道部落ニハ殆ント住民ナク遠方山間谷地ニ避難シ或ハ部落ニ住居シ皇軍ニ対シ好意アルガ如ク装ヒ敵ト連絡ヲ計ルカ如キモノアリ

二

三 彼我ノ兵力交戰セシ敵ノ團隊號將師ノ氏名編制裝備
素質戰法

1 彼我ノ兵力交戰セシ敵ノ團隊號將師ノ氏名

(1) 我ヵ兵力及將師ノ氏名次ノ如シ

師團長　牛嶋中將
旅團長　39i 関少將
長 歩兵第三十九旅團長　関少將
歩兵第三十九旅團(歩兵第七十八聯隊第一大隊欠)
獨立機関銃第五大隊ノ一中隊
迫擊第五大隊(一中隊及大隊段列一小隊欠)
師團無線二分隊
騎兵第二十八聯隊(一小隊欠)
野砲兵第二十六聯隊(第一第三大隊及第十一中隊欠)
山砲兵第三十六聯隊第二大隊
工兵第二十聯隊第二中隊(一小隊欠)

三

(2) 敵ノ兵力將師ノ氏名團隊號次ノ如シ(情報記錄ニヨル)

一四軍長　陳鐵
八三師長　陳武
四五師長　劉進

45D 61D 83D 85D 180 100 等ニシテ總兵力二〇〇〇〇ヲ下ラサルカ如シ

2 編制裝備素質及戰法

(1) 敵ハ中央直系軍ヲ基幹トシ一部雲南軍、新編ナルモノヲ以テ編制セラレ一部便衣ヲ着シ土民ノ如ク裝ヒ亦山砲十数門迫擊砲二十数門ヲ有スル等裝備ハ優秀ニシテ董封鎮及俣井地区ニ於テ敵ハ多数使用セリ

(2) 敵ハ土民ト密ニ連絡シ或ハ便衣ヲ着シ土民ヲ裝ヒ地形ノ嶮難ヲ恃ミ執拗ナル抵抗ヲ保持シ嶮悪ナル道路加フルニ豪雨ニ依ル河水氾濫ニ前進意ノ如ク進捗セサル車輌部隊ニ対シ所謂ゲリラ戰法ニ依リ後方ヲ攪乱セントスル企圖ヲ有セリ

四 各時期ニ於ケル戰闘経過及之ニ関聯セル隣接部隊ノ動靜並連絡施設ノ狀態

大交鎮附近ノ戰闘準備　自六月二十九日 至七月五日

(1) 大隊(第二中隊大隊段列一小隊属ス)ハ六月二十九日〇三〇〇俣馬鎮出發行軍ニテ大交鎮ニ向ヒ一六〇〇部隊ハ大交鎮ニ集結シ尓後ノ行動ヲ準備ス

(2) 七月二日関部隊命令ヲ受領シ大隊ハ主力ヲ以テ藤室部隊一部ヲ以テ室谷部隊長ノ指揮下ニ入ラシメラレ(歩三九旅作命第五六三號別紙ニ依ル)大隊長ハ左記大隊命令ヲ下達ス

迫五作命第四五七號

迫擊第五大隊命令　七月二日一八三〇 於大交鎮

四

一、敵狀並師團及旅團ノ企圖別紙ニ〇師作命甲第七〇六號及歩三九旅作命第五六三號ノ如シ

二、大隊ハ主力ヲ以テ藤室部隊一部ヲ以テ室谷部隊長ノ指揮下ニ在リテ戰闘セントス

三、第三中隊(大隊段列一小隊ヲ属ス)ハ七月三日迄ニ駄馬編成ニ改編シタル後七月四日五時大交鎮出發大交鎮―董封村―絳縣道ヲ絳縣ニ向ヒ前進シ室谷部隊長ノ指揮ニ入ルヘシ

四、尓余ノ部隊ハ七月六日現在地ヲ出發シ得ル準備ニ在ルヘシ

五、各隊現在地出發時ニ於テ左ノ如ク彈薬並糧秣ヲ携行スヘシ

彈薬

第一中隊七五〇(榴彈 四二〇 特種彈 三一〇 力彈 二〇)
第三中隊三七〇(榴彈 二六〇 特種彈 一〇〇 力彈 一〇)
大隊段列(車輌編成)二〇〇(榴彈 一五〇 特種彈五〇)

糧秣 〃 〃 （駄馬編成）八〇（榴彈八〇）
各隊人糧 五日分（携帶口糧甲乙各一日分ヲ含ム）
但シ第三中隊ハ六日分トス
馬糧 六日分
大行李 人糧 三日分
六、予ハ大交鎭ニ在リ
大隊長 橋詰少佐
下達法 命令受領者ニ口達筆記セシム

(3) 第三中隊（大隊段列一小隊ヲ属ス）ハ右命令ニ基キ三日大交鎭ニ於テ駄馬編成（砲三門）ニ改編シ四日五時大交鎭出發解縣ニ至リ室谷部隊長ノ指揮下ニ入ル 三日一五〇〇大隊長ハ攻擊ニ関スル打合セノタメ藤室部隊本部ニ赴キ協定ノ結果左記ノ如ク計畫ス

五

〔戰鬪計畫要圖別紙其ノ一ノ如シ〕
藤室部隊攻擊計畫ヲ受領シ、大隊長左記大隊命令ヲ下達ス

迫五作命第四五八號
迫擊第五大隊命令
七月三日一九〇〇
於 大交鎭

一 敵狀ニ関シテハ其ノ後新報ヲ得ス 藤室部隊ハ七月六日拂曉迄ニ一部ヲ以テ陳家坡（花崖上東南方約二粁）四方並南方約一粁ノ閉鎖曲線高地 主力ヲ以テ洪家山（續魚目峪東方約二粁）王家門西北方東山ノ線ニ攻擊ヲ準備シタル後七月七日拂曉ヨリ攻擊ヲ開始シ當面ノ敵ヲ擊滅シツヽ速ニ張馬村附近ニ進出ス攻擊ノ重点ヲ左ニ保持ス
26A（第一、第二大隊第八第十中隊欠）ハ七月六日拂曉迄ニ南常村附近ニ於テ第一線ノ攻擊ニ協力シタル後七日拂曉迄ニ前各家庄ニ陣地ヲ變換スル筈

別紙其ノ二

方針
大隊ハ左ノ如ク藤室部隊第一線大隊ニ協力ス
第一次（七月六日） 第二大隊
第二次（七月七日） 第一大隊
第三次（七月八日）以降 第一第二大隊ノ本道両側地區
第一次、第二次ハ主トシテ甲號資材ニ依リ第三次以降ハ榴、あか、甲號資材ヲ概ネ同比率ニ使用ス

迫擊第五大隊（二中隊欠）戰鬪計畫要圖
（七月四日）

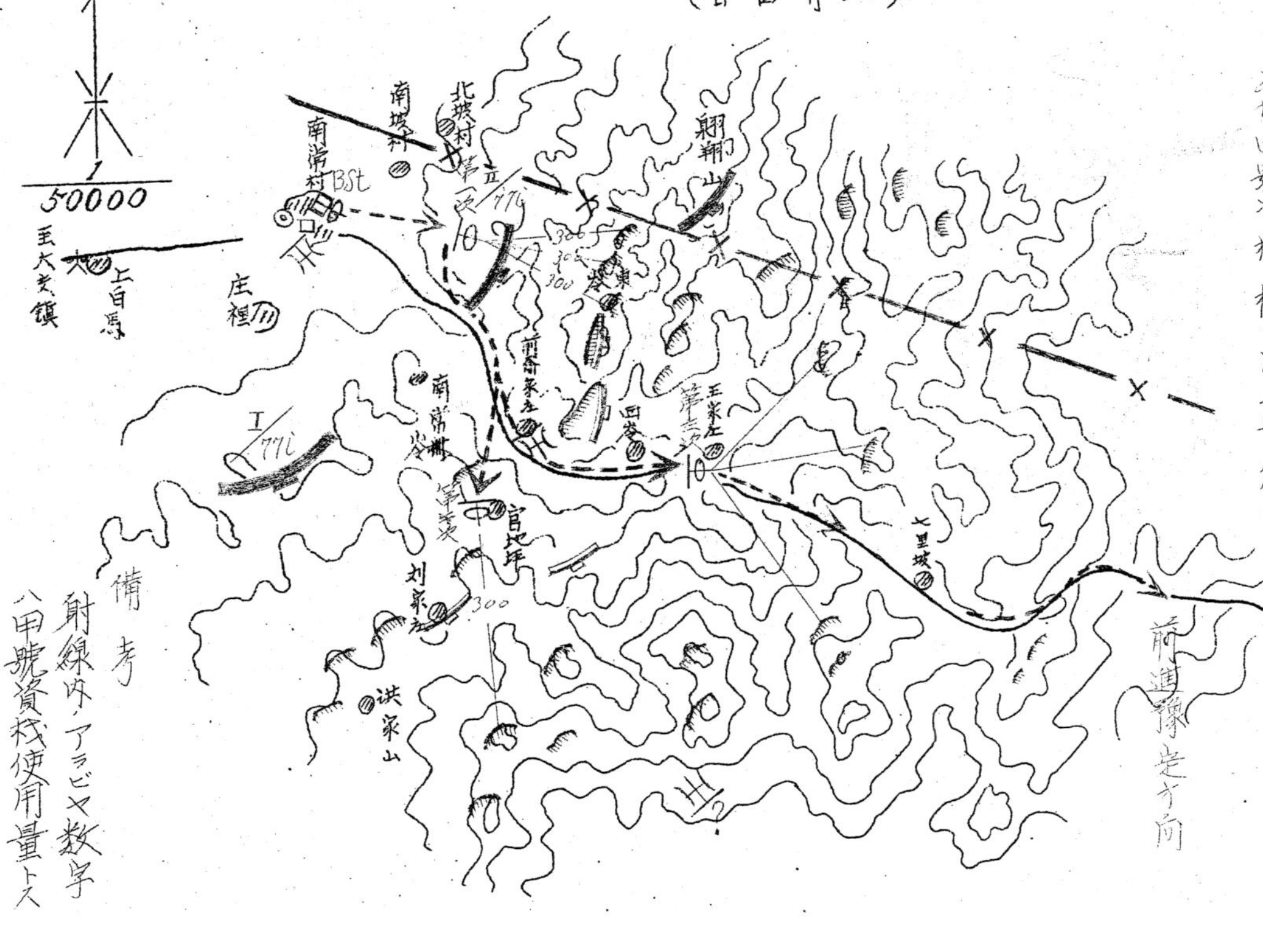

備考
射線内ノアラビヤ数字ハ甲號資材使用量トス

二、大隊ハ七月五日現在地出發大交鎮—西賀水—大白馬—南常村道ヲ南常村ニ向ヒ前進シ七月六日拂曉ヨリ主トシテ左第一線大隊ノ東岑及西岑ノ線占領ニ協力シ得ル如ク準備セントス

三、各隊ハ第一中隊大隊本部 大隊段列 大行李ノ順序ニ現在地ヲ七月五日二〇、三〇出發シ得ル如ク集合シタル後大隊段列長ノ指揮ヲ以テ大隊ノ進路ヲ南常村ニ向ヒ前進スヘシ

四、第一中隊鈴木中尉ハ左記人員ヲ指揮シ大隊ノ進路並南常村ニ於ケル集結位置ノ偵察ニ任スヘシ　各隊下士官一　兵三

右人員ハ小銃携行乗馬トシ七月五日八時現在地ヲ出發スヘシ

五、予ハ所要ノ機関ヲ伴ヒ陣地偵察ノ為メ七月五日一五、〇〇現在地出發南常村ニ至ル 第一中隊長ハ所要ノ機関ヲ伴ヒ随行スヘシ

大隊長　橋詰少佐

下達法　命令受領者ニ口達筆記セシム

六

(4)
四日藤堂部隊命令ヲ受領ス(歩七七聯命第七〇二號)
五日十五、〇〇大隊長ハ大隊指揮機関及第一中隊長ヲ伴ヒ大交鎮出發南常村ニ先行二〇、〇〇頃到着シ陣地偵察ヲナス
前面ハ一連ノ敵陣地アルモ附近一帯静寂ニシテ敵影ヲ認メス、敵ハ退却セルモノヽ如ク判断セラル　大隊長ハ直ニ宮田中尉ヲシテ第二大隊長藤村少佐ノ元ヘ敵情地形並明拂曉攻撃協力ニ関シ連絡セシメ其ノ結果左記大隊命令ヲ下達ス

迫五作命第四五九號

迫撃第五大隊命令

七月五日二三、一〇
於南常村

一、東岑西岑附近ニハ敵ヲ見ス友軍第一線ハ本夕刻該地附近ヲ占領セルモノヽ如シ藤村隊ハ明拂曉迄ニ東岑西岑ノ線ニ於テ王家庄北方高地ノ敵ニ対シ攻撃ヲ準備シ概ネ七時頃攻撃ヲ開始スル豫定ナリ

二、大隊ハ別紙其ノ一攻撃計畫ヲ變更シ南常村ニ集結シタル後明拂曉迄ニ前喬家庄附近ニ前進シ藤村隊ノ明拂曉攻撃ニ協力セントス

三、明六日二時三十分迄ニ現在地ヲ第一中隊大隊本部ノ順序ヲ以テ出發シ得ル如ク準備スヘシ

四、本夜ニ於ケル警戒ノ為メ左ノ如ク擔任スヘシ
第一中隊　迫撃砲二門(東方及東南方々向ニ対シ近距離射撃)
分哨二(集結地東端及東南側)　大隊段列 分哨一、集結地西南方
其ノ他各隊毎ニ其ノ直接警戒ヲ至嚴ナラシムヘシ

五、宮田中尉ハ南常村—前喬家庄道ヲ前喬家庄ニ至ル大隊ノ進路ヲ偵察スヘシ　右斥候ハ明六日二時迄ニ歸還スヘシ

六、現在地出發時ニ於テ左ノ如ク彈藥ヲ携行スヘシ
第一中隊　七五〇(榴彈三七〇　赤二六〇　火彈二〇　黄彈一〇〇)
大隊段列　二〇〇(榴彈一〇〇　黄彈一〇〇)
右彈藥ノ積換ハ大隊段列長ノ指揮ニ依リ上白馬ニ於テ之ヲナスヘシ

七、大隊段列ハ暫ク南常村ニ位置シ爾後ノ彈藥補充ニ任スヘシ
彈藥交付所ハ上白馬ニ開設セラレアリ

八、大行李ハ南常村ニ於テ明六日正午以降藤堂部隊大行李長ノ指揮ニ入ルヘシ

九、予ハ大隊ノ先頭ニ在リテ前喬家庄ニ到ル

大隊長　橋詰少佐

下達法　命令受領者ニ口達筆記セシム

七

(5) 宮田中尉ハ右大隊命令ニ基キ來馬者ヲ伴ヒ南常村ー前喬家庄道ヲ偵察シ三時近ク歸隊ス道路ハ圖上ニ又情報ニ示ス情況トハ相異シ尚前ニ西附近迄補修シ在リ前方ハ車輌ノ通過困難ナルヲ報告ス
部隊ノ南常村集結ハ道路ノ狹少加フルニ一部道路ノ不良ニ遅々トシテ意ノ如クナラザルモ將兵一同ノ奮鬪ニ依リ予定ノ如ク集結セリ
註 六月二十三日ヨリ八月十五日ニ至ル第二中隊ノ1080ニ配屬及七月二日ヨリ七月二十九日ニ至ル第三中隊ノ180ニ配屬間ハ別冊各中隊戰鬪詳報ニ依ル

八

樊家嶺石門及霍家潤附近ノ戰鬪　自七月五日 至七月一三日

第一線ノ情況ハ依然靜寂ニシテ一發ノ銃砲聲スラ聞エス四囲ハ寧ロ寂寥ノ感ナシトセサルモ將兵ノ意氣將ニ天ヲ衝カ如シ
大隊長ハ宮田中尉ヲシテ再度第二大隊長ト明拂曉ニ於ケル攻擊ニ関シ連絡セシメタル結果予定ノ如ク第二大隊ニ續キ南常村ヲ出發シ前喬家庄ニ向フ
(1) 大隊長ハ拂曉直前第二大隊ニ密ニ協力スヘク大隊本部指揮機関及第一中隊長ヲ伴ヒ陣地偵察ニ先行シ前ニ西西側本道附近ニ陣地占領ヲ命ス　第一中隊ハ速ニ陣地占領射擊準備ヲ完了拂曉ヲ待ツ時將ニ〇五四〇ナリ拂曉ニ待ケテ更ニ敵情ヲ監視セルニ敵ハ退却セルモノヽ如ク東嶺並西側高地附近ニハ敵影ナク依テ〇八〇〇大隊長ハ陣地變換ヲ命シ續イテ前進ス
第一大隊及第二大隊ハ大ナル敵ノ抵抗ヲ受クル事ナル豫定ノ如ク攻擊前進シ野砲隊又之ニ協力シ遂カ後方ヨリ南天井樊家嶺附近高地ヲ射擊シ在リ
(2) 大隊長ハ第一大隊ノ攻擊ニ策應シ之ニ協力スヘク前喬家庄西北方無名部落附近ニ陣地進入ヲ命シ一〇、三〇頃射擊ヲ開始ス第一線歩兵ノ前進ニ伴ヒ敵ハ正面又ハ側面ヨリチエツコ銃ヲ以テ射擊シ來ルモ吾射擊ニ依リ一時制圧セラル吾射擊ノ間断ヲ利用シ敵ハ小癪ニモ掩蓋ヨリ機関銃ヲ乱射ス大隊長ハ特種彈射擊ヲ以テ之ヲ沈默セシメ第一大隊ノ攻擊ニ有利ニ協力ス　大内曹長藤室部隊命令ヲ受領シ來ル
〔歩七七作命第七〇七號參照〕
大隊長ハ右藤室部隊命令ヲ受領シ左記大隊命令ヲ下達ス

迫五作命第四六〇號

迫擊第五大隊命令　七月六日一八、三〇 於前喬家庄西北大隊本部

九

一、敵ハ樊家嶺西側及南家窪南側高地ヨリ花崖上ノ線ニ又北陽坡南方高地線及其ノ東北方標高一九二八高地ノ線ニ堅固ナル陣地ヲ占領シアルモノヽ如シ其ノ砲兵ハ七里坡附近ニ在ルモノヽ如シ藤室部隊ハ明七日拂曉劉家庄、王家門西嶺、東嶺ノ線ニ攻擊ヲ準備シ重点ヲ概ネ本道ニ沿フ地区ニ保持シツヽ一擧ニ張馬村南側高地西潤村北側高地李家坡(張馬村北方約四粁)ノ線ニ進出シ敵ヲ捕捉殲滅ス
二、大隊ハ明七日拂曉迄ニ王家門西北方地区ニ陣地ヲ推進シ主トシテ藤原隊ニ爾後攻擊ノ進捗ニ伴ヒ本道ニ沿フ地区ヲ前進シ藤原、藤村兩隊ニ協力セントス
三、第一中隊ハ明七日三時現在地出發王家門西北側本道附近ニ陣地ヲ推進シ樊家嶺東方高地ノ敵ヲ射擊シ得ル如ク準備スヘシ之カタメ所要ノ機関ヲ以テ薄暮迄ニ陣地及進路ノ

偵察ヲナスヘシ
四 弾薬ノ使用標準ハ全携行弾ノ約三分ノ一以内トシ甲號資材使用ニ関シテハ別命ス
五 大隊段列ハ本道ヲ前喬家庄ニ向ヒ明七日十時迄ニ前進スヘシ
六 予ハ第一中隊ト共ニ前進ス

大隊長　橋詰少佐

下達法　命令受領者ニ口達筆記セシム

(3) 二〇、三〇射撃ヲ中止ス　夏ノ夕陽ハ赧々ト西方ニ傾ク　放列附近ニ数發ノ山砲弾飛來スルモ人員ニハ異状ナク大隊ハ現態勢ヲ以テ露營スルコトニ決ス　大隊長ハ福嶋見習士官ヲシテ藤原隊長ト明拂曉攻撃ニ関シ連絡セシム　第一中隊長ハ指揮班ヲ伴ヒ夕陽ヲ浴ヒテ陣地偵察ノタメ五家門西北側附近ニ至リ観測所放列位置等所要ノ位置ヲ定メ其々工事ヲ實施セリ

此ノ日大隊ノ陣地占領要圖別紙其ノ二ノ如シ

(4) 本日射耗弾

第一中隊　榴弾　五三　特種弾　三一

(5) 損傷

人員異状ナシ

馬匹　戦死一　日本馬（一六〇〇砲弾爆死）

七月七日

(1) 大隊ハ予定ノ如ク陣地ヲ推進ス　昨日ニ續キ天候又快晴ナリ　放列西方高地ニ大隊長以下本部観測手ハ砲隊鏡ヲ据ヘ通信手又第一中隊観測所トノ連絡ニ任ス　第一中隊長ヨリ射撃準備完了ヲ報告シ來ル　将兵全員機ノ熟スルヲ待テリ　明切ラヌ前面ノ高地ニハ我一線歩兵ト交ヘル小銃又軽機関銃聲ヲ聞キ各處ニ炸裂スル手榴弾ヲ観ル時恰モ東天ハ白々ト明リ

一〇

別紙其ノ二

追撃第五大隊(欠第二中隊)前喬家庄附近戦闘経過要圖
(自七月五日三時至七月七日六時)

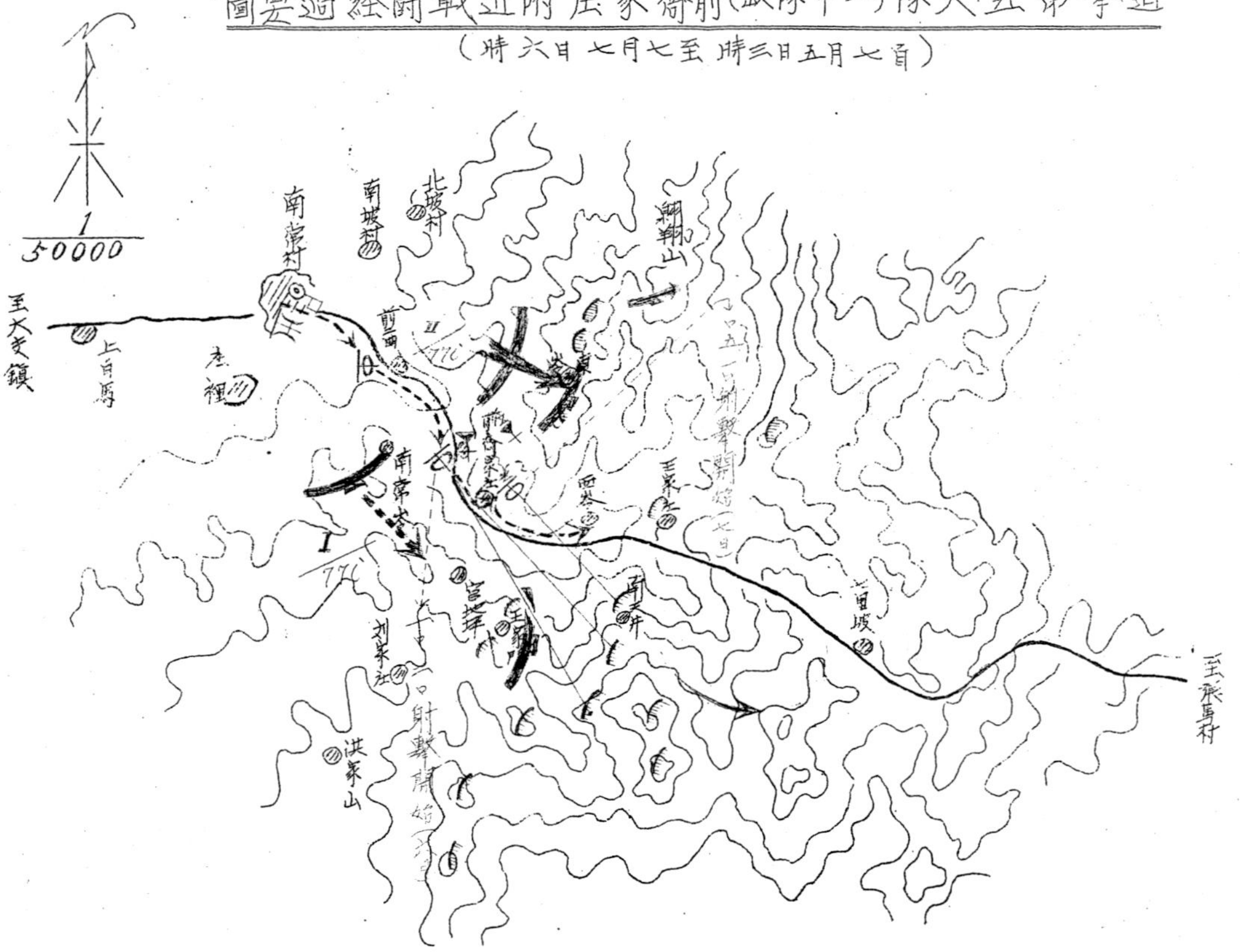

此ノ日ハ恵マレタル天候ニシテ敵陣地ノ状態ハ明瞭ニ我砲隊鏡ニ映ス大隊長ハ〇五一〇時機到来ト射撃開始ヲ命ス第一中隊ハ南天井附近ニ対シ射撃ス敵ハ払暁ト共ニ遂次東方ニ退却ノ徴アリ〇六〇〇頃全線鳴ヲ沈メタルト想ハルヽヤ前面高地上ニ歩兵ノ揭ケル日章旗カ太陽ヲ浴ヒテ翩翻トシテ視エル第一線歩兵ノ進出ヲ知リ大隊長ハ射撃中止ヲ命シ前進準備ヲ命ス

(2) 道路ハ愈々河床道トナル大隊長ハ宮田中尉ヲシテ道路ノ状態ヲ偵察セシムルモ河床道ニ次テ急阪道路ニ野砲隊ハ　遅滞シ在リ前進意ノ如クナラス大隊ハ一部野砲ノ通過ヲ待チテ梱包ハ力背搬送ニ依リ運搬ス　大行李大隊段列一小隊ハ大隊段列長ノ指揮ニ依リ砲兵隊主力ト共ニ南常村―續魯峪経由ノタメ反転ス　大隊主力ハ遅ク南窊ニ到着露営ス

二

藤室部隊命令ヲ受領ス（歩七七作命第七〇九號参照）

(3) 此ノ日大隊ノ陣地占領要圖別紙其ノ二ノ如シ

(4) 本日射耗弾

第一中隊　榴弾　一三

(5) 人員　馬匹　共ニ異状ナシ

自七月八日 至七月九日　南窊―石家庄

(1) 五時南窊出発ス難路ハ續クモ今日モ晴天ナリ野砲隊ノ前進ハ依然トシテ進捗セス大隊ハ張家腰ニ於テ野砲隊ノ前方ニ出テ将兵一同士気百倍ス一〇〇〇頃藤室部隊命令ヲ受領ス〔歩七七作命第七〇九號参照〕陳家坡―霍家澗間ハ相當ナル難路ニシテ重畳セル岩石道又岩石突出シ在リ加フルニ下斜面ニ續ク急坂四五百米梱包ハ駄載若クハ人力ニ依リ搬送ス大隊ハ取不敢霍家澗ニ兵力ヲ集結ス

(2) 九日〇四三〇頃霍家澗ニ集結ヲ終ル

第一中隊（小隊欠）ヲ先頭ニ〇七三〇頃霍家澗ヲ出発ス

大隊長ハ宮田中尉ヲシテ道路偵察並ニ藤室部隊本部ト連絡ノ爲派遣ス一八〇〇頃部隊ニ帰還シ大隊ハ四坪口ニ兵力ヲ集結スヘキノ報告ヲ受ク〔歩七七作命第七一三號参照〕部隊ハ将兵ノ奮闘ニ依リ難路ヲ急行突破一七〇〇頃石家庄ニ到着宿営ス　大隊長ハ左記大隊命令ヲ下達ス

迫五作命第四六一號

迫撃第五大隊命令

七月九日一八〇〇
於　石家庄

一、當面ノ敵ハ南方及東方ニ潰走セリ　藤室部隊ハ戦闘有利ニ進捗シ七月八日以後中村上閣村（張馬村東北方約二粁）西潤村前張峪（西潤村西南方約三粁）ノ地区ニ兵力ヲ集結シ附近ノ掃蕩並爾後ノ前進ヲ準備ス

二、大隊ハ四坪口（張馬村西方約一粁）ニ兵力ヲ集結シ爾後ノ攻撃ヲ準備セントス

三、明十日左ノ如ク現在地ヲ出発シ得ル如ク集合スヘシ

第一中隊（一小隊欠）　八時
大隊本部　九時
第一中隊ノ一小隊　九時三十分

四、第一中隊ヨリ下士官一　兵百（円匙並小十字鍬携行軽装）ヲ明十日七時迄ニ大隊本部ニ差出シ宮田中尉ノ指示ヲ受ケシムヘシ

五、宮田中尉ハ前記人員ヲ指揮シ道路補修ニ任スルト共ニ藤室部隊ヨリ大隊ノ前進援助ノ中隊トノ連絡ニ任スヘシ

六、塚田少尉ハ左記人員ヲ指揮シ四坪口大隊集結地ノ設営ニ任スヘシ

第一中隊　下士官一　兵二

三

大隊本部　下士官二　兵二

右人員ハ乘馬トシ九時大隊本部ニ集合スヘシ

七、予ハ石家庄大隊本部ニ在リ

大隊長　橋詰少佐

下達法　命令受領者ニ口達筆記セシム

自七月十日
至七月十二日　石家庄―四坪口

(1)
昨日ニ引續キ今日モ亦豪雨ナリ部隊ハ予定ノ如ク宿営地ヲ出發ス候家坡附近難路ノ强行突破ニ成功シ部隊ハ藤室部隊ノ援助ヲ受クルコトナク西南村附近河原ニ集結ス時十一時半頃ナリ續イテ四坪口ニ向ヒ一四〇〇頃集結ヲ完了ス

藤室部隊命令ヲ受領ス（步七七作命第七二五號參照）

分哨ヲ配備スル等處要ノ警戒配備ヲナシ宿営ス

(2)
十一日十二日四坪口ニ待機シ次期前進ヲ準備スルモ周囲ハ深閑トシ

テ敵ハ退却セルモノト判断セラル

第二十師團命令ヲ受領ス（二〇師作命甲第七一九號參照）

(3)
十三日漸ク九日以來ノ天候ハ回復　二〇、〇〇頃命令受領者折井伍長藤室部隊命令ヲ受領シ來ル（步七七作命第七三三號參照）

右聯隊命令ヲ受領シ大隊長ハ左記大隊命令ヲ下達ス

迫五作命第六二號

迫擊第五大隊命令

七月十三日　二三〇〇
於　四家口

一、路安附近ノ敵ハ續々トシテ南方ニ退却中ナリ中村及沁水以東沁河々畔ニ至ル間殆ンド大部隊ヲ見サルモ中村―白花村―交口村道以南ニハ尚敗殘ノ敵アリ　師團ハ主力ヲ以テ中村―陽城―澤洲道ニ沿フ地区ヲ掃蕩シツヽ一擧ニ澤洲及高平附近ニ向ヒ前進ス　関部隊ハ董封鎮陽城ヲ経テ沁河ノ線ニ沿ヒ前進ス室谷部隊ハ本十三日早朝中村附近出發陽城沁河々畔ニ

先進シ渡河ヲ準備ス　藤室部隊ハ明十四日早朝出發旅團ノ進路ヲ沁河ノ線ニ向ヒ前進ス

二、大隊ハ依然藤室部隊長ノ指揮下ニ在リテ本隊ノ行軍序列ニ入リ中村―陽城道ヲ沁河ノ線ニ向ヒ前進セントス

三、明七月十四日三時三〇分迄ニ左ノ順序ニ出發シ得ル如ク集合スヘシ

第一中隊（一小隊欠）大隊本部　第一中隊一小隊

四、予ハ大隊ノ先頭ニ在リテ前進ス

大隊長　橋詰少佐

下達法　命令受領者ニ口達筆記セシム

迫五作命第四六二號　別紙

軍隊区分

前衛

司令官　I/77i長　藤原少佐

Ii（一小隊 MG一分隊欠）RiA（一小隊欠）TiA一小隊　P1中（二小隊（三分隊）欠）

衛生隊一部　聯隊無線一機

本隊

行軍序列

R/III　　傳騎二　BLT一分隊

砲兵隊（長26A長橋本中佐）

26A（I II III及R缺欠）

迫擊隊（長5LM長橋詰少佐）

5LM（二中隊及S七二小隊缺）

衛生隊（一部欠）

神保隊（長III/77i長神保少佐）

III（一中隊及一小隊並MG一小隊半欠）

TiA中隊（一小隊欠）MG中隊　S一部　聯隊無線一機

藤村隊（長II/77i長藤村少佐）

II（二中隊及MG一小隊半欠）
RiA一小隊　聯隊無線一機　S一部
自七月十四日
至七月二十八日

董封鎮及侯井附近ノ戰鬪

自七月十四日
至七月十六日　四坪口—董封鎮

1 大隊ハ藤室部隊本部ニ續行〇三、三〇四坪口ヲ出發ス夜半ヨリ亦豪雨トナル道路ハ一帶河床道或ハ急坂道路ハ深キハ膝ヲ没セントスルガ如キ泥濘路ト化シ張馬村、中村ト約四粁ヲ前進スルモ野砲隊亦分水嶺ノ難路ニ差掛リ將兵一同ノ奮鬪モ其ノ甲斐ナク前進不能トナル大隊ノ前進亦阻止セラル
一七、〇〇頃藤室部隊命令ヲ受領ス（歩七七作命第七三五號參照）
大隊長ハ止ムナク一九、〇〇中村ニ宿營スルニ決シ反轉ス
左記命令ヲ下達ス

迫五作命第四六三號

迫擊第五大隊命令
七月十四日一九、〇〇
於中村

一、友軍第一線ノ前進ノ情況不明ナリ野砲兵隊ハ分水嶺附近ノ不良道路ノタメ前進困難ナリ
二、大隊ハ中村ニ待期シ明十五日藤室部隊ニ追及セントス
三、本夜ニ於ケル警戒ハ別ニ指示スル處ニ基キ至嚴ナラシムヘシ
四、明十五日左ノ如ク中村ヲ出發シ得ル如ク集合スヘシ
第一中隊（一小隊欠）　五時
大隊本部、第一中隊ノ一小隊六時
五、予ハ中村大隊本部ニ在リ

大隊長　橋詰少佐

下達法　命令受領者ニ口達筆記セシム

大隊ハ所要ノ警戒配備ヲナシ宿營ス夜ニ入ルモ間斷ナク雨ハ降續ク二三、〇〇頃兵力未詳ノ敵南方稜線上ヨリ「チェッコ銃」ヲ以テ射擊シ來ル大隊長ハ速ニ第一中隊ニ命シ射擊セシム數發ノ射擊ニ依リ敵ハ沈默シ退卻ス

2 〇七、三〇大隊ハ中村ヲ出發ス道路ハ一面河床道トナリ馭兵及徒步者ノ腰ヲ没ス野砲隊ハ遂ニ分水嶺ノ引揚ヲ完了ス大隊モ將兵全員ノ決死的奮鬪ニ依リ分水嶺ノ難関ヲ突破シ野砲隊ニ續行ス　大隊長ハ塚田少尉ヲシテ交口村ニ在ル藤室部隊本部ニ連絡ノ爲派遣ス　河床道ハ増水ト狹小ト岩石ノ突出トニヨリ難路ニ續ク難路ニ野砲隊又遲々トシテ前進困難河中ニ立往生ノ止ムナキニ至ル漸ク長キ夏ノ陽モ西方ニ没セントスル頃遂ニ野砲隊ハ前進不能現在地ニ一夜ヲ徹スルヲ連絡シ來ル遂ニ大隊長モ現在地（交口村西方約二粁ノ谷地）ニ夜ヲ撤スルニ決ス

塚田少尉以下増水ノタメ歸還不能トナリ夜ニ入ルモ歸還セス至嚴ナル警戒裡ニ河中ニ露營ス

3 河中ノ一夜ハ明ルモ尚豪雨ナリ車輌ノ通過益々困難ヲ増ス〇七〇〇頃大隊長ハ所要ノ傳令ヲ伴ヒ交口村ニ先行ス右高地上ハ彼我ノ銃砲聲絶間ナリ聞ヘ時折小銃彈頭上ヲ掠ム交口村ノ藤室部隊本部ハ既ニ南陽村ニ前進セリ大隊長ハ部隊ノ交口村集結ヲ待ツ塚田少尉以下南陽村ニ在リシ旅團司令部ニ連絡ヲトリ歸隊ス　部隊ハ一一、〇〇頃交口村ニ集結セシ一五、〇〇交口村出發南陽村ニ向フモ難路ハ何處迄モ續キ前進意ノ如クナラス、大隊長ハ夜行軍ヲ以テ董封鎮ヘ進出スルニ決シ前進ヲ續行ス大隊長ハ塚田少尉ヲシテ董封鎮ニ在ル藤室部隊本部及旅團司令部ニ連絡ヲ命シ先行セシム

4 部隊ハ萬難ヲ廢シ十七日〇一、〇〇頃董封鎮ニ到着シ藤室部隊

命令ヲ受領ス（歩七作命第七四號參照）
大隊長ハ右聯隊命令ヲ受領シ左記大隊命令ヲ下達ス

迫五作命第四六四號

迫撃第五大隊命令　七月一七日　三、二〇 於 董封鎮

一 敵ハ董封鎮南方高地線ニ執拗ナル低抗ヲナシツヽアリ 藤室部隊ハ十六日ノ攻撃ニ引續キ本拂曉ヨリ主力ヲ以テ南方ニ向ヒ岩山村附近ニ敵ヲ捕捉殲滅シ旁ラ一部ヲ以テ董封鎮東方地区ノ敵ヲ撃壊シ車輌部隊ノ通過ニ努ムルト共ニ陽城ニ向ヒ前進ヲ企圖ス 藤原隊ハ本拂曉迄ニ城庄北側地区ニ進出シ前窟南方ノ高地線ヲ攻略シタル後、侯井南北ノ高地稜線ヲ占領シ車輌部隊竝神保隊ノ通過ヲ援護ス
二 大隊ハ本拂曉迄ニ城庄北側地区ニ前進シ藤原隊ノ戰闘ニ協力セントス

一七

三 第一中隊（中SK缺）及大隊指揮機関ハ十七日四時三十分迄ニ出發準備ヲ完了シアルヘシ
四 第一中隊ヨリ董封鎮―城庄間ノ道路偵察ヲナサシメ四時迄ニ歸還セシムヘシ
五、大隊本部（所要ノ機関ヲ除ク）及中隊SKハ佐野曹長ノ指揮ヲ以テ五時迄ニ出發準備ヲ完了シ城庄北方地区ニ向ヒ前進スヘシ
六 予ハ第一中隊ト共ニ前進ス

大隊長　橋詰少佐

下達法　要旨ヲ第一中隊長ニ指示シタル後口達筆記セシム

七月十七日

イ、大隊ハ藤原隊ノ本拂曉攻撃ニ協力スヘク〇四三〇董封鎮ヲ出發ス 昨夜来ノ豪雨ハ今朝尚晴レス 河水ノ増加著シク車輌ハ水中ニ沒スルノ状ヲ見ル予定ノ如ク城庄北側地区ニ前進セルモ同地南方高地附近ニハ敵ヲ認メス尚藤原隊ハ予定ノ如ク進出セス該地ニ於テ藤原隊ノ進出ヲ待ツ 時〇八三〇頃傳騎来リ大隊長ハ聯隊ノ基士ニ招致サル 大隊長ハ馬家山南方高地ノ敵ヲ攻撃中ノ神保隊ニ一時協力スヘキ命ヲ受ケ歸隊シ左記大隊命令ヲ下達ス

迫五作命第四六五號

迫撃第五大隊命令　七月十七日一〇、〇〇 於城庄部隊本部

一 藤室部隊ハ岩山村附近ノ敵ニ対シ強圧ヲ加ヘタル後陽城ニ向ヒ前進スルノ企圖ヲ有ス
二、大隊ハI/77iト協力ヲ中止シ新タニIII/77iノ戰闘ニ協力セントス
三、第一中隊ハ駄載三門編成トシ馬家山附近ニ陣地ヲ占領スヘシ
四、使用彈藥ノ標準左ノ如シ

榴彈　八〇　赤彈　七〇　黄彈　三〇

一八

五 大隊通信一構成班ハ第一中隊ト共ニ前進シIIIトノ間ニ電話網ヲ架設スヘシ
六 本部及第一中隊ノ残部ハ城庄ニ待機スヘシ
七、予ハ陣地偵察ノタメ馬家山ニ向ヒ先行ス

大隊長　橋詰少佐

下達法　要旨ヲ第一中隊長ニ傳達シタル後口達筆記セシム

乙、第一中隊ハ速ニ駄載出發準備ヲ完了ス
大隊長ハ大隊指揮機関及第一中隊長ヲ伴ヒ馬家山西南方高地ニ先行陣地偵察ヲナシ馬家山西南方閉鎖曲線高地附近ニ進出該地ニ陣地占領ヲ命ス一〇、三〇頃射撃準備ヲ完了スルモ惜ムヘシ濃霧ノタメ観測意ノ如ク出来ス霧ノ霽ルヽヲ待ツ 幸ニモ雨モ小降トナリ霧モ一時霽レ第一線状況ハ眉宇ノ間ニ観測シ得ルニ至ル一〇、五〇頃大隊長ハ鄭家庄西南方閉鎖曲線高

地ノ敵ニ対シ射撃開始ヲ命ス　一一、三〇同高地北斜面ニ敵山砲陣地ラシキモノヲ発見シ特種弾ノ猛射ヲナス

敵モ我猛射ニ遂ニ陣地ヲ遺棄シ退却ス大隊ハ神保隊ノ攻撃ニ策應シ逐次東泉庄附近ノ側防火器ノ制圧ニ勉ム一三、〇〇頃第一線歩兵ノ一部ハ吾東泉庄附近制圧ニ依リ東泉庄西北方高地ノ一角ヲ占領ス藤村隊又之ニ應シ左高地ヲ攻撃中ナリ屡濃霧ニ襲ハレ観測ヲ妨ク敵ハ濃霧ニ依ル吾射撃ノ間断ヲ利用シ各処ニ我歩兵ノ攻撃ヲ防害シ敵ハ濃霧ヲ利用シ放置セル砲ヲ分解搬送シ尚附近ニ低抗セルヲ知ル大隊ハ機ヲ失スルコトナク各処ニ猛射ヲ浴セ鄭家庄西南方閉鎖曲線高地北斜面ニハ執拗ニモ亦陣地進入シ抵抗スルノ情況ヲ判断シ黄弾ノ猛射ヲナシ密ニ第一線歩兵ノ進出ニ協力シ一四、四〇頃一時射撃ヲ中止ス

夕刻近クナルニ伴ヒ戦場静ケサヲ加ヘテ来ル豪雨ハ尚晴レントセス　放列附近ニ夜ヲ徹ス

3 城庄ニ待機中ノ本部及第一中隊ノ残部ハ一七、〇〇頃董封鎮ヘ反轉ス本朝徒河シタル邉リモ終日ノ豪雨ニ其ノ水量ヲ増加シ車輌ノ2/3ハ水中ニ没シ通過極メテ困難ナリ遂ニ車輌流失ノ結果本部観測器材ヲ失セシコト遺憾ナリ一同ノ努力ニ依リ人員ニハ異状ナク董封鎮ニ集結ス

4 此ノ日大隊ノ陣地占領要図別紙其ノ三ノ如シ

5 本日射耗弾

第一中隊　榴弾七八、特種弾六〇　黄弾二八

合計一六六

6 損傷　人員　異状ナシ　馬匹　戦死　日本馬　二

別紙其ノ三

迫撃第五大隊(二中隊欠)董封鎮南方高地戦闘経過要図

(七月十七日 自十一時五〇分 至十四時四〇分)

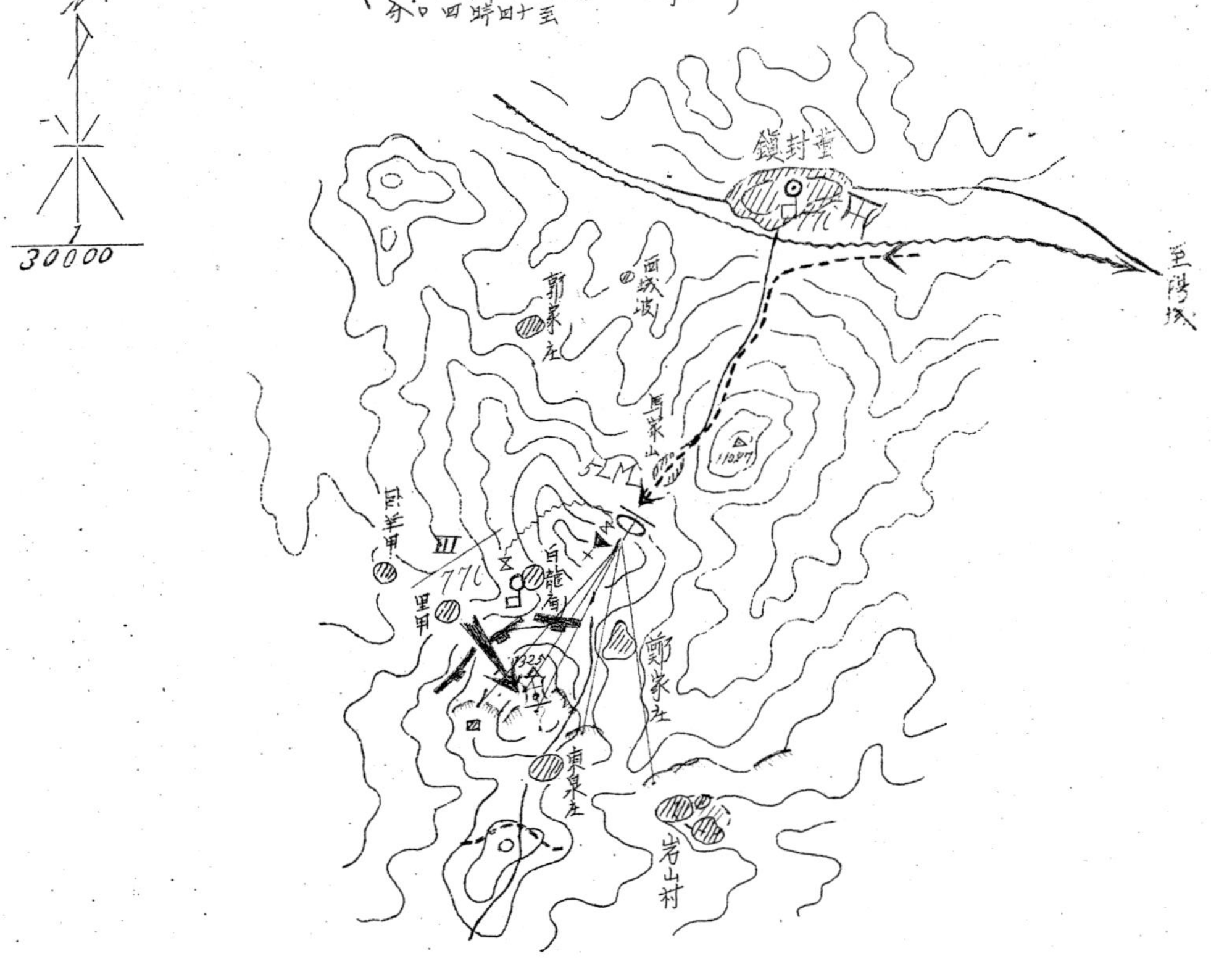

七月十八日

ノ払暁トナリ天候稍々回復ス敵陣地ノ状況ハ判然トシテ砲隊鏡ニ映ス第一線歩兵ハ東泉庄西南方高地ニ英姿ヲ現シ又神保隊本部東泉庄高地ノ一軒家ニ進出セリ大隊長ハ陣地ヲ推進スヘク決シ指揮機関及中隊長ヲ伴ヒ双堉附近ニ陣地偵察ヲナシ、〇八〇〇頃双堉北側地区ニ陣地変換ヲ命シ神保隊ト、協力ヲ密ニセリ午前中ハ至極平穏ナル戦場ニシテ第一線歩兵敵ト近ク凝視ス又藤村部隊予定ノ如ク進出スルカ如シ大隊長ハ藤室部隊本部ト、連絡ニ下山ス　大隊ハ神保隊ノ要求ニ依リ東泉庄前面ノ敵陣地ヲ猛射ス一二〇〇頃ヨリ静カナリシ第一線モ逐次小銃機関銃声激シク又手榴弾ノ炸裂砲弾ノ炸裂ヲ各処ニ聞キ正面ニ又上連花山方向ニ増加スルノ情況ヲ目撃ス神保隊ヨリノ要求ハ刻々ニ其ノ場所ヲ増ス

一三〇〇頃ヨリ盛ニ我カ陣地附近及放列位置ニ砲弾落下シ「チェッコ」小銃弾又辺リヲ掠ム　神保隊長ヨリ「如何ナル事ナルモ此ノ電話連絡ハ継続頼ム」トノ連絡在リ通信手良ク神保隊本部トノ連絡ニ任ス時偶東泉庄南々西回龍殿ニ敵砲兵陣地在ルラシキトノ通報ニ接シ直ニ撃滅スヘク猛射ス屡砲弾ハ飛来スルモ逐次其ノ数ヲ減ス續イテ岩山村部落ヨリ敵迫撃砲射撃ニ来ルヲ以テ直ニ榴弾黄ハ弾ヲ以テ制圧スルモ尚何処トモ知レス飛来スル砲弾ハ神保隊本部及大隊位置近ク落下ス連絡ノ電話モ屡々相互ノ銃砲声送話機ニ通ニ通話ヲ断ス再三断線セラルモ唐澤文亀伍長、宮澤定雄伍長良ク砲弾小銃弾ヲ冒シ保線ニ努力シ逐次神保隊ノ要求ニ依リ各陣地ニ対シ猛射ヲ反復シ密接ナル協力ヲ保持シツヽアルモ敵ハ尚ム上連花山、下連花山方向ニ移動スルヲ

見ル、一五〇〇頃神保隊ヨリ「一部ヲ以テ李四溝ヨリ上連花山下連花山方向ニ突撃スル」旨ヲ傳ヘ突撃及援護射撃ヲ要求シ来ル直ニ準備ヲ完了シ密ニ協力ス　陣地附近ニハ「チェッコ」及小銃ノ弾着益々近迫セルヲ感ス一七〇〇頃小癪ナル敵ハ三四十名小銃ニ手榴弾ヲ手ニシ我カ直前約五〇米附近ニ攻撃シ来リ手榴弾ヲ投擲シ来ル等戦場愈々活溌トナル将兵全員ノ沈着セル射撃並反撃ニ又一部歩兵ノ協力ニ依リ敵ヲ撃退潰走セシメ歩兵ト協力現在地ニ夜ヲ撤シ明払暁攻撃ノ準備ヲナス

2、董封鎮ニ帰還セル大隊長ハ左記藤室部隊要旨命令ヲ受ク「迫撃大隊ハ橋本砲兵隊長ノ区署ニ依リ明十九日払暁五時迄ニ董封鎮出発河床道ヲ候井ニ向ヒ前進スヘシ尚砲一門ヲ神保隊ニ配属スヘシ」

大隊長ハ右命令ヲ受領シ直ニ第一中隊長ニ傳令ヲ派遣ス第一中隊長ハ傳令ニ依リ要旨命令ヲ受領シ鈴木小隊ヲ神保隊ニ配属シ主力ハ董封鎮ニ集結シ候井ニ向フ前進ヲ準備セリ　大隊長ハ左記大隊命令ヲ下達ス

迫五作命第四六六號

迫撃第五大隊命令

七月十九日〇三〇〇
於董封鎮部隊本部

一　岩山附近ノ敵ノ一部ハ依然抵抗ヲ續ケツヽアリ藤室部隊ハ当面ノ敵ノ攻撃ヲ中止シ先ツ候井南北ノ線ニ前進ス車輌部隊ハ橋本砲兵隊長ノ区署ニ依リ河床道ヲ前進ス

二　大隊ハ現在ノ陣地ヲ撤シ河床道ヲ候井ニ向ヒ前進セントス

三　第一中隊ハ可成ク速ニ董封鎮ニ集結シタル後五時迄ニ出発ヲ準備スヘシ

四　佐々木軍曹ハ河床道ヲ偵察シ四時迄ニ帰還スヘシ

別紙其ノ四

追撃第五大隊（二中隊缺）董封鎮南方高地戦闘経過要図
（七月十八日　自一二時〇〇分　至一四時〇〇分）

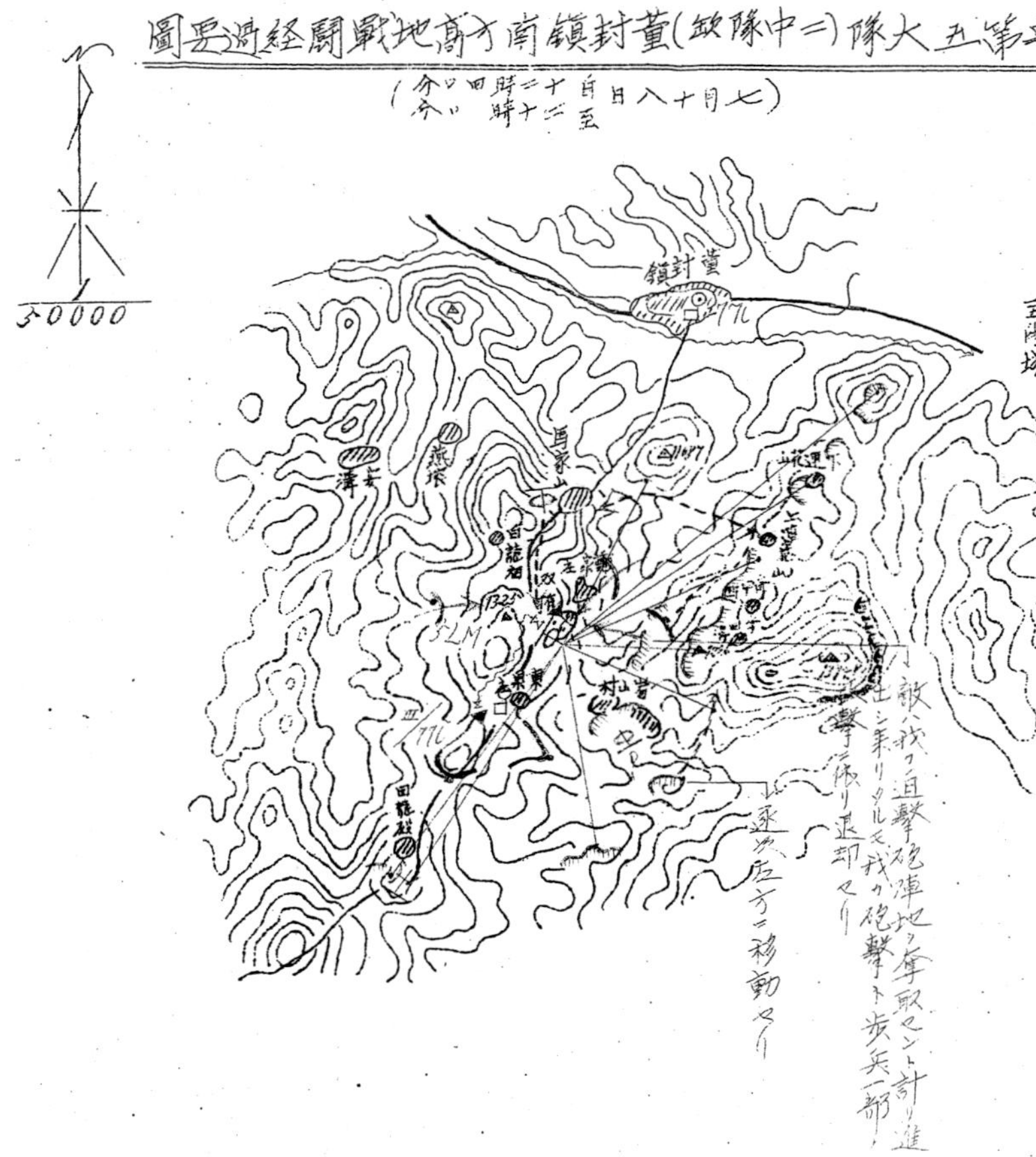

五　后ハ第一中隊ノ集結ヲ待ツテ前進ス

大隊長　橋詰少佐

下達法　要旨ヲ第一中隊ニ傳達シタル後口達筆記セシム

3 此ノ日大隊ノ陣地占領要図別紙其ノ四ノ如シ

4 本日射耗弾　第一中隊　榴弾　一六四　あか弾　一六〇　きい弾　二〇　合計　三二四

5 損傷

1 人員　戦傷

	軍医中尉	石川信
	歩兵中尉	鈴木準一
	見習士官	福嶋学一郎
本部	歩兵上等兵	加藤善一
第一中隊	歩兵上等兵	新井安人　市川勝太郎
	朝日得徳	渡邉新作　板橋林蔵

二二

2 馬匹

戦死	日本馬	一八	二四	
	支那馬	六		
戦傷	日本馬	一	五	
	支那馬	四		

自七月十九日
至七月二十三日　董封鎮―西溝

七月十九日

1 大隊ハ予定ノ如ク董封鎮ニ集結ヲ終リ野砲隊ニ續キ陽城ニ向ヒ前進ス雨モ上リ晴天トナリ幾分ハ減水トナツテ来タガ水深ハ車輛ヲ蔽フ野砲隊ノ前進モ概シテ順調ニ進捗シアリ河床道ノ難路ヲ突破シ一六〇〇頃東庄ニ到着ス大隊長ハ宮田中尉ヲ派遣シテ藤堂部隊本部ニ連絡ノ結果一八〇〇頃部隊ハ候井ニ兵力ヲ集結シ宿営ス

七月二十日

1 昨夜野砲隊モ候井ニ集結終リ払暁ト伴ニ砲撃ヲ開始ス
一〇〇〇頃ヨリ敵砲弾頻繁ニ部落ニ落下スル時々襲フ曇天ニ
天候ガ気遣ハル藤室部隊本部ニ連絡ノ結果敵ハ遂次西
方並南方ニ集合シツヽアリ本道ハ破壊泥濘ニシテ車輛部隊
ノ通過ニハ工兵隊ノ補修作業ニ多大ナル日数ト大ナル労力ヲ
費シ又今尚水量深ク通過不能ナル情況ヲ知ル、一三〇〇頃
藤室部隊命令ヲ受領ス〔歩七七作命第七五四號参照〕
夕刻天候一変シ激シイ夕立トナル二〇〇〇頃陽城ニ向フ前進ニ
関シ藤室部隊命令ヲ受領ス〔歩七七作命第七五五號参照〕
大隊長ハ右命令ヲ受領シ左記大隊命令ヲ下達ス

迫五作命第四六七號

迫撃第五大隊命令

七月二十日二〇〇〇
於候井部隊本部

二三

一 敵ハ依然候井東南方地区ニ於テ頑強ナル抵抗ヲナシツヽアリ
藤室部隊ハ蘇村―石家坪―棚村―陽城道ヲ遂次車輛
道ノ構成ニ伴ヒ陽城ニ向前進ス

二 大隊ハ候井―楊家庄―蘇村―石家坪―棚村道ヲ藤室部隊
ニ先ケ棚村ニ向ヒ前進セントス、獨立機関銃中隊ノ前進区署ヲ
命セラル

三 各隊ハ二一三〇迄ニ左ノ順序ヲ以テ候井東門約四〇〇米ヲ出発シ得
ル如ク集合スヘシ、MGS一小隊後五〇米ヲ間シLM第一中隊（一小隊欠）ト
LM一小隊 MGS主力

四 各隊ハ左ノ如ク夜間ノ警戒ヲ厳ニスヘシ
1. 迫撃隊ハ先頭及中央ニ小銃手ヲ又MGSハ後方ニ配置シ警戒セシムヘシ
2. 燈火ノ使用ヲ厳戒ムヘシ
3. 各隊ハ停進間ノ逓傳ヲ確實ニ實施セシムヘシ
4. 不意ニ敵ト衝突セル場合ハ各小隊長ニ於テ獨断処置シタル後、
速カニ大隊長ニ報告スヘシ

五、予ハLM大隊ノ先頭ニ在リテ前進ス

大隊長 橋詰少佐

下達法 各中隊長ニ要旨ヲ傳達シタル後口達筆記セシム

大隊長ハ二〇三〇候井―陽家庄―蘇村道ノ偵察ノタメ宮田
中尉以下ヲ派遣ス、夕立ハ亦車輛ノ通過極メテ困難ナラシメ
野砲隊ノ前進ハ急坂泥濘ナル難路突破ニ遅々トシテ進捗セス
大隊又野砲隊ノ後方ニ停滞ス 依ッテ大隊長ハ左記大隊命令ヲ
下達ス

迫五作命第四六八號

迫撃第五大隊命令

七月二十日二四〇〇
於候井北端

二四

一、砲兵隊ノ前進ハ候井―楊家庄―蘇村道不良ノタメ著シク其ノ
前進遅滞シ明払暁迄ニ蘇村附近ニ集結ノ見込立タザルモノヽ如シ

二、大隊ハ一部ヲ以テ臂力搬送ニ依リ速カニ棚村ニ向ヒ前進セントス

三、第一中隊ハ砲二門臂力搬送ニ依リ前進シ得ル如ク準備スヘシ

四、携行弾薬ハ榴弾約五〇發、糧秣ハ一日分ヲ携行スヘシ

五、MG中隊ハ臂力搬送ニ依リ迫撃隊後方ヲ續行スヘシ
携行銃数及弾薬ニ関シテハ隊長ニ於テ指示スヘシ

六、鈴木中尉ハ大隊ノ車輛ヲ指揮シ棚村ニ向ヒ追及スヘシ

七、予ハ前進部隊ト共ニ前進ス

大隊長 橋詰少佐

下達法 要旨ヲ各隊長ニ傳達シタル後口達筆記セシム

七月二十一日

〇一三〇頃大隊長ハ豪雨ヲ衝イテ第一中隊ノ二門ヲ指揮シ棚村

ニ向ヒ前進ス豪雨ト泥濘及河川ノ増水ニ前進ヲ沮害サレツヽ
一四〇〇頃棚村ニ進出シ藤室部隊第六中隊ト警備ヲ交代シ
獨立機關銃中隊ト協定ヲナシ警戒ヲ厳ニス左記大隊命令ヲ下達ス

迫五作命第四六九號

迫撃第五大隊命令

七月二十一日一五〇〇
於棚村東部部隊本部

一、敵ハ依然南方及西方地区ニ於テ其ノ兵力ヲ集結シ頑強ナル低抗ヲ為シツヽアリ又砲有スル約百名ノ敵ハ上儀村附近ヨリ北方ニ迂廻セリ藤室部隊ハ車輌部隊ノ前進ニ伴ヒ遂次陽城ニ向ヒ前進ス車輌部隊ハ本夜中ニ蘇村附近ニ集結スル隊定ナリ

二、大隊ハ前進部隊ヲ以テ棚村附近ニ位置シ第六中隊トノ警備ヲ交代シ主トシテ北方及東方ニ対シ警戒シ車輌部隊ノ前進ヲ掩護セントス第六中隊及　MG中隊ハ抗淮ヨリ揚庄溝ニ亘ル間ヲ占領シ警戒スル筈其ノMG一小隊ハ棚村西端ニ於テ西北方ニ対シ警戒ス

三、第一中隊ハ左ノ如ク警戒ヲ厳ナラシムヘシ
砲ニ門ヲ陣地占領セシメ西北方及東方ニ対シ射撃準備、分哨（下士官一兵六）ヲ棚村東北方約千米無名寺附近ニ出シ主トシテ西北方ニ対シ警戒

四本部ハ棚村東端ニ分哨（長一兵四）ヲ出シ主トシテ東方ニ対シ警戒但シ夜間ハ本部前ニ位置シ部隊衛兵トス

五本部及第一中隊ハ別ニ指示スル處ニ基キ棚村東部ニ宿営スヘシ

六第一中隊ヨリ糧秣受領ノ為蘇村ニ到ラシメ明朝ノ糧ニ日分ヲ携行シ歸還セシムヘシ

七、予ハ棚村東部部隊本部ニ在リ

二五

大隊長　橋詰少佐

下達法　隊長ニ要旨ヲ指示シタル後口達筆記セシム

大隊主力ハ昨夜野戦隊ノ前進遅滞ニ遂ニ候井西端ニ夜ヲ徹シ野砲隊ノ進出ニ伴ヒ困苦奮闘ニ依リ夜半蘇村ニ進出スルヲ得タリ藤室部隊命令ヲ受領ス（歩七作命第七六一號参照）

七月二十二日

拂曉ト共ニ天候ハ回復シ幾日振リカノ快晴トナツタ大隊主力ハ蘇村ニ於テ野砲隊ト行軍序列ヲ變更シ拂曉ト共ニ出發棚村ニ向ヒ途中敵ト相遇スルコトアリ難路ト闘ヒ又工兵隊ノ道路補修ニ依リ一九〇〇頃棚村ニ兵力ヲ集結セリ

大隊長ハ左記命令ヲ下達ス

迫五作命第四七〇號

迫撃第五大隊命令

七月二十二日二〇〇〇
於棚村部隊本部

一藤室部隊ハ固北及黄家庄ニ浸入セル敵兵各二〇〇ヲ攻撃スルト共ニ傍ヲ陽城ニ向フ前進ヲ準備セントス

二大隊ハ棚村警備ヲ撤シ車輌ノ追及ヲ待ツテ陽城ニ向ヒ前進セントス

三各隊ハ二一〇〇迄ニ左ノ順序ヲ以テ出發シ得ル如ク準備スヘシ
第一中隊（一小隊欠）Ｐ　第一中隊ノ一小隊

四宮田中尉ハ左記人員ヲ指揮シ棚村－陽城道ノ道路偵察並工兵隊トノ連絡ニ任スヘシ　本部ヨリ三名、第一中隊ヨリ二名各々來馬

五予ハ大隊ノ先頭ニ在リテ前進ス

大隊長　橋詰少佐

下達法　隊長ニ要旨ヲ傳ヘタル後口達筆記セシム

二六

藤室部隊ニ在リシ大休曹長　師團命令及聯隊命令ヲ受領シ來ル二〇師作命甲第七四一號、二〇師作命甲第七四二號
〔歩七七作命第七六六號參照〕
部隊ハ棚村ニ大休止後夜行軍ヲ續行陽城ニ向ヒ前進ス
宮田中尉以下六名道路偵察ノタメ二〇、三〇頃棚村ヲ出發陽城ニ向ヒ二三〇〇頃陽城到着工兵隊ニ連絡スルモ陽城－下乳村道ハ未タ補修ノ未完成ニシテ車輛ノ通過不能ナルヲ知ル大隊ハ二三、三〇頃其ノ兵力ヲ陽城ニ集結シ宿營ス
聯隊命令ヲ受領ス〔歩七七作命第七六八號參照〕

七月二十三日

大隊長ハ〇八〇〇頃宮田中尉以下三名ヲ派遣シ道路補修ニ任シアル工兵隊ニ連絡セシメ將兵一同ハ努力ニ依リ一三、〇〇頃完成スルヲ知ル
師團命令及聯隊命令ヲ受領ス〔二〇師作命甲第七四四號其ノ二歩七七作命第七七〇號參照〕　塚田少尉以下西溝設營ニ先行ス、大隊ハ一三、三〇陽城出發急坂難路モ何ナク突破シ人馬共ニ士氣旺盛一八〇〇頃西溝到着愈々沁河ヘモ二K余ナルモ軍橋未タ完成セス
大隊長ハ左記大隊命令ヲ下達ス

迫五作命第四七一號

迫擊第五大隊命令

七月二十三日一八〇〇
於西溝部隊本部

一　車輛部隊ハ將兵ノ努力ニ依リ克ク不良道路ヲ征服シ迫擊隊ヲ先頭トシ旅團ノ位置ニ追及セリ
二　大隊ハ西溝ニ兵力ヲ集結シ爾後ノ前進ヲ準備セントス
三　集結地警戒ノタメ左ノ如ク服務セシムヘシ
　第一中隊分哨(下士官一兵六)ヲ西溝東南側高地ニ砲二門ヲ南方ニ対シ射擊準備、本部ヨリ部隊衛兵(長一兵五)ヲ服務セシムヘシ

四、予ハ西溝部隊本部ニ在リ

大隊長　橋詰少佐

下達法　命令受領者ニ口達筆記セシム

自七月十四日
至七月二十三日　董封鎮及候井村附近戰闘成果(情報記録ニ依ル)
イ、敵ノ兵力及團隊號
我ト交戰セル敵ハ83D 85D 45D 61D N8D N10Dノ約二萬ニシテ山砲十数門及迫擊砲二十数門ヲ有ス
ロ、敵ノ損害、
　遺棄死体一、二〇　俘虜四五、
ハ、鹵獲品
　小銃一六〇、銃劍一二〇、小銃彈一五、二九〇　手榴彈二二四、
　四匙五九、防毒面三、反射鏡四、觀測鏡八、山砲彈四八、

自七月二十四日
至七月二十九日　西溝──澤洲

七月二十四日

沁河軍橋未完成ナルヲ以テ大隊ハ西溝ニ待機ス關部隊命令ヲ受領シ大隊ハ關部隊直轄トナル〔歩七九旅作命第五九六號參照〕
大隊長ハ關部隊命令ヲ受領シ左記大隊命令ヲ下達ス

迫五作命第四七二號

迫擊第五大隊命令

七月二十四日一七〇〇
於西溝

一、我ト交戰セシ敵兵約二万(83D 85D 45D N8D N10D)ハ岡北及候井以南ノ地区ニ擊退セリ尚一部ノ敵ハ潤城鎮東方地区並ニ二十里鋪地区ニ在ルモノヽ如シ
關部隊ハ沁河ヲ渡河シ先ツ岡村鎮附近ニ集結シタル後澤洲ニ向ヒ前進ス沁河軍橋ハ許家庄附近ニ概ネ明二十五日完成ノ豫定ナリ

二、大隊ハ砲兵隊ノ渡河ニ引續キ軍橋ヲ渡河シ周村鎭ニ向ヒ前進セントス尓今関部隊ノ直轄トス
三、各隊ハ明二十五日午後以降現在地ヲ出發シ得ル態勢ニアルヘシ
出發ノ時期ハ別命ス
四 矢崎見習士官ハ左記人員ヲ指揮シ許河庄渡河点ニ至リ砲兵隊竝工兵隊ト連絡シ大隊ノ誘導ニ任スヘシ
第一中隊ヨリ　二名
本　部ヨリ　二名　各々乗馬トス
五 予ハ西溝ニ在リ

大隊長　橋詰少佐

下達法　命令受領者ニ口達筆記セシム

七月二十五日

久シク續イタ天候モ朝來亦曇天ト變化シ天候カ氣遣レ沁河渡河ニ一増ノ懸念ヲ加フ矢崎見習士官以下〇八〇〇頃許家庄ニ至リ工兵隊及砲兵隊ト連絡ス工兵隊ハ日夜ノ努力モ減水意ノ如クナラサル爲進捗セス本夕遅ク完成ノ報ヲ齎ス天候ハ刻一刻ト險悪化シテ來ル大隊長ハ速ニ沁河ヲ渡河シ旅團主力ニ追及スルニ決シ宮田中尉以下ヲ派遣シ西溝―潤城鎭渡渉場道及渡渉場ノ状況ノ偵察ヲ命ス一四〇〇頃宮田中尉以下歸還シ車輛ノ通過容易ナルヲ報告ス大隊ハ一五〇〇西溝出發潤城鎭渡渉場ニ向フ一七〇〇頃渡河開始周到ナル準備ニ一八〇〇稍過渡河完了対岸ニ兵力ノ集結ヲ觀ル夜行軍ヲ以テ周村鎭ニ向フ塚田少尉以下関部隊本部ニ連絡ノタメ先行ス本道ノ破壊ニ車輛ハ部落ニ入ルヲ得ス二三、三〇頃王庄ニ宿営ス
大隊長ハ左記大隊命令ヲ下達ス

迫五作命第四七三號
迫撃第五大隊命令
七月二十五日二三、三〇
於王庄

二九

一 潤城鎭附近ノ渡河竝尓後ノ前進ハ豫期以上進捗セリ
関部隊ハ周村鎭東方一里附近ニ前進セルモノヽ如ク亦藤臣部隊本部ハ周村鎭ニ在リ
二 大隊ハ本夜王庄(周村鎭西方約一粁)ニ宿営シ明二十六日旅團ノ位置ニ追及セントス
三 道路補修ノタメ六時迄ニ第一中隊ヨリ下士官一兵二五名本部ヨリ乗馬者三名差出シ宮田中尉ノ指揮ヲ受ケシムヘシ
四 各隊ハ左ノ順序ニ八時現在地ヲ出發シ得ル如ク集合スヘシ
第一中隊(一小隊欠)本部第一中隊ノ一小隊
五 本夜ニ於ケル警戒ハ左ノ如ク配置スヘシ
第一中隊分哨ヲ車廠ノ位置附近ニ立哨セシメ主トシテ西方及南方ニ対シ警戒セシムルト共ニ第一中隊及本部ノ車廠衛兵ヲ兼ネシムヘシ本部ヨリ部隊衛兵ヲ立哨セシムヘシ
六 予ハ王庄ニ在リ出發ニ際シテハ大隊ノ先頭ニアリテ前進ス

大隊長　橋詰少佐

下達法　命令受領者ニ口達筆記セシム

三〇

七月二十六日

二、〇〇 塚田少尉以下澤洲設営ノタメ王庄出發ス部隊ハ同地ニ待機シ、関部隊命令ヲ受領ス(歩三九旅作命第六〇〇號参照)
大隊長ハ関部隊命令ヲ受領シ左記大隊命令ヲ下達ス

迫五作命第四七四號
迫撃第五大隊命令
七月二十六日一七、三〇
於王庄

一 周村鎭附近ニハ若干ノ敗残ノ敵出没スルニ過キサルモ遠隔ノ地ニハ

相當ノ敵潜伏シアルモノヽ如シ旅團ハ兵力ヲ澤洲附近ニ集結
シタル後ノ行動ヲ準備ス藤室部隊ハ澤洲南部南寨泉
西田庄、舍崗嶺、揚凹里ノ地区ニ兵力ヲ集結シタル後ノ前進ヲ
準備ス旅團直轄部隊ハ明二十七日〇八〇〇迄ニ固村鎮東端
ヲ先頭トシ左記行軍序列ニ依リ藤室部隊ノ後方ヲ續行
シ澤洲ニ向ヒ前進ス、第七中隊旅團司令部給水班、病馬廠、

MGS
SLM

二 大隊ハ明二十七日現在地出發旅團本隊ノ行軍序列内ニ在リテ
澤洲ニ向ヒ前進セントス

三 各隊ハ左ノ順序ニ出發シ得ル如ク〇七〇〇迄ニ集合スヘシ

第一中隊(一小隊欠)大隊本部第一中隊一小隊

三一

四 本夜ニ於ケル警戒ハ前命令ノ外ニ第一中隊ヨリノ王庄東端ノ二分哨
ヲ服務セシムヘシ

五 予ハ大隊ノ先頭ニ在リテ前進ス

大隊長 橋詰少佐

下達法 命令受領者ニ口達筆記セシム

七月二十七日

昨日來ノ豪雨ハ未タ降續ク、豫定ノ如ク王庄ヲ出發スルモ車輛
ノ前進頗ル困難ナリ 楊窊ー崔家溝ノ坂路ニ野砲隊ノ先頭
亦前進ヲ沮礙セラレ遲滯シ在リ大隊ハ野砲隊ノ後尾ニ續行
一進一止ノ状態ニ夕刻トナル遂ニ一日行程約八Kニシテ止ムナク周到
ナル警戒裡ニ楊窊ニ宿營ス 大隊長ハ左記大隊命令ヲ下達ス

迫擊命第四七五號

迫擊第五大隊命令

七月二十七日一九〇〇
於 楊窊

一、関部隊本部ハ澤洲ニ向ヒ前進セリ野砲隊ハ二十里鋪西方
坂路ニ於テ其ノ行進著シク遲滯シアリ

二、大隊ハ本夜楊窊ニ宿營シ明二十八日澤洲ニ向ヒ前進セントス

三、本夜ニ於ケル警戒ハ左ノ如ク擔任スヘシ

第一中隊分哨一ヲ楊窊北側高地ニ出シ主トシテ北方ニ於テ
警戒セシムヘシ

迫擊砲ニ門ヲ陣地占領セシメ北方及東北方ニ對シ射擊準備
セシムヘシ

本部 部隊衛兵

四、明二十八日前命令ニ依ル行軍序列ニ依リ出發シ得ル如ク〇七
〇〇迄ニ集合スヘシ

五、予ハ大隊ノ先頭ニ在リテ前進ス

大隊長 橋詰少佐

下達法 命令受領者ニ口達筆記セシム

三二

七月二十八日

〇七〇〇楊窊出發ス今日尚豪雨ハ續ク二十里鋪西方地区急
坂路ニ野砲隊亦前進遲滯シアリ 大隊亦前進意ノ如ク
ナラス 臂力搬送ニ將兵一同ノ奮闘ニ依リ陵線上ニ進出セリ
塚田少尉、吉川上等誘導ニ來ル
一一〇〇頃二十里鋪ニ少休止、野砲隊ノ先頭ニ出テ前進ス
二十里鋪東方地区ノ急下坂ニ夜行軍將兵ノ意氣益々高シ
大隊長ハ宮田中尉、塚田少尉以下ヲ伴ヒ澤洲ニ先行ス
大隊主力ハ二十九日〇二三〇頃其ノ兵力ヲ澤洲ニ集結ス
大隊長ハ左記大隊命令ヲ下達ス

迫五作命第四七六號

迫撃第五大隊命令

七月二十九日〇二三〇
於　澤洲

一、關部隊ハ逐次澤洲南方集結位置ニ其ノ兵力ヲ集結シツヽアリ
二、大隊ハ澤洲南門外ニ兵力ヲ集結シ爾後ノ行動ヲ準備セントス
三、集結間ニ於テ人員馬匹ノ回復ニ努メ爾後ノ戰闘行動ニ更ニ潑溂タル意氣ヲ以テ參加シ得ル如ク準備スヘシ
四、集結間ニ於ケル兵器被服糧秣馬匹ニ關スル補充竝整備ニ關シテハ別命ス
五、宿營地ノ警戒ヲ左ノ如ク擔任スヘシ
1、第一中隊　部隊衞兵（下士官一、兵五）
2、車廠衞兵ハ本部、中隊毎ニ所要ノ人員ヲ以テ服務セシメ其ノ直接警戒ヲ兼ネシムヘシ
3、部隊日直將校ハ巡察將校ヲ兼ネ本二十九日ヨリ本部、第一中隊交互ニ曹長以上ヲシテ服務セシムヘシ
六、大隊通信ハ本二十九日午前中ニ關部隊本部トノ間ニ又第一中隊ヨリ大隊本部間ニ電話ヲ架設スヘシ
七、予ハ南門外大隊本部ニ在リ

大隊長　橋詰少佐

下達法　命令受領者ニ口達筆記セシム

五　戰闘後ニ於ケル彼我形勢ノ概要

關部隊ハ二十六日正午以來殆ント連續セル豪雨ノタメ著シク遲滯セルモ歩砲工兵不休ノ努力ニ依リ二十九日一八〇〇澤洲ニ其ノ主力ノ集結ヲ完了セリ　敵ノ董家山、李庄和村（澤洲西方十数粁）附近ニ在リシ山西遊撃決死隊ノ一部約四百ハ我カ軍ノ澤洲進撃ニ依リ一時其ノ西北方ニ逃避シアリタルモ最近復歸シ便衣隊ヲ編成シテ後方攪乱ヲ企圖シ我カ行動ヲ窺ヒアリ

又二十里鋪附近一帶ノ民衆ハ敵軍ノ指導ニ依リ表面我カ軍ニ好意ヲ示シアルカ如キモ抗日意識旺盛ニシテ我カ徴發隊等ノ人員少キトキハ部落ニ侵入中ノ便衣ニ連絡シアルモノヽ如シ
在高都士民ノ言ニ依レハ附城鎮（澤洲東北三十粁）附近ニハ相當有力ナル敵アルカ如ク40Aナルカ如シ
亦諸情報ヲ綜合判断スルニ鋪頭村（澤洲東々南十粁）ニハ相當大ナル敵部隊アルカ如ク、衞立煌ハ山西東南地區ノ根據地ヲ確保センカ爲我カ輸送路ヲ破壊遮断シタル後逐次重要據点ニ進撃シテ之ヲ守備スル我カ軍ヲ殲滅スヘク七月二十八日下令即時行動ヲ開始スヘク命セリト聞ク、吾ハ澤洲周邊ニ謂集スル敵ヲ隨時反撃スルノ態勢ニ在リ

六、齟齬過失其他將來ノ參考トナルヘキ事項

一、敵ハ山西ノ山岳地帶ヲ利用シ常ニ吾カ後方部隊ノ攪乱ヲ企圖シ所謂「ゲリラ戰」ヲ實施シアリ　峻峻ナル山岳地帶ト加フルニ雨期ニ遭遇セルヲ以テ車輌部隊ノ行動ニ遲滯セルハ遺憾ナリ將來山西省殊ニ山岳地帶ノ行動ハ駄馬編成ヲ可トス
二、今期作戰ノ如キ山岳地帶ノ死角ヲ利用シ堅固ナル陣地ニ據レル敵ニ対シテハ迫撃砲ノ効果頗ル著大ニシテ特種彈（あか彈）ノ射撃ハ欽クヘカラサルモノト認ム
三、今期作戰間ニ於ケル甲號資材使用ノ概況
(一) 當大隊きい彈ノ使用ハ今期戰闘カ初メテニシテ二ヶ中隊（火砲十二門）ヲ以テ之カ使用ヲナシタルモ敵情最モ適セルノ好機至ラス　四八発ノ射撃ヲ實施セルモ之カ効果甚大ナルモノト推察ス然レトモ天候雨期ニシテ諸情況亦良好ナラス、天候氣象等諸條件ニ適スルノ場合ニ於テハ之カ効果ハ顯著ナルモノト推察ス
(二) 最初ノ使用ナルモ不規彈多ク特ニ砲口前約二三十米附近ニ落下シ薬筒ノミ燃燒、藥包ニ延燒セサル如ク推察セラレ　尚落下ノ際山岩石等ニ信管打撃スルモ不発彈アリ之カ一段ノ研究改造ヲ望ム
発射彈四八発ニ対シ不良彈七発ヲ substitute

迫撃第五大隊本部編成表（39.10 配属ノ分） 一四、六、三〇 現在

大隊長	歩少佐	橋詰利亀
大隊副官代理	歩中尉	宮田正
書記	歩曹	大内貞司
	歩軍	佐々木理佐
	歩伍	折井卯司
給與係	歩軍	小野作太郎
馬取扱兵	歩上	澤畑廉
	輜上	小池林
	輜上	井出辰男
	輜一	上澤丑治
	輜二	林弘雄

各部

経理部	主計中尉	安坂昌冬
	主計軍曹	池田及
衛生部	軍医中尉	石川信
	衛生軍曹	清水宗四郎
獣医部	獣医軍曹	棚田嘉次
	輜一	上原準一
兵器部	火軍	利田牧男
	歩上	両角今朝廣

指揮班

長 歩少尉 塚田正夫

通信班

職	官等	氏名
通信連絡係下士官	歩伍	唐澤文亀
第一構成班長	歩伍	郷原敏
	歩上	古畑計雄
	歩上	関十秋
	歩上	益刈恒次
	歩上	加藤善一
第二構成班長	歩伍	唐澤一三惠
	歩上	加藤儀三郎
	歩上	茂原儀一郎
	歩上	田中英
第三構成班長	歩伍	宮澤定雄
	歩上	髙山汎
	歩上	伊藤春美
	歩上	石田百平

観測班

職	官等	氏名
観測係下士官代理	歩上	間宮清
	歩上	吉川万亀男
	歩上	小林要次
	歩一	髙安和人

小銃分隊

職	官等	氏名
分隊長	歩上	髙山賀一
	歩上	小林久喜一
	歩上	梅町鍵一
	歩上	中山清次郎

輕機分隊

職	官等	氏名
分隊長	歩上	伊藤善一
	歩上	梅村春太郎

傳令

職	官等	氏名
長	歩伍	北原一長
	歩上	山田虎雄
	歩上	中村一徳
	歩上	小口誠重
	歩上	坂井英美
	歩上	髙橋源吾
	歩一	折田元雄

馭兵

職	官等	氏名
長	歩軍	林茂雄
分隊長	歩上	中村重雄
	歩上	藤田文太郎
	歩上	宇野重雄
	歩上	根本光明
	歩上	坂戸安義
	歩上	塚原圭一郎
	歩上	本桑瀬金男
	歩上	山谷由藏
	砲上	荻原茂
	砲上	浅川良造
	歩上	古山松雄
	歩上	小島忠雄
	歩上	田村英雄
	歩上	町田覚之助
	歩上	由良恒雄
	歩上	富田昌一
	歩一	森本正則
	輜二	原孝治
	輜二	吉川賓
	輜二	塩澤正七
	輜二	熊谷正雄
	輜二	桜井利光
	輜二	徳藏

中隊編成表

昭和十四年六月二十六日 迫撃第五大隊第一中隊

中隊長 歩兵中尉 伏木保之

第一小隊

小隊長 中尉 鈴木準一

職	官等	氏名
長	軍	堀口弘
砲2	伍	茅野議平
〃1	上	須藤守一郎
〃3	〃	久保田信
〃4	〃	荻木芳文
〃5	〃	坂本毅
〃6	〃	野尻金吾
〃7	〃	青不清
馭	〃	石川林弥
〃	〃	大貴甚一
〃	〃	渡邊單二
〃	〃	櫻井忠良
〃	〃	五明佳人

一三名

職	官等	氏名
長	軍	濱野祥造
砲2	伍1	瀧村孝一
〃	上2	吉井達夫
〃	〃3	田村好隆
〃	〃4	小池覚
〃	〃5	林政之
〃	〃6	大野猶雄
馭	〃	安藤長作
〃	〃	横山喜三郎
〃	〃	稲垣秋雄
〃	〃	山本朝則
〃	〃	須藤好男

一二名

職	官等	氏名
長	軍	菊地袈裟進
砲	伍1	堀所好雄
〃	上2	君島政雄
〃	〃3	中根和七
〃	〃4	秋葉隆
〃	〃5	市毛作
〃	〃6	宮下伊郎
馭	〃	渡邊吉一
〃	〃	武田吉
〃	〃	藤沼留吉
〃	〃	小澤袈裟三郎
〃	〃	山本源
傳令	〃	松原武

一三名

第二小隊

小隊長 見習士官 鍋島一郎

職	官等	氏名
長	軍	大塚英司
砲2	伍	邑川政美
〃3	〃	長谷部定男
〃1	上	柏原浦次郎
〃4	〃	柳林積雄
〃5	〃	菊地義雄
〃6	〃	宮下駒雄
馭	〃	花塚英一
〃	〃	西村忠一
〃	〃	依山政太郎
〃	〃	山田政雄
手馭	〃	塚原勝明

一二名

職	官等	氏名
長	軍	中澤英男
砲2	伍	大野忠
〃1	上	春山清三郎
〃3	〃	古畑進
〃4	〃	内田平
〃5	〃	佐藤良輔
〃6	〃	上野善男
馭	〃	半田猛
〃	〃	川上静文
〃	〃	米川貞男
〃	〃	飯島武三郎
〃	〃	佐々木恒吉
傳令	〃	新村友昇

一三名

職	官等	氏名
長	軍	樋口達雄
砲1	伍	上田一美
〃2	上	柏谷正一
〃3	〃	矢口守正
〃4	〃	瀧澤平三
〃5	〃	下田森藏
〃6	〃	小平袈裟吉
〃7	〃	大須賀吉郁
〃8	〃	富張仁三郎
手馭	〃	竹本新藏
〃	〃	重野好文
〃	〃	寺門吉造
〃	〃	小平梅吉

一三名

第三小隊

小隊長 見習士官 大久保崎證壱

職	官等	氏名
長	軍	岡野實
砲3	伍	瀧田喜作
〃1	上	平澤四郎
〃2	〃	安納榮
〃4	〃	関本喜好
〃5	〃	高野圭三
手馭6	〃	高堀正夫
〃7	〃	竹内幸作
〃8	〃	渡邊保
馭	〃	金井保
〃	〃	条川出三郎
〃	〃	大森長次

一三名

職	官等	氏名
長	軍	瀧澤弘
砲2	伍	中原達順
〃1	上	朝日德
〃3	〃	藤原得郎
〃4	〃	宮入次治
〃5	〃	渡邊恭男
〃6	〃	大條義
〃7	〃	坂口芳
馭	〃	天田朋一
〃	〃	粟林太郎
〃	〃	德竹一治
〃	〃	永瀬春太郎
傳令	〃	須田広治

一三名

職	官等	氏名
長	軍	中村廣治
砲1	伍	高橋忠壽
〃2	上	中島勇次郎
〃3	〃	竹内殘
〃4	〃	齋藤清哥
〃5	〃	市川勝太郎
〃6	〃	芝田善助
〃7	〃	市川亮三
〃8	〃	板橋林藏
手馭	〃	小坂井孝
〃	〃	鈴木圭
〃	〃	原田與四郎
〃	〃	北村達

一三名

中隊段列

段列長 佐野利男

職	官等	氏名
長	軍	杉山田太郎
〃	伍	武井薫
〃	上	諸澤長十三郎
〃	〃	吉澤二郎
〃	〃	中澤成義
〃	〃	上條光男
〃	〃	清水捻
〃	〃	小野芳三
〃	〃	牧清夫
〃	〃	國井中
〃	〃	石井誠
砲上	〃	内川実利
〃	〃	西原勇次郎
〃	〃	寺門恒五郎
〃	〃	瀧田昇

一五名

職	官等	氏名
長	軍	張替三郎
〃	伍	新村利雄
〃	上	佐々木善太郎
〃	〃	師司郎
〃	〃	小林克
〃	〃	内田喜一郎
〃	〃	谷部玉雄
〃	〃	松木雄
〃	〃	川崎力進
〃	〃	安島勇
〃	〃	大内義一
〃	〃	鹿澤忠二
〃	〃	坂田貞夫
〃	〃	鈴木出郎
〃	〃	岩井祥太郎

一五名

職	官等	氏名
長	軍	大塚道泰
〃	伍	山岸高喜多
〃	上	中村忠夫
〃	〃	土田仁作
〃	〃	中田朝次
〃	〃	川崎今善
〃	〃	宮澤喜吉
〃	〃	林恒明
〃	〃	尾澤道秋
〃	〃	立花平章
〃	〃	根岸作
〃	〃	川浦大治
〃	〃	伊藤知三
〃	〃	村上正夫
傳令	〃	飯島一豊

一五名

合計 一四六名（中隊段列 二一名）

附表第一

戰鬪詳報第~~廿~~十八號附表

自昭和十四年七月五日
至昭和十四年七月二八日 迫擊第五大隊死傷表

區分＼隊別	戰鬪參加人馬 將校	戰鬪參加人馬 准士官以下	戰鬪參加人馬 馬匹	死 將校	死 准士官以下	死 馬匹	傷 將校	傷 准士官以下	傷 馬匹	生死不明 將校	生死不明 准士官以下	生死不明 馬匹
大隊本部	五	六五 (一五)	四七			七	一	五				
第一中隊	四	一七三 (四)	八九			二三	二	八	二			
計	九	二三八 (一九)	一三六			三〇	三	一三	二			

備考
一、戰傷者中輕傷ニシテ隊中ニ在ルモノ將校一准士官以下四

附表第二

戰鬪詳報第~~廿~~十八號附表

自昭和十四年七月五日
至昭和十四年七月二八日 迫擊第五大隊兵器損耗表

種類		區分＼隊別	大隊本部	第一中隊	計
消費	彈藥	迫擊砲彈 榴彈		三四五	三四五
		迫擊砲彈 あか彈		二三一	二三一
		迫擊砲彈 きい彈		四八	四八
		迫擊砲彈 か彈			
		小銃彈	三一五	三〇〇	六一五
		輕機關銃彈	二八〇	三四〇	六二〇
		拳銃彈	六五	四五	一一〇
損失	兵器	三八式騎銃		三	三
		三七式砲隊鏡	一		一
	器材	九二式測遠器	一		一
		八九式雙眼鏡	一		一
		九三式雙眼鏡	二		二
		九三式觀測鏡	一		一
		九二式電話器		一	一
	器具	三九式輜重車	二	二二	二四
		三十年式乘馬具	一	一	二
		三八式輜重車輓馬具	二	一二	一四

備考
一、器材欄中觀測器材ハ總テ流失セルモノナリ

軍、師團、旅團、聯隊命令寫

方軍作命甲第六五九號

北支那方面軍命令　五月三十一日十四時　北京方面軍司令部

一　左記部隊ヲ北支那方面軍戰闘序列ニ編入セラルモノトス

迫撃第五大隊

二　前項部隊ハ淮河通過ノ時ヲ以テ予ノ隷下ニ入ルモノトス

迫撃第五大隊ハ鉄道ニ依リ太原ニ到リ第一軍司令官ノ指揮下ニ入ルヘシ

三、指揮轉屬ノ時機ハ第一軍作戦地境通過ノ時トス

第二野戦鉄道司令官ハ前項ニ基ク輸送ヲ處理スヘシ

北支那方面軍司令官　杉山　元

下達法　要指電報後印刷交付

一軍作命甲第四八三號

（方軍作命甲第六五九號）

第一軍命令　六月十二日十六時　太原軍司令部

一　迫撃第五大隊ヲ正太線経由ニテ太原ニ輸送シ予ノ指揮

一

下ニ入ラシメラル指揮轉屬ノ時機ハ第一軍作戦地境通過ノ時トス

二　迫撃第五大隊ハ太原到着後同地ニ於テ待機スヘシ

第一軍司令官　梅津中將

下達法　印刷交付

一軍作命甲第四九三號

第一軍命令　六月二十一日十六時　太原軍司令部

迫撃第五大隊ハ引續キ鉄道ニ依リ南進シ一中隊（大隊段列一小隊ヲ屬ス）ヲ以テ臨汾ニ下車シ第百八師團長ノ指揮下ニ爾餘ノ主力ヲ以テ候馬鎮ニ到リ第二十師團長ノ指揮下ニ入ルヘシ

第一軍司令官　梅津中將

下達法　要指電報後印刷交付

二〇師作命甲第六九八號

第二十師團命令　六月二十三日十二時　運城師團司令部

一、諸隊ノ長期ニ亘ル奮戰ニ依リ赫々タル戰果ヲ収メ茲ニ晋南作戦地域ノ粛正作戦ヲ概ネ終了ス

二、師團ハ絳縣、大交鎮及翼城附近ニ兵力ヲ集結シ爾後ノ作戦ヲ準備セントス

三　高橋少將ハ歩兵第八十聯隊ノ約一大隊ヲ翺翔山（翼城東南方約十粁）附近ニ派遣シ二十八日夕迄ニ第百八師團ノ部隊ト同地附近ノ警備ヲ交代セシムヘシ

四　爾餘ノ諸隊ハ概ネ六月二十九日夕迄ニ別紙要圖（要圖ハ削除ス）ノ如ク兵力ヲ集結シ爾後ノ作戦ヲ準備スヘシ

五　横嶺関、皐落鎮及王茅鎮附近ヨリ東冷口附近ニ至ル間ノ行軍序列ヲ左ノ如ク定ム

1. 輜重

二

2. 高橋部隊（二〇師作命甲第六九三號別紙軍隊區分ニ依ル）
3. 関部隊（右ニ同シ）
4. 病馬廠
5. 野戰病院
6. 衛生隊車輌中隊
7. 第三十七師團ノ歩兵約一大隊

但シ翺翔山警備ニ任スベキ歩兵八十聯隊ノ約一大隊ハ本行軍序列ニ拘ラズ適宜先行スルコトヲ得

六、獨立山砲兵第一聯隊（第一大隊及聯隊段列欠）ハ東冷口附近ヨリ分進シ原駐地ニ歸還スベシ六月三十日以後第三十七師團長ノ指揮ニ入ルベシ

七、歩兵第七十九聯隊第五中隊長ハ左記人員ヲ以テ交通整理班一班ヲ編成シ六月二十六日十時横嶺関ニ於テ池田參謀ノ指揮ニ入ルベシ

左記

中隊長　一
小隊長　一
下士官　四
兵　十

八、池田參謀ハ六月二十六日横嶺関附近ニ到リ前條交通整理班ヲ指揮シ交通ノ處理ヲナスベシ
九、師團通信隊ハ師團司令部ト翼城情報所歩兵第三九旅團司令部、歩兵第七十八聯隊本部騎兵第二十八聯隊本部、歩兵第四十旅團司令部ト本部トノ間ノ通信連絡ニ任スベシ
十、各部隊ハ集結地ヘノ行軍間及集結間横嶺関横水鎮絳縣大交鎮翼城各集積所ヨリ適宜補給ヲ受クベシ
但シ大交鎮集結所ハ概ネ七月一日以降交付ヲ開始ス
十一、第二野戦病院ハ七月一日曲沃ニ野戦病院ヲ開設スベシ

三

十二、予ハ運城師團司令部ニ在リ七月三日運城發翼城ニ到ル
六月二十九日以後翼城ニ情報所ヲ開設ス
師團長　牛嶋中將
下達法　関高橋両部隊ニハ印刷セルモノヲ飛行機ニ依リ投下室谷部隊及騎兵隊ニハ要旨ヲ電報シタル後印刷配布其ノ他ノ部隊ニハ印刷配布ス
配布先各部隊　軍司　370　1080

昭和十四年六月二十九日
歩兵第三十九旅團司令部

関部隊攻擊計畫案

要旨

一、関部隊ハ一部ヲ以テ八日拂曉ヨリ蛮寺頭方面ノ主力ヲ以テ十日拂曉ヨリ花崖上東峇闘ノ敵ニ對シ攻擊ヲ開始シ當面ノ敵ヲ攻擊シツツ一擧中村附近ニ進出シ該地附近ノ敵ヲ捕捉殲滅シタル後引續キ陽城附近ニ前進ス

軍隊區分

二、藤室部隊

長　歩兵第七十七聯隊長　藤室大佐
歩兵第七十七聯隊（第　中隊及機関銃一小隊欠）
傳騎　二
獨立機関銃第五大隊ノ一中隊
迫擊第五大隊（二中隊及大隊段列ニ小隊欠）
野砲兵第二十六聯隊（第一第二大隊及第十一中隊欠）
山砲兵第三十六聯隊第二大隊ノ一中隊
工兵第二十聯隊第二中隊（二小隊（二分隊欠）欠）
旅團無線二分隊
衛生隊主力
兵器勤務隊　主力

室谷部隊

長　歩兵第七十八聯隊長　室谷大佐

四

歩兵七十八聯隊（第一大隊欠）
迫擊第五大隊ノ一中隊及大隊段列一小隊
山砲兵第三十六聯隊第一大隊（一中隊欠）
工兵第二十聯隊第二中隊ノ一小隊（二分隊欠）
旅團無線二分隊
衛生隊一部
兵器勤務隊一部
第二兵站輜重兵中隊ノ主力

騎兵隊

騎兵第二十八聯隊（一小隊欠）
旅團本部
歩兵第三十九旅團司令部
傳騎　三
師團無線二分隊

旅團無線　四分隊
第四野戰病院
病馬廠ノ一部
師團輜重隊ノ一中隊
第二兵站輜重中隊ノ一部
給水隊ノ一部
本作戰間部隊本部ニ師團副官田中少佐ヲ配屬セラレ副官業務ニ服ス

三、攻撃要領
室谷部隊ハX日拂曉ヨリ官庄、吊山浦、苗家山附近ニ在ル敵ヲ攻撃シ概ネX+1日拂曉迄ニ磨子山ノ線ニ進出シタル後引續キ皮家湾ー原子坪ー中村道及ビ之ニ沿フ地區ノ敵ヲ剿滅シツヽ速ニ中村東方及東南方高地ノ線ニ進出シ敵ヲ藤室部隊方面ニ席捲包圍殲滅ス

四、藤室部隊ハ逐次攻撃及捜索ノ據點ヲ進メX+1日拂曉ヨリ花崖上東山寺間ノ敵ニ對シテ攻撃ヲ開始シ爾後當面ノ敵ヲ剿滅シツヽ速ニ張馬村附近ニ進出シ室谷部隊ト協カシ中村附近ニ於テ敵ヲ捕捉殲滅シ爾後陽城方面ニ前進ス機ヲ失セズ有カナル一部ヲ張馬村附近ニ突進セシメ敵ノ東方及北方逃避ヲ防止セシム

五、両部隊ノ戰闘地境左ノ如シ
馮村(大交鎭東南方六粁)ー李家窊(馮村東々南四粁)ー寺溝(北陽坡南方四粁)ー朱家溝(原子坪北方三粁)ヲ連ヌル線トシ線上ハ藤室部隊ニ屬ス

六、騎兵隊ハ先ヅ續魯峪ー北陽坡ー張馬村道ヲ旅團本部ノ後方ヲ續行シ張馬村附近ニ進出シタル後適時室谷部隊ノ戰闘ニ協カス

七、旅團本部ハ藤室部隊ノ攻撃進捗ニ伴ヒ西大郡續魯峪ー北陽坡ー張馬村道ヲ藤室部隊ノ後方ニ續行ス

歩三九旅作命第五五七號
関部隊命令
六月二十九日十時
於大交鎭

一、各隊ハ本集結間別紙情報収集計畫ニ依リ情報ヲ収集スベシ

部隊長　関少將

下達法　印刷セルモノヲ交付
配布先　各隊

三九旅作命第五五七號別紙

情報収集計畫　関部隊

捜索目標	担任部隊
敵情地形等 馮村(大交鎭東南方六粁)ー李家窊(馮村東々南六粁)ー寺溝(北陽坡南方四粁)ー朱家溝(原子坪北方三粁)ヲ連ヌル線以北(線上ハ含ム)	藤室部隊
敵情地形等(同線以南(線上ハ含マズ))	室谷部隊
敵情地形等	藤田部隊
敵情地形特ニ道路ノ状況及気象	橋本部隊
主トシテ道路ノ状況	西本工兵隊
気象	迫撃大隊
備考	一、報告ハ其ノ都度速ニ實施スルモノトス 二、七月三日正午マデニ綜合報告ヲ提出スルモノトス

二〇師作命甲第七〇六號別紙

軍隊區分

関部隊　　関少将

長　歩兵第三十九旅團長

歩兵第三十九旅團(歩兵第七十八聯隊第一大隊缺)

獨立機関銃第五大隊ノ一中隊

迫撃第五大隊(一中隊及大隊段列一小隊缺)

師團無線　二分隊

騎兵第二十八聯隊(一小隊缺)

野砲兵第二十六聯隊(第一、第二大隊及第十一中隊缺)

山砲兵第三十六聯隊第二大隊

工兵第二十聯隊第二中隊(一小隊缺)

衛生隊(三分ノ一缺)

兵器勤務隊ノ主力

第四野戦病院

病馬廠ノ一部

輜重兵第二十聯隊ノ一中隊

第二兵站輜重兵中隊

給水隊ノ一部

高橋部隊　　高橋少将

長　歩兵第四十旅團長

歩兵第四十旅團

師團無線　二分隊

騎兵一小隊

野砲兵第二十六聯隊第二大隊及第十一中隊

野戦重砲兵第六聯隊第六中隊及大隊段列

山砲兵第二十七聯隊第二大隊(獨立山砲兵第一聯隊ノ聯隊段列半部ヲ屬ス)

工兵第二十聯隊第一中隊(一小隊缺)

衛生隊三分ノ一

兵器勤務隊ノ一部

第三野戦病院

病馬廠ノ一部

輜重兵第二十聯隊ノ一中隊

給水隊ノ一部

工兵隊　　南部大佐

長　工兵第二十聯隊長

工兵第二十聯隊(第一中隊(一小隊缺)第二中隊(一小隊缺)缺)

工兵第三十六聯隊ノ一中隊

師團直轄部隊

歩兵第七十八聯隊第一大隊(一中隊缺)

師團通信隊(無線四分隊缺)

無線電信第六十三小隊

兵器勤務隊ノ一部

第一野戦病院

第二野戦病院

病馬廠(一部缺)

第二師團第二架橋材料中隊

輜重兵第二十聯隊(部下輜重兵二中隊ヲ缺キ歩兵七十八聯隊第一大隊ノ一中隊第三兵站自動車隊及兵站自動車第十四中隊(一小隊缺)ヲ屬ス)

給水隊(第十六防疫給水部ノ一部ヲ屬ス)ノ主力

二〇師作命甲第七〇六號

第二十師團命令　　七月一日十二時　翼城師團司令部

一、絳縣大交鎮及翼城東方山地一帯ノ敵情別紙要圖ノ如シ

二、軍ハ師團カ克ク前記地域ノ敵ヲ撃滅スルコトヲ以テ軍ノ企図スル今次作戦ノ最モ主要ナル目的トナス

絳縣大交鎮及翼城東方山地一帶之敵情要圖

（於七月一日）

別紙要圖

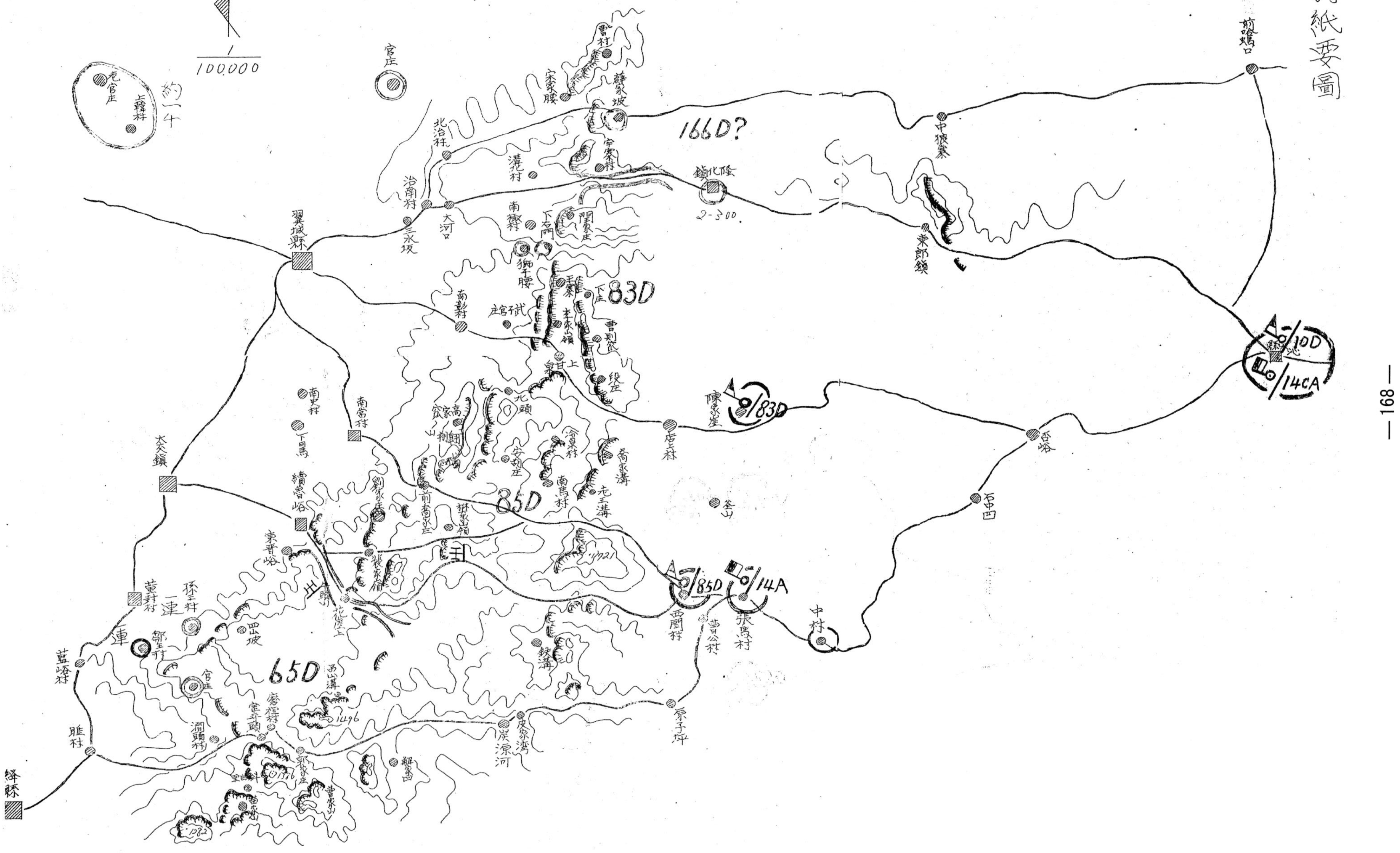

二、師團ハ先ツ中村(翼城東南方約二十五粁)及沁水以西一帯ノ山地ニ據ル敵軍ヲ捕捉撃滅シ引續キ其ノ東方山地ノ敵軍ヲ攻撃シ主力ヲ以テ陽城附近一部ヲ以テ端氏鎮(陽城東北北約二十四粁)附近沁河ノ線ニ進出セントス

第三十五師團ハ清化鎮附近ニ於テ前進ヲ準備シX+7日進攻ヲ開始シ所在ノ敵ヲ攻撃シ澤洲(陽城東方約四十粁)附近ニ進出ス

第百八師團ノ歩兵約二大隊ヲ基幹トスル部隊ハX+12日頃浮山附近ヲ出發シ浮山―山交村(浮山東南約二十粁)道ニ沿フ地區及其ノ東方山地ノ敵ヲ攻撃シツツ、馬壁村(沁水東北方約二十四粁)附近沁河ノ線ニ前進ス

別ニ同師團ノ一部ハ府城鎮(浮山東北方約四十粁)附近ヨリ沁河河谷ヲ馬壁附近ニ向ヒ南下ス

山口集成飛行隊ハ特ニ其ノ重點ヲ師團ノ作戰正面ニ置

キ協力ス

三、関部隊ハ一部ヲ以テ絳縣―窑寺頭(絳縣東東北方約十粁)―皮家灣(窑寺頭東方約十粁)―原子坪(皮家灣東方約六粁)道ニ沿フ地區ヲ最モ神速ニ中村及張馬村(中村西北方約四粁)附近ニ向ヒ突進セシメ敵ノ東方及南方ニ向フ退路ヲ遮断セシメ主力ヲ以テ概ネ續魯峪(大交鎮東東南約六粁)附近ヨリ南常村(續魯峪東北方約六粁)附近ニ亘ル間ニ於テ成ルヘク敵陣地ニ近ク攻撃ヲ準備シX+12日拂曉ヨリ當面ノ敵ヲ攻撃シテ中村附近ニ進出シ該地附近以西ノ敵軍ヲ捕捉撃滅スヘシ

絳縣方面ヨリ中村附近ニ突出スヘキ部隊ヲシテ克ク退路遮断ノ目的ヲ達成セシムル爲攻撃準備間ニ於テ成ルヘク前方ニ地歩ヲ獲得セシムルコトニ勉ムルト共ニ其ノ編成装備及行動開始ノ時期ヲ適切ナラシムヘシ

翼城―店上村(翼城東南方約十六粁)道ニ沿フ地區ニ作戰スル高橋部隊ノ一部ハ状況ニ依リ作戰地境ニ拘ラズ中村又ハ張馬村附近ニ進出シ関部隊ノ攻撃ニ策應ス

関部隊本部ニ業務補助ノ爲本作戰間師團副官田中歩兵少佐ヲ配屬ス

四、高橋部隊ハ主力ヲ以テ概ネ武子官庄(翼城東東南約八粁)南側高地附近ヨリ獅子腰(武子官庄北方約四粁)附近ニ亘ル間ニ於テ一部ヲ以テ概ネ南撖村(獅子腰北方約一粁半)附近ヨリ溝北村(南撖村北方約三粁)附近ニ亘ル間ニ於テ成ルヘク敵陣地ニ近ク攻撃ヲ準備シX+12日拂曉ヨリ當面ノ敵ヲ攻撃シテ沁水附近ニ進出シ同地附近以西ノ敵ヲ捕捉撃滅スヘシ

又別ニ一部ヲ以テ北治村(翼城東北方約七粁)―中狼寨(北治村東方約二十一粁)―前哈螞口(中狼寨東方約十二粁)―沁水道

ニ沿フ地區ヲ成ルヘク速カニ沁水附近ニ進出セシメ敵ノ退路ヲ遮断スヘシ

右部隊ハ状況ニ依リ前哈螞口附近ヨリ馬壁村附近ニ轉進セシメ浮山方面ヨリ東進スル第百八師團ノ部隊及府城鎮附近ヨリ沁河河谷ヲ南下スル同師團ノ部隊ノ該地附近ノ攻撃ニ策應セシムルコトアリ本轉進ノ實行ヲ要スル場合ハ師團ニ於テ命令ス

又南彰坡(翼城東南方約七粁)―店上村道ニ沿フ地區ニ作戰スル部隊ヲシテ状況ニ依リ戰鬪地境ニ拘ラズ中村又ハ張馬村附近ニ進出セシメ関部隊ノ攻撃ニ策應セシムヘシ

翼城東方高地ノ攻撃ニ方リテハ工兵隊ノ主力ヲ協力セシム、第一線ノ推進ニ伴ヒ別ニ指示スルトコロニ依リ沁水街道(翼城―隆化鎮(翼城東方約十六粁)―沁水道)ノ補給線警備ノ爲逐次一部ノ兵力ヲ要點ニ殘置スヘシ

五 右残置部隊ハ爾後逐次予ノ直轄トス

六、関、高橋両部隊ハ戰況之ヲ要スレバ全般ノ状況ヲ判断シ積極的ニ他部隊ノ戰闘地域内ニ進入シテ戰闘スベシ
関、高橋両部隊ノ戰闘地域ノ境界左ノ如シ
南史村（翼城南方約六粁）安胡庄（南史村東南約八粁）文王山（部落名安胡庄東東南約八粁）石中山（文王山東方約十粁）各南端ヲ連ヌル線トス線上ハ高橋部隊ニ屬ス

七、工兵隊ハ翼城東方高地ノ攻擊ニ方リテハ其ノ主力ヲ以テ高橋部隊ニ協力シ爾後戰闘ノ進捗ニ伴ヒ沁水街道ヲ前進シ該道路ヲ成ルベク速ニ自動貨車ノ連續通過ニ支障ナキ如ク補修スベシ
尚一部ヲ以テ沁水街道ニ作戰スル部隊ニ協力セシムベシ

八、歩兵七十八聯隊第一大隊（一中隊欠）ハ現在地ニ待機スベシ戰闘ノ進捗ニ伴ヒ師團司令部ト共ニ沁水街道ヲ前進スベシ

二

又右道路ヲ行進スベキ師團直轄兵器勤務隊ノ前進ヲ区處スベシ

九、師團通信隊ハ師團司令部ト関部隊、高橋部隊第三十五師團司令部及同師團澤洲支隊トノ通信連絡任スベシ

十、無線電信第六十三小隊ハ師團司令部ト軍司令部及臨汾飛行場トノ通信連絡ニ任スベシ

十一、師團直轄兵器勤務隊ハ兵器ノ補修及鹵獲兵器ノ整理ニ任ズベシ
前進ニ方リテハ歩兵七十八聯隊第一大隊長ノ区處ヲ受クベシ

十二 第一野戰病院ハX+2日翼城ニ待機スベシ、前進ニ方リテハ輜重兵第二十聯隊長ノ区處ヲ受クベシ

十三 第二野戰病院ハ現任務ヲ續行スルノ外一部ヲ以テ上白馬及三水坂ニ患者集合所ヲ開設スベシ

十四 病馬廠ハX+2日翼城ニ病馬集合所ヲ開設スベシ
前進ニ方リテハ輜重兵第二十聯隊長ノ区處ヲ受クベシ

十五 輜重兵第二十聯隊ハ関部隊ノ爲上白馬（翼城南方約七粁）高橋部隊ノ爲ニ水坂（翼城東方約四粁）ニ交付所ヲ開設スルト共ニ翼城—沁水—陽城道ヲ補修路トナシ軍需品ノ前送及交付ニ任ズベシ
前進ニ方リテハ前記道路ヲ行進スベキ第一野戰病院病馬廠及第二師團第二架橋材料中隊ノ前進ヲ区處シ其ノ警戒ヲ擔任スベシ
但シ右架橋材料中隊ハX+4日頃追及スル筈

十六 第二師團第二架橋材料中隊ハ侯馬鎮下車後翼城ヲ經テ成ルベク速カニ沁水街道ヲ輜重兵第二十聯隊ニ追及スベシ追及後ハ輜重兵第二十聯隊長ノ区處ヲ以テ前進スベシ

三

十七 給水隊ハ現任務ヲ續行スベシ
前進ニ方リテハ師團司令部ト同行スベシ

十八、X日ハ七月五日ト豫定スルモ別命セラル

十九 補給、通信、衛生等ノ細部ニ関シテハ別ニ指示ス

二十 師團司令部ハ、X-6日以後翼城ニ在リ
X+2日早朝戰闘司令所ヲ翺翔山ニ開設ス攻擊ノ進捗ニ伴ヒ司令部ハ沁水街道ヲ逐次沁水ニ躍進ス

師團長 牛嶋中將

下達法 印刷交付

配布先 各隊各部軍司令部飛行隊

10D
35D
108D
109D

歩三九旅作命第五六三號別紙

軍隊區分

藤室部隊

長　歩兵第七十七聯隊長　藤室大佐
歩兵第七十七聯隊（第十中隊及機関銃隊一小隊欠）
傳騎　二
獨立機関銃第五大隊ノ一中隊
迫撃第五大隊（二中隊及大隊段列ニ小隊欠）
野砲兵第二十六聯隊（第一第二大隊第十中隊欠）
工兵第二十聯隊第二中隊（一小隊ト二分隊欠）
旅團無線　二分隊
衛生隊　主力
兵器勤務隊主力
室谷部隊
長歩兵第七十八聯隊長　室谷大佐
歩兵第七十八聯隊（第一大隊欠）
迫撃第五大隊ノ一中隊及大隊段列一小隊（駄馬編成ニテ中

一三

隊ハ三門トス）
野砲兵第二十六聯隊第八中隊
山砲兵第二十六聯隊第二大隊（中隊ハ三門一中隊ハ二門編成トス）
工兵第二十聯隊第二中隊ノ一小隊（二分隊欠）
旅團無線　二分隊
衛生隊　一部
兵器勤務隊一部
第二兵站輜重兵中隊
騎兵隊
騎兵第二十八聯隊（一小隊欠）
旅團本部
歩兵第三十九旅團司令部
歩兵第七十七聯隊第　中隊及機関銃一小隊
傳騎　三

師團無線二分隊
第四野戰病院
病馬廠一部
師團輜重隊ノ一中隊
給水隊ノ一部

歩三九旅作命第五六三號

七月二日、十時
西大郡関部隊本部

関部隊命令

一、敵情並軍及師團ノ企図別紙師團命令ノ如シ
高橋部隊ハ七月七日拂曉ヨリ南史村（翼城南方約六粁）
安胡庄（南史村東々南約八粁）文王山（安胡庄東々南約八粁）
石田山（文王山東方約十粁）各南端ヲ連ヌル線（含ム）以北
ノ地區ノ敵ニ対シ主力ヲ以テ北史庄（翼城東南約六粁）東方
山地ノ敵ヲ一部ヲ以テ其ノ北方山地ノ敵ヲ攻撃シ沁水附

一四

近ニ進出シ同地附近以西ノ敵ヲ撃滅ス
山口飛行隊ハ師團ノ沁河進出迄作戰ニ協力ス

二　関部隊ハ一部ヲ以テ七月五日窑寺頭方面ノ敵ニ主力ヲ以
テ七月七日拂曉ヨリ花崖上、東峪間ノ敵ニ対シ攻撃ヲ
開始シ當面ノ敵ヲ撃滅シツツ一挙中村附近ニ進出シ
該地附近ニ於テ敵ヲ捕捉殲滅シタル後引續キ陽城附
近ニ向ヒ前進セントス

三　藤室部隊ハ逐次攻撃及捜索據點ヲ進メ七月十日
拂曉ヨリ花崖上、東峪間ノ敵ニ対シ攻撃ヲ開始シ當面
ノ敵ヲ撃滅シツツ速ニ張馬村附近ニ進出シテ中村附近ニ
進出スベキ室谷部隊ト協力シ敵ヲ捕捉殲滅スベシ
機ヲ失セズ有力ナル一部ヲ張馬村附近ニ進出セシメ敵ノ
東方及北方逃避ヲ防止セシムベシ
七月六日室谷部隊配屬ノ野砲兵第八中隊ヲ其ノ指揮

ニ入セシム細部ニ関シテハ別ニ指示ス

四 室谷部隊ハ七月五日ヨリ官庄、吊山浦、苗家山附近ノ敵ニ対シ攻撃ヲ開始シ概ネ七月七日拂曉迄ニ磨子山ノ線ニ進出爾後廣ク皮家湾ー原子坪ー中村道方面ノ敵ヲ撃滅シツツ速カニ中村東方及東南方地區ニ突進シ藤室部隊ト協力シ敵ヲ捕捉殲滅スベシ七月六日配屬野砲兵第八中隊ヲ藤室部隊ニ轉屬スベシ

細部ニ関シテハ別ニ指示ス

五 藤室、室谷両部隊ノ戰闘地境左ノ如シ

董封村(大文鎮南方約六粁)南方約一粁砂川分岐點孫王村(董封村東南三粁)李家荒(孫王村東方約二里)寺溝(皮家湾北方三粁)史家溝(寺溝東方五粁)ヲ連ヌル線トシ線上ハ藤室部隊ニ屬ス

六 騎兵隊ハ七月七日六時大文鎮南側ニ集結スベシ爾後

一五

ノ行動ハ別命スルモ續甾峪ー北陽披ヲ経テ中村ニ前進セシムル予定ナリ

七 軍隊区分ニヨル部隊ノ轉屬及移動等ハ七月四日十二時マデニ完了スベシ

八 旅團本隊ハ七月七日五時現在地ニ於テ前進準備ヲ整ヘアルベシ

九 通信及補給ニ関シテハ別命ス

十 予ハ西大郡ニ在リ七月七日拂曉南𤏒村ニ爾後攻撃ノ進捗ニ伴ヒ藤室部隊主力ノ後方ヲ前進ス

部隊長 関 少将

下達法 予メ攻撃計画案ヲ交付シタル後印刷配布ス

配布先 各隊 師司 40iB

藤室部隊攻撃計畫

昭和十四年、七月二日
歩兵第七十七聯隊

要旨

一 藤室部隊ハ又日以後逐次攻撃又捜索據點ヲ進メ又十九日拂曉ヨリ花崖上、王家庄間ノ敵ニ対シ重點ヲ左ニ保持シツツ攻撃ヲ開始シ速ニ張馬村附近ニ進出シ中村附近ニ進出スベキ室谷部隊ト協力シ中村附近ニ敵ヲ捕捉殲滅シタル後引續キ陽城方面ニ前進ス

二 機ヲ失セズ有力ナル一部ヲ張馬村附近ニ突進セシメ敵ノ東方及北方逃避ヲ防止セシム

三 本計畫ニ示ス乙日ハ口達ス

四 本計畫ハ南𤏒村ー七里披ー石家庄ー西閆村道及續甾峪ー城陽披ー西閆村道共ニ若干ノ補修ヲ實施セバ車輌部隊ノ通過ヲ許スモノトシテ計畫ス

五 前記道路車輌ノ通過ヲ許サル、トキハ車輌部隊ハ藤室部隊戰闘地境外ヲ迂廻セシムルモ歩兵部隊ノ行動ハ變更セザルモノトス

一六

軍隊區分

神保隊　　神保少佐

長歩兵第三大隊長

歩兵第三大隊(一中隊及機関銃隊一小隊欠)

聯隊砲一小隊

速射砲中隊(一小隊欠)

旅團無線一分隊

聯隊無線一機

衛生隊ノ一部

兵器勤務隊ノ一部

藤原隊
長歩兵第一大隊長　藤原少佐
歩兵第二大隊（一中隊及機関銃隊一小隊欠）
聯隊無線一機
獨立機関銃第五大隊ノ一中隊
衛生隊ノ一部
砲兵隊
長野砲兵第二十六聯隊長　橋本中佐
野砲兵第二十六聯隊（第一第二大隊第八第十一中隊欠）
迫撃隊
長迫撃第五大隊長　橋詰少佐
迫撃第五大隊（二中隊及大隊段列二小隊欠）
本隊
部隊本部
歩兵二中隊機関銃二小隊
傳騎二
工兵第二十聯隊第二中隊（二小隊（三分隊欠）欠）
旅團無線一分隊
衛生隊（一部欠）
兵器勤務隊主力

一、攻撃要領
神保隊ハ室谷部隊ニ續行シ七日拂曉迄ニ溝東凹（山甾東北一粁）ヲ進東々北約一粁閉鎖曲線ノ高地及其北方二粁陳家坡西側閉鎖曲線ノ高地ヲ占領シ且ツ同地以西戰闘地境内ノ敵ヲ掃蕩爾後引續キ續魯峪―北陽坡―西閏村張馬村道ニ沿フ地区ノ敵ヲ撃滅シツヽ速カニ張馬村附近ニ進出セシム

二、藤原隊ハ廿八日藤村隊ニ連撃シ王家門劉家庄ノ敵陣地ヲ攻略シ當面ノ敵情地形ヲ捜索シ引續キ廿九日拂曉迄ニ花崖上、王家門間ノ敵ニ対シ攻撃ヲ準備シ拂曉ト共ニ攻撃ヲ開始シ主力ヲ以テ南高家窊南方高地ヲ攻略シタル後概ネ稜線ニ沿ヒ東進シ南常村―七里坡―石家庄―西閏村道以南ノ敵ヲ撃滅シツヽ張馬村ニ進出セス

三、藤村隊ハ廿八日東嶺、西嶺附近敵陣地ヲ攻略シ工兵ハ隊ノ西坡―南常村間ノ車輌道ノ偵察竝補修ヲ援護シ且前橋家庄附近ニ於ケル砲兵主力ノ展開ヲ容易ナラシムルト共ニ當面ノ敵情地形ヲ捜索シ引續キ廿九日拂曉ヨリ南常村―七里坡石家庄道（含ム）以北ノ敵ニ対シ攻撃ヲ開始シ速ニ張馬村北側地區ニ進出セス

四、各隊ノ戰闘地境左ノ如シ
藤村隊／藤原隊　概ネ南常村―七里坡―石家庄―西閏村道
藤原隊／神保隊　概ネ續魯峪―城陽坡―西閏村道

五、砲兵隊ハ廿八日拂曉迄ニ主力ヲ以テ南常村附近ニ陣地ヲ占領シ藤村及藤原両隊ノ捜索據點占領ニ協力ノ後七日拂曉迄ニ其ノ主力ヲ以テ前橋家庄附近ニ陣地ヲ占領シ主トシテ藤原隊ノ攻撃ニ協力ス
爾後歩兵第一線ノ前進ニ伴ヒ南常村―七里坡―石家庄出西溯村道ヲ前進シツヽ藤原、藤村両隊ニ協力ス
又一部ヲ以テ又日及廿八日永樂村附近ニ陣地ヲ占領シ主

トシテ神保隊ノ戰鬪ニ協力ス
X+2日以後野砲兵甲隊ヲ神保隊ニ配屬ス

六、迫擊隊ハX+1日藤村隊ノ東嶺附近敵陣地攻略ニ協力ノ後X+2日拂曉迄ニ藤原隊正面ニ陣地ヲ推進シ爾後主トシテ藤原隊ノ攻擊ニ協力ス
步兵第一線ノ前進ニ伴ヒ南常村－七里坡－西閆村道ヲ前進シ藤村藤原両隊ニ協力ス
甲號使用ニ関シテハ橋本砲兵隊長ノ区署ヲ受クルモノトス

七、工兵隊ハX日以後藤村藤原両隊　搜索據點推進後南常村－西坡間ノ車輛道ノ偵察並ニ補修ヲ實施シ要スレバ主力ヲ以テ南常村附近及前橋家庄附近ノ砲兵隊ノ陣地進入ヲ援助ス

X+2日以後東進ニ方リテハ全力ヲ以テ道路ヲ補修シ車輛部隊ノ前進ニ協力ス

八、衛生隊ハX+1日正午迄ニ南常村ニ繃帶所ヲ開設シ戰傷病者ノ收容ニ任シX+2日拂曉以後隨時前進シ得ル如ク準備待命ス、前進ニ方リテハ部隊本部ノ後方ヲ續行ス

九、部隊本部ハX+1日拂曉迄ニ南常村ニ前進シX+2日以後南常村－七里坡－西坡村道ヲ張馬村ニ向ヒ前進ス

通信連絡
一、各時機ニ於ケル通信網並略號及地名符號等ハ別ニ計畫ス

補給
一、別ニ示ス

步七七作命第七〇三號
藤室部隊命令
七月三日十四時〇分
於磨頭村部隊本部

一、旅團ハ本作戰間大交鎮、張馬村間ニ於テ甲號資材ヲ使用シ其ノ作戰上ニ及ホス價値ヲ研究ス

二、藤室部隊ハ作戰上支障ナキ限リ右趣旨ニ基キ研究ス仍テ甲號研究ニ伴フ別紙第一注意事項ヲ嚴守スヘシ

三、各大隊ハ小銃中隊毎ニ長以下十名ノ發煙班ヲ編成シ置キ所要ニ應シ大隊長ニ於テ直轄使用スヘシ

四、右甲號資材ハ別紙第二ノ通リ配布ス

部隊長　藤室大佐

下達法　印刷配布

步七七作命第七〇三號別紙第一
甲號研究ニ伴ヒ諸注意事項

一、本研究ニ関聯スル命令通報々告等ハ總テ「甲号」ノ称呼ヲ用ヒテ其ノ内容秘匿スルト共ニ其ノ重要ナル書類ハ連絡者ヲ以テスル托送ニ依リ機密漏洩ノ防止ニ努ムルモノトス

二、甲號使用ノ事實ノ秘匿ニ関シテハ萬全ノ處置ヲ講ズルモノトス之カタメ支那軍隊以外ノ一般支那人ニ対スル被害ヲ極力ナカラシメ特ニ第三國人ニ対スル被害ヲ絶無ナラシムルト共ニ彼等ニ其ノ使用ノ事實ヲ嚴ニ秘匿スルモノトス

三、甲號使用ノ狀況及之カ効果並敵ノ瓦斯使用ニ関スル資材等ノ撮影ハ之ヲ許サス

四、甲號使用ニ関シ報告スヘキ事項左ノ如シ（報告用紙ハ後日交付ス）
① 戰鬪地名及戰鬪年月日
② 使用時刻　天候　氣象

③使用目的及甲號資材射撃集中状態、
④使用資材ノ種類及数量
⑤戰闘経過ノ概要（戰闘前ノ態勢使用ニ依ル戰闘経過成果ノ利用）
⑥彼我損害ノ概数特ニ敵ノ死傷者ノ状態
⑦効果ニ関スル所見
⑧各種資材ニ関スル意見及其他

五 將來甲號使用効果ヲ調査スル爲各大隊毎ニ審査員（成ルベク瓦斯係將校、下士官ヲ以テ之ニ充ツ）ヲ設クルモノトス

六 防護資材ハ秘密兵器ナルヲ以テ特ニ授受ヲ確實ニシ之ヲ忘却残置スル等ノコトナキヲ要ス

歩七七作命令第七〇三號別紙第二

二一

防毒資材配布区分表

区分／名称	受領総数	配布数量 R	I	II	III	RIA	TIA	摘要
輕防	一五〇〇	一五	四七五	四七五	四七五	三〇	三〇	
消毒包	一五〇〇	一五	四七五	四七五	四七五	三〇	三〇	
消毒函	六〇	五	一五	一五	一五	五	五	
防脂甲	一五〇〇	一五	四七五	四七五	四七五	三〇	三〇	
防脂丙	三〇	二	八	八	八	二	二	
斥候用検知器	一〇	一	三	三	三	／	／	
備考								

一、衛生
後方ニ関スル指示
1、第二野戰病院ハ一部ヲ以テ上白馬ニ患者集容所ヲ
開設ス
2、患者ノ集容ニ就テ
(イ) 藤室部隊
花崖上東岑ノ線ニ進出スルマデ生スル患者ハ上白馬患者集容所ニ収容シ前送セズ
(ロ) 室谷部隊
苗家山窯寺頭附近ノ攻撃ニ於テ生ズル患者ハ睢村ニ推進スベキ平田部隊ニ属スル衛生機関ニ収容ス
3、第四野戰病院及病馬廠ハ先ツ旅團本部ト行動ヲ共ニシ状況ニ依リ適宜ノ位置ニ開設ス

二 補給
1、輜重兵第二十聯隊ハ一部ヲ以テ上白馬ニ彈薬及糧秣交付所ヲ開設ス
開設ノ時機ハ五日トシ糧秣ハ一日分彈薬ハ左ノ如ク集積ス

二二

A 400　十榴300　BA（220／曲80）　RIA（320／曲100）　TIA 320　擲1200　手投手榴彈400　重機6万　小銃5万　LM（1440／曲400／ガ240）　BIA 720

2、各隊ハ攻撃初期ニ使用セシ彈薬糧秣ハ上白馬交付所ヨリ補充シ山地内ニ突進スル際ハ成ルベク完全ニ携行ス
3、糧秣ニ付イテ
(イ) 各隊携行糧秣ハ少クモ甲五日分乙一日分トス
(ロ) 輜重ハ二日分ヲ携行ス第二兵站輜重中隊ハ室谷部隊ノ一日半ヲ携行シ室谷部隊残餘半日分ハ師團輜重中隊之ヲ主力方面ニ日分ト共ニ携行ス
(ハ) 雨季及道路ノ状況ニ依リ補給圓滑ヲ期シ難キ場合ヲモ豫想セラルヲ以テ各隊ハ乙日分ヲ尊重シ妄リニ使用セザル如クス

一、衛生
衛生及補給ニ関スル指示

藤室部隊本部

1、第二野戰病院ハ一部ヲ以テ上白馬ニ患者收容所ヲ開設ス
2、花崖上、王家庄ノ線ニ進出マテ生ズル患者ハ上白馬收容所ニ後送スヘシ
3、第四野戰病院病馬廠ノ一部ハ先ヅ旅團司令部ト行動ヲ共ニシ狀況ニ依リ適宜ノ位置ニ開設ス

二、補給
1、彈藥
(イ)輜重兵第二十聯隊ハ上白馬ニ彈藥及糧秣交付所ヲ開設ス 開設ノ時機ハ五日トシ糧秣ハ二日分彈藥ハ左如シ

A 400
十擲 300
BA 220
〃あ 80
RiA 320
〃あ 100
TiA 320
擲 1200
發煙火擲 400
mg 60,000
GW 1,440
〃あ 400
〃か 240
BiA 720

(ロ)各隊ハ攻擊初期ニ使用セル彈藥糧秣ハ上白馬補給所ヨリ補充シ山地以ニ突進スル際ハ成ルヘク完全ニ携行スヘシ

2、糧秣
(イ)七日以後ノ糧秣ハ甲五日分乙一日分トス
(ロ)輜重ハ二日分ヲ携行ス
(ハ)兩季補給ノ圓滑ヲ欠クヲ顧慮シ各隊ハ乙日ヲ尊重シ糸ナリニ使用スベカラズ

住意事項
一、作戰地域以ニ於ケル外國權益ヲ尊重スベシ
二、甲号資材使用ニ關シテハ步七七作命第七〇三號別紙第一ノ住意事項ヲ實行スベシ
三、夜行軍ニ於ケル喫煙燈火、焚火等ヲ嚴禁ス
四、各隊ハ逓傳ヲ確實ニシ努力スヘシ
五、飛行隊トノ連絡特ニ第一線標示ヲ確實ニシ誤爆セラレザル樣注意スヘシ
六、各隊ハ砲兵隊、迫擊砲隊及獨立機關銃隊等ノ躍進ニ際シテハ極力道路ヲ開放シ並諸隊ノ戰機ヲ逸セザル如ク住意スヘシ

步七七作命第七〇二號

藤室部隊命令

七月四日、八時〇分
於磨頭村部隊本部

一、敵情及道路綱ノ狀況別紙要圖ノ如シ
師團ハ先ツ中村及沁水附近以西一帶ノ山地ニ據ル敵軍ヲ捕捉殲滅シ引續キ其東方山地ノ敵ヲ攻擊シ主力ヲ以テ陽城附近一部ヲ以テ端氏鎭附近沁河ノ線ニ進出ヲ企圖ス、高橋部隊ハ七日拂曉ヨリ南史村、安胡庄、文王山及石中山谷南端ヲ連スル線(含ム)以北ノ地区ニ対シ主力ヲ以テ北史庄(翼城東南方六粁)東方山地ノ敵ヲ以テ其北方山地ノ敵ヲ攻擊シ沁水附近ニ進出シ同地附近以西ノ敵ヲ捕捉殲滅ス
山口飛行隊ハ師團ノ沁河進出迄作戰ニ協力ス
関部隊ハ一部ヲ以テ五日窰寺頭ノ方面ノ敵ニ主力ヲ以テ七日拂曉ヨリ花崖上東峇間ノ敵ニ対シ攻擊ヲ開始シ當面ノ敵ヲ擊滅シツヽ一擧ニ中村附近ニ進出シ該地附近ニ於テ敵ヲ捕捉殲滅シタル後引續キ陽城附近ニ向ヒ前進ス
室谷部隊(步兵第七十八聯隊主力及山砲(大隊ヲ基幹トス))ハ五日ヨリ官庄、吊山溝苗家山附近ノ敵ニ対シ攻擊ヲ開始シ概ネ七日拂曉マデニ磨子山ノ線ニ進出爾後廣ク皮家湾原子坪、中村道方面ノ敵ヲ擊滅シツヽ速カニ中村東方及東南方地区ニ突進シ藤室部隊ト協力シ敵ヲ捕捉殲滅ス、藤室部隊ト室谷部隊トノ戰鬪地境ハ董封村南方一粁砂川分岐點、孫王村李家窊、寺溝ヲ連スル線トシ線上ハ藤室部隊ニ屬ス
二、藤室部隊ハ逐次攻擊及搜索ノ據點ヲ進メ七月七日拂曉ヨリ花崖上、王家庄間ノ敵ニ対シ重點ヲ左ニ保持シツヽ攻擊ヲ開始シツヽ速カニ張馬村附近ニ進出シ中村附近ニ進出スヘキ室谷部隊ト協力シ敵ヲ捕捉殲滅セントス

三、神保隊ハ室谷部隊ニ續行シ七日拂曉迄ニ溝東山（吊山溝東北一粁半）東北約一粁閉鎖曲線ノ高地ヲ占領シ且同地以西續魚當峪揚家門石門道以南戰闘地境ニ及フ間ノ敵ヲ掃蕩スベシ、其ノ一小隊ヲ永樂村附近ニ殘置シ直接協力スル野砲兵中隊ヲ援護セシムベシ

四、藤原隊ハ六日藤村隊ニ連繋シ王家門劉家庄附近ノ敵陣地ヲ攻略シ當面ノ敵情地形ヲ搜索スベシ

五、藤村隊ハ六日東嶺西嶺附近ノ敵陣地ヲ攻略シ工兵隊ノ西坡ー南常村間ノ車輛道ノ偵察竝補修ヲ援護シ且前喬家庄、附近ニ豫想スル砲兵主力ノ展開ヲ容易ナラシムルト共ニ當面ノ敵情地形ヲ搜索スベシ

六、砲兵隊ハ六日拂曉マデニ主力ヲ以テ南常村附近ニ陣地ヲ占領シ主トシテ藤村隊ノ東嶺西嶺附近ノ攻撃ニ一部ヲ以テ藤原隊ノ王家門 劉家庄、附近ノ攻撃ニ協力スベシ

二五

又其ノ一部ヲ以テ五日夜六日永樂村附近ニ陣地ヲ占領シ主トシテ神保隊ノ攻撃ニ協力セシムベシ

七、神保隊ノ歩兵ハ一小隊ヲ以テ援護セシム
迫擊隊ハ六日拂曉迄ニ南坡村附近ニ陣地ヲ占領シ東嶺附近藤村隊ノ攻撃ニ協力セシム

八、工兵中隊ハ五日夜以後南常村ー七里坡ー西閆村道車輛道ヲ偵察、補修シ要スレバ其ノ主力ヲ以テ砲兵隊ノ陣地進入ヲ援助スベシ

九、衛生隊ハ六日二十時マデニ南常村ニ繃帶所ヲ開設シ戰傷病者ノ收容ニ任スヘシ援護ノ爲歩兵半小隊ヲ附ス

十、歩兵第六中隊長ハ其ノ半小隊ヲ六日二十時以後衛生隊ヲ援護スベシ、又第一中隊長ハ其ノ半小隊ヲ六日拂曉迄ニ南常村附近ニ到リ砲兵隊主力ノ援護ニ任セシムベシ

十一、通信班長ハ五日拂曉ヨリ部隊本部行動開始迄磨頭村

大支鎮東方地區敵情要圖

作命第七二號別紙

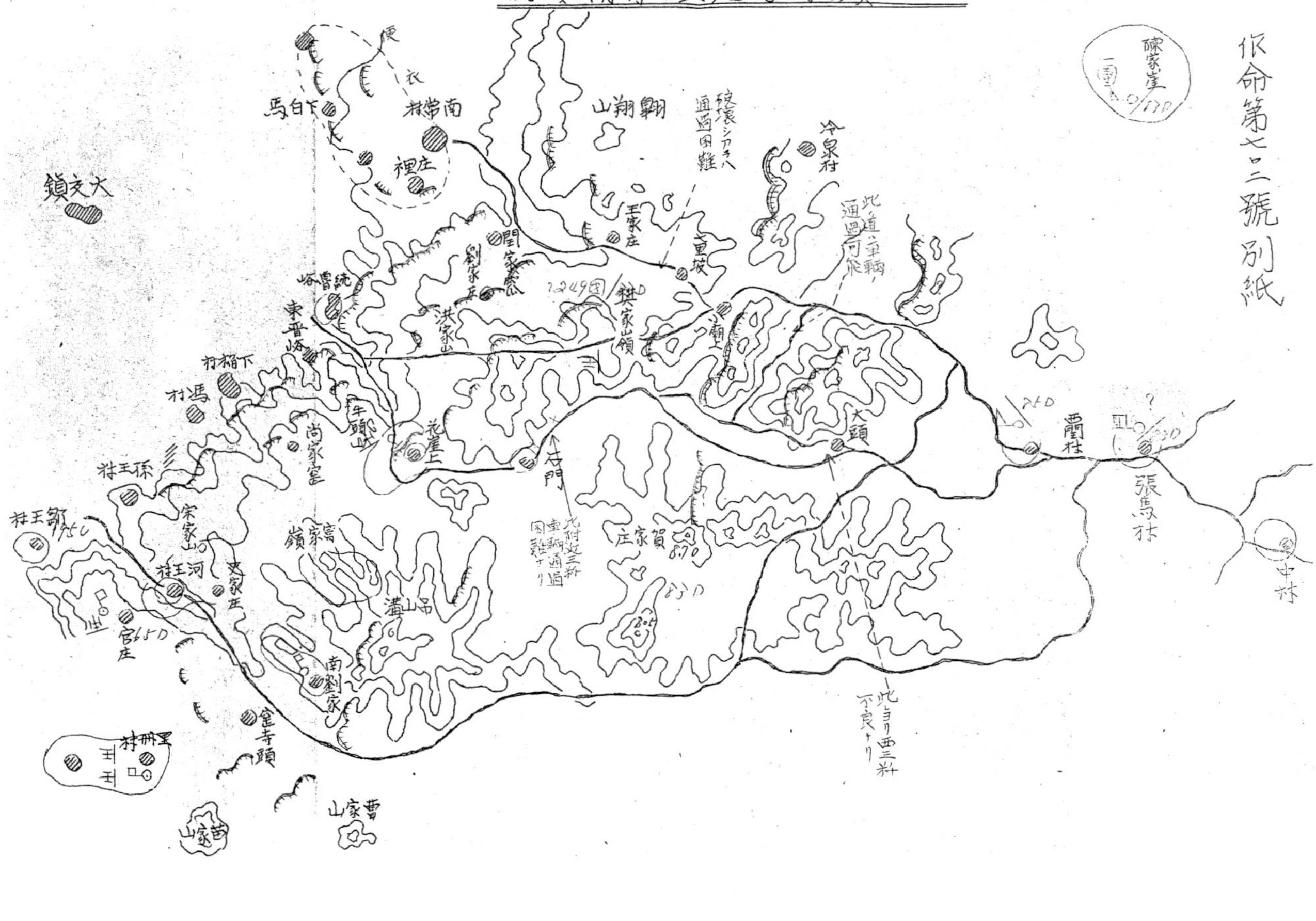

部隊本部ヲ基點トシ又六日拂曉以後南常村戰鬪司令所ヲ基點トシ各隊ニ無線通信網ヲ藤村、藤原兩隊ニ有線通信網ヲ構成シ其通信ニ任ズベシ

十二、各隊大行李ハ六日正午迄ニ南常村ニ集結シ聯隊本部大行李長ノ指揮ニ依リ爾後ノ前進ヲ準備ス

十三、尓余ノ本隊ハ六日拂曉迄ニ南常村ニ集結スベシ

十四、軍隊区分ニヨル部隊ノ轉屬及移動等ハ七月四日夕迄ニ完了スベシ

十五、予ハ當分磨頭村ニ在リ七月六日拂曉迄ニ部隊本部ト共ニ南常村ニ前進ス

部隊長　藤室大佐

下達法　印刷配布　且各隊長ニ要旨ヲ口達説明ス

二六

歩七七作命第七〇七號

藤室部隊命令

七月六日、一二〇〇
於、南常村

一、敵ハ樊家嶺西側及南高家窊南側高地ヨリ花崖上稜線ニ一連ノ陣地ヲ占領シアリ、北陽坡南方ノ高地線及標高九二八高地ニ連ナル南北稜線上ニハ夫々堅固ナル敵陣地アルモノノ如シ其ノ砲兵ハ七里坡附近ニ在ルモノノ如シ

二、室谷部隊ハ昨五日早朝來、宋家岐張山高ノ線ニ在ル敵陣地ヲ攻略シ標高四八六及張山高ノ敵陣地ヲ攻略セルモ其ノ後ノ狀況不明ナリ

三、神保隊ハ昨五日正午以來張山、高溝、東凹、東北方高地ヲ逐次攻略シ昨夜半陳家凹西側高地ヲ攻略シ本六日早朝來同地以西戰鬪地境内ノ掃蕩ヲ實施中ナリ

藤村藤原兩隊ハ本六日未明ヨリ砲兵ノ迫擊砲ノ協力ノ下ニ攻擊ヲ開始シ〇六〇〇概ネ豫定ノ線ニ進出シ敵狀地形ヲ偵察中ナリ

砲兵ハ南高家窊西側高地（含ム）以西花崖上ニ亘ル高地一帯ヲ射擊セリ

工兵中隊ハ昨夜半南常村、七里坡道ノ車輛道ノ偵察並ニ補修ノ實施西嶺以西南常村ニ到ル間車輛ヲ通過シ得ルニ到レリ尚西坡以東、小廟上ニ到ル間ヲ補修セバ車輛通過可能ノ見込ナリ

四、藤室部隊ハ明七日拂曉迄ニ樊家嶺西側、南高家窊南側高地ノ敵ニ對シ概ネ現在地附近ニ於テ攻擊準備完了拂曉ト共ニ攻擊ヲ開始、南常村七里坡西神村道（含ム）以南ノ敵ヲ逐次擊滅シツツ速カニ西神村附近ニ進出シ張馬村附近ノ敵ヲ捕捉スヘシ

五、藤村隊ハ明七日拂曉迄ニ概ネ現在地ニ於テ南常村、七里坡西潤村以北ノ敵ニ對シ攻擊準備ヲ完了シ拂曉ト共ニ攻

二七

擊ヲ開始シ速カニ李家坡西側高地ニ進出シ北方ニ退却スル敵ヲ遮斷シ之ヲ捕捉殲滅スヘシ

六、砲兵隊ハ王家庄、後家庄附近ニ陣地ヲ占領シ明七日拂曉迄ニ射擊準備ヲ完了シ主力ヲ以テ藤原隊ニ一部ヲ以テ藤村隊ニ協力スヘシ、尓後第一線歩兵ノ前進ニ伴ヒ南常村七里坡西潤村道ヲ前進シ適時藤原隊藤村兩隊ニ協力スヘシ

七、迫擊隊ハ明七日拂曉迄ニ王家庄附近ニ陣地ヲ占領シ主トシテ藤原隊ニ協力スベシ

尓後第一線歩兵ノ前進ニ伴ヒ南常村七里坡西潤村道ヲ前進シ藤原藤村兩隊ニ協力スベシ射擊準備及射擊開始ニ關シテハ砲兵隊長ノ区處ヲ受クヘシ

八、工兵中隊ハ依然現任務ヲ續行シ第一線歩兵ノ前進ニ伴ヒ逐次作業ヲ推進シ車輛道ノ補修ヲ強行シ車輛部隊

ノ通過ヲ迅速ナラシムヘシ
九、衛生隊ハ七日拂曉以降随時前進シ得ルノ準備ニ在ルヘシ
十、爾余ノ諸隊ハ七日〇四〇〇迄ニ南常村ニ於テ出發準備ヲ完了シアルヘシ
二　予ハ當分南常村ニ位置シ明七日〇六〇〇迄ニ西嶺西側高地ニ到ル、爾後第一線ノ前進ニ伴ヒ南常村、七里坡、裴家嶺高地ニ到ル

部隊長　藤室大佐

下達法　口述筆記

歩七七作命第七〇九號

藤室部隊命令

七月七日二一、三〇
於張家腰

一、神保隊ハ本七日正午以降北陽坡附近ニ堅固ナル陣地ヲ占領セル野砲、迫撃砲ヲ有スル約一、〇〇〇ノ敵ヲ攻撃中ニシテ一進一止ノ状態ニ在リ標高一七〇〇高地南北ノ要害ニ據ル敵ハ山砲及迫撃砲ヲ有シ其ノ抵抗極メテ頑強ナリ
砲兵隊ハ本日〇八〇〇以降石坡附近ノ難路ニ遭遇意ノ如クナラス砲兵一中隊及歩兵一中隊ノ人力ニ依リ之ヲ通過セシメ二〇〇〇其ノ部隊ハ藤室部隊本部ニ追及中ナリ
爾余ノ車輌部隊(砲兵隊主力迫撃獨機車輌、歩兵大行李車輌、旅團輜重兵八中隊)及歩兵一中隊ヲ伴セ指揮シ南常村ー續魚嶺ヲ経テ神保隊ノ進路ヲ西潤ニ向ヒ前進セリ
二、藤室部隊ハ依然前任務ヲ續行セントス
三、各隊ハ依然前任務ヲ續行スヘシ
但シ聯隊砲中隊長ハ其ノ一門ヲ陣地進入ノ偪待期シ随時陳家坡東方鞍部ノ敵砲兵ヲ制壓スヘシ
四、爾余ノ諸隊ハ張家腰附近ニ大休止ヲ實施シ爾後張馬村附近ニ進出ヲ企図ス

二八

MG小隊ハ「五」ノ高地ヲ占領シ南方ニ対シ警戒ヲ擔任スヘシ
軍旗小隊ヨリ長以下八名ノ分哨ヲ北方高地ニ出シ北方ニ對スル警戒ヲ擔任スヘシ
本隊各隊ハ各一分哨ヲ外側ニ配置警戒スヘシ
六、通信班長ハ許家腰部隊本部ヲ基點トシ各隊ニ無線通信網ヲ構成スヘシ
七、予ハ張家腰中央ニ在リ

部隊長　藤室大佐

下達法　口達筆記

注意、屋外ノ焚火ヲ嚴禁ス

歩七七作命第七〇九號

藤室部隊命令

七月八日〇八三〇
於石坡

一、當面ノ敵ハ本七日未明第一線西大隊ノ夜襲ト共ニ東方ニ退却セリ西大隊ハ概ネ現態勢ヲ以テ敵ヲ追撃中ナリ
石坡及七里店上廟道路ハ道幅狭ク且ツ路面ニ岩石突出シ加フルニ急坂千米ニ及ヒ車輌ノ通過不能ナリ
二、藤室部隊ハA主力及車輌部隊ヲ續魚嶺北陽坡ニ轉進セントス、本隊歩兵二中隊P中隊(三小隊欠)及車輌部隊ハ砲兵隊長ノ指揮ニ入ラシム
三　A隊長ハA約一中隊ヲ成可ク速ニ當面ノ峻難路ヲ人力ヲ以テ強行通過シ部隊ニ追及セシメ爾余ノ主力ハ南常村ー續魚嶺ー揚家門ー大頭ー西潤村ヲ迂回シ速ニ西潤村ニ向ヒ部隊ニ追及スヘシ
細部ニ關シテハA隊長之ヲ区處スヘシ
四、爾余ノ部隊ハ先ス小廟上ニ向ヒ前進スヘシ
五、予ハ先ス小廟上ニ急進シ爾後本道ヲ部隊本隊ノ先頭ニ在リテ前進ス

二九

部隊長　藤室大佐

下達法　現地ニ於テA隊長LM隊長S隊長ニ口達シ後口達筆記セシム

藤室部隊要旨命令

七月八日一二〇〇
於西潤村

一、当面ノ敵ハ南方及東方ニ潰走セリ
神保隊ハ昨夜北陽坡ノ敵ヲ夜襲之ヲ占領シ尚東進中ナリ　砲兵中隊長ノ指揮スル部隊ハ續魯峪ヨリ河合ニ進入シ東方ニ進出スルモノノ如シ

二、旅団ハ張馬村ニ兵力ヲ集結シ爾後ノ攻撃ヲ準備ス
藤室部隊ハ中村—西潤村前張窟ニ兵力ヲ集結シ附近諸部落ニ掃蕩ヲ徹底シツツ爾後ノ前進ヲ準備セントス
藤室部隊ト室谷部隊トノ掃蕩地境ハ上閣村北端ヲ連ヌル線トス

三〇

三、藤原隊ハ中村、上北庄、鄭家坨塔ノ間ニ兵力ヲ集結シ西庄、下峪村、上河村、尚家庄ノ間ノ諸部落掃蕩ヲ實施スヘシ
藤村隊ハ上閣村北山上ノ間ニ兵力ヲ集結シ李家坡、孫家横、光家嶺、小青旺間ノ諸部落ヲ掃蕩スヘシ

四、迫撃隊ハ四坪口ニ兵力ヲ集結スヘシ

五、砲兵隊ハ東崖下、四坪、西崖下、保土子村、北河湾ニ兵力ヲ集結シ同地附近ノ諸部落ヲ掃蕩スヘシ（K曹ハ公村）

六、神保隊ハ瓦窑河前張峪、朱家湾、虎壹裡ノ間ニ兵力ヲ集結シ同地及大昌溝碑窑上ノ諸部落ヲ掃蕩スヘシ

七、爾余ノ部隊（本部、衛生隊、兵器勤務隊、第一中隊（MG含ム））ハ西潤村ニ其ノ兵力ヲ集結スヘシ
衛生隊ハ西潤村ニ繃帯所ヲ開設シ各隊患者ヲ收容且整理シ爾後ノ前進ヲ準備スヘシ
通信班長ハ西潤村ヲ基点トシ通信ノ責ニ任スヘシ

八、予ハ西潤村ニ位置ス

部隊長　藤室大佐

下達法　口達筆記

歩七七作命第七一一號

藤室部隊命令

七月八日一七三〇
於西潤村

一、砲兵隊ノ指揮スル重輌部隊ハ本八日早朝續魯峪ヲ經テ陽河門—北陽坡—大頭—西潤村道ヲ東進中ナリ
偵察ノ結果ニ依レハ前項道路ハ坡限底大頭間ニ於テ車輌通過ノ為大工事ヲ要スルモノアリ

二、藤室部隊ハ工兵中隊ノ主力ヲ以テ補修工事ヲ實施シ砲兵隊ヲ速カニ西潤村ニ招致シ爾後ノ前進ヲ準備セントス
（車輌部隊ヲ含ム以下ハ）

三、左嶺家関附近部隊ハ即時出發北陽坡附近ニ轉進シ

三一

前條道路ノ補修作業ヲ實施スヘシ

四、神保少佐ハ左記諸隊ヲ併セ指揮シ北陽坡附近ニ到リ砲兵隊ノ前進並工兵隊ノ道路補修作業ヲ警戒並ニ援助スヘシ
各歩兵大隊ヨリ中隊長ノ指揮スル一中隊及MG一分隊

五、各歩兵大隊長ハ明九日〇八〇〇迄ニ西潤村南側川原ニ差出シ神保少佐ノ指揮ヲ受ケシムヘシ

六、服装ハ軽装ニシテ半数小銃ノ武装ヲ半数ハ円匙十字鍬及百分携帯糧秣ヲ携行スヘシ
但シ明九日昼食ヲ含マス

部隊長　藤室大佐

下達法　口達筆記

歩七七作命第七一二號

藤室部隊命令

七月九日一六三〇
於西潤村

一、給與擔任各隊每ニ糧秣支持日數ヲ調査シ至急部隊本部ニ報告スヘシ

二、各隊現食ト現地物資ノ利用ニ依リ現在糧秣ノ喰ヒ延シニ努力スヘシ

部隊長 藤室大佐

下達法 命令受領者ニ口達筆記セシム

歩七七作命第七一三號

藤室部隊命令

七月九日一八〇〇 於西潤村

一、八隊主力及車輌部隊ハ歩兵第一中隊及歩兵第五中隊ノ援助ニ依リ北陽坡附近ノ難路ノ強行通過ニ努力シアルモ大雨ノ爲作業意ノ如クナラス亦石坡附近ノ難路ヲ突破南常村―七里坡―西潤村道ヲ追及中ノ砲兵第八中隊、迫撃大隊及MGS中隊ノ車輌部隊ハ霍家嘴附近

三二

ノ難路ニ及ヒ八日夕來ノ大雨ノ爲其ノ前進意ノ如クナラス九日夕ニ到ルモ尚石家庄、霍家嘴ノ間ニ於テ努力中ナリ

二、藤村少佐ハ明十日八時迄ニ其ノ歩兵約三ケ小隊（半數兵器携行）ト共ニ霍家嘴附近ニ到リ同地附近ニアル迫撃第五大隊（三中隊缺）砲兵第八中隊及歩兵第一中隊工兵小隊ヲ併セ指揮シ成可速ニ西潤村附近ニ進出スヘシ
西潤村進出後其ノ編成ヲ解キ其ノ集結地ニ到ラシムヘシ

三、服装其ノ他藤村少佐ノ計畫實施スヘシ

部隊長 藤室大佐

下達法 命令受領者ニ口達筆記セシム

歩七七作命第七一五號

藤室部隊命令

七月九日二一〇〇 於西潤村

一、旅團ハ將來ノ作戰ヲ顧慮シ現在地附近ニ於テ糧秣ノ補充ヲ實施ス

二、藤室部隊ハ使用シ得ル現駄馬ヲ以テ糧秣ノ補給ヲ實施シ爾後ノ前進ヲ準備セントス

三、野中大尉ハ左記部隊ヲ併セ指揮シ明十日一、三〇西潤村出發上白馬ニ到リ交付所ヨリ糧秣ヲ受領シ成可速ニ歸還スヘシ

左記

各大隊ヨリ各々歩兵一小隊 各隊小行李駄馬 室火器部隊彈藥馬 各隊大行李（駄兵ハ小銃ヲ携行スルモノトス）

四、各隊ハ前記部隊ヲ明十日十一時迄ニ西潤村南側ニ差出シ野中大尉ノ指揮ヲ受ケシムヘシ

五、野中大尉ハ往路衛生隊ヲ援助シ歸路野中隊ヲ援助スヘシ

警戒ニ關シテハ両部隊長ニ於テ協議スヘシ

晝食ノ外携帶口糧一日分ヲ携行スルモノトス

三三

歸路ハ携帶口糧二日分ヲ受領携行スヘシ

部隊長 藤室大佐

下達法 口達筆記

歩七七作命第七二四號

藤室部隊命令

七月十日一四〇〇 於西潤村

一、北陽坡附近砲兵隊主力ノ難路通過ハ降雨ノ爲極メテ困難ニシテ尚一両日ヲ要スルモノノ如シ
野砲兵第八中隊ハ藤村隊ノ協力ニ依リ本十日中ニ霍家嘴附近ノ難路ヲ通過シ明十一日西潤村附近ニ進出ノ見込ナリ

二、各歩兵大隊ハ自隊ヨリ警戒竝作業援助ニ派遣シアル部隊ニ對シ速ニ二日分ノ糧食ヲ補給スヘシ
但シ砲兵隊主力方面ニ協力中ノ工兵隊ニ對シテハ第三大

隊ニ於テ之ヲ補給スヘシ

部隊長　藤室大佐

下達法　口達筆記

歩七七作命第七二五號

藤室部隊命令　七月十日一六〇〇　於西潤村

一、砲兵隊主力ハ北陽坡附近難路ニ於テ困苦奮闘一意前進ニ努力シツヽモ引上作業意ノ如クナラス西潤村進出日未タ不定 砲兵第八中隊ハ本十日十一時過キ石家庄ニ進出セシ明十一日夕刻迄ニ西潤村附近ニ進出ノ予定ナリ

旅團ハ概ネ現態勢ヲ以テ掃蕩ヲ續行スルト共ニ兵力ヲ集結シ爾後ノ前進ヲ準備ス

二、藤室部隊ハ逐次其ノ兵力集結ニ従ヒ附近一帯ノ掃蕩ヲ徹底スルト共ニ敵状地形ヲ捜索シ爾後ノ前進ヲ準備セントス

三、藤室部隊ト室谷部隊トノ捜索地境ハ分水嶺(中村東方二粁)―標高一三六五高地(分水嶺東方一粁)上閣村ヲ連ヌル線線上ハ室谷部隊ニ屬ス

各隊ハ逐次兵力ノ集結ニ従ヒ各々歩七七作命第七一[illegible]號ノ掃蕩担任区域ノ掃蕩ヲ徹底スルト共ニ部隊ヲ整理シ爾後ノ前進ヲ準備スヘシ

四、藤原隊ハ前記任務ノ他藤室部隊捜索地域内ノ敵状地形特ニ道路ニ関シ捜索スヘシ

砲兵隊ハ作命七二三號ニ拘ラス一部ヲ中村附近ニ推進シ又工兵隊ハ一部ヲ中村以東ノ地域ニ派遣シ敵状地形特ニ道路利用價値ニ関シ偵察スヘシ

五、各隊ハ別ニ命スル所ニ依リ糧秣ヲ補給スルト共ニ成可ク廣ク現地物資ノ利用ニ勉メ駐留間其ノ節約ヲ励行シ爾後ノ前進ニ遺憾ナキヲ期スヘシ

六、前進開始ノ時期ハ別命セラル

三四

部隊長　藤室大佐

下達法　口達筆記

歩七七作命第七三七號

藤室部隊命令　七月十二日一〇〇〇　於西潤村

一、藤室部隊ハ戦傷患者ヲ後送スルト共ニ糧秣ノ輸送ヲ實施シ爾後ノ前進ヲ準備セントス

二、羽田少尉ハ各隊大行李ヲ併セ指揮シ本十二日一四三〇西潤村出發、上白馬ニ到リ糧秣ノ補給ヲ實施スヘシ

三、各隊歩兵大隊ハ歩兵一小隊機関銃一分隊ヲ一四〇〇迄ニ西潤村ニ差出シ前記補給部隊ヲ掩護セシムヘシ

掩護ニ関シテハ先任小隊長之ニ任ス

四、衛生隊ハ本十二日西潤村出發現在收容シアル戦傷病患者ヲ上白馬ニ輸送スヘシ

之カ掩護ハ旅團直轄部隊ヲ以テ實施セラルル筈

三五

部隊長　藤室大佐

二〇師作命甲第七一九號

第二十師團命令　七月十二日十二時　隆化鎮師團司令部

一、中村及沁水以東沁河河畔ニ至ル間殆ント敵部隊ヲ見ス

作戦地域道路ノ素質極メテ不良ニシテ加フルニ敵ノ破壊及連日ノ豪雨ノ爲甚シク悪化シ當分諸車輌交通ノ見込ナシ

第三十五師團ハ十一日大口村(省境北方地区)附近敵陣地ヲ突破セリ

二、師團ハ軽快ナル編成装備ヲ以テ主力ヲ以テ中村―陽城―澤洲道ニ沿フ地区ヲ一部ヲ以テ沁水ノ端氏鎮―高平道ニ沿フ地区ヲ掃蕩シツヽ一擧ニ澤洲及高平附近ニ向ヒ前進セントス

三 澤洲附近ニ於テハ第三十五師團ト協力シ同地附近ノ敵ヲ撃滅スルノ企図ヲ有ス
關部隊ハ聯隊長ノ指揮スル歩兵約二大隊ヲ基幹トスル部隊ヲ十三日早朝中村附近發陽城附近沁河河畔ニ先遣シ渡河準備ヲナサシムヘシ
右部隊ヲ爾後成ルヘク速カニ澤洲附近ニ向ヒ突進セシメ第三十五師團ト協力シ同地附近ノ敵ヲ撃滅セシムヘシ
爾余ノ主力ハ十五日早朝中村附近出發中村—陽城—澤洲道ニ沿フ地区ヲ掃蕩シツヽ成ルヘク速カニ澤洲附近ニ向ヒ前進スヘシ 歩兵第七十八聯隊第三大隊ヲ陽城ニ於テ其ノ隷下ニ復歸セシム
同聯隊第三大隊ヲ陽城ニ於テ師團直轄タラシムヘシ
工兵隊ノ渡河作業間配屬工兵中隊ノ主力ヲ工兵隊ニ協力セシムヘシ 衛生隊六分ノ一ヲ沁水ニ到ラシメ歩兵第七十九聯隊長ノ指揮ニ入ラシムヘシ
右衛生隊ハ工兵隊ヨリ歩兵第七十九聯隊ニ配屬スヘキ工兵小隊ト同行セシムヘシ
騎兵第二十八聯隊(一小隊欠)ヲ現在地ニ於テ予ノ直轄タラシメ又砲兵第二十六聯隊第四大隊(第十一中隊欠)及聯隊段列ヲ翼城ニ後退セシメ同地ニ於テ待期セシムヘシ
宮队参謀ヲシテ 沁河渡河ノ計畫及實施ヲ援助セシムヘシ

四、高橋部隊ハ十八日早朝沁水附近出發沁水—端氏鎮—高平道ニ沿フ地区ヲ掃蕩シツヽ成ルヘク速カニ高平附近ニ向ヒ前進スヘシ
野砲隊二十六聯隊第二大隊ヲ現在地ニ於テ歩兵第七十九聯隊長ノ指揮ニ入ラシムヘシ
同聯隊第十一中隊ヲ適時翼城ニ後退セシメ原所屬ニ復歸セシムヘシ

三六

野戰重砲兵第六聯隊第六中隊同大隊段列ヲ適時翼城ニ後退セシメ野砲兵第二十六聯隊第四大隊長ノ区處ヲ受ケシムヘシ

五 關 高橋両部隊ノ戰鬪地域ノ境界ヲ左ノ如ク延伸ス
亭庄(端氏鎮南方約七粁)范庄溝(亭庄東方約十四粁)太陽村(范庄溝東北方約十一粁)各両端ヲ連ヌル線線上ハ高橋部隊ヲ屬ス

六 騎兵第二十八聯隊(一小隊欠)ハ自今予ノ直轄トス
上白馬交付所掩護ノ任務完了後適時翼城附近出發沁水街道ヲ前進シ十六日夕迄ニ陽城附近ニ到着スヘシ

七、工兵隊ハ主力ヲ以テ師團主力ノ陽城附近沁河ノ渡河ニ任スヘシ
第二師團第二架橋材料中隊ヲ一時其ノ指揮ニ入ラシム
又關部隊配屬工兵中隊ノ主力ヲ渡河作業間協力セシム
渡河概ネ完了セハ工兵第二十聯隊ノ一小隊ヲ沁水ニ到ラシメ歩兵第七十九聯隊長ノ指揮ニ入ラシムヘシ
右工兵小隊ハ關部隊ヨリ歩兵七十九聯隊ニ轉屬スヘキ衛生隊ト同行セシムヘシ
渡河完了後成ルヘク速カニ前進シ陽城—澤洲道ノ補修ニ任スヘシ

八 歩兵第七十九聯隊ハ現任務ヲ續行スヘシ
野砲第二十六聯隊第二大隊ヲ黄家舗(縫化鎮東方約六粁)附近ニ於テ師團無線ノ一分隊、工兵第二十聯隊ノ一小隊及衛生隊六分ノ一ヲ沁水附近ニ於テ第二野戰病院ヲ曲沃ニ於テ第一兵站部ノ一支部ヲ翼城ニ於テ聯隊長ノ指揮ニ入ラシムヘシ

九、歩兵第七十八聯隊第三大隊ハ陽城ニ於テ師團直轄タルヘシ

三七

前進ニ方リテハ師團司令部ト同行スヘシ

十、師團通信隊ハ師團司令部ト関、高橋両部隊及関係通信基點トノ無線連絡ニ任スヘシ

十一、無線電信第六十三小隊ハ師團司令部ト軍司令部及臨汾飛行所トノ通信連絡ニ任スヘシ

十二、輜重兵第二十聯隊（第四、第五中隊第三兵站自動車隊兵站自動車隊兵站自動車第十四中隊（一小隊欠）及自動車廠移動修理班一箇欠）ハ現任務ヲ續行スルト共ニ駄馬編成ヲ以テ師團ト同行シ得ル準備ヲナスヘシ

歩兵第七十八聯隊ヨリ配屬セル歩兵中隊ヲ陽城ニ於テ原所屬ニ復歸セシムヘシ

十三、第三兵站自動車隊（輜重兵第二十聯隊第四第五中隊兵站自動車第十四中隊（一小隊欠）及自動車廠移動修理班一箇ヲ屬ス）ハ翼城ニ集結シ後命ヲ待ツヘシ

三八

十四、師團直轄兵器勤務隊ノ車輛部隊ハ適時翼城ニ後退シ野砲兵第二十六聯隊第四大隊長ノ区處ヲ受クヘシ

十五、第一野戰病院ハ約半部ヲ駄馬編成トナシ師團ト同行セシメ爾余ハ適時翼城ニ後退セシメ野砲兵第二十六聯隊第四大隊長ノ区處ヲ受ケシムヘシ

十六、第二野戰病院ハ曲沃ニ於テ十八日以降歩兵第七十九聯隊長ノ指揮ニ入ルヘシ

十七、病馬廠ハ一部ヲ駄馬編成トナシ師團ト同行セシメ爾余ハ翼城ニ後退シ野砲兵第二十六聯隊第四大隊長ノ区處ヲ受クヘシ

十八、師團直轄給水隊ハ適時翼城ニ後退シ野砲兵第二十六聯隊第四大隊長ノ区處ヲ受クヘシ

十九、野砲兵第二十六聯隊第四大隊長ハ翼城ニ後退スヘキ左記部隊ヲ区處シ後命ヲ待ツヘシ

左　記

野砲兵第二十六聯隊　聯隊段列

野戰重砲兵第六聯隊第六中隊及同大隊段列

兵器勤務隊ノ一部

病馬廠ノ一部

給水隊ノ一部

第一野戰病院ノ約半分

二十、補給、通信、衛生等ノ細部及師團直轄部隊ノ行軍序列等ニ関シテハ別命ス

二十一、師團司令部ハ十四日早朝隆化鎮出發先ツ沁水ニ次テ陽城ニ到リ爾後関部隊ノ後方ヲ澤洲ニ向ヒ前進ス

師團長　牛嶋中将

下達法　要旨ヲ所要ノ部隊ニ電報シ後印刷配布

三九

歩七七作命第七三一號

藤室部隊命令

七月十二日二十時〇分
於西潤村部隊本部

一、砲兵隊主力ハ砲兵隊並歩工兵ハ將兵ノ刻苦奮闘ニ依リ十二日晩迄ニ西潤村附近ニ進出ス

二、砲兵隊主力ノ西潤村附近進出ト共ニ橋本部隊並神保隊ノ編成ヲ解ク

三、砲兵隊ハ前命令ニ関セル上北庄及下北庄地区ニ其ノ兵力ヲ集結シ爾後ノ前進ヲ準備スヘシ

四、爾余ノ各隊ハ夫々其ノ集結地ニ到リ原所屬ニ復歸スヘシ第六中隊小/偵及小/迫ハ余ノ直轄ヲ脱シ各々其ノ原所屬ニ復皈スヘシ

五、神保隊ノ掃蕩区域ニ曹公村及堡シ村ヲ増加ス

神保少佐ハ一部西潤村ニ位置シ其ノ警戒ニ任セシムヘシ、又現配屬ノ兵器勤務隊ハ原所屬ニ復皈セシムシ

工兵中隊（三小隊（三分隊欠））ハ爾今余ノ直轄トス

部隊長　藤室大佐

下達法　口達筆記

歩七作命第七三三號

藤室部隊命令

七月十三日　一八〇〇
於西潤村部隊本部

一、潞安附近ノ敵ハ陸續トシテ南方ニ退却中ナリ
中村及沁水以東沁河々畔ニ至ル間ハ殆ト敵部隊ヲ見サルモ
中村ー迫花村ー交口村道以南ニハ尚敗残ノ敵アリ
室谷部隊ハ本十三日早朝中村附近ヲ出發十五〇〇南陽村
ヲ通過東進ス

二、旅團ハ黄封鎮陽城ヲ經テ沁河ノ線ニ向ヒ前進ス
藤室部隊ハ明十四日早朝出發黄封鎮及陽城ヲ經テ沁
河ノ線ニ向ヒ前進セントス

四〇

三、前衛ハ明十四日〇四〇〇中村東端出發治内村ー交口村ー黄ハ
封鎮ー陽城道ヲ沁河ノ線ニ向ヒ前進スヘシ
尚歩兵一中隊工兵中隊ヲ十三日夕迄ニ治内村附近ニ進出
セシメ中村ー治内村間ノ道路ヲ補修スヘシ

四、藤村隊ハ明十四日〇四〇〇上岩村出發中村ー白花村ー交口村
道ヲ交口村ニ至リ爾後後衛トナリ本部ノ後方ヲ前進
スヘシ尚ホ下岩村北方高地ニ歩兵一中隊（一小隊欠）ヲ残置シ
各隊大行李ヲ收容シ速カニ部隊ニ追及スヘシ

五、本隊ハ其ノ先頭ヲ以テ〇三三〇西潤村東端出發爾後前衛
ノ後方五〇〇米ヲ前進スヘシ
各隊ハ適時西潤村ー中村間ニ於テ其ノ行軍序列ニ入ルヘシ

六、砲兵隊長ハ其ノ一中隊ヲ前衛ニ續行セシメ隨時前衛ノ戰
闘ニ協力セシムヘシ

七、通信班ハ本十三日十九〇〇以後有線通信網ヲ撤收シ前
進ヲ準備スヘシ
爾後専ラ無線通信網ヲ以テ各隊トノ通信ニ任スヘシ

八、大行李ハ現集結地ニ到着セハ引續キ第二大隊ヨリ出スル
中隊長ノ指揮ヲ以テ速カニ本隊ニ追及スヘシ

九、予ハ十四日〇三三〇西潤村東端ニ至リ爾後本隊ノ先頭ニ
在リテ前進ス

部隊長　藤室大佐

下達法　要旨ヲ電話ニテ口達シタル後口達筆記

歩七作命第七三三號別紙

軍隊區分

前衛

司令官 I/77i長　藤原少佐

第一大隊（一小隊MG一分隊欠）聯隊砲中隊（一小隊欠）速射砲

四一

一小隊工兵一中隊（三小（三分隊欠）欠）衛生隊一部聯無線一機

本隊（同行軍序列）

甲/四部隊本部、傳騎二、BLT一分隊

砲兵隊（長野砲兵第二十六聯隊長　橋本中佐）

野砲兵第二十六聯隊（I II III 及RSt欠）

迫撃隊（長迫撃第五大隊長　橋詰少佐）

迫撃第五大隊（二中及St二小欠）

衛生隊（一部欠）

神保隊（長 III/77i長　神保少佐）

第三大隊（一中隊及一小隊並MG一小隊半欠）速射砲

中隊（一小欠）MGS中隊S ノ一部、聯隊無線一機

藤村隊（長 II/77i長　藤村少佐）

第二大隊（二中隊及MG一小隊半欠）聯隊砲一小隊

聯隊無線一機　S隊一部

歩七七作命第七三五號

藤室部隊命令

七月十四日一六二〇
於　文口村

一、中村文口村附近ノ道路ハ今朝来ノ降雨ノ為甚シク悪化シ車輌部隊ノ通過極メテ困難ニシテ歩工兵ノ努力ニモ拘ラス進捗意ノ如クナラス
藤村隊ハ下曲庄ニ陣地ヲ占領セル砲ヲ有スル有力ナル部隊ヲ南方ニ撃退シ引續キ浦孔村南方閉鎖曲線高地ヲ攻撃中ナリ　藤原隊ハ一四〇〇南常村ニ進出セリ
附近ニ敵ヲ認メス

二、藤室部隊ハ先ツ其兵力ヲ南陽村以西沿坂村ニ亘ル間ニ集結シ爾後ノ前進ヲ準備セントス

三、藤原隊ハ董封鎮以西適宜ノ位置ニ兵力ヲ集結シ爾後ノ前進ヲ準備スヘシ前進ノ時期ハ別命ス

四、藤村隊ハ浦孔村南方閉鎖曲線高地攻略同地確保

四二

シ爾後ノ前進ニ當リテハ砲兵隊ノ通過ヲ掩護スヘシ

五、砲兵隊　迫撃隊　神保隊ハ分水嶺ヲ通過セハ先ツ沿坂村ニ其ノ兵力ヲ集結シ爾後ノ前進ヲ準備スヘシ
工兵中隊(三小欠)ヲ藤原隊ヨリ配屬ス

六、爾余ノ諸隊ハ文口村ニ其ノ兵力ヲ集結シ爾後ノ前進ヲ準備スヘシ

七、通信班ハ文口村部隊本部ヲ基点トシ右隊無線通信網ヲ構成シ其ノ連絡ニ任スヘシ

八、予ハ文口村部隊本部ニ在リ

部隊長　藤室大佐

下達法　口達筆記

歩七七作命第七三六號

藤室部隊命令

七月十五日〇六〇〇
於　文口村

一、藤原隊ハ南陽村ニ位置シ南方諸高地ヲ攻略シ之ヲ確保シアリ又藤村隊ハ蒲汎村ニ位置シ其ノ南方閉鎖曲線高地ヲ確保シアリ
砲兵隊及迫撃隊ハ神保隊主力ト共ニ文口村―中村間ノ難路ヲ前進中ナリ

二、藤原藤村両隊ハ將来ノ前進ヲ顧慮シ其ノ一部ヲ後馬坂ニ前進シ其ノ南方高地ヲ占領セシムヘシ
砲兵第八中隊到着セハ南陽村ニ於テ其ノ指揮ニ入ラシム

三、文口村ニ到着スル部隊ハ逐次南陽村ニ進出シ爾後ノ前進ヲ準備スヘシ

四、宮坂中尉ハ即時文口村南方高地ヲ攻略スヘシ
MG一小隊ヲ屬ス

五、丸尾中尉ハ其ノ小隊ヲ宮坂中尉ノ指揮ニ入ラシムヘシ

六、砲兵隊ハ其ノ先遣第八中隊ヲ南陽村ニ於テ藤室少佐

四三

ノ指揮ニ入ラシムヘシ

七、予ハ砲兵主力文口村附近ニ進出セハ部隊ト共ニ先ツ南陽村ニ到ル

部隊長　藤室大佐

下達法　口達筆記

歩七七作命第七四〇號

藤室部隊命令

七月十六日二四〇〇
於　黄村鎮

一、車輌部隊ハ明十七日夜半ニハ集結ヲ終ル見込ナリ

二、藤室部隊ハ明十七日主力ヲ以テ南方地区敵主力ヲ撃破シ之ヲ岩山村附近ニ補捉殲滅シ傾ラ一部ヲ以テ黄封鎮東方地区ノ敵ヲ攻撃車輌部隊ノ通過ニ努ムルト共ニ陽城ニ向ヒ前進セントス

三、藤原隊ハ明十七日拂曉迄ニ大口嶺西側口家河西側三角

標高地ニ對シ上蓮花村北容河ノ線ニ攻撃準備ヲ完了シ砲兵ノ射撃開始ト共ニ攻撃ヲ開始スヘシ
西高地攻略後ハ遂次東方ニ戰果ヲ擴張シ後庄、東溝子、西岩坡附近高地ヲ經テ東岩宿坡高地ヲ攻略シ標高九四二高地附近ニ前進スヘシ
四、聯隊砲小隊ヲ藤村隊ヨリ轉屬ス
藤村隊ハ明十七日拂曉迄ニ城庄北側地区ニ進出シ先ス前究南北ノ高地ヲ攻略ノ後引續キ候井南北ノ高地稜線ヲ占領シ車輌部隊並神保隊ノ通過ヲ掩護スヘシ
MGS中隊ヲ城庄ニ於テ配屬ス
五、神保隊ハ明十七日拂曉以降藤村隊攻撃ニ連繫シ一部ヲ東井庄南方地区ニ進出セシメ敵ノ西南方退却ヲ捕捉スルト共ニ岩山村ヲ掃蕩スヘシ
引上ノ時期ハ別命ス

四四

六、砲兵隊ハ明十七日拂曉迄ニ黄封鎭東南側ニ陣地ヲ占領シ主トシテ藤村隊ノ攻撃ニ一部ヲ藤原隊ノ攻撃ニ協力シ得ルノ準備ヲ完了シ拂曉ト共ニ攻撃ヲ開始スヘシ
〇七〇〇以降一部ヲ藤原隊方面本道上ニ轉進シ得ル準備ニ在ルヘシ
七、迫撃隊ハ明十七日拂曉迄ニ城庄北側地区ニ進出シ本道上ヲ藤原隊ト共ニ前進シ藤原隊ノ戰闘ニ協力スヘシ
八、MGS中隊ハ拂曉迄ニ城庄北側地区ニ到リ藤原少佐ノ指揮ニ入ルヘシ
九、砲兵隊大隊段列大行李及迫撃獨機大行李ハ明拂曉迄ニ黄封鎭東北側地区ニ集結シ大隊段列長ノ指揮ヲ受ケ藤原隊ノ前進ニ伴ヒ迫撃隊ノ後方ヲ續行シ陽城ニ向ヒ前進スヘシ
細部ニ関シテハ藤原少佐ノ区處ヲ受クヘシ

一〇、衛生隊各隊駄馬編成ノ大行李各駄馬ハ〇七〇〇迄ニ大寺頭ニ集結シ旅團直轄部隊ノ掩護ニ依リ旅團長ノ示ス北方迂回路ヲ經テ陽城ニ前進スヘシ
一一、予ハ黄封鎭東北側高地野砲觀測所ニ在リ
藤室大佐
部隊長
下達法　口達筆記

歩七七作命第七四七號
藤室部隊命令
七月十九日二一〇〇
於周北南端豈
一、諸隊ノ猛烈果敢ナル攻撃ハ功ヲ奏シ各隊ニ其ノ成果見ルヘキモノアリ亦本十九日早朝來戰場離脱特ニ車輌部隊難路通過ハ順調ニ進捗シテ其ノ主力ハ候井附近ニ集結ヲ完了セリ
二、藤室部隊ハ候井附近ニ要点ヲ確保シ藤原隊方面ヨリ予想スル敵ノ近接ニ反撃ヲ準備スルト共ニ爾後ノ前進ヲ準備セントス
三、藤原隊ハ東庄ニ位置シ候井西北方蘇家庄西側高地ヲ確保シ敵ノ企図ニ備フルト共ニ爾後ノ前進ヲ準備スヘシ
四、神保隊ハ周北西方高地ヲ確保シ要スレバ小南坡東蘇高地ヲ確保シ藤村隊ノ後退掩護ニ任スルト共ニ爾後ノ前進ヲ準備スヘシ
五、藤村隊ハ河谷左岸ニ進出セハ周北ニ其ノ兵力ヲ集結シ爾後ノ前進ヲ準備スヘシ
六、砲兵隊ハ各々其ノ一中隊ヲ周北並候井ニ位置セシメ神保藤原両隊ニ協力シ得ルノ準備ニ在ラシメ尚一中隊ハ石坡坡ニ待期セシムヘシ亦本十九日正玉、周北、蘇村、石家坪道並ニ候井陽城道ヲ偵察セシメ其ノ利用効果並補修ニ関スル事項ヲ報告スヘシ

四五

七、爾余ノ部隊ハ夫々現集結地ニ露營シ爾後ノ前進ヲ準備スヘシ
八、本十九日二一〇〇以後各隊ノ配屬關係ヲ解ク
但シ歩兵砲速射砲竝工兵ノ配屬ハ故如MGSハ予ノ直轄トス
九、通信班ハ俣井部隊本部ヲ基点トシテ各隊ニ無線通信網ヲ構成スヘシ
十、予ハ二〇〇周北南端台上ニ在リ爾後俣井部隊本部ニ在リ
下達法　要旨ヲ各隊長ニ傳達後口達筆記
部隊長　藤室大佐

歩七七作命第七五四號
藤室部隊命令
七月二十日一二〇〇
於　俣井
四六

一、敵ハ我カ車輛部隊難路通過ノ爲行進遅滯シアルヲ奇貨トシ逐次西方竝南方ニ集合シアルモノノ如シ
二、藤室部隊ハ一部兵力ノ配備ヲ變更シ車輛道ノ概成ヲ待チツツ爾後ノ攻擊ヲ準備セントス
三、藤村隊ハ速時周北ヲ出發蘇村ニ兵力ヲ集結シ蘇村西南八〇〇ノ閉鎖曲線同東北等ノ高地及石家坪ノ線ヲ占領シ之ヲ確保スヘシ
尚一部ヲ以テ棚村附近要点ヲ占領セシメ工兵隊ノ作業掩護スヘシ
四、神保隊ハ砲兵隊主力及協力砲兵ノ俣井以東ニ集結ノ後一部ヲ周北附近ニ残置シ其ノ南方地ノ渡河点ヲ監視セシメ主力ハ俣井ニ集結シ俣井南北ノ高地線ヲ占領シ之ヲ確保スヘシ
五、藤原隊ハ俣井東方地区ニ兵力ヲ集結シ同地附近要点及東來沉坡閉鎖曲線ヲ確保シ爾後ノ攻擊ヲ準備スヘシ
尚一部ヲ建坡根附近要点ヲ占領セシメ敵状竝河原道ノ偵察ヲ實施スヘシ

六、各隊ノ警戒担任区域左ノ如シ
藤村隊
神保隊 ｝周北北部―蘇村南方閉鎖曲線鞍部―蘇村東南等ノ高地―棚村南端ヲ連ヌル線（線上ハ藤村隊）
神保隊
藤原隊 ｝後沉―西東沉―陽家庄―上芹村ヲ連ヌル線
七、砲兵隊ハ速ニ其ノ主力ヲ以テ俣井東北地区ニ一部ヲ陽家庄附近ニ陣地ヲ占領随時各隊ノ戰鬪ニ協力スルト共ニ引續キ陽城附近ニ前進ノ爲メ道路偵察ヲ實施スヘシ
八、予ハ俣井部隊本部ニ在リ
下達法　要旨電話後口達筆記
部隊長　藤室大佐

歩七七作命第七五五號
藤室部隊命令
七月二十日二〇〇〇
於　俣井
四七

一、砲ヲ有スル約一〇〇ノ敵ハ本二十日左岸ニ移リ上番村ヨリ北進シ谷推北側高地ニ進出セリ又万庄ヨリ標高九四二高地ニ亘リ約四〇〇ノ敵陣地ヲ占領シ其ノ砲兵ハ万庄附近ニ在リ別ニ後庄方面ニモ敵ノ山砲アリ
二、藤室部隊ハ俣井―氏地沉―蘇村―石家坪―棚村―陽城道ヲ補修シツツ逐次陽城ニ向ヒ前進セントス
三、藤村隊ハ右第一線部隊トナリ段庄（蘇村北方四粁）北側標高一〇〇六高地ヨリ李家圪卜ト標高一〇六七、七高地ヲ経テ蘇村西南方一五〇〇米閉鎖曲線高地ニ亘ル間ヲ占領シ之ヲ確保スヘシ
四、神保隊（砲MG一小欠）ハ中第一線トナリ右ハ藤村隊ニ連リ俣井ヲ経テ其東南方閉鎖曲線高地ニ亘ル間ヲ占領シ之ヲ確保スヘシ
五、藤原隊ハ左第一線トナリ左ハ神保隊ニ連リ建坡根ノ附近ヲ経テ圪推及其東方陽庄溝北側高地ニ亘ル間ヲ占領シ之ヲ

確保スヘシ
六、第三中隊(MG一小ヲ屬スル)ハ予備隊トス
七、砲兵隊ハ本日没後行動ヲ開始シ蘇村ヲ發シ沙坡庄ニ到ル
〔三〕道路工事援助ノ爲メ最大ノ努力ヲ爲スヘシ
尚明拂曉迄ニ西壩坡以北ノ地区ニ兵力ヲ集結スルヲ要ス又道
路ノ狀況許セハ極力東進スヘシ
八、追擊隊長ハMGSヲ併セ指揮シ栁村ニ到リ第六中隊(一小欠)ト守
備ヲ交退スヘシ
歩兵第六中隊(一小欠)ハMGSト協力シ坑堆以東ノ高地線ヲ占領
シ藤原隊長ノ指揮ニ入ルヘシ
九、通信班ハ第一線諸隊並旅團司令部トノ無線連結ヲ確
保スヘシ
一〇、予ハ二一、二〇候井ヲ發シ蘇村ヲ経テ先ツ沙坡庄ニ到ル

部隊長　藤室大佐

四八

下達法　口達筆記

歩七七作命第七五八號

藤室部隊命令

七月二十一日一四〇〇
於蘇村

一、封頭村東北側ニ於テ進出セル敵ハ增水ノ爲孤立シ藤原隊
ノ果敢ナル攻略ニ依リ殲滅セラレタリ
尚左岸ニハ周北附近ニ二、三百ノ又北方董家庄附近ニ二〇〇頃
外ノ敵アルモノノ如シ
二、藤室部隊ハ左岸ノ敵ノ孤立ニ來シ之ヲ擊滅セントス
三、藤村隊及神保隊ハ各々其ノ主力ヲ以テ周北ヨリ董家庄附
近ニ亘ル敵ヲ攻擊スヘシ
現ニ第一線ヲ保持セル線ヲ攻擊前進ニ其時期ハ一七〇〇トス
戰鬪地境ハ從來ノ如シ
概ネ董家庄及周北ノ線ニ進出スヘシ

四、砲兵隊ハ蘇村附近ニ集結セル部隊ヲ以テ主トシテ神保隊
ノ攻擊ニ協力スヘシ
五、神保隊ハ一部ノ兵力ヲ以テ藤原隊ノ戰傷者ノ後送ヲ援
助スヘシ
六、予ハ蘇村ニ在リ

部隊長　藤室大佐

下達法　口達筆記

歩七七作命第七六一號

藤室部隊命令

七月二十一日十九時
於蘇村

一、降續ク大雨ニモ拘ラス車輛部隊ノ前進ハ概ネ順調ニ進捗
シ本二十一日夜半ニハ其ノ後尾ヲ以テ蘇村北方地区ニ進出セル
隊定ナリ藤村藤原両隊ハ渡河進接セル南庄周北ノ各二
〇〇ノ敵ヲ擊滅スヘク攻擊中ナリ

四九

二、藤室部隊ハ一部兵力ノ配備ヲ變更シ車輛部隊ノ前進
ヲ掩護スルト共ニ爾後ノ前進ヲ準備セントス
三、藤原隊ハ明二十二日未明東庄東北方三角地帶ノ陣地ヲ
徹退シ右ハ許家庄東方閉鎖曲線ヨリ南任村西方閉鎖曲線
坑推ノ高地ニ亘ル間ヲ占領シ之ヲ確保シテ車輛部隊ノ通過
ヲ掩護スヘシ、之カ爲許家庄東方閉鎖曲線及南任村西方
閉鎖曲線高地占領部隊ノ外ハ先ツ蘇村ニ集結後命ヲ待ツヘシ
(坑堆以東ノ警戒部隊ハ別命スル迄現在ノママトス)
四、神保隊ハ本二十一日没後成可ク速ニ左ハ藤原隊ノ明拂曉以後
占領スヘキ線ヲ連ヅリ揚家庄南側閉鎖曲線東庄東側高
地ヲ経テ蘇村西南方閉鎖曲線ニ亘ル間ヲ占領シ之ヲ確保
スヘシ
五、藤村隊ハ現警戒配備外毛家庄北側閉鎖曲線ノ高地ニ
有カナル駐止斥候ヲ派遣スヘシ

六、砲兵隊（山砲）ハ引續キ前進ヲ續行スヘシ
本二十二日夜半其後尾ヲ蘇村以北ニ進出スルヲ要ス

七、爾余ノ諸隊ハ先ツ蘇村ニ集結シ爾後ノ前進ヲ準備スヘシ

部隊長　藤室大佐

下達法　口達筆記

二〇師作命甲第七四一號

第二十師團命令　七月二十二日　十時　灤洲師團司令部

一、灤洲附近一般ノ敵狀及諸隊ノ能勢七月二十二日師團情報記録第六二〇ノ如シ
軍ハ引續キ東南部山西地方ノ殘敵ヲ徹底的ニ掃蕩スルノ企圖ヲ有ス。第百九師團ハ潞安、沁縣地方ヲ占據シテ治安肅正ニ任スルト共ニ廣ク其周邊ヲ掃蕩ス
第三十五師團飯田支隊ハ二十二日ヨリ數日間灤洲南方地区ヨリ天井関附近ニ至ル間ノ掃蕩ヲ實施シ爾後主力ハ原駐地ニ歸還シ一部ヲ以テ河底村（灤洲南方約十二粁）南方小流以南ノ補給線ヲ確保ス

二、師團ハ沁河左岸進出部隊ノ主力ヲ灤洲附近ニ集結シ灤洲周邊ノ掃蕩ヲ準備セントス
第百九師團トノ臨時作戰地域ノ境界左ノ如シ
庄上（陵川東北方二十粁）陰城鎭、大義鎭、張店鎭（長子東南方十粁）横水（長子西方三十粁）ノ線線上ハ師團ニ屬ス

三、高橋部隊ハ概ネ別紙要図ノ地域ニ兵力ヲ集結シ爾後ノ掃蕩ヲ準備スヘシ
主トシテ灤洲—高平道、灤洲—高都（灤洲東北方約十二粁）—附城鎭（高都東北方約十八粁）道及灤洲—東村（灤洲東方約十二粁）道ニ沿フ地区ノ敵狀ヲ捜索スヘシ

四、室谷先遣隊ハ概ネ現在地附近ニ於テ爾後ノ掃蕩ヲ準備

五〇

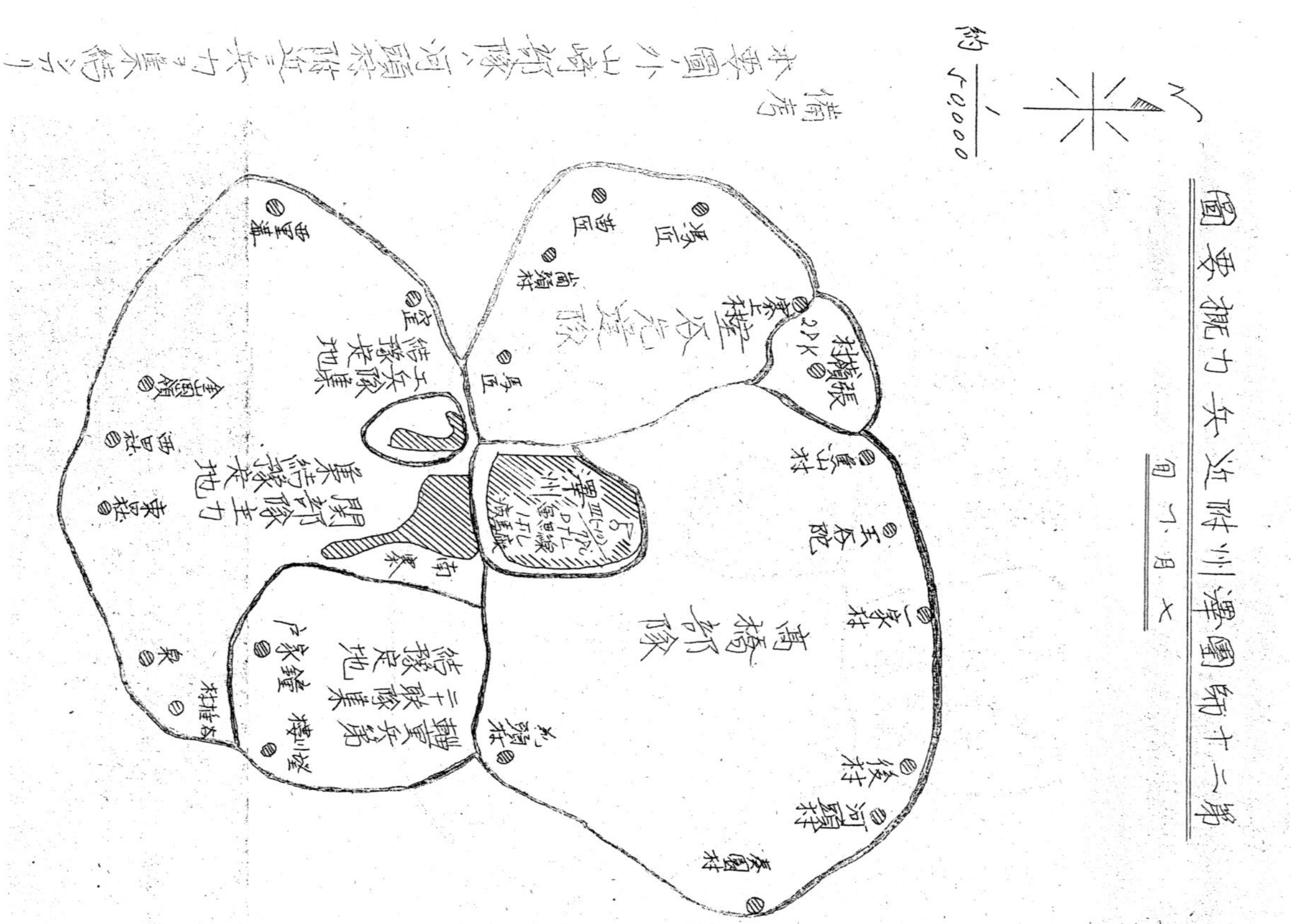

スヘシ主トシテ澤洲―周村鎮―河頭村道及澤洲―天井関道ニ沿フ地区並ニ治底村（澤洲西南方約十二粁）附近ノ敵状ヲ捜索スヘシ

五、騎兵隊ハ概ネ現在地附近ニ在リテ爾後ノ掃蕩ヲ準備スヘシ主トシテ東太陽村（澤洲西北北約十六粁）及范荘溝（澤洲西北方約十五粁）附近一帯ノ敵状ヲ捜索スヘシ

六、前記諸隊ハ特ニ集結地周邊ノ状況ヲ明カニシ警戒ヲ厳ナラシムヘシ

七、直轄諜報班ハ諜報ノ重點ヲ二十里舗（澤洲西方約八粁）周村鎮及河頭村附近各南方山地ニ指向スヘシ
一部ヲ以テ勉メテ端氏鎮附近ノ状況ヲ明カナラシムヘシ

八、爾余ノ諸隊ハ現任務ヲ續行スヘシ

師團長　牛嶋中将

下達法　高橋部隊ニハ要旨ヲ電報後印刷配布

五一

配布先　各隊　各部　軍司　350

歩七七作命第七六六號

藤室部隊命令

七月二十二日一九〇〇
於蘇村

一、車輌部隊ノ前進豫想外ニ進渉シ明二十三日夕迄ニハ沁河ノ線ニ進出シ得ル見込ナリ

二、長谷川中尉ハ即時出發（MGノ一分隊ヲ附ス）陽城東側地区ニ進出シ明二十三日拂曉迄ニ陽城東方一五〇〇米閉鎖曲線並同東方二〇〇〇米ノ閉鎖曲線両高地ヲ占領スヘシ

三、LMハ棚村附近ニ車輌到着セハ速ニ同地出發陽城ニ向ヒ前進シ後命ヲ待ツヘシ

四、MGS中隊ハ車輌到着セハ藤原少佐ノ指揮ヲ脱シ陽城ニ到リ後命ヲ待ツヘシ

部隊長　藤室大佐

下達法　要旨傳達後口達筆記

歩七七作命第七六八號

藤室部隊命令

七月二十二日二四〇〇
於棚村

一、昨二十一日各隊ノ積極果敢ナル攻撃以來南方對岸並西方正面ノ敵ノ行動ハトミニ消極トナレリ
又本二十二日早朝來ノ天候回復ト協力部隊トノ努力トニヨリ車輌部隊ノ前進予期以上進渉シ本二十二日夜中ニハ其ノ後尾ヲ以テ棚村通過ノ見込ナリ

二、藤室部隊ハ引續キ前進ヲ續行シ明二十三日夜迄ニ沁河ノ線ニ前進セントス

三、神保隊ハ明二十三日〇五〇〇現在地ヲ徹シ候井上樹庄下河新庄棚村道ニ沿フ地区ヲ先ツ棚村ニ向ヒ前進スヘシ

四、藤村隊ハ明二十三日〇五〇〇現在地ヲ徹シ概ネ本道ニ沿フ地区ヲ

五二

先ツ棚村ニ向ヒ前進スヘシ

五、藤原隊ハ概ネ現在ノ線ヲ確保スルト共ニ明二十三日拂曉迄ニ其ノ一部ヲ以テ新庄、北方高地ヲ占領セシメ藤村神保両隊ヲ収容スヘシ但シ許家庄東方陣地ハ〇五〇〇神保隊ノ陣地撤退ト共ニ之ヲ撤スヘシ、爾後後衛トナル予定
尚一小隊（三分隊欠）ヲ以テ引續キ衛生隊ヲ掩護スヘシ

六、砲兵隊ハ引續キ陽城ニ向ヒ前進スヘシ但シ其ノ一中隊（一小隊欠）ヲ以テ棚村東方地区ニ於テ藤原隊諸隊収容ニ協力スヘシ

七、S隊ハ明二十三日早朝棚村出發上孔村ニ向ヒ前進スヘシ
歩兵第四中隊一小隊（三分隊欠）ヲ以テ掩護セシム

八、爾余ノ諸隊ハ明二十三日〇七〇〇迄ニ棚村東方地区ニ出發準備ヲ完了スヘシ

九、予ハ〇六〇〇迄ニ棚村東方寺ノ高地ニ在リ

部隊長　藤室大佐

下達法　要旨電話後　口達筆記

歩七七作命第七〇號　七月二十三日一八〇〇　於　陽　城

藤室部隊命令

一、七月六日鞠躬山南方地区ニ堅固ナル陣地ヲ占領セル420ヲ撃破シテ山地帯ニ突入以来十有七日間連日連夜ニ亘ル豪雨ト困難ナル悪路ヲ犯シツツ850 610 450 80 100ノ總数六ヶ師約二萬余ノ敵ハ交戦諸隊ノ勇戦奮闘因苦努力ニヨリ本二十三日陽城西北方地区ニ其ノ兵力ヲ集結スルニ到レリ
本越部隊塩見隊ハ昨二十二日夜半陽城ニ到着シ當隊ニ配屬セラレ第十二中隊ハ交代シ石家庄南側高地稜線ヲ南方ニ對シ警戒中ナリ　室谷部隊山崎隊ハ一昨二十日以来河東村附近ニ位置シ沁河渡河点ヲ確保シツツアリ、
旅團ハ下孔村附近ニ其ノ兵力ヲ集結シ爾後ノ作戦ヲ準備ス

五三

二、藤室部隊ハ沁河渡河点ニ近ク下孔村附近ニ其ノ兵力ヲ集結シ爾後ノ前進ヲ準備セントス

三、藤村隊ハ砲兵隊ノ陽城附近進出ニ伴ヒ逐次其ノ陣地ヲ徹退シ引續キ前進シテ王村附近ニ其ノ兵力ヲ集結シ一部ヲ以テ蒿峪村南側寺ノ高地ヨリ以東九〇五高地同東方ニ料閉鎖曲線高地ヲ經テ下伏ニ亘ル間ヲ占領シ北方ニ對シ警戒シツツ爾後ノ前進ヲ準備スヘシ
特ニ沁河渡河ノ爲メ偵察ヲ實施スヘシ

四、神保隊ハ趙庄用家溝ニ其ノ兵力ヲ集結シ右ハ藤京隊ニ連リ揚々村趙庄東側、趙庄後則腰最高稜線上ヲ占領シテ北方及西方ニ對シ警戒シツツ爾後ノ前進ヲ準備スヘシ

五、藤京隊ハ速ニ現在地出發衛家庄、嶺後村前樹嶺ノ間ニ兵力ヲ集結シ一部ヲ以テ九〇三、五高地ヨリ練上村ニ亘ル間ヲ占領シ南方ニ對シ警戒シツツ爾後ノ前進ヲ準備スヘシ

六、塩見隊主力ハ陽城ニ位置シ一部ヲ以テ石家庄南側稜線上要点ヲ占領シ諸部隊ノ沁河々畔進出ヲ掩護スヘシ

七、迫撃大隊MGSハ速時陽城出發下孔村附近ニ前進シ其ノ兵力ヲ集結シ爾後ノ前進ヲ準備スヘシ

八、砲兵隊ハ引續キ前進ヲ續行シ許家庄南北河路ノ諸部落ニ其ノ兵力ヲ集結シ渡河ノ爲メ諸準備ヲ實施シ爾後ノ前進ヲ準備スヘシ

九、衛生隊ハ上孔村ニ繃帯所ヲ開設シ戰傷病者ノ收容ニ任スヘシ
到着ト同時ニ其ノ護衛部隊ヲ夫々原所屬ニ復皈セシムヘシ

十　通信班ハ甲口部隊本部ヲ基点トシ各隊ニ無線有線通信網ヲ構成スヘシ

二　爾余ノ部隊ハ甲口附近ニ其ノ兵力ヲ集結シ爾後ノ前進ヲ準備スヘシ

三　予ハ甲口部隊本部ニ在リ

五四

下達法　要旨ヲ部隊ニ傳達後口達筆記　部隊長　藤室大佐

歩三九旅作命五九六號　七月二十四日十二〇〇　於　下孔村

関部隊命令

一、旅團ハ諸隊ノ絶大ナル奮闘ニヨリ約六ヶ師ノ敵ヲ撃破シ之ヲ周北候井以南ニ敗退セシメタリ
高橋部隊ハ澤洲東北方地区ニ兵力ヲ集結ス

二、旅團ハ沁河ヲ渡河シ周村鎮附近ニ兵力ヲ集結シタル後澤洲ニ向ヒ前進セントス

三、渡河点及順序ヲ定ムル事左ノ如シ

イ、潤城鎮渡河場

イ、患者輸送隊（舟橋ニヨルコトアリ）

ロ、神田輜重兵中隊

八、藤室部隊（野砲其ノ他車輌部隊及所要ノ掩護部隊欠）
ニ、旅團直轄及区處部隊（車輌部隊欠）
ホ、塩見部隊（狀況ニヨリ一部又ハ主力ハ單橋ニヨル）
乙、許家庄軍橋
イ、藤室部隊砲兵隊及車輌部隊、掩護部隊
ロ、迫撃砲及獨立機関銃隊
ハ、其ノ他車輌部隊
（渡河ニ関シ橋本部隊長ノ区處ヲ受クヘシ）
四、藤室部隊（塩見隊、迫撃大隊MGS中隊、衛生隊ノ配屬ヲ解ク）ハ渡河準備完了セハ沁河ヲ渡河シ周村鎮（含マス）以東ノ地区ニ兵力ヲ集結シタル後澤洲ニ向ヒ前進スヘシ
五、塩見部隊（旅團無線一分隊屬ス）ハ現任務ヲ續行シテ旅團主力ノ渡河ヲ掩護シテ諸隊ノ渡河進渉ニ伴ヒ遂次渡河点ノ方面ニ配備ヲ後縮シ諸隊ノ渡河完了後旅團

五五

直轄部隊ニ次キ渡河シ河頭村―周村鎮道ヲ敵ニ對シ警戒シツツ周村鎮ニ向ヒ前進スヘシ
主力ノ渡河開始後成可ク速ニ歩兵一中隊ヲ潤城鎮ニ派遣シ患者輸送隊長ノ指揮ニ入ラシムヘシ
六、山崎部隊ハ沁河左岸ノ諸要点ヲ確保シテ旅團ノ渡河ヲ掩護スルト共ニ患者輸送隊ノ渡河ヲ援助シ亦一部ヲ以テ先遣シテ河頭村―周村鎮―澤洲道ノ交通ヲ確保シ旅團ノ前進ニ伴ヒ其ノ後方ヲ警戒シツツ澤洲ニ向ヒ前進スヘシ
七、南部部隊ハ主力ヲ以テ渡河作業ヲ續行シ一部ヲ以テ軍橋―周村鎮―澤洲道ノ補修ニ任スヘシ
八、患者輸送隊（衛生隊長武藤中佐ノ指揮スル衛生隊ノ主力野戰病院、高垣川瀬、両輜重兵中隊）ハ潤城鎮、渡渉場ヨリ沁河ヲ渡河シ調坡鎮ニ集結シタル後周村鎮ニ向ヒ前進スヘシ 渡河ノ際山崎部隊ノ約一中隊ヲシテ援助セシメ渡河後援護トシテ歩兵一中隊ヲ潤城鎮ニ於テ輸送隊長ノ指揮下ニ入ラシム
九 衛生隊長ハ其ノ一部ヲ以テ藤室、塩見、山崎、各部隊ニ協力シ得ルノ準備ニ在ルヘシ
一〇 第七中隊長ハ其ノ配屬MG小隊ヲ現所屬ニ復皈セシムヘシ
MGS中隊長ハ一小隊ヲシテ前項MG小隊ノ服務ヲ継承セシムヘシ
一一 迫撃大隊MGS中隊衛生隊ハ爾今予ノ直轄トス
直轄区處部隊ハ沁河渡河後周村鎮ニ向ヒ前進スヘシ
前進部署ノ細部ハ別ニ指示ス
一二 予ハ下孔村ニ在リ藤室部隊ト共ニ渡河シ先ツ周村鎮ニ向ヒ前進ス

部隊長 関少将

下達法 口達筆記セシム

注意 渡河ノ際ニ於テハ中小隊長ニ於テ注意徹底セシメ渡河危機ヲ防止スルヲ要ス

五六

参考 徒渉ノ際ニ於ケル注意事項

一、人員
1. 徒渉ハ晩夜トシ各隊毎ニ三―四名ヲ以テ横隊ノ伍ヲ作リ各人確實ニ腕ヲ組ミ各伍ハ概ネ八歩ノ距離ヲ間シ渡渉スルモノトス
2. 兵器及被服特ニ防毒面ヲ脱落混潤セシメサル如ク注意スルモノトス
3. 徒渉中水面ヲ見サル如ク前方ヲ直視スルヲ要ス
4. 徒渉中流下セントセシトキハ流ニ逆ラサル如ク對岸ニ近接スル様努カムルモ可トス
5. 靴下褌等ノ差換品ヲ豫メ準備シ置クヲ可トス

二、馬匹
1. 馬匹ハ出發ニ當リ水與ヲ完了シ置クモノトス

2. 馬匹積品ノ縛著ハ堅確ナラシムルヲ要ス

歩三九旅作命第五九八號

関部隊命令

七月二十五日二三〇〇
於 大水溝

一、藤室塩見両部隊ハ現任務ヲ續行スヘシ
二、山崎部隊ハ現任務ヲ續行スルト共ニ砲兵隊ノ前進ヲ援助スヘシ
三、南部部隊ハ車輌部隊ノ為道路ノ補修ニ任スヘシ
四、患者輸送隊ハ明二十六日澤洲ニ向ヒ前進スヘシ
五、爾余ノ旅團直轄部隊ハ現集結地ニ待期スヘシ

部隊長 関少将

下達法 口達筆記

歩三九旅作命第六〇ロ號

関部隊命令

七月二十六日一二〇〇
於 大水溝

一、周村鎮附近ニハ若干ノ敗残敵出没スルニ過キサルモ遠陽ノ地ニハ相當ノ敵潜伏シアルモノノ如シ
二、師團ハ兵力ヲ澤洲附近ニ集結シ爾後ノ作戦ヲ準備シアリ
三、旅團ハ兵力ヲ澤洲附近ニ集結シ爾後ノ行動ヲ準備セントス
藤室部隊ハ南部南案、白水西田庄、舎嶺嶺揚凹里ノ地区ニ兵力ヲ集結シ爾後ノ前進ヲ準備スヘシ
四、山崎部隊ハ旅團ノ前進ニ伴ヒ逐次其ノ配備ヲ撤シ砲兵隊ノ前進ヲ援護シツツ澤洲ニ向ヒ前進スヘシ
五 爾余ノ諸隊（南部部隊患者輸送隊ヲ除ク）ハ明二十七日〇八〇〇周村鎮東端ヲ先頭トシ左ノ行軍序列ニヨリ藤室部隊ノ後方ヲ澤洲ニ向ヒ前進スヘシ

左記

第七中隊旅團司令部、給水班、病馬廠、MG、迫擊隊、

五七

六、塩見部隊ハ旅團ノ後方ヲ警戒シツツ澤洲ニ向ヒ前進シタル後高橋部隊長ノ隷下ニ復皈スヘシ
七、南部部隊ハ現任務ヲ續行シ澤洲附近工兵隊集結地ニ到着セハ師團直轄タルヘシ
八、患者輸送隊ハ澤洲ニ患者ヲ輸送シタル後高垣、川瀬両輜重兵中隊ハ現所屬ニ高橋部隊ヨリ配屬ノ衛生隊ハ前所屬ニ復皈シ爾余ノ諸隊ハ澤洲附近ニ兵力ヲ集結スヘシ
九、諸隊集結地ノ細部ニ關シテハ副官ヲシテ指示セシム
一〇、予ハ大水溝ニ在リ明二十七日ノ時本隊ノ先頭ヲ後藤室部隊本部ト共ニ前進ス

部隊長 関少将

下達法 口達筆記

歩三九旅作命第六〇三號

関部隊命令

七月二十九日十六〇〇
澤洲南関

一、旅團ハ諸隊ノ緊密ナル協力ト偉大ナル奮闘ニ依リ優勢ナル頑敵ヲ撃破シ不良ノ天候ト地形ノ険悪トヲ克服シテ澤洲附近ニ兵力ヲ集結セリ
二、旅團ハ部隊ヲ整備シテ爾後ノ行動ヲ準備セントス
三、爾今左記諸隊ハ現集結地ニ於テ予ノ直轄トス

左記

野砲兵第二十六聯隊（第一、第二、第四大隊欠）
山砲大隊

四、室谷先遣隊ハ二十九日十八時以後予ノ隷下ニ復皈シテ依然現任務ヲ續行スヘシ

宿營警戒ニ關シテハ各々藤室、室谷部隊長ノ区處ヲ受クヘシ

山崎隊ヲ其ノ隷下ニ復皈ス
五、藤室、室谷両部隊ハ各々當面ノ敵情地形ヲ捜索スヘシ
両部隊ノ捜索警戒地境左ノ如シ

五八

牛匠（澤洲西南方四吉）―茶元（牛匠南方三吉）―小箕村（茶元南方四吉）―小東（小箕村南方四吉）ヲ連ヌル線トシ線上ハ藤室部隊ニ屬ス

六、室谷部隊長ハ其ノ配屬迫擊中隊工兵小隊衛生隊ヲ原所屬ニ復皈セシムヘシ

七、南部部隊長ハ工兵第二中隊（一小欠）ヲ現在地ニ於テ予ノ直轄タラシムヘシ

八、工兵第二中隊長ハ其ノ一小隊（三分隊欠）ヲ以テ室谷部隊補給線警備隊ニ協力シテ補給線ノ道路ノ補修ニ任スヘシ

九、藤室、室谷両部隊長ハ其ノ配屬兵器勤務隊ヲシテ別ニ指示スル所ニヨリ師團ニテ實施スル兵器ノ整備ニ協力セシムヘシ

十、予ハ澤洲南関ニ在リ

五九

部隊長　　関　少　將

下達法　要旨ヲ口達シ後筆記セルモノヲ交付ス

昭和十四年九月十三日

東北陳附近ノ戦闘

中隊長

東北陳附近戦闘[redacted]

一、戦闘前ノ態勢

1. 長子周辺ノ敵主力ハ去ル八日以来東南方ニ移動シ其ノ一部ハ河頭村西南高地ニ残存シアリ

2. 警備隊ハ十三日早朝主力ヲ以テ河頭村西南方地区ノ敵ヲ掃蕩シ併テ附近ノ敵情ヲ捜索ス

二、戦闘経過

中隊ハ迫五作命第五〇三號ヲ以テ歩兵第八〇聯隊第三大隊ニ配属セラル

配属大隊作命ニ基キ十三日六時長子西関ヲ出発孟家庄―賈村―石家庄―東北陳道ヲ前進シ九時東北陳南側ニ陣地ヲ占領シ道場、東城村、李家庄及同南側高地、堯関村南側高地等ニ在リシ敵ヲ別紙要図ノ如ク攻撃ス

三、敵ハ我砲撃ト東方ヨリスル歩兵第一大隊ノ挾撃ニ依リ逐次南方及西南方ニ潰走ス

十三時三十分配属大隊作命ニ基キ射撃ヲ中止シ東北陳出発刑家―南漢村―後官道―長子道ヲ前進沿線諸部落ノ掃蕩及敵情捜索ヲ行ヒタル後十八時長子ニ歸還ス

當日午前中ハ細雨ニテ遠距離ノ觀測困難ナリシモ射撃ニ支障ナシ

四、迫五作命第五〇三號

迫撃第五大隊命令　九月十二日十四時　於長子部隊本部

一、長子周邊ノ敵ノ主力ハ去ル八日以来東南方ニ移動シ其ノ一部ハ河頭村西南高地ニ残存シアリ

警備隊ハ明十三日早朝主力ヲ以テ河頭村西南方地區ノ敵ヲ掃蕩シ併テ附近ノ敵状ヲ捜索ス之カ爲

第三大隊ハ孟家庄―南漢村―賈村道ヲ掃蕩シ東城東南側高地ノ線ニ進出ス

第一大隊ハ南劉村―河頭村大堡頭村道ヲ掃蕩シタル後清仁村西側高地附近ニ進出ス

二、大隊ハ主力ヲ以テ警備隊ノ討伐ニ参加セントス

三、第一中隊ハ明朝四時迄ニ西関ニ到リ第三大隊長ノ指揮ニ入ルヘシ

四. 第二中隊ハ明朝五時迄ニ河東村南端ニ到リ第一大隊長ノ指揮ニ入ルヘシ

五. 第一第二中隊ハ一部ヲ残置シ主力ヲ以テ駄載四門編成トシタル後弾薬約二〇〇発ヲ携行スヘシ
弾種区分ハ別ニ指示ス

六 古野准尉ハ残留部隊ヲ指揮シ城内警備ニ任スヘシ
之カ為メ四時迄ニ小銃手ヲ以テ南側城壁ヲ守備スルノ準備ニアルヘシ

七. 第一中隊第二中隊現ニ陣地進入セシノアル火砲ハ射撃シ得ル人員ヲ残置シ四時迄ニ射撃シ得ルノ態勢ニアルヘシ

八. 出動部隊ハ昼食ヲ携行スヘシ

大隊長　橋詰少佐

下達法　口達筆記

歩三作命第八四五號

第三大隊命令

九月十二日十八時二十分
於長子縣城内大隊本部

一. 敵状及聯隊ノ企圖ハ先作命第六九三號ノ如シ

二. 大隊(河頭村守備隊(1/3)中隊ヲ欠キ聯隊砲(1/2)速射砲(1/2)迫撃一中隊衛生隊ノ一部聯隊無線一ヲ屬ス)ハ聯隊ノ右第一線トナリ明十三日四時西関出発孟家庄—貫村—石家庄—東北陳道ヲ前進シ東北鎮南方高地臺上ニ東面シ攻撃ヲ準備シ李家庄及東城村ヲ包圍攻撃シ之ヲ捕促殲滅セントス

三. 第十二中隊(1/4機関銃)ハ右第一線東方陳南方約五百米三角標高一、一二三附近ニ展開シ李家庄北方臺上ニ向ヒ攻撃スヘシ

四、第九中隊(1/4機関銃)ハ左第一線東北陳南方附近ニ展開シ東城村北方臺上ニ向ヒ攻撃スヘシ

五. 機関銃中隊主力ハ第一線両中隊中間地區ニ陣地ヲ占領シ両中隊ノ攻撃ニ協力スヘシ

六 大隊砲小隊ハ第十二中隊ノ左後方附近ニ陣地ヲ占領シ李家庄南方高地及李家庄北方臺上ニ現出スル重火器ヲ求メテ制圧スヘシ

七 聯隊砲中隊ハ第九中隊ノ後方附近ニ陣地ヲ占領シ東城村東方高地及李家庄西方高地ニ現出スル敵ノ重火器ヲ求メテ制圧シ尚堯南鎮地区ヨリ豫想スル側防火器ヲ制圧スルノ準備ヲナスヘシ

八. 速射砲中隊ハ第九中隊右側附近ニ陣地ヲ占領シ第一線両中隊攻撃正面部落ノ銃眼及東城村北方臺上ニ現出スル重火器ヲ求メテ制圧スヘシ

九. 迫撃一中隊ハ両中隊中間後方地区ニ陣地ヲ占領シ主トシテ李家庄東城村ノ敵ヲ制圧シ尚堯南鎮部落ノ制圧ノ準備ニアルヘシ

十. 攻撃開始ノ時機ハ九時ト予定スルモ別命ス

十一. 十一中隊(1/3)ハ豫備隊十二中隊ノ後方ニ位置シ堯南鎮東方ニ對シ警戒スヘシ
其ノ一小隊ヲ聯隊直轄部隊トシ南関ニ於テ其ノ指揮ニ入ラシムヘシ

十二. 衛生隊ハ豫備隊ト共ニ位置スヘシ

十三. 予ハ四時西関出発東北鎮南端ニ到ル

注意

1. 各隊ハ城壁警戒ノ爲メ各々其ノ一分隊ヲ現位置ニ殘存シ両角工兵少尉ノ指揮ニ入ラシムヘシ
(大、小、李行李モ)

2. 展開完了ノ時刻ハ七時トス

3. 展開位置ニ到ル行軍序列左ノ如シ

12i
9i
P
MG
BiA
RiA
TiA 中/5LM
S
11i

4. 各隊ハ晝食及防毒面ヲ各自携行ノコト
5. 展開位置ニ到ル間成ル可ク部落ヲ避ケ土民ヲ南方ニ逃避セシメサル様スルコト
6. 展開位置ヨリノ前進ハ別命ス

歩三作命第八四六號

第三大隊命令

九月十三日十二時
於堯南鎮北側鎖県高地

一、聯隊當面ノ敵ハ我カ挾撃ニヨリ戰意ヲ喪失シタルモノノ如ク南方及西南方ニ潰走スルニ至レリ

二、大隊ハ概ネ十三時三十分現在地附近出発東北鎮邢家南漢村後官道ヲ経テ後官道道ニ沿フ諸部落掃蕩並ニ敵狀ヲ捜索シツ丶現駐地ニ歸還セントス

三、大隊ハ概ネ十三時三十分左ノ行軍序列ニ従ヒ前進スヘシ

記

尖兵中隊　九中隊（配屬故如）
衛生隊　機関銃隊　迫撃中隊　十一中隊　聯隊砲
速射砲　大隊本部　大隊砲　十二中隊（配屬故如）
但シ十二中隊ハ後衛尖兵トス

四、各隊ハ原駐地附近ニ到着セハ本戰闘間ノ軍隊区分ヲ解ク

五、予ハ本部ト共ニ前進ス

第三大隊長代理　奥谷大尉

下達法　命令受領者ヲ集メ口達筆記セシム

注意
1. 各隊ハ特ニ西方臺上ヲ警戒スヘシ

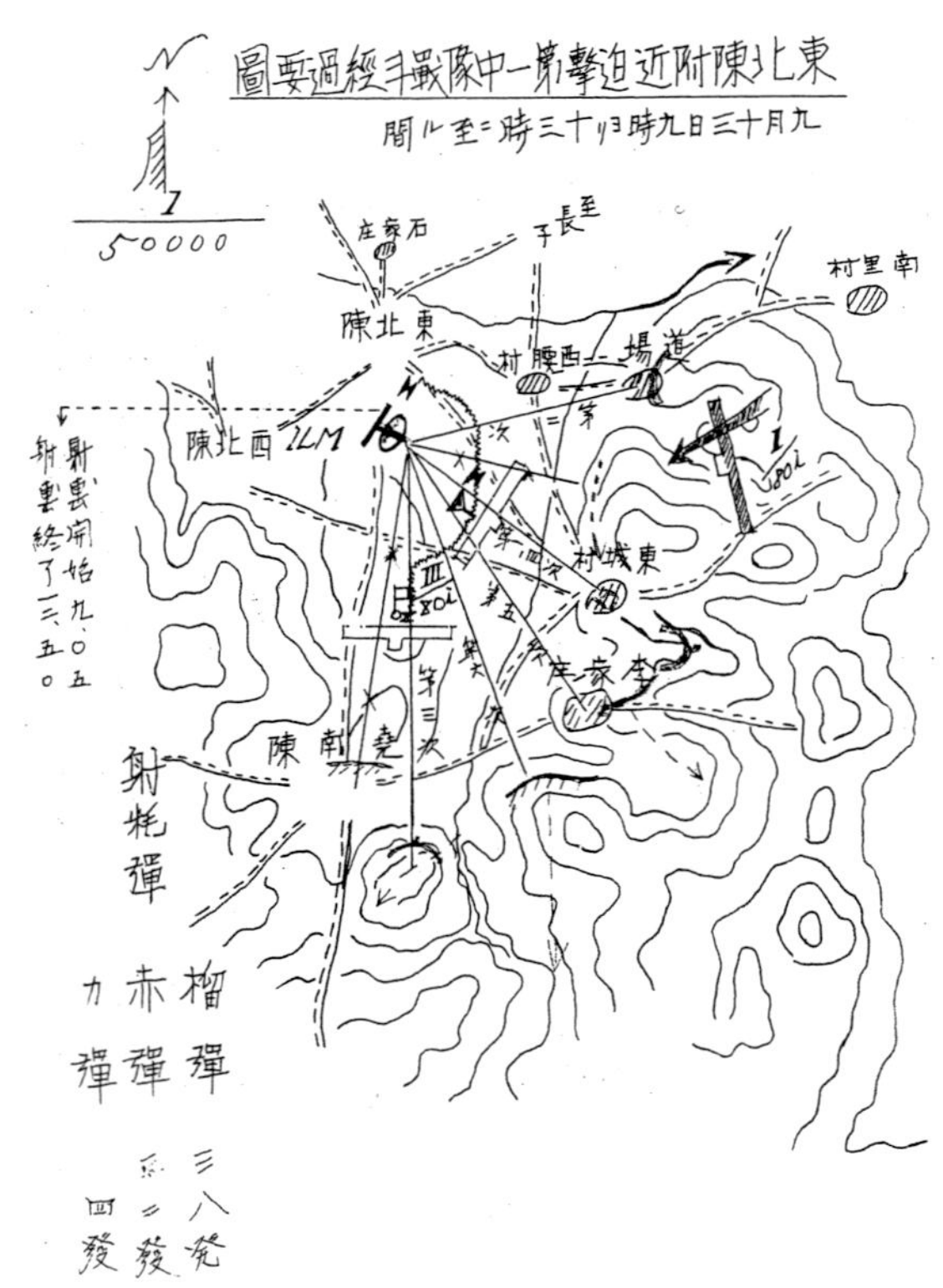

戦闘参加職員表

職	官	氏名
中隊長	歩兵中尉	伏木保之
小隊長	同	鈴木準一
同	同見士	矢崎勝

陸軍

(昭和十二・十一 東京典谷納)

区分	攻撃目標	射耗弾 榴弾	射耗弾 赤弾	射耗弾 火弾	摘要
第一次	東城村	九		一	
第二次	道戦	六			
第三次	竜関陳西側高地	六		一	
第四次	東城村		二〇		
第五次	李家庄	四	一二	一	
第六次	李家庄西南側高地	一七		一	
計		三八	三二	四	

戦闘詳報第　號附表

自昭和十四年　月　日
至九月十三日

第一中隊死傷表

区分		團隊号 追撃第五大隊第一中隊							総計
戦斗参加人員	将校	三							三
	准士官下士官兵	一三二							一三二
	馬匹	四五							四五
死	将校								
	准士官下士官兵								
	馬匹								
傷	将校								
	准士官下士官兵								
	馬匹								
生死不明	将校								
	准士官下士官兵								
	馬匹								

備考

戦闘詳報第　號附表

自昭和十四年　月　日
至九月十三日

武器弾薬損耗表

種類	区分	隊号 追撃第五大隊第一中隊			計
消費 弾薬	榴弾	三八			三八
	赤弾	三二			三二
	火弾	四			四
消費 武器	砲車				
	弾薬車				
損失 武器					
損失 弾薬					
損失 其他武器					

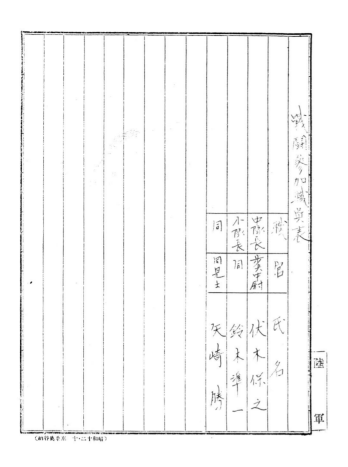

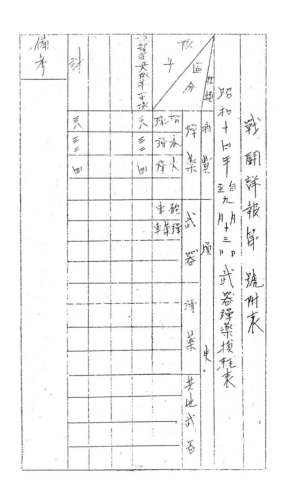

備考

昭和十四年十月八、九日 長子西側地区ノ戦闘

中隊長

戦闘 [redacted]

一、戦闘前ニ於ケル彼我形勢ノ概要
1、約五ヶ師ノ敵ハ長子奪回ヲ企図シ長子縣城ニ近迫シ
其ノ行動活潑ナリ
師團ハ長子西方及南方一帯ノ高地ニ在ル敵軍ヲ急襲
包囲シ之ヲ撃滅ヲ企図ス
之カ為歩兵七十七聯隊ノ主力ハ七日日没後潞安西南方
濁漳河ノ線附近出発駝坊山附近ヲ経テ八日拂暁迄
ニ鮑店鎮西南方地区ニ進出引續キ拂暁以後ノ行動
ヲ敢行シ主力ヲ以テ標高一四五八高地附近ヲ経テ石
哲鎮西方地区ニ東部警備隊ハ七日日没後蘇店鎮
西方地区出発蘇店鎮―韓川以西ノ地区ヲ前進シ
八日拂暁迄ニ成ルヘク遠ク韓店鎮西南方地区ニ進出
引續キ拂暁以降ノ行動ヲ敢行シ主力ヲ以テ赤林山
附近及仙翁廟附近ヲ経テ石哲鎮西方地区ニ進出シ
夫々長子西方並南方及西南方一帯ノ高地ニ在ル敵軍
ヲ補足撃滅ス、又騎兵第二十八聯隊ハ七日日没後潞安
西北方濁漳河ノ線附近出発歩兵第七十七聯隊進路
ノ北側地区ヲ前進シ八日拂暁迄ニ鮑店鎮西南方地区
ニ進出引續キ拂暁以後ノ行動ヲ敢行シ平泉附近ヲ経
テ南溝附近及其ノ南方地区ニ進出シ敵ノ退路ヲ遮断ス
軍ノ爆撃及偵察飛行隊ノ各々一部ハ本作戦ニ協力ス
2、岩切警備隊ハ成ルヘク多クノ敵ヲ正面ニ近ク牽制スルニ
勉ムルト共ニ戦況ノ推移ニ應シ主力ヲ以テ歩兵第七十七聯
隊又ハ東部警備隊ノ戦闘ニ協力セントス
野砲兵第二十六聯隊ノ主力ハ八日拂暁迄ニ長子及其ノ
東方地区ニ進出シ爾後岩切部隊ノ戦闘ニ協力ス
3、中隊ハ迫五作命第五〇七號ニ依リ編成ヲ完了シ待機ス
4、十月六日夜ヨリ迫五作命第五〇八號ニ依リ第一小隊砲二門ヲ
以テ縣城西南角ニ陣地ヲ占領シ西南方ニ對シ射撃準備
ヲナシ夜ヲ徹ス

二、戦闘ニ影響ヲ及ホシタル氣象地形及住民ノ状態
1、天氣晴朗ニシテ後半夜ハ月明アリ
2、平地ハ凹道多ク山地ハ小起伏多クシテ敵情ノ捜索困難ヲ来セリ
3、住民ハ我ニ好意ヲ有セス大部分ハ避難シ若干ノ老人子供残存シアリ

三、交戦セル敵ノ團隊號
四十六師、四十五師 予備第八師

四、各時期ニ於ケル戦闘經過関係部隊ノ動作
八日八時三十分迫五作命第五〇九號ニ依リ前衛タル歩兵第三大隊ニ
配屬ヲ命セラレ八時四十分其ノ指揮下ニ入リ九時長子出発一〇時十分
崔家庄西端ニ於テ一部ノ敵ノ抵抗ヲ受ケタルヲ以テ五作命第
八五二號ニ依リ第一小隊ヲシテ同地ニ陣地占領セシメ要圖第一ノ

如ク戦闘ス十一時三十分旅作命第八五三號ニ依リ前進十五時岳陽村南方標高一三五六高地ニ進出ス

敵ハ我カ果敢ナル攻撃ニ依リ西方ニ退却セルモノヽ如ク且ツ藤堂部隊ノ一部ハ岳陽村附近ニ進出セルヲ以テ更ニ刘家山、堯南鎮南側高地ニ轉進スヘク十五時四十分旅作命第八五五號ニヨリ反轉シ十七時古典村ニ集結ス、十七時三十分古典村出発大南石ヲ経テ十九時西村東南端ニ進出ス、二十時旅作命第八五七號ニ依リ西堡鎮ニ前進二十二時同地ニ部隊ノ集結ヲ終リ露営ス

九日六時三十分西堡鎮南側ニ陣地ヲ占領シ刘家山攻撃ノ準備ヲ完了待機ス

七時歩兵第一線ハ同高地ヲ占領セルヲ以テ直ニ前進八時刘家山西北側ニ陣地ヲ占領シ陽曽村南側高地附近ノ敵ヲ攻撃ス（要図第三）九時三十分陣地ヲ撤シ堯南鎮―東城村―北望村―長子道ヲ前進沿道ノ各部落ヲ掃討シツヽ十四時三十分長子ニ歸還ス

五、戦闘後ニ於ケル彼我ノ形勢ノ概要

各部隊ノ果敢ナル攻撃ニ依リ敵ハ遠ク西方及西南方山地内ニ敗退セルヲ以テ部隊ハ沿道各部落ノ掃討ヲ實施シタル後長子縣城ニ歸還ス

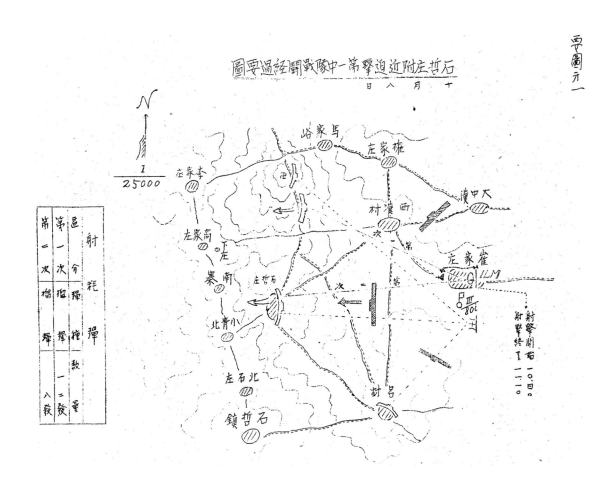

要図第一

石哲庄附近追撃第一中隊戦闘経過要図

十月八日

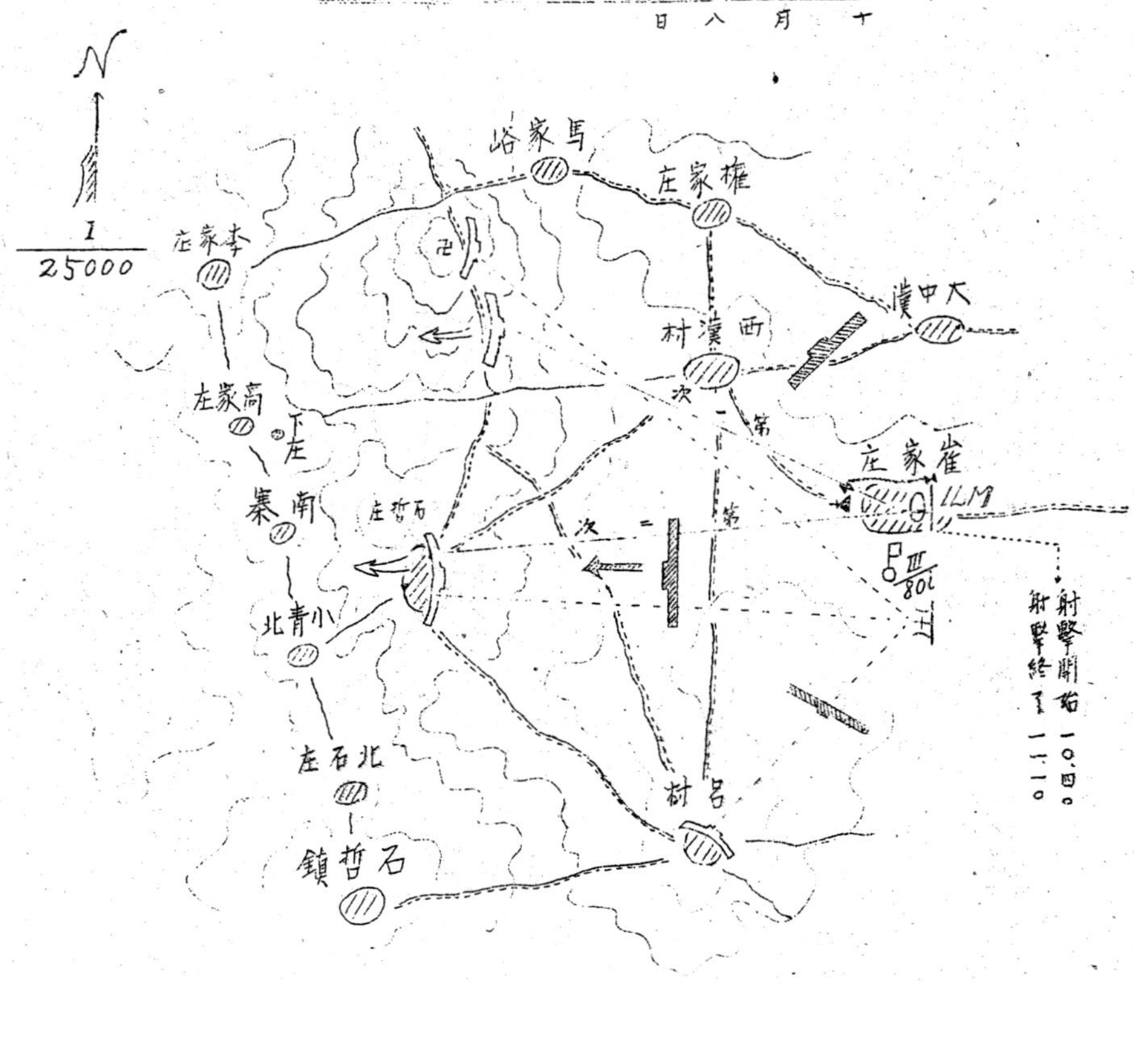

射耗弾

区分	弾種	数量
第一次	榴弾	一二発
第二次	榴弾	八発

要圖第二

劉家山附近迫撃第一中隊戰闘經過要圖

十月九日

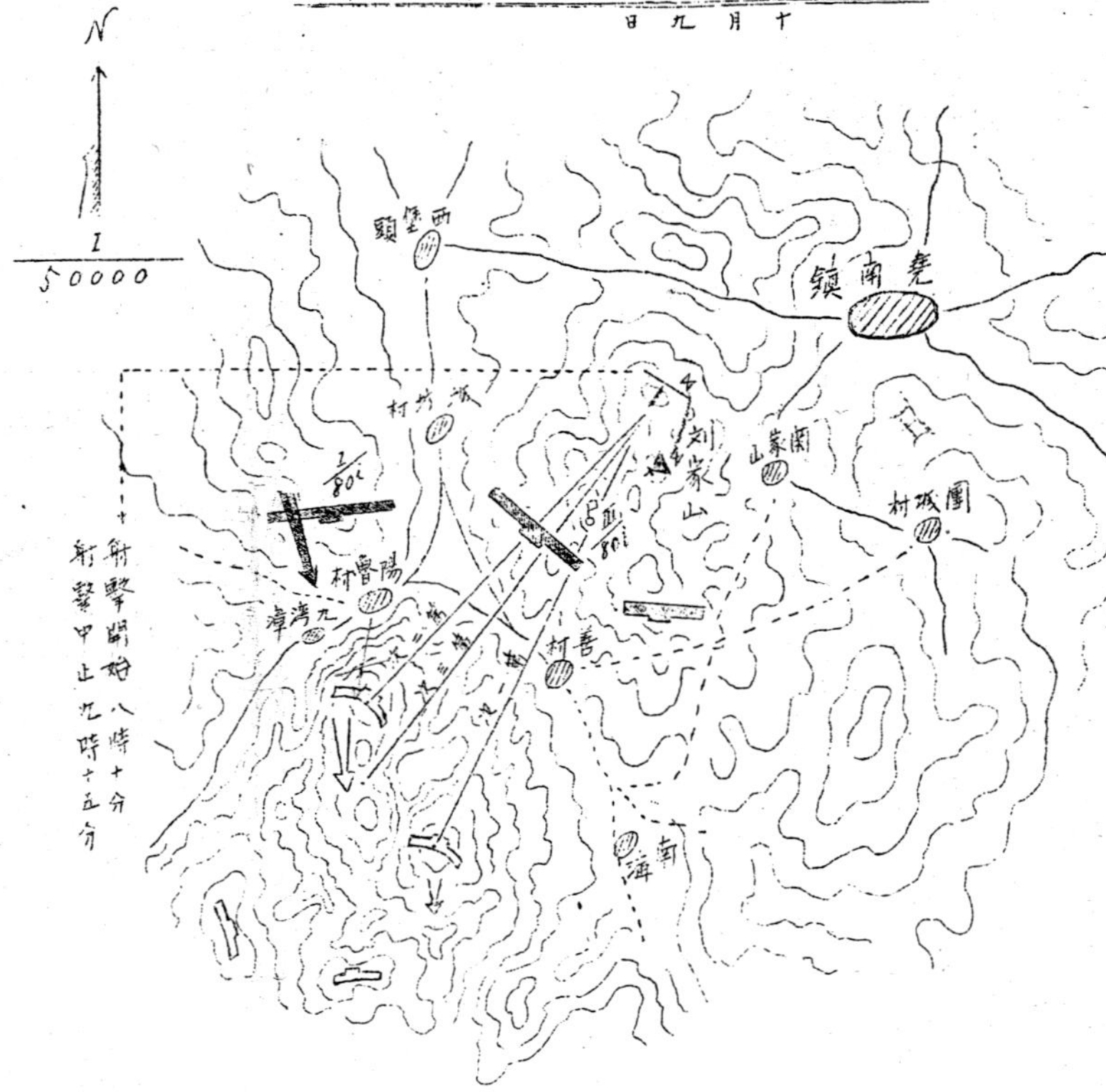

射耗彈

区分	榴彈	赤燐彈	火彈
第一次	三	一五	一
第二次	三	二〇	
第三次	三	一七	
計	九	五二	一

迫五作命第五〇七號

迫撃第五九大隊命令　十月六日十二時 於長子

一、長子附近一帯ノ敵情並師團ノ企圖別紙岩作命第七〇三號ノ如シ

岩切部隊ハ成ルヘク多クノ敵ヲ正面ニ近ク牽制スルニ勉ムルト共ニ戰況ノ推移ニ應シ主力ヲ以テ出撃ス

二、大隊ハ警備ヲ嚴ニスルト共ニ十月八日以降ニ於ケル出動ヲ準備セントス

三、第一、第二中隊ハ駄載大隊編成ヲ以テ出動シ得ル如ク準備シアルヘシ

四、大隊段列ハ別紙ノ如ク彈薬ヲ携行シ第一中隊ニ配屬シ得ルノ準備ニアルヘシ

五、大隊段列及大行李ノ配屬ハ十月八日八時迄ニ完了スルモノトス

六、大行李ハ別紙ノ如ク彈薬ヲ携行シ第二中隊ニ配屬シ得ルノ準備ニアルヘシ

七、各隊ハ十月八日八時迄ニ諸準備ヲ完了シ出動シ得ルノ態勢ニアルヘシ

八、彈薬ノ携行区分別紙ノ如シ

九、糧秣ハ晝夕食ノ他携帯口糧甲ニ日分ヲ携行スヘシ

十、各隊ハ出動ニ際シ所要ノ監視兵ヲ残置シ古野准尉ノ指示ヲ受ケシムヘシ

十一、古野准尉ハ残留部隊長トナリ主トシテ南方ニ對スル直接警備ニ任スヘシ

十二、予ハ十月八日九時西北角岩切警備隊本部ニアリ

同時各隊ノ命令受領者ヲ同處ニ差出スヘシ

大隊長　橋詰少佐

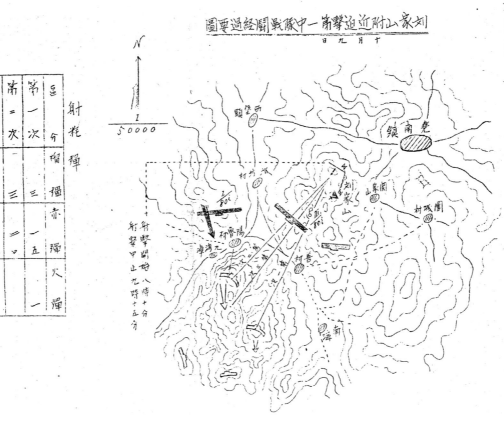

下達法　要旨ヲ各隊長ニ傳達シタル後印刷交付

出動ニ際シ各隊弾薬搭行区分表

昭和十四年十月六日
迫撃第五大隊

橋 要

弾種＼区分	第一中隊（大隊段列）	第二中隊（大行李）	計
榴弾	一五〇（五〇）	二〇〇	四〇〇
あか弾	四〇（一〇〇）	一四〇	二八〇
きい弾	（八〇）		八〇
イマツ		（八〇）	八〇
イウメ	（七〇）	（七〇）	一四〇
火焔弾	一〇	一〇	二〇
合計	二〇〇（三〇〇）	三五〇（一五〇）	一〇〇〇

備考
一、両中隊ハ装載六門編成トス
二、第一中隊ニ大隊段列ヲ第二中隊ニ大行李ヲ配属スルモノトシ表中括弧内ハ各配属隊ノ搭行数ヲ示ス

迫五作命第五〇八號

迫撃第五大隊命令

於長子 十月六日一六〇〇

一、警備隊ハ明七日更ニ一部ヲ楊安方向ニ陽通セシメ當面ノ敵ヲ牽制シ爾後ノ行動ヲ準備ス

二、大隊ハ一部ヲ以テ夜間射撃ヲ準備シ警備ヲ厳ニセントス

三、第一、第二中隊ハ本薄暮迄ニ左ノ如ク夜間射撃ヲ準備シ敵ノ近接ニ對シ直ニ射撃シ得ル如ク監視兵ヲ残置スヘシ

第一中隊 砲二門 西南方約五〇〇米（榴弾約三十発準備）

第二中隊 砲二門 東南方約五〇〇米（榴弾約三十発準備）

四、残餘ノ部隊ハ警備ヲ厳ニシ夜ヲ撤スヘシ

亦第一、第二分哨ハ屡々城壁ヲ巡察シ敵ノ近接ヲ速ニ察知スル如ク警戒ヲ厳ニスヘシ

大隊長 橋詰少佐

下達法 印刷交付

迫五作命第五〇九號

迫撃第五大隊命令

十月八日八時三十分
於長子縣城西北角

一、藤堂部隊ハ八時梁龍泉山附近ヲ、関部隊ハ六時張店鎮西方地区ヲ前進中ナルモノヽ如シ

警備隊ハ石哲鎮ニ向ヒ前進ス

二、大隊ハ第三大隊ノ後尾ヲ續行シ適時第三大隊ノ戰闘ニ協力セントス

三、第一中隊（大段段列属ス）ハ西関ニ到リ第三大隊長ノ指揮ニ入ルヘシ

四、残餘ノ部隊ハ現在地ニ於テ適時出動シ得ル如ク待機スヘシ

五、予ハ西北角城壁ニ在リ

大隊長 橋詰少佐

下達法 命令受領者ヲ口達筆記セシム

III作命第八五一號

第三大隊命令

十月八日八時四十分
於長子縣城内大隊本部

一、藤堂部隊ハ八時圖上五万分一長子縣縣ノ字北側高地ヲ西方ニ前進中ニシテ関部隊ハ六時稍々過キ張店鎮西方地区ヲ進発セリ

聯隊ハ速ニ石哲鎮附近ニ前進シテ敵ヲ分團シテ其ノ退路遮断ヲ企圖ス

二、大隊（10欠 ILM MGS ⅔RiA (一門) TiA (⅔) S ノ一部ヲ属セラル）ハ第一線トナリ、西関、後官道、崔家庄、石哲庄ヲ経テ石哲鎮ニ向ヘ前進セントス

三、第九中隊（1/4MG）ハ尖兵中隊トナリ即時現在地出発大隊ノ進路ヲ石哲鎮北側高地ニ向ヘ前進スヘシ

特ニ西漢村、大中漢西側高地附近ニ注意スヘシ

四、爾餘ノ諸隊ハ左ノ行軍序列ヲ以テ尖兵中隊ノ後方四〇〇米ヲ前進スヘシ

5/12 (P) ⅔RiA BiA (尖兵中隊ニ續行) 本 11. IIIMG MGS (RiA) LM TiA 12 (一/3) 本 S (LM 主力)

五、余ハ本隊ノ先頭ニ在リテ前進ス

第三大隊長　福良少佐

下達法　先ツ要旨ヲ傳達後命令受領者ニ口達筆記セシム

Ⅲ作命第八五二號

第三大隊命令

十月八日十時十分
於崔家荘西端

一、西漢村西北側寺ノ高地ヨリ西漢村南側稜線ヲ経テ呂村附近ニ亘リ一部ノ敵陣地ヲ占領シアリ

二、大隊ハ先ツ現在地附近ニ兵力ヲ集結シ前面ノ敵情地形ヲ捜索セントス

三、尖兵中隊ハ現在地附近ヲ確保シ前面ノ敵情地形ヲ捜索スヘシ

四、第十一中隊ハ一部ヲ崔家荘南側無名寺南側地区ニ進出セシメ大隊ノ左翼ヲ掩護セシムルト共ニ呂村方向ノ敵情ヲ捜索セシムヘシ

五、第十二中隊ハ其ノ一小隊ヲ以テ速ニ大中漢北側台地ヲ占領セシメ大隊ノ右翼ヲ警戒セシムヘシ

六、聯隊砲小隊ハ速ニ現在地附近ニ陣地ヲ占領シ西漢村附近ニ於テ猛威ヲ逞スル敵機関銃ヲ求メテ制圧スヘシ

七、大隊砲小隊ハ速カニ現在地附近ニ陣地ヲ占領シ呂村方向ヨリ側射スル機関銃ヲ求メテ制圧スヘシ

八、迫撃砲中隊ハ現在地附近ニ於テ呂村方向ノ敵制圧ノ準備ニ在ルヘシ

九、爾余ノ諸隊ハ崔家荘附近ニ先ツ開進スヘシ

一〇、余ハ崔家荘西端ニ在リ

第三大隊長　福良少佐

下達法　要旨ヲ傳達シ後命令受領者ニ口達筆記セシム

Ⅲ作命第八五三號

第三大隊命令

十月八日十一時三十分
於石哲荘東方五百米

一、藤室、関部隊ノ情況詳ナラズ
西漢村西北方寺ノ高地及呂村附近ノ敵ハ退却セルモノノ如キモ尚一部ノ敵石哲荘附近ニアリテ抵抗シ有リ

二、大隊ハ速ニ石哲荘附近ノ敵ヲ撃破シ石哲鎮方向ニ進出セントス

三、第九中隊（機関銃一小隊属ス）第一線現在地附近ニ展開シ石哲荘ノ敵ヲ攻撃スヘシ
別ニ一小隊ヲ現在地附近ヨリ西漢村西北側無名寺高地ニ至ラシメ該高地ヲ確保西北ノ警戒ニ任セシムヘシ
引揚ケノ時機ニ関シテハ別命ス
聯隊砲大隊砲小隊ハ現在地附近ニ陣地ヲ占領シ石哲荘附近ニ現出スル敵ヲ射撃シテ第九中隊ノ攻撃ニ協力スヘシ

五、爾余ノ諸隊ハ11、IIIMA MGS LM 12、S、古ノ順序ニ第一線ノ後方ヲ前進スヘシ
小中溝ニ在ル第十二中隊ノ一小隊ハ第一線ノ攻撃ノ進捗ニ伴ヒ石哲庄ニ向ヘ前進スヘシ
六、余ハ暫ク現在地ニ在リ後第一線ノ後方ヲ石哲庄ニ前進ス

第三大隊長　福良少佐

下達法　各隊命令受領者ヲ集メ口達筆記セシム

III 作命第八五四號

第三大隊命令

十月八日十二時五十分
於石哲鎮北方寺ノ高地

一、敵ハ東龍頭北側稜線ヲ西方ニ退却中ナリ
二、大隊ハ速ニ東龍頭北側高地及古興村北側高地附近ノ要点ヲ占領シ七十七聯隊正面ノ敵ノ右翼ヲ包囲シ敵ノ退路ヲ遮断セントス
三、第九中隊(1/MG欠)ハ速カニ東龍頭北側堆土ノ高地ヲ占領シ退却中ナル敵ノ側面ヲ攻撃スヘシ
四、第十一中隊ハ速ニ古興村北側高地ニ進出シ敵ノ退路ヲ遮断スヘシ
尚一小隊ヲ以テ速ニアノ台附近ヲ確保シ敵ノ東南方ヘノ脱出ヲ防止スヘシ
五、速射砲中隊ハ第九中隊附近ニ陣地ヲ占領シ該中隊ノ攻撃ニ協力スヘシ
六、爾余ノ諸隊ハ現在ノ序列ヲ以テ速ニ古興村ニ向ヘ前進スヘシ
七、余ハ暫ク現在地ニ在リ後第一線両中隊ノ中間地区ヲ古興村ニ向ヘ前進ス

第三大隊長　福良少佐

下達法、先ヅ要旨ヲ傳達シ後命令受領者ニ口達筆記セシム

III 作命第八五五號

第三大隊命令

十月八日十五時四十分
於岳陽村南方標高高地

一、石哲鎮西北方山地ノ敵ハ藤堂部隊ノ進出ト相俟ッテ概ネ掃討ヲ完了セリ
関旅團ノ一部(山崎大隊)ハ上門屯西方地区ニ於テ本正午以来迫撃砲ヲ有スル有勢ナル敵ト遭遇シ戦闘進捗セス
聯隊ハ速ニ兵力ヲ集結シ反轉シテ関旅團當面ノ敵ノ反面ヲ攻撃ス
二、大隊ハ速ニ古興村附近ニ兵力ヲ集結シ大南石附近ヲ経テ劉家山方向ニ向フ前進ヲ準備セントス
三、各隊ハ速ニ古興村附近ニ兵力ヲ集結スヘシ　前進部署左ノ如シ
第十二中隊(1/MG欠)尖兵中隊、聯隊砲大隊砲小隊續行
⚲ 11、MGS、IIIMG、TiA、LM、9、S、古 1/39
四、余ハ今ヨリ古興村東端ニ到ル

第三大隊長　福良少佐

下達法　各隊命令受領者ニ口達筆記セシム

III 作命第八五六號

第三大隊命令

十月八日十九時
於苗村東南端

一、第一大隊ハ全神溝西側高地附近ニ於テ戦闘中ナルモノノ如シ
苗村東南側高地上ニハ一部ノ敵陣地ヲ占領シアリ
二、大隊ハ速ニ當面ノ敵ヲ撃破シ劉家山西側高地ニ向ヘ前進セントス
三、第十二中隊(欠MG)第一線現在地附近ニ展開シ當面ノ敵ヲ攻撃スヘシ
四、聯隊砲大隊砲小隊ハ苗村東南端附近ニ陣地ヲ占領シ第十二中隊ノ攻撃ニ協力スヘシ
五、IIIMG MGS LM 中隊ハ第一線敵陣地ヲ奪取セハ速ニアノ一本木及堆土附近ニ進出シ爾後ノ戦闘ニ協力スル如ク準備スヘシ
六、余ハ暫ク現在地ニ在リ戦闘ノ進捗ニ伴ヒアノ堆土附近ニ到ル

第三大隊長　福良少佐

下達法　先ツ要旨ヲ傳達シ後命令受領者ニ口達筆記セシム

Ⅲ作命第八五七號

第三大隊命令　十月八日二十時
於西堡頭東北側高地

一、第一大隊ハ十九時四十分標高一四二九高地ニ進出セリ
大隊ノ第一線ハ同時劉家山北側高地ノ線ニ進出ス
聯隊ハ本夜現在ノ態勢ヲ以テ夜ヲ徹シ明早朝攻撃ヲ再興シ花尖地堯南鎮
南側ノ線ニ進出ス
二、大隊ハ現在ノ態勢ヲ以テ夜ヲ徹シ明早朝攻撃ヲ再興シテ先ツ劉家山
西側閉鎖曲線高地ヲ奪取シタル後堯南鎮南側高地ニ進出セントス
當初攻撃ノ重点ヲ右翼ニ保持ス
三、第一線各隊ハ現在ノ線ヲ確保シ左ノ如ク明朝ノ攻撃ヲ準備スヘシ
1、第十中隊(欠ノ小隊)右第一線明払暁迄ニ西堡頭南側高地脚ニ攻撃ヲ
準備シ敵陣地ノ左翼ヲ攻撃
2、第十一中隊(欠小隊)中第一線明払暁迄ニ西堡頭南側高地脚ニ攻撃ヲ
準備シ西堡頭東南々二粁閉鎖曲線高地方向ニ攻撃
3、第十二中隊左第一線明払暁迄ニ現在地附近ニ攻撃ヲ準備シ西南面シ
テ稜線沿ヘニ第十一中隊正面ノ敵ノ右翼ヲ包囲スル如ク攻撃
4、独立機関銃中隊及聯隊砲小隊ハ第十二中隊ノ攻撃ニ協力
5 速射砲中隊ハ明払暁迄ニ西堡頭南側附近ニ陣地ヲ占領シ主トシ
テ右第一線中隊ノ攻撃ニ協力
6、迫撃砲中隊ハ明払暁迄ニ西堡頭南側附近ニ陣地ヲ占領シ主トシテ
右中第一線ノ攻撃ニ協力
7、豫備隊ハ明払暁迄ニ西堡頭南側附近ニ位置シ爾後大隊本部ト共ニ行動スヘシ
8、衛生隊ハ一ケ分隊ヲ第十二中隊ニ配属シ主力ハ明払暁迄ニ西堡頭南端
附近ニ位置シ患者ノ收容ヲ準備スヘシ
9、攻撃前進ノ時機ハ七時三十分ト予定ス
四、余ハ本夜西堡頭ニ在リ明朝七時西堡頭南端ニ位置ス

第三大隊長　福良少佐

下達法　各隊命令受領者ヲ集メ口達筆記セシム

Ⅲ作命第八五八號

第三大隊命令　十月九日九時三十分
於劉家山西南方高地

一、敵ハ遠ク西南方ニ退却シ警備隊ハ據ネ初期ノ目的ヲ達成セリ
二、大隊ハ(第九中隊ヲ其ノ指揮ニ復歸セシメラレ新ニ工兵小隊ヲ配属セラル)
劉家山附近ニ兵力ヲ集結シ堯南鎮東城村河頭村道ニ沿フ地区ヲ
掃討シ且ツ河東村西南寺ノ高地附近ノ敵陣地ヲ覆滅シタル後原
集結地ニ歸還セントス
三、各隊ハ速ニ現在地附近ニ兵力ヲ集結シタル後左ノ行軍序列ニ從ヘ
先ツ東城村東側高地ニ向ヘ前進スヘシ
四、第十二中隊欠其中隊劉家山堯南鎮東城村道ヲ東城村東側
高地ニ向ヘ前進スヘシ　途中一部ヲ以テ沿道諸部落ヲ掃討スヘシ
爾餘ノ諸隊　MGS　RIA　11　P　TIA　LM　IIMG　B　BIA　9
但シ MGS LM IIMG BIA RIA TIA ガ占ハ東城村附近ヨリ渡邉大尉ノ區署ヲ
ヲ以テ平地道ヲ長子ニ向ヘ歸還スヘシ
工兵逆ニ小銃各隊ハ左ノ如ク寺ノ高地ノ敵陣地ノ破壊作業ヲ
實施シタル後各々原宿營地ニ帰還スヘシ
11、南部ノ寺ノ高地一帯
10、12、9、北部寺ノ高地一帯
P 各重要施設ノ破壊
五 各隊ハ宿營地ニ歸還セハ各ニ原所屬ニ復歸スヘシ
六 余ハ現在地附近ニ於テ各隊ノ集結前進ヲ與ヘタル後寺ノ
高地ニ到ル
下達法　先ツ要旨ヲ傳達シ後命令受領者ヲ集メ口達筆記セシム

中隊編成表

追撃第五大隊第一中隊（昭和十[illegible]）

区分	階級	氏名	隊員
中隊長	歩兵中尉	伏木保之	
中隊指揮班			大塚英司、杉山由太郎、中里銃太郎、酒井喜美、大西金三郎、小河原武人、斉藤陽憲、新井安人、西川冨雄
第一小隊	小隊長中尉	鈴木準一	[illegible]
第二小隊	小隊長曹長	佐野利男	[illegible]
第三小隊	小隊長曹長	矢崎勝	小林治雄、木谷道典、[illegible]
中隊段列	小隊長軍曹	細宮高重良	久保田栄一、細田竟夫、春山勝、宮下良吉、[illegible]

備考　△ハ長子縣城警備

大隊段列編成表（第一小隊廃止）[illegible]月八日

区分	氏名	隊員
第一小隊（三六）	田崎定雄	[illegible]
第二小隊（四二）	高野小平太	[illegible]

戰闘詳報第　號附表　第一中隊死傷表

昭和十四年自十月八日至十月九日

區分		團隊号 迫撃第五大隊第一中隊	大隊役列	總計
戰斗参加人員	將校	三		三
	准士官 下士官兵	一七一	七八	二四九
	馬匹	五五	四四	九九
死	將校			
	准士官 下士官兵			
	馬匹		一	一
傷	將校			
	准士官 下士官兵	一		一
	馬匹			
生死不明	將校			
	准士官 下士官兵			
	馬匹			

備考

戰闘詳報第　號附表　武器彈藥損耗表

昭和十四年自十月八日至十月九日

種類	區分	隊号 迫撃第五大隊第一中隊	大隊役列	計
消費 彈藥	榴彈	二九		二九
	赤彈	五二		五二
	火彈	一		一
	小銃彈	四五	一〇	五五
損失 武器	砲車			
	彈藥車			
損失 彈藥				
損失 其他武器				

備考

化學戦實施概況表

迫撃第五大隊第一中隊

區分	使用日次	氣象	使用部隊	使用弾数	射撃正面	発煙線ト目標トノ距離	風向ト攻撃方向トノ関係	目標ノ状態	効果	其他（成果利用ノ状態）
漕河西南側高地ノ攻撃	一〇・六 七・〇〇	晴 微風	1/5LM	27	50m	敵第一線陣地ノ後方二百メートル	↙ ↓	敵第一線ノ増加阻止	完全ニ阻止シ得	第一線歩兵ハ敵陣地ニ肉迫シ得
同	一〇・六 一二・〇〇	晴 微風	同	35	100m	5m	↓ ⇓	山腹ニ在ル側防掩蓋銃座	概ネ完制ス	左ヨリ側射ヲ受クルコトナク歩兵肉迫シ得
同	一〇・六 一四・〇〇	晴 微風	同	30	50m	30m	↓ ⇓	山頂ニ在ル掩蓋銃座	完制ス	第一線歩兵突撃成功
同	一〇・七 一八・〇〇	曇 微風	同	10	20m	10m	⇐ ↓	山腹ニ在ル側射掩蓋銃座	完制ス	完全ニ占領ス
同	一〇・八 一七・五〇	晴 微風	同	23	50m	5m	↓ ⇓	逆襲シ来ル歩兵部隊	阻止シ得	占領地ヲ確保シ得
同	一〇・九 一七・〇〇	曇 微風	同	51	100m	敵第一線後方二百メートル	↓ ⇙	敵第一線ノ増加阻止	概ネ阻止ス	
磨盤山西側高地ノ攻撃	一〇・一五 八・〇〇	曇 東北風 五メートル	同	12	50m	5m	↙ ⇓	山頂ニ在ル掩蓋銃座	完制ス	歩兵線ハ直チニ突入シ同地ヲ占領ス
同	一〇・一七 一〇・三〇	晴 東北風 三メートル	同	51	200m	10m	↙ ⇙	本道両側部落内ニ集結シアル部隊	概ネ完制ス	敵ハ附近陣地ニ據ルヲ得ス混乱退却ス
吊橋溝東側ナマコ山ノ攻撃	一〇・一七 一三・三〇	晴 東北風 三メートル	同	17	100m	10m	↙ ⇙	退却シツツアル歩兵部隊及山腹ノ敵兵壕	完制ス	當面歩兵ハ直後突入同地ヲ占領ニ成功ス
同	一〇・一八 一三・三〇	晴 北風 三メートル	同	20	150m	5m	↓ ⇓	山頂ニ在ル敵兵家及掩蓋銃座	概ネ完制ス	
同	一〇・一九 八・三〇	晴 南風 五メートル	同	7	30m	5m	↑ ⇙	山頂ニ在ル掩蓋銃座	完制ス	第一線歩兵ハ直後突入同地ヲ占領ニ成功ス
吊橋溝東側四六七・五高地ノ攻撃	一〇・一九 一七・〇〇	晴 東北風 三メートル	同	32	100m	10m	↙ ⇘	山頂ニ在ル掩蓋銃座及散兵壕	完制ス	
同	一〇・二〇 一四・〇〇	晴 東北風 三メートル	同	20	80m	5m	↙ ⇘	同	完制ス	
同	一〇・二一 一四・〇五	晴 東北風 四メートル	同	13	50m	10m	↙ ⇘	同	完制ス	第一線歩兵直ニ突入シ同地ヲ占領ニ成功ス
吊橋溝東南側四七三高地ノ攻撃	一〇・二二 一四・三〇	晴 北風 三メートル	同	11	50m	5m	↓ ⇙	同	完制ス	
同	一〇・二二 一六・〇〇	晴 北風 三メートル	同	18	50m	5m	↓ ⇓	同	完制ス	
同	一〇・二三 九・五〇	晴 東北風 五メートル	同	17	50m	5m	↙ ⇙	同	完制ス	第一線歩兵ハ直チニ突入シ同地ヲ占領ニ成功ス
同	一〇・二三 一一・三〇	晴 北風 三メートル	同	19	50m	5m	↓ ⇓	同	完制ス	敵ハ二十三日夜退却セリ

備考

↓ 印ハ攻撃方向ヲ、⇓ 印ハ風向ヲ示ス

資料11 南昌攻略戦迫撃第五大隊作戦経過要図（自三月一七日至三月一八日）（迫撃第五大隊・一九三九年三月一七日－二二日）

＊68％縮小

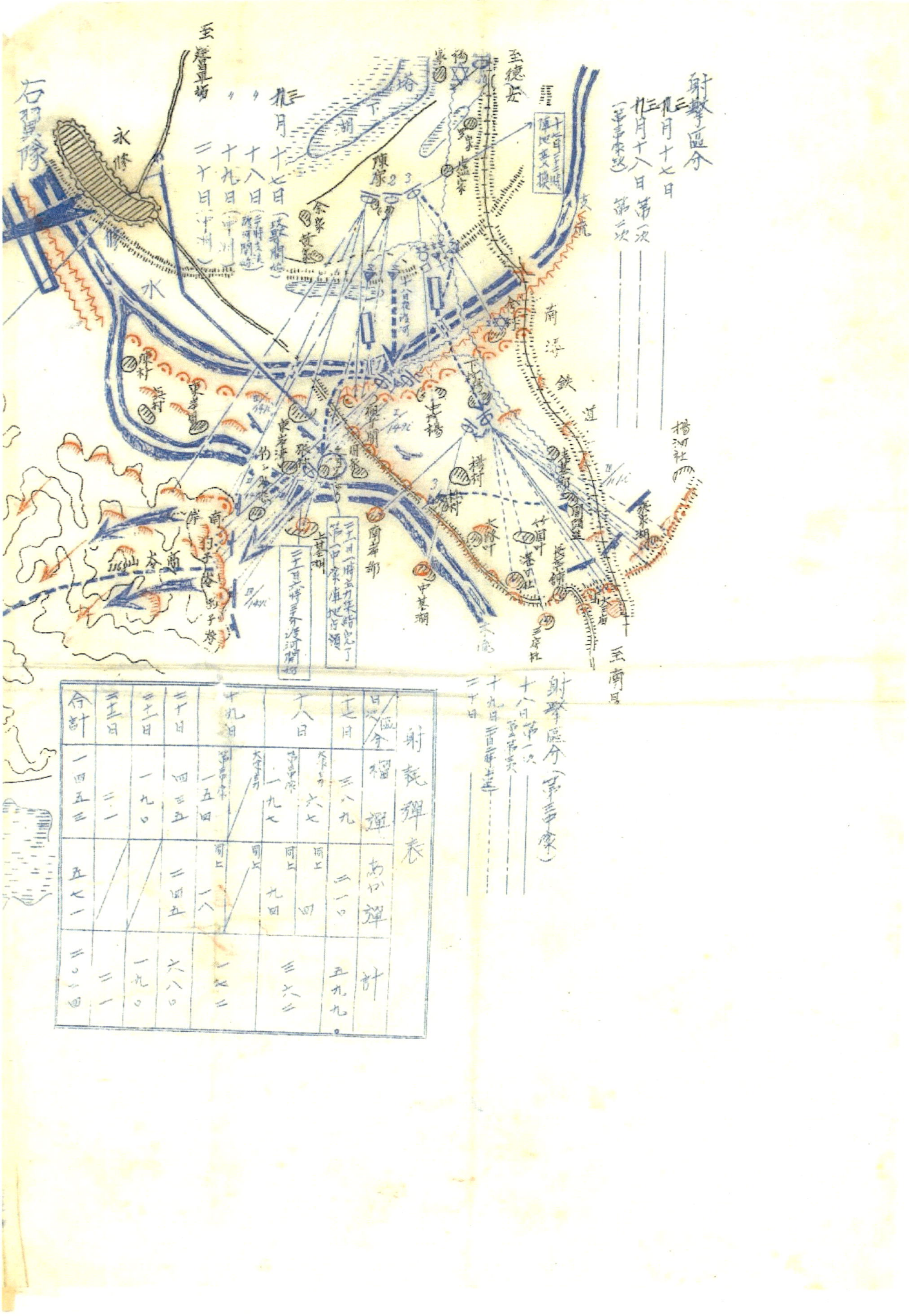

日／区分	十七日	十八日 大本部	十八日 第三中隊	十九日 大本部	十九日 第三中隊	二十日	二十一日	二十二日	合計
榴弾	三八九	六七	一九七		一五四	四三五	一九〇	二一	一四五三
あか弾	二一〇	同上 四	同上 九四	同上	同上 一八	二四五			五七一
計	五九九	三六二		一七二		六八〇	一九〇	二一	二〇二四

南昌攻畧戰追擊第五大隊戰闘経過要圖
（自三月十七日
至〃〃十八日）
1/25000
三月二十一日
三月二十二日
三月二十三日

＊原寸

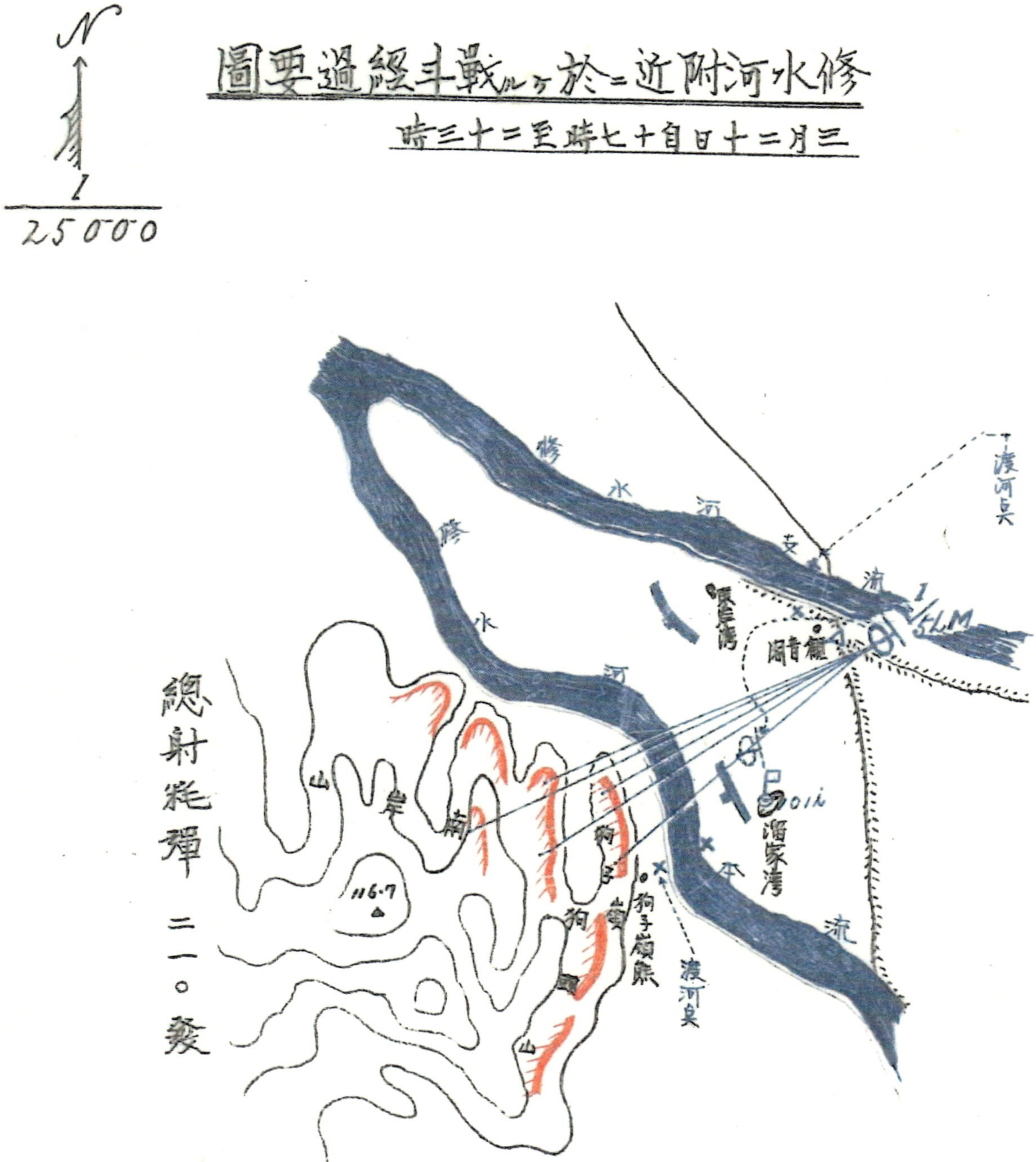
修水河附近ニ於ケル戰斗經過要圖
三月二十日自十七時至二十三時
N
1/25000
修水河
支流
渡河点
1/5LM
總射耗彈 二一〇發
116.7
狗子嶺
渡河点

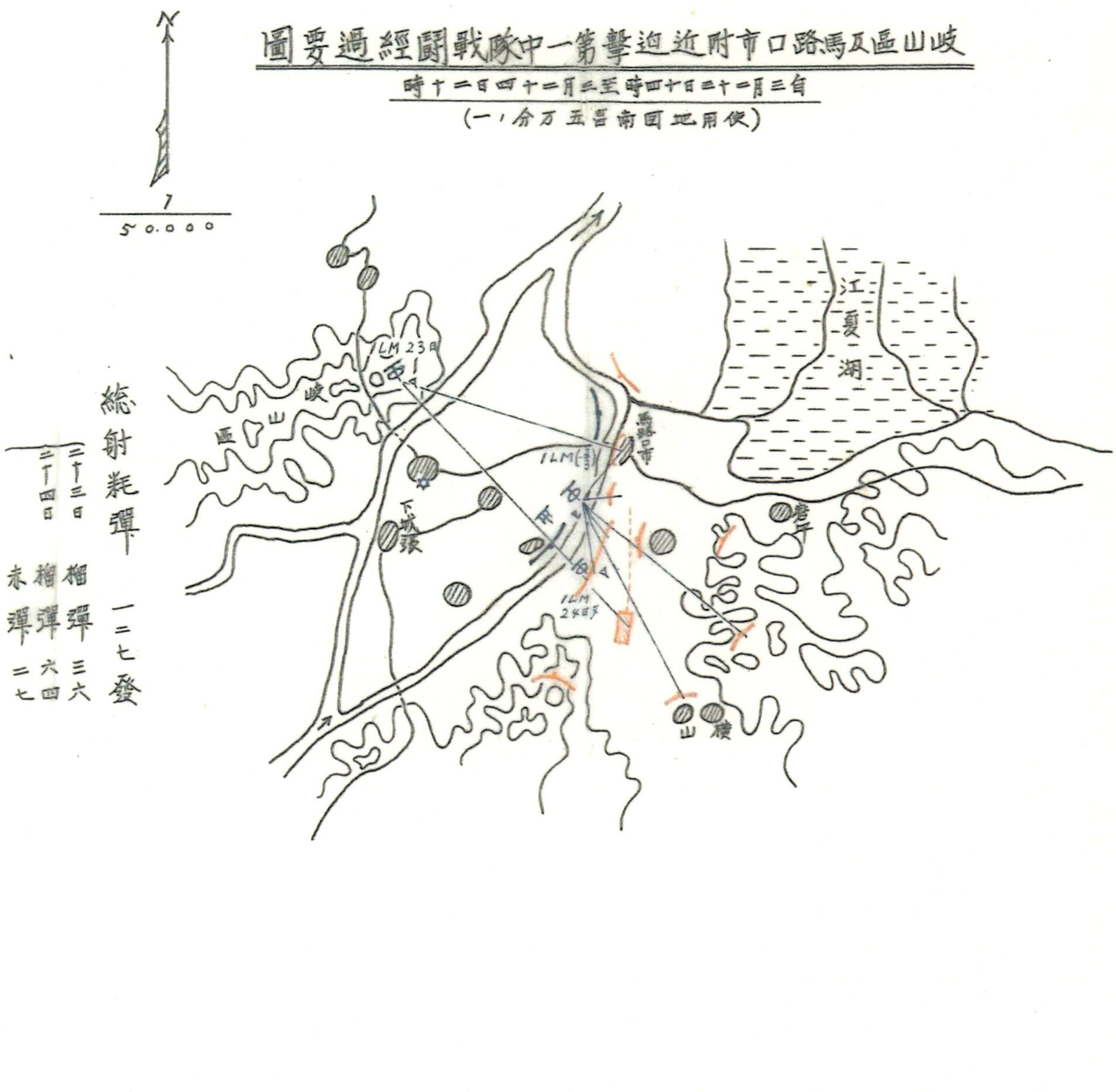

資料13 岐山区及馬路口市付近迫撃第一中隊戦闘経過要図（迫撃第五大隊第一中隊・一九三九年三月二三日―二四日）

＊70％縮小

＊86％縮小

南昌附近迫擊第一中隊戰鬪經過要圖

自三月二十七日十三時至十八時

（使用地圖南昌五万分ノ一）

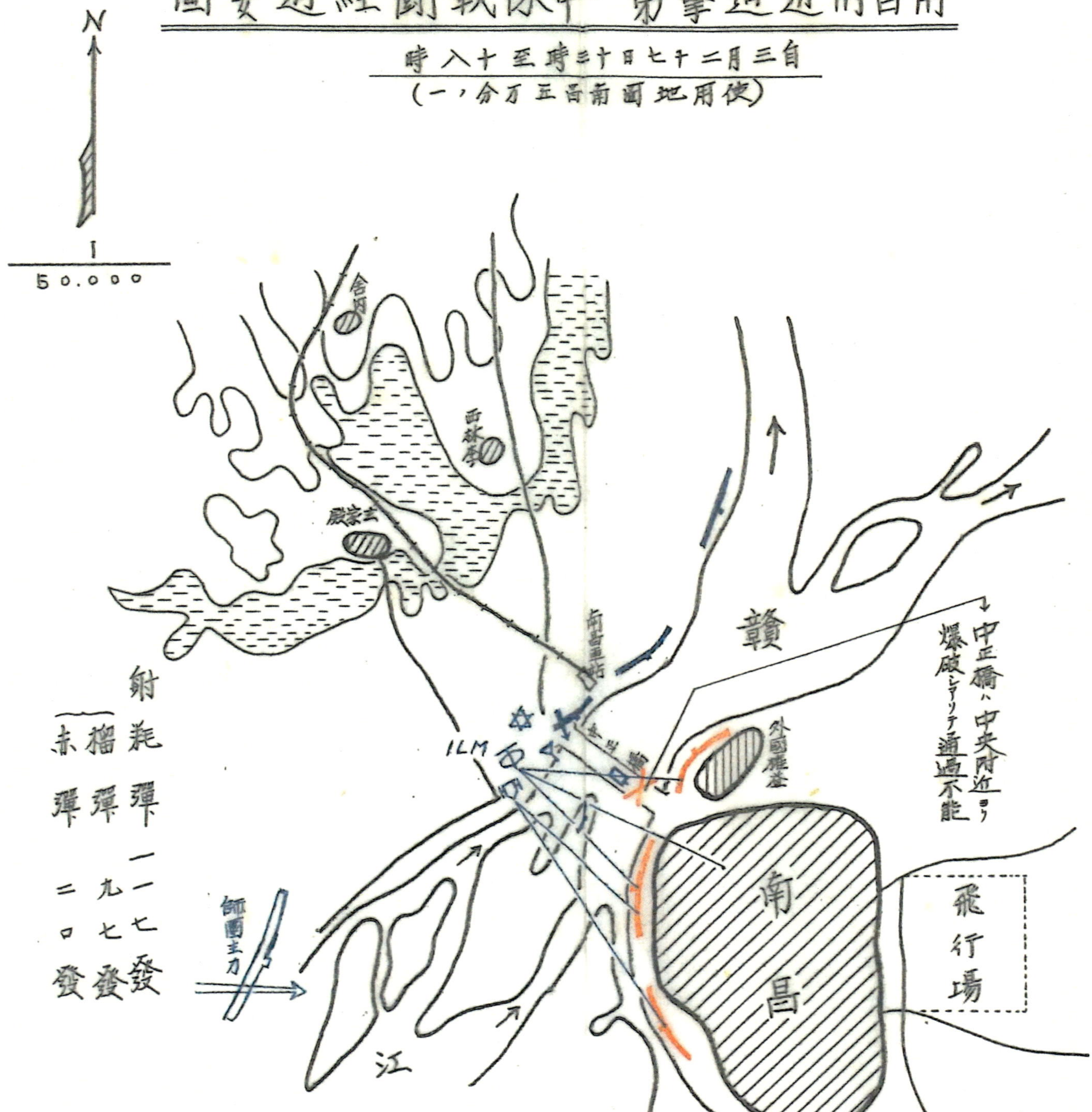

資料15　前喬家庄付近第一中隊戦闘経過要図（迫撃第五大隊第一中隊・一九三九年七月六日―七日）

＊96％縮小

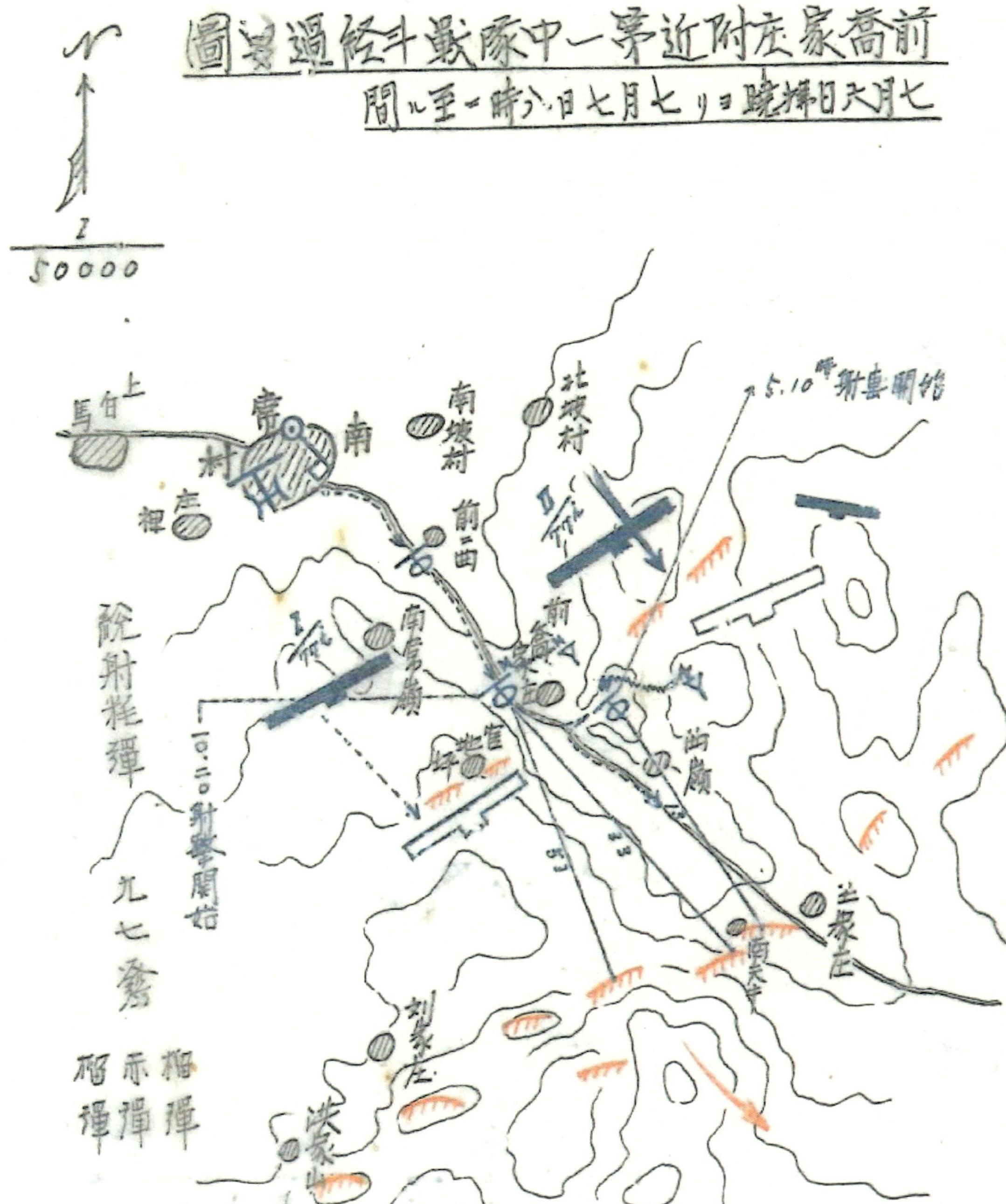

馬家山附近第一中隊戰斗經過要圖

七月十七日十時ヨリ十四時三十分ニ至ル間

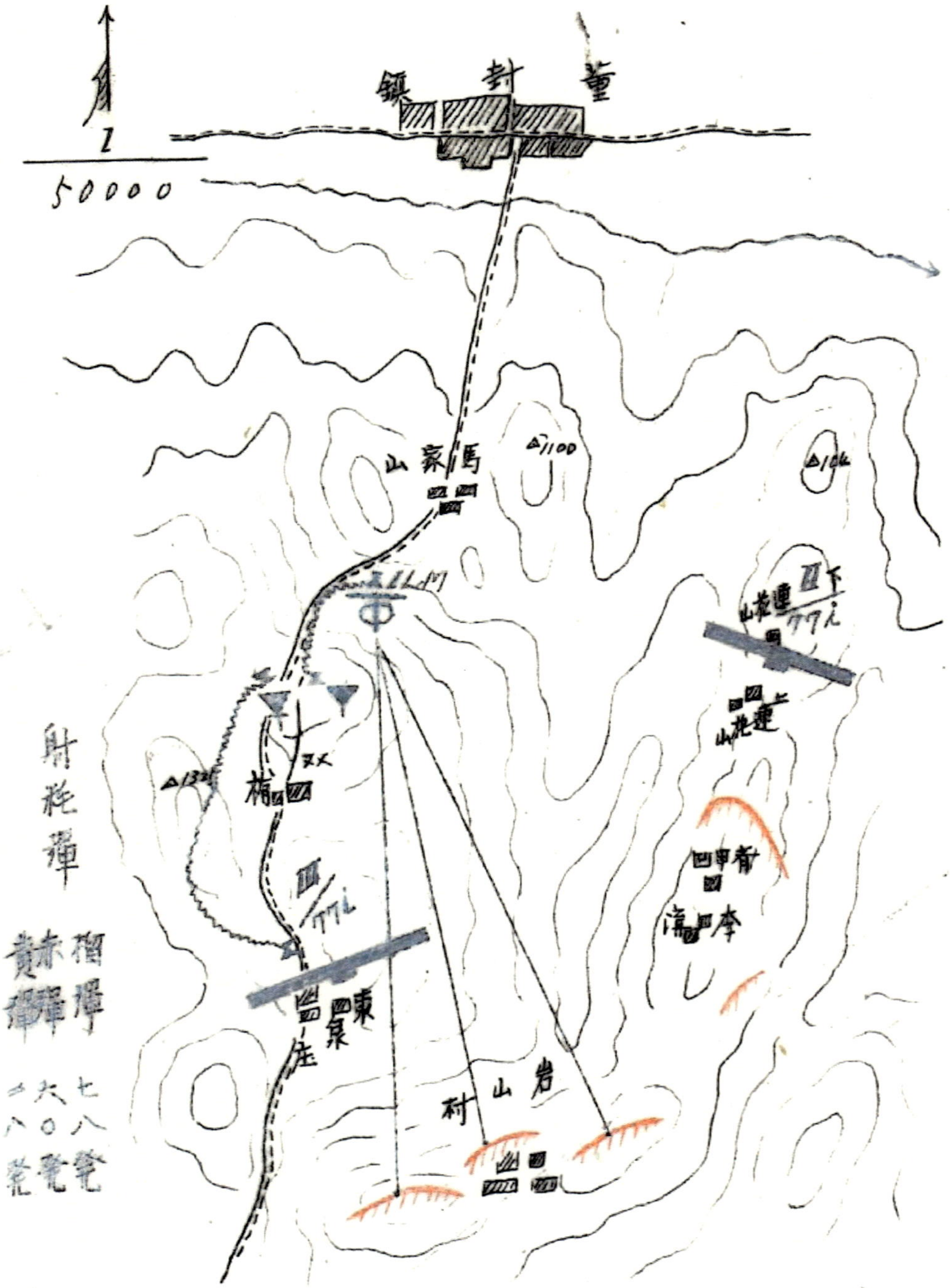

資料16 馬家山付近第一中隊戦闘経過要図（迫撃第五大隊第一中隊・一九三九年七月一七日）

＊96％縮小

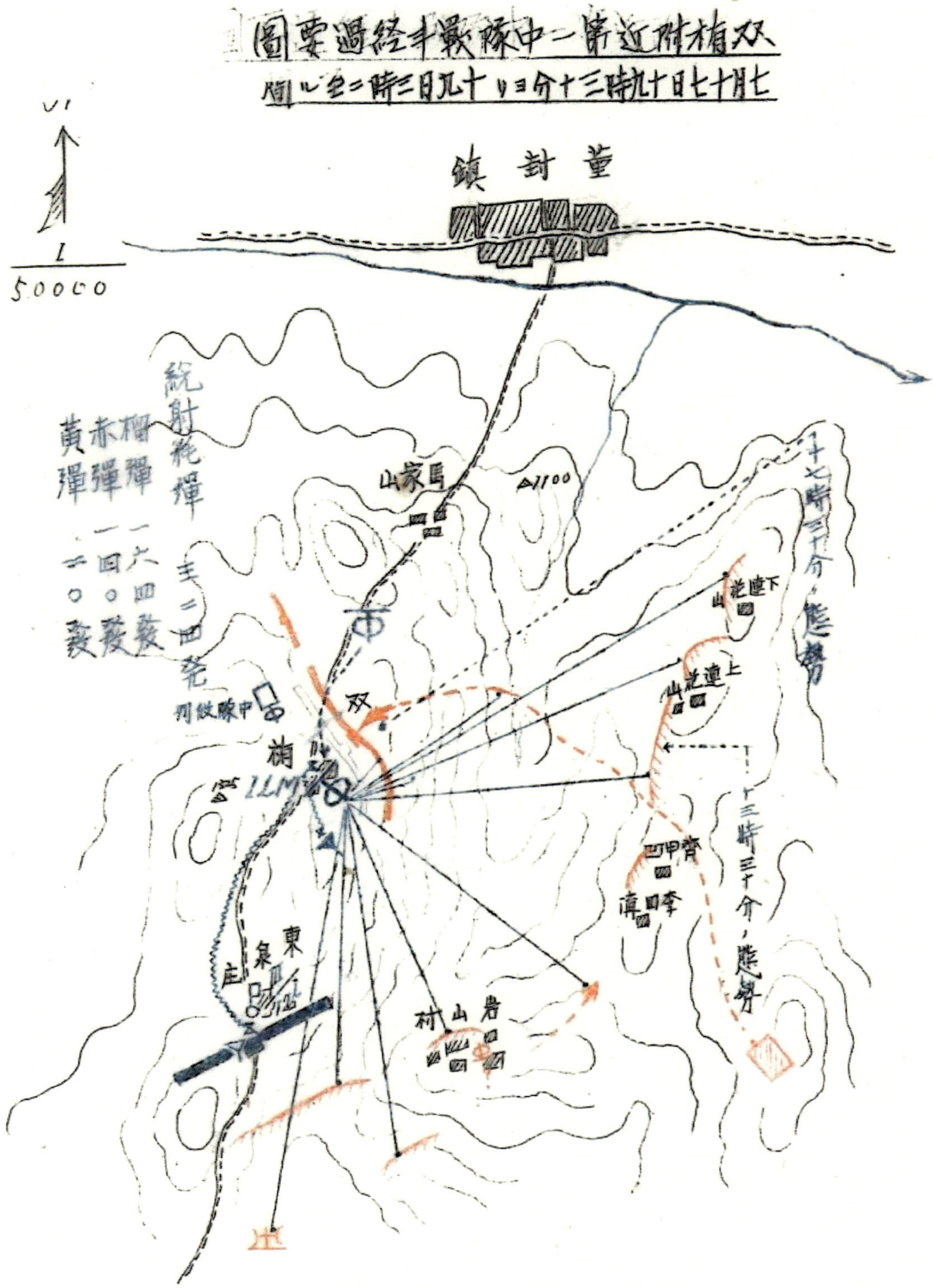

資料17 双椨付近第一中隊戦闘経過要図（迫撃第五大隊第一中隊・一九三九年七月一七日―一九日）

＊96％縮小

編集・解説者紹介

松野　誠也（まつの・せいや）

1974年埼玉県生まれ
明治大学大学院文学研究科博士後期課程修了 博士（史学）

編著に、『毒ガス戦関係資料Ⅱ』（共編、不二出版、1997年）、『十五年戦争期 軍紀・風紀関係資料』（共編、現代史料出版、2001年）、『日本軍 思想・検閲関係資料』（現代史料出版、2003年）、『満州国軍ノ現況』（不二出版、2003年）、『大本営陸軍部 上奏関係資料』（共編、現代史料出版、2005年）、『日本軍の毒ガス兵器』（凱風社、2005年）、『関東軍化学部・毒ガス戦教育演習関係資料』（共編、不二出版、2006年）、『陸軍省「調査彙報」』全５冊（不二出版、2007年～2008年）がある。また、最近の研究に、「関東軍と満洲国軍」（『歴史学研究』第949号、2016年10月）、「ノモンハン戦争と石井部隊―関東軍防疫部から関東軍防疫給水部へ―」（『歴史評論』第801号、2017年１月）、「関東軍防疫給水部・関東軍軍馬防疫廠における部隊人数の変遷について」（『季刊戦争責任研究』第91号、2018年12月）、「日本陸軍による液体塩素工業の育成―化学兵器を事例とした軍産関係とデュアルユースの検討」（『科学史研究』第290号、2019年７月）、「新資料が語る日本軍毒ガス戦―迫撃第五大隊の『戦闘詳報』に見る実態」（『世界』第923号、2019年８月）などがある。

十五年戦争極秘資料集　補巻49
迫撃第五大隊毒ガス戦関係資料

二〇一九年八月二六日　第一刷発行
定価（本体二〇、〇〇〇円＋税）

編集・解説者　松野誠也
発行者　小林淳子
発行所　不二出版㈱
東京都文京区水道二―一〇―一〇
電話〇三―五九八一―六七〇四
振替〇〇一六〇―二―九四〇八四
www.fujishuppan.co.jp

組版＝昴印刷　印刷＝富士リプロ　製本＝青木製本
ISBN 978-4-8350-8315-5

◉十五年戦争極秘資料集　補巻❶〜㊾

❶ 毒ガス戦教育関係資料
内藤裕史 編・解説
18,000円
ISBN978-4-8350-1031-1

❷ 毒ガス戦関係資料Ⅱ
吉見義明・松野誠也 編・解説
18,000円
ISBN978-4-8350-1032-8

❸ 思想彙報Ⅱ
荻野富士夫 編・解説
15,000円
ISBN978-4-8350-1033-5

❹ 戦時下国民栄養の現況調査報告書（昭和18年）
金子 俊 編・解説
15,000円
ISBN978-4-8350-1034-2

❺ 第一次上海事変における第九師団軍医部「陣中日誌」
野田勝久 編・解説
18,000円
ISBN978-4-8350-1035-9

❻ 廬溝橋事件期支那駐屯憲兵隊　重松関係文書
北 博昭 編・解説
9,000円
ISBN978-4-8350-1036-6

❼ 韓国併合始末　関係資料
海野福寿 編・解説
9,500円
ISBN978-4-8350-1037-3

❽ 軍隊警察の対立と憲兵司令部　重松関係文書Ⅱ
北 博昭 編・解説
9,000円
ISBN978-4-8350-1038-0

❾ 南方地域現地自活教本
野田勝久 編・解説
8,500円
ISBN978-4-8350-1039-7

❿ 戦後の皇軍　重松憲兵少佐綴
北 博昭 編・解説
9,000円
ISBN978-4-8350-1040-3

⓫ 二反長音蔵・アヘン関係資料
倉橋正直 編・解説
8,500円
ISBN978-4-8350-1041-0

⓬ 東亜諸民族の死亡に関する衛生統計的調査
金子 俊 編・解説
12,000円
ISBN978-4-8350-1042-7

⓭ 関東軍参謀部作成 総動員関係調査資料
永島勝介・安富 歩 編・解題
8,500円
ISBN978-4-8350-1043-4

⓮ 軍律法廷審判例集
北 博昭 編・解説
8,500円
ISBN978-4-8350-1044-1

⓯ 南方方面海軍資料
野田勝久 編・解説
9,500円
ISBN978-4-8350-1045-8

⓰ 陸軍に於ける花柳病
早川紀代 編・解説
9,500円
ISBN978-4-8350-1425-8

⓱ 毒ガス戦教育関係資料Ⅱ
内藤裕史 編・解説
8,500円
ISBN978-4-8350-1426-5

⓲ 十五年戦争末期国内憲兵分遣隊報告
北 博昭 編・解説
9,000円
ISBN978-4-8350-1427-2

⓳ 日本占領下上海における日中要人インタビューの記録
髙綱博文 編・解説
9,500円
ISBN978-4-8350-1428-9

⓴ 満洲国軍ノ現況
松野誠也 編・解説
18,000円
ISBN978-4-8350-1429-6

㉑ ベンゾイリン不正輸入事件関係資料
倉橋正直 編・解説
8,500円
ISBN978-4-8350-1430-2

㉒ 終戦後の法令制定・改正・廃止経過一覧
茶園義男 編・解説
9,800円
ISBN978-4-8350-1431-9

㉓ 陸軍軍医学校防疫研究報告　全8冊・別冊1
常石敬一 解説　全9冊揃
161,000円
ISBN978-4-8350-5375-2

㉔ 山東出兵時における「第三師団特種研究記事」
福島幸宏 編・解説
28,000円
ISBN978-4-8350-4750-8

㉕ 宣撫月報　全8冊・別冊1
山本武利 解説　全9冊揃
145,000円
ISBN978-4-8350-5645-6

㉖ 五・一五事件期憲兵司令部関係文書
北 博昭 編・解説
12,000円
ISBN978-4-8350-5655-5

㉗ 関東軍化学部・毒ガス戦教育演習関係資料
松村高夫・松野誠也 編・解説
20,000円
ISBN978-4-8350-5656-2

㉘ 資料集成　戦争と障害者（第Ⅰ期）全7冊
清水 寛 編　全7冊揃
140,000円
ISBN978-4-8350-5758-3

㉙ 陸軍省『調査彙報』全5冊・別冊1
松野誠也 編・解説　全6冊揃
76,000円
ISBN978-4-8350-5834-4

㉚ 外邦測量沿革史　草稿　全4冊・別冊1
小林 茂 解説　全5冊揃
113,000円
ISBN978-4-8350-6237-2

㉛ 大同保育隊報告
藤野 豊 編・解説
15,000円
ISBN978-4-8350-6243-3

㉜ 戦場心理の研究　全4冊
岡田靖雄 解説　全4冊揃
32,000円
ISBN978-4-8350-6244-0

㉝ 満洲事変日誌記録　全3冊
芳井研一 解説　全3冊揃
36,000円
ISBN978-4-8350-6249-5

㉞ 「合作社事件」関係資料　全2冊
「合作社事件」研究会編・解説　全2冊揃
40,000円
ISBN978-4-8350-6253-2

㉟ 情　報　全9冊・別冊1
三好 章 解題　全10冊揃
136,000円
ISBN978-4-8350-6256-3

㊱ 南満州鉄道株式会社　帝国議会説明資料・別冊
芳井研一 解説
12,000円
ISBN978-4-8350-6267-9

㊲ 陸軍経理学校五十年史　全3冊
中野 良 解説　全3冊揃
36,000円
ISBN978-4-8350-6829-9

㊳ 『研究蒐録 地図』　全3冊
小林茂・渡辺理絵 解説　全3冊揃
54,000円
ISBN978-4-8350-6833-6

㊴ 東京時事資料月報
芳井研一 解説
12,000円
ISBN978-4-8350-6837-4

㊵ 特調班月報・通訊　全4冊
三好 章 解題　全4冊揃
64,000円
ISBN978-4-8350-6839-8

㊶ 大阪府特高警察関係資料 ―昭和二〇年
塚﨑昌之 解説
20,000円
ISBN978-4-8350-6844-2

㊷ 憲兵隊が記す日中開戦時の国内状況
北 博昭 編・解説
19,000円
ISBN978-4-8350-6845-9

㊸ 内外地憲兵隊にみる検閲錬成
北 博昭 編・解説
20,000円
ISBN978-4-8350-6846-6

㊹ 戦時下政治行政活動史料 一九四一―一九四五全3冊
古川隆久 編・解説　全3冊揃
57,000円
ISBN978-4-8350-6847-3

㊺ 海軍軍法会議判例類集
北 博昭 編・解説
19,000円
ISBN978-4-8350-6851-0

㊻ 陸軍軍法会議判例類集　全2冊
北 博昭 編・解説　全2冊揃
38,000円
ISBN978-4-8350-6852-7

㊼ 総力戦研究所関係資料集　全9冊・別冊1
粟屋憲太郎・中村 陵 編・解説　全10冊揃
153,000円
ISBN978-4-8350-6855-8

㊽ 台湾総督府第六十回帝国議会説明資料　全5冊
河原 功 解題　全5冊揃
95,000円
ISBN978-4-8350-6868-8

㊾ 迫撃第五大隊毒ガス戦関係資料
松野 誠也 編・解説
20,000円
ISBN978-4-8350-8315-5

以後新資料発見次第、逐次刊行予定

表示価格は全て税別